Excel VBA ［完全］入門

古川順平 著

SB Creative

本書は、2018年7月に刊行された『ExcelVBAの教科書』(ISBN978-4-7973-9698-0) の内容を改訂・補完したものです。

本書に関するお問い合わせ

この度は小社書籍をご購入いただき誠にありがとうございます。小社では本書の内容に関するご質問を受け付けております。本書を読み進めていただきます中でご不明な箇所がございましたらお問い合わせください。なお、お問い合わせに関しましては下記のガイドラインを設けております。恐れ入りますが、ご質問の際は最初に下記ガイドラインをご確認ください。

ご質問の前に

小社Webサイトで「正誤表」をご確認ください。最新の正誤情報をサポートページに掲載しております。

▶ **本書サポートページ**

URL https://isbn2.sbcr.jp/17714/

上記ページの「正誤情報」のリンクをクリックしてください。なお、正誤情報がない場合は、リンクをクリックすることはできません。

ご質問の際の注意点

- ご質問はメール、または郵便など、必ず文書にてお願いいたします。お電話では承っておりません。
- ご質問は本書の記述に関することのみとさせていただいております。従いまして、○○ページの○○行目というように記述箇所をはっきりお書き添えください。記述箇所が明記されていない場合、ご質問を承れないことがございます。
- 小社出版物の著作権は著者に帰属いたします。従いまして、ご質問に関する回答も基本的に著者に確認の上回答いたしております。これに伴い返信は数日ないしそれ以上かかる場合がございます。あらかじめご了承ください。

ご質問送付先

ご質問については下記のいずれかの方法をご利用ください。

▶ **Webページより**

上記のサポートページ内にある「この商品に関する問い合わせはこちら」をクリックすると、メールフォームが開きます。要綱に従って質問内容を記入の上、送信ボタンを押してください。

▶ **郵送**

郵送の場合は下記までお願いいたします。

〒106-0032 東京都港区六本木2-4-5 SBクリエイティブ 読者サポート係

はじめに

本書は、Excelを基本とした業務の改善ならびにシステム作成を考えている方に向けた、プログラムの解説書です。社内SEとして開発を行っている方や、Excelを組み込んだシステム開発を請け負っているプログラマーの方、あるいは開発できるようになることを目指す方を対象に、Excelをプログラムで制御する仕組みの基礎から実践的なコーディング、気をつけておきたいポイントまでをご紹介します。

Excelをプログラムから操作する仕組みである「VBA」は、他のプログラミング言語や開発環境とは、少し異なる2つの特徴を持っています。

1つ目は、「開発・実行環境が『Excel』であること」です。VBAでは主に「Excelの機能」をプログラムから利用します。そのため、まずは「Excelの仕組みとクセ」を知っておかないと、ちょっと戸惑う場面に遭遇します。一から処理を組み上げるのではなく、「Excelのあの機能を使う」方法や「あの動作をキャンセルする」方法、といった視点が必要です。そこで本書では、特定機能の仕組みと対応するVBAのコード、さらには、コードの「調べ方」、そしてExcelに搭載されたPower Queryを操作するコードまでを解説しています。

2つ目は、「長い歴史を持つ言語のため、わりとゴチャゴチャしている」点です。プログラミング言語の学習というと、スッと1本筋の通ったルールを提示し、そのルールに従って理路整然と解説・学習を行いたいところですが、VBAはわりといいかげんです。長い歴史の中で方針が変更されたり、機能自体が追加・削除されたり、しがらみがあって変更できなかったりといった箇所がちょこちょこあります。他言語を知る方には「なんで？」と思う箇所も間々あります。本書では、この「スッキリはしていないけど、そういうものなんです」という部分に触れながら、実際のコードをご紹介します。

もちろん、上記２つの特徴に終始するだけではありません。それではただの「VBAの豆知識本」になってしまいますものね。大前提としてVBAの基本的な仕組みや、条件分岐・ループ処理といった制御構造の方法の紹介も押さえてありますのでご安心を。

筆者はVBAとは長い付き合いになります。日々活用している大好きな言語ですが、「ちょっと付き合いづらいなあ」という面もよく知っています。そのあたりを包み隠さず赤裸々に、そしてなにより、気楽に楽しんでいただきながら理解を深めていただけるような書籍を目指しております。もちろん、業務に役立つ知識もご提供させていただいております。ぜひ、手に取って学習に役立ててください。

2023年1月 古川順平

Contents

基礎編

Chapter 1 VBAを始めるための準備と仕組み

section 01 VBAで何ができるのか、あるいは何をしたいのかの整理 18

section 02 VBAの概要と使用するための準備 21

ExcelでVBAを使うための環境作り 22

section 03 VBEの使い方 24

メニューとツールバー 25

プロジェクトエクスプローラー 25

プロパティウィンドウ 25

コードウィンドウ 26

イミディエイトウィンドウ 26

section 04 一番小さなマクロの構成 27

標準モジュールを追加する 27

コードを入力する 28

マクロを実行する 29

マクロ作成作業の流れの整理 30

便利な「コメント」の付け方と「改行」の仕方 33

section 05 作ったマクロはどう保存する？ 36

section 06 他のPCへマクロを含むブックを持ち込むときの仕組み 38

「Webのマーク」によるセキュリティ制限と解除・回避方法 39

他のPCから持ち込んだブックのセキュリティ制限と解除 41

Chapter 2 オブジェクト単位で各種機能にアクセスする

section 01 イミディエイトウィンドウの使い方 46

マクロからイミディエイトウィンドウへ値を出力する 46

直接コードを入力して実行する 47

section 02 セルの値を操作する 51

セルに値を入力する 51

入力する値の種類 53
入力した値を消去する 53

section 03 Excelの各機能はオブジェクトごとに整理されている 55
オブジェクトとプロパティ・メソッド 56
プロパティの値を設定・取得する 56
メソッドを実行する 57
引数を指定してプロパティやメソッドを利用する 58
「定数」を管理する「列挙」の仕組み 60
手抜きして引数を指定できる仕組みも用意されている 62

section 04 目的のオブジェクトへアクセスする 64
コレクション経由でオブジェクトを指定する 64
オブジェクトの階層構造から指定する 66
「Range」でセルを指定する 67
「Cells」を使ってセルを指定する 69
目の前に「あるもの」と目の前に「ないもの」へのアクセス 70
「アクティブ」と「選択しているもの」を対象にする 72

section 05 どの機能がどのオブジェクト？ 74
最強の先生は「マクロの記録」機能 74
ヘルプでリファレンスを確認する 76
より専門的な辞書である「オブジェクトブラウザー」 77

Chapter 3 もっとプログラムらしくVBAの基礎文法

section 01 VBAにおける変数の使い方 80
宣言と値の代入・再代入の方法 80
変数でオブジェクトを扱う 81
VBAの変数はわりといいかげんに使える 82
よく利用するデータ型 83
宣言なしで変数を利用する 83
変数に値を代入する 86
変数にオブジェクトを代入する 88
変数のスコープは基本的にマクロ内にある 90
定数を利用する 92
変数の命名ルールを決めておく 93

section 02 プログラム内で完結する計算を行う演算子 95
各種計算を行う算術演算子 95

文字列連結演算子とメタ文字定数 96
比較演算子も基本はイコール 97
オブジェクトを比較する 99
論理演算子で条件式を拡張する 101

section 03 プログラムの醍醐味、条件分岐とループ処理 103
処理を分岐する 103
指定の回数だけ繰り返す 104
Ifステートメントによる条件分岐 105
Select Caseステートメントによる条件分岐 108
3種類の繰り返し・ループ処理 110

section 04 実行時にユーザーと対話する 118
メッセージボックスでメッセージを表示する 118
インプットボックスで値を入力してもらう 123

Chapter 4 「文字列」と「日付」と「時間」の扱い方

section 01 人にとって大切な文字列の扱い方 128
基本はダブルクォーテーションで「囲む」 128
文字列の情報や一部分を取り出す関数 129
文字列を変換する関数 133
正規表現を利用する 138

section 02 数値の扱いと算術計算の関数 144
数値の扱い 144
算術計算を行う関数 145

section 03 日付や時間の扱い方 151
日付データはシリアル値で管理される 151
日付に変換する関数 152
曜日を取り出す関数 155
日付を使った計算を行う関数 157
マクロ実行時の日付や時間を求めるには 161

Chapter 5 リストを一気に処理 配列・コレクションの仕組み

section 01 面倒くさいけど効果は抜群な配列の使い方 164
VBAの配列はカッチリしていて面倒くさい 164
配列の情報を取得する関数 166

要素数を途中で変えたい場合には 168
お手軽に配列を作成・確認できる2つの関数 170

section 02 配列でセルの値の操作を速くする 175
2次元配列を使ったセルへの値入力 175
シート上の値をVBA側の2次元配列として取り出す 179

section 03 簡易リストならArray関数がおすすめ 182
簡単に配列が作成できるArray関数 182

section 04 あわせて覚えておきたいTRANSPOSEワークシート関数 184
セル範囲の値を配列に変換する 184

section 05 コレクションを配列がわりに利用する 188
特定の要素をまとめて管理する 188

section 06 連想配列（ハッシュテーブル）でキーと値を一括管理する 192
Collectionを連想配列として利用する 192
Dictionaryオブジェクトで連想配列を作成する 193

section 07 スピル系のワークシート関数はVBAの配列にも適用可能 196
SORTワークシート関数で配列をソート 196
INDEXワークシート関数で配列をコピー 199

Chapter 6 そのマクロ、いつ実行するの？

section 01 ユーザーが指定したタイミングで実行する 202
「マクロ」ダイアログから実行する 202
開発中はVBEから直接実行する 203
クイックアクセスツールバーに登録して実行する 204
シート上に配置したボタンから実行する 206
ショートカットキーから実行する 208
リボンに登録する 209

section 02 イベント処理で操作タイミングに合わせて実行する 212
イベント処理とは何か？ 212
「オブジェクトモジュール」でイベントを定義する 212
イベント処理ならではの特殊な引数 214

section 03 一定間隔で自動的に実行する 220
指定秒数後にマクロを実行する 220
タイマー処理と注意点 222

Chapter 7 外部ライブラリでVBAの機能を拡張する

section 01 Excelにない機能も外部ライブラリで実現できる 224
ライブラリを利用する際の基本はCreateObject 224
CreateObjectで作成したオブジェクトを操作する 225

section 02 参照設定したライブラリの利用もできるけど… 227
参照設定でライブラリを認識させる 227
参照設定したライブラリの利用方法 228

Chapter 8 マクロのパーツ化やユーザー定義関数

section 01 マクロをパーツ化し、呼び出して利用する 232
マクロを呼び出す 232
マクロに引数を設定する 233
省略可能な引数を設定する 234
引数の「参照渡し」と「値渡し」 237

section 02 ユーザー定義関数の作り方 241
Functionプロシージャでユーザー定義関数を作成する 241
ワークシートからも呼び出せてしまう点に注意 243

section 03 カスタムオブジェクトを自作する 245
カスタムオブジェクトは「クラスモジュール」で作成 245
プロパティ・メソッドの作成方法 246
作成したカスタムオブジェクトの使い方 248
コンストラクタ関数はありません 249
カプセル化するには 251
読み取り専用プロパティの作成 254
オブジェクトの継承はできません 256

section 04 モジュールのエクスポートとインポート 260
エクスポートとインポートの方法 260
モジュールの削除方法 260

section 05 モジュール単位でマクロを整理整頓する 262
モジュールごとに「役割」を割り当てるという考え方 262
モジュール名を含めて処理を呼び出す 264
モジュール単位での再利用が手軽になる 266
パーツ化が進んできたときに押さえておきたいショートカットキー 267

section 06 バージョン管理の方法を考えておこう 270
お手軽で強力な別名保存 270
マクロでバックアップの補助をする 272
VBEを自動化してエクスポート・インポートをしやすくする 279

Chapter 9 プログラムにつきものな、エラー処理とデバッグ

section 01 エラーが出るとどうなる？ 288
3種類のエラーと発生タイミングと基本的な手当て 288
section 02 エラーを追い詰めるための頼もしい武器 295
1つひとつの動きを「ステップ実行」で確認する 295
ブレークポイントを設定してあやしい箇所を絞り込む 297
StopとAssertで確認ポイントを設定する 297
ローカルウィンドウとウォッチウィンドウで途中経過を一覧表示 298
section 03 エラートラップでプログラム的に処理する 302
エラー発生時に特定のラベルへジャンプする 302
独自のエラーメッセージを表示する 304
エラートラップを解除する 305
エラーを無視する 306
section 04 フリーズ？ 最終手段はExcelの強制終了 307
Escキーで中断する 307
最終的には「タスクマネージャー」に頼ろう 307
section 05 エラーを見越した手作り自己防衛手段 309
開発中は要所要所でログを書き出しておく 309
さらに一歩進めてマクロ名や気になる値の出力を行っておく 310
修正オペレーションのための目印を用意する 311

実践編

Chapter 10 目的のセルへアクセスする

section 01 目的のセルを取得する方法 316
Rangeでセル番地を指定する 316
Cellsで行番号と列番号を指定する 316
2つのセルを囲む範囲にアクセスする 317
「現在選択しているセル」へのアクセス 318

section 02 行全体または列全体へのアクセス 320
任意の行・列へアクセスする 320
複数の行・列へアクセスする 321
任意のセルを基準とした行・列へアクセスする 321

section 03 相対的なセル範囲という指定方法 323
セル範囲の中のセル範囲にアクセスする 323
セル範囲の中の行・列へアクセスする 324
セル範囲の行数・列数・セル数を数える 324
セル範囲の中のインデックス番号でアクセスする 325
「離れた位置にあるセル」へアクセスする 326
指定セル範囲を元にサイズを拡張する 327
指定セル範囲から相対的にセル範囲を取得する 328

section 04 表形式のセル範囲の扱い方 330
「アクティブセル領域」という概念 330
表形式のセル範囲の各部分の取得方法 331
「次のデータの入力位置」を取得する 335

section 05 テーブル機能で表形式のデータを扱う 340
表形式のセル範囲を「テーブル」へと変換する 340
テーブル範囲はListObjectオブジェクトで扱う 342
テーブルの各部分にアクセスする 344
構造化参照を利用してテーブル名やフィールド名でアクセス 351
レコードを追加・削除する 354
テーブル範囲を扱う際の注意点 358

section 06 空白・数式・可視セル等のみを選択する方法 364
SpecialCellsメソッドという強力な機能 364

Chapter 11 セルの値と見た目の変更

section 01 値と式の入力・消去 370
セルに値と数式を入力する 370
相対参照形式はFormulaR1C1 372
スピル形式での数式の入力 374
値のみの消去はClearContentsで行う 376

section 02 セルの見た目の設定 378
フォントを設定する 378

section 03 表示形式を設定する 381
セルの書式を設定する 381
罫線を引くには 383
背景色の設定とExcelでの色管理方法 386
セル幅と高さの設定と単位 391
表示位置と折り返し表示の設定 393

section 04 既存の値や書式をコピーして利用する 397
基本となるCopyメソッドは「丸ごとコピー」 397
Valueプロパティを利用して値のみを転記する 398
PasteSpecialメソッドで転記する項目を細かく指定 399

Chapter 12 VBAでのデータ処理

section 01 データを並べ替える 406
並べ替えは実は2種類ある 406
Sortメソッド方式でソートする 406
Sortオブジェクト方式でソートする 410
テーブル機能と組み合わせたソート 415

section 02 データを抽出する 417
セル範囲を指定してAutoFilterメソッドで抽出する 417
フィルターの結果を転記する 421
日付値のフィルターは要注意 423

section 03 意外と知られていない便利なフィルターの詳細設定機能 425
「フィルターの詳細設定」機能の仕組み 425
VBAで抽出と転記を一発で終了させる 427
必要なフィールドのみを転記する 428

section 04 重複を削除するには？ 432
ユニークなリストの取得はDictionaryがお手軽 432
「重複の削除」機能があるじゃないか 433
リストから削除のセオリーは「ソートして後ろから」 435
複数の列の値を元に重複を判断する 438
section 05 ワークシート関数によるソート・フィルター・重複削除 440
SORTワークシート関数でソート結果を取得 440
FILTERワークシート関数で抽出結果を取得 442
UNIQUEワークシート関数でユニークなリストを取得 446
section 06 誰かがやらねばいけない表記の統一 448
表記の統一や修正に利用できる仕組み 448
「置換」機能で修正リスト項目に沿って一気に修正する 452
section 07 検索で目的のデータを探す 455
Findメソッドで検索を行う 455
「すべて検索」するには 457
Replaceメソッドで置換する 459

Chapter 13 VBAでのファイル処理

section 01 他ブックのデータを取得する 462
基本は開いてアクセス 462
他のブックを開く場合の典型的な操作 462
ブックを開いた際の注意点 463
覚えておくと便利な相対的なパスの作成方法 465
ブックを閉じるには？ 466
3パターンのブック保存方法 467
パスワード付きで保存する 470
マクロを含むかどうかを判定して保存する 470
section 02 複数ブックをまとめて処理する 472
処理対象のブックのリストを作成してループ処理する 472
閉じているブックを一気に集計する 474
覚えておきたいフォルダーを丸ごと集計する仕組み 475
section 03 ファイル・フォルダー操作の定番はFileSystemObject 479
FileSystemObjectとは 479
FileSystemObjectの利用方法 480
ファイルやフォルダーの選択を行うダイアログを表示する 483

section 04 OneDrive上のファイルを扱う際の注意点 486
OneDrive上に保存したブックのパスはどうなる? 486
クラウド側のURL表記をローカル側のパスに変換 488

Chapter 14 集計・分析結果を「出力」する

section 01 結果を印刷する 492
印刷とプレビューの仕組み 492
section 02 結果をPDFで出力する 497
PDFに出力するには 497
section 03 結果のブックの送信準備 499
非表示をチェックする 499
セル「A1」を選択しておこう 501
ブックの「作成者」や「編集者」をチェックする 503

Chapter 15 外部データとの連携処理

section 01 外部データを取り込む仕組みの整理 506
基本となるのはPower Query 506
Power Query以前の従来の外部データの取り込み機能 508
テキストやファイルストリームの取り込みは外部ライブラリで 509
section 02 テキストファイルからの取り込み 510
QueryTableで区切り文字を指定して読み込む 510
文字コードやデータ型を指定する方法 513
1行ずつチェックしながら読み込みを行う 516
section 03 テキストファイルへの書き出し 520
CSV形式やタブ区切り形式で書き出す 520
自分の好きなフォーマットで書き出す 522
section 04 外部データベースと連携する 526
Accessデータベースからの取り込み 526
Access側の任意のテーブルデータを取得する 527
Access側のクエリの結果を取得する 529
パラメータークエリの結果を受け取る 530
フィールド名を取得する 532
SQL文を利用したい場合には 533
Accessデータベースへ書き込む 534

Chapter 16 Power Queryと連携して外部データを取り込む

section 01 Power Queryで外部データを取り込む手順 542
クエリを登録し、シート上に展開するという2手順 542
クエリの内容はM言語で記述 543
クエリを追加する 544
テーブルとして展開するか、値のみを転記するか 545

section 02 M言語の基本的な記述方法 548
空のクエリを作成する 548
M言語の基本ルール 550
大まかな流れは「ナビゲーションテーブルを作って削る」 553

section 03 CSV形式のデータを扱う 555
ファイルを指定する 555
フィールドのデータ型を指定する 557
フィルターとソートをかける 558

section 04 Excelのデータを扱う 561
自ブックをデータソースとする 561
外部のブックをソースとする 566
特定のフォルダー内のブックをまとめて取り込む 572
「Excel方眼紙」状態のデータを取り込む 578

section 05 いろいろな形式のデータを取り込む 586
Accessデータベースから取り込む 586
XMLやフィード情報を取り込む 587
JSON形式のデータを取り込む 589
PDFから取り込む 590
ブックに残る「クエリ」や「接続」を一括削除する 592

section 06 かゆいところに手が届くPower Queryの仕組み 594
複数のクエリを組み合わせて運用する 594
パラメーターを受け取って実行するクエリを作成する 595
Excel側からPower Quey側に値を送る 596

Chapter 17 Web上のデータをExcelに取り込む

section 01 Webからデータを取得する 600
基本はコピーして整形 600
Power Queryが使えるならPower Queryが一番 603

section 02 Webページのソースを解析する 609
任意のWebページのデータを取得する 609
ソースを元にHTMLドキュメントとして解析を試みる 612
Webページ内のリンク情報を取り出してみよう 614
URLエンコードをした値を取得する 616
section 03 XMLデータをDOMDocumentで解析する 617
DOMDocumentでXMLドキュメントとしてパースする 617

Chapter 18 マクロの実行速度を上げる

section 01 マクロの実行速度を調べる 622
マクロの実行速度の簡易計測方法 622
section 02 更新や再計算を止めてスピードアップ 624
画面の更新を止める 624
表計算ソフトだけど計算をストップする 625
イベント処理を止める 626
section 03 警告・確認メッセージをスキップ 628

Chapter 19 シートを利用した入力インターフェイス

section 01 入力専用画面に関して考えてみよう 630
入力専用画面を用意するメリットとは 630
section 02 入力シートから蓄積シートへ転記する仕組み 632
転記の際に検討する項目 632
表の見出しを整理する 633
1行分のデータをピックアップする仕組みを作成する 633
新規レコードを追加できる仕組みを作成する 635
用意した仕組みを組み合わせる 636
マクロをボタンに登録する 638
section 03 フォームコントロールの特徴 640
フォームコントロールに共通の仕組み 640
各コントロール特有の取得方法と利用方法 642
代表的なコントロール 644
section 04 シート自体をカスタムオブジェクトと捉える 649
シートのオブジェクト名を用途に合わせて変更 649

データをやり取りしやすいようにカスタムクラスを作成 650
入力シートのデータをまとめる処理を追加する 652
蓄積シートにデータを転記する処理を追加する 654

Chapter 20 ユーザーフォームの利用

section 01 ユーザーフォームの基本 660
ユーザーフォームを作成する 660
ユーザーフォームを表示する 662
ユーザーフォームを消去する 663
ユーザーフォームの初期化はどこに書く？ 664

section 02 各コントロールの使い方 666
多くのコントロールに共通の設定 666
ラベルとテキストボックス 667
ボタン 669
チェックボックス 671
オプションボタン 672
コンボボックス 674
リストボックス 675
タブオーダーの設定 680

索引 682

▶ サンプルファイルのダウンロード

本書内に掲載したマクロ等のサンプルファイルは、下記の本書サポートページよりダウンロードすることができます。

https://isbn2.sbcr.jp/17714/

サンプルファイルはZIP形式で圧縮されています。ダウンロード後は、任意のフォルダーに展開してご利用ください。
また、本書内に掲載したマクロのコードと、サンプルファイル内のコードにおいて、一部異なる箇所が存在します（主にコメント等）。あらかじめご了承ください。

基礎編

Chapter 1

VBAを始めるための準備と仕組み

本章ではExcelのマクロ機能の内容を記述するプログラミング言語である、「VBA (Visual Basic for Applications)」についての基本的な情報と、ExcelでVBAを利用するための環境構築について解説します。環境構築と言っても、VBAはデスクトップ版のExcelに標準で組み込まれているため、利用する環境を用意するのは本当に簡単です。

それでは、VBAの世界に踏み込んでいきましょう。

本章の学習内容

1. VBAの概要
2. 基本的なVBAの書き方
3. マクロを含むブックの保存方法

section

01 VBAで何ができるのか、あるいは何をしたいのかの整理

それではExcelを使ったVBAの学習を開始しましょう。VBAとはVisual Basic for Applicationsを略したもので、「Excel（Office製品）をプログラムで操作するためのプログラミング言語」になります。デスクトップ版のExcelであれば、ほぼすべてのバージョンで利用可能です（Webブラウザー上で動くWeb版Excel等では「Office Script」というちょっと別の仕組みを利用します）。

VBAで何ができるのか、ひらたく言うと「Excelでできることほぼすべての自動化」です。さらには「Excelだけではできないことの自動化」まで可能です。

Excelは長い歴史を持つ表計算ソフトなので、実に多彩な機能が備わっています。そのため、用途も人によって千差万別で、表計算の仕組みを使ったデータの管理や分析、グラフを含むレポートの作成をしている方から、さらには日々のメモやアイデアノートがわりに利用している方もいらっしゃるでしょう。「使う人の数だけの用途がある」というとちょっと言い過ぎですが、さまざまな用途に利用されていることは間違いありません。Excelをよく知る方であればあるほど、「Excelで何ができるの？」という質問の答えに悩むことでしょう。それほど本当にいろいろなことが「できてしまう」アプリケーションなのです。

VBAは、そんな多彩な機能を持つExcelの操作をプログラムで自動化できる仕組みです。Excelに用意されている機能であれば、ほぼすべてをプログラムから操作できます。つまり、上述のようにいろいろな用途で利用していても、普段Excel上で行っている作業であれば、その作業はVBAによって自動化できるのです。普段手作業で行っている操作を、より素早く、より正確に、より手軽に進められるようになる仕組みです。

もちろん、自動化の醍醐味である大量の作業を一瞬で終わらせるための仕組みである繰り返し処理（ループ処理）や、人間がその都度判断するのではなく、セルの値やその他の条件を自動判定してプログラムの流れを変更する仕組みである条件分岐（If文やSelect文）も用意されています。

さらには、ファイルのリネームやフォルダーの作成・削除等、Excel単体の機能を飛び越えた、Windowsの機能までがVBAから自動実行可能です。これらの「普段Excel単体では行わないような作業」の場合には、その都度、利用したい機能を

追加で呼び出しして利用する仕組みを利用します。

最後にもう1つ、VBAには「ボタン」や「リストボックス」「チェックボックス」等の、ユーザーの操作を助ける仕組みであるUI（ユーザーインターフェイス）を作成するための各種パーツ（コントロール）が用意されています。自分好みの「自動実行の設定を手軽に切り替えられる画面」を作るための仕組みも用意されているというわけですね。

▼VBAでできることと対応する仕組みの整理

仕組み	用途と概要
Excelの機能の自動化	普段Excelで行っている業務をプログラムとして記述し、実行するだけですぐに終えられるようにする仕組み
プログラムの流れの変更	「100回繰り返す」「全シート繰り返す」「全ブック繰り返す」等の作業を繰り返しや「値に応じて実行する処理を変更」等、条件によって行う作業を変更できる仕組み
Excelだけでは実現できない作業の自動化	ファイルの操作やフォルダーの操作、その他、Accessのデータベースの操作や正規表現の利用等、Excelだけでは実行できない作業を、機能拡張する形で実現する仕組み
専用のUI作成	シート上にボタンやチェックボックスを配置したり、専用のフォーム画面を作成してExcelから利用できる仕組み

VBAもExcelに負けず劣らずいろいろなことができますが、まずは、自分がプログラム化したいのは、どのような処理なのかを整理して考えてみましょう。そのうえで、どの仕組みを重点的に学習するのかを意識をしておくと、目的のプログラムの完成にスムーズにたどり着けることでしょう。

column

「マクロ」と「VBA」

Excelの自動化というテーマでは、「マクロ」という言葉と「VBA」という言葉をよく見かけます。「マクロ」というのはExcelの機能の1つで、「複数手順の操作をひとまとまりの操作として登録し、再実行するための機能」です。Excelに限らず、他のアプリケーションでもこの手の「複数手順の操作を記録し、再実行する機能」は、マクロ機能と呼ばれます。

Excelでは、このマクロ機能で実行する内容をプログラムとして自由に記録・編集できますが、その際に用いる記述ルール(プログラム言語)が「VBA」です。つまり、「VBAはマクロの内容を記述するための言語」という関係になっています。とはいえ、一般的には「マクロ」も「VBA」も同じように、「Excelを自動化する仕組み」くらいのニュアンスで用いられています。文脈にもよりますが、この2つの言葉を見かけたら、「ああ、自動化のことを言っているんだな」というような認識をしておけばOKでしょう。

なお、ExcelにはWebブラウザー上で動作するWeb版Excelもありますが、こちらではVBAの仕組みは用意されていません。かわりに「Office Script」という別の仕組みが用意されています(本書では扱いません)。

section 02 VBAの概要と使用するための準備

さて、これからVBAの学習を始めるわけですが、あらかじめ頭に入れておいていただきたいVBAの「特徴」があります。

- 「Excelを操作するため」の言語です。
- 基本はオブジェクト指向です。
- でも、オブジェクト指向ではない箇所もあります(特に古い時代の遺産)。
- 良い意味でも悪い意味でも、「わりといいかげん」に書いても動きます。

最大の特徴は、ExcelのVBAは「Excelありき」で、Excelを操作するための言語である点です。Excelの各機能をオブジェクトという「その機能の操作担当者」とでも言うようなイメージで捉え、「担当者を指定し、仕事を依頼する」形で実行したい命令を記述していきます。この仕組みさえ押さえれば、わりとスッキリと目的の機能が自動化できるようになっています。

▼VBAは「オブジェクト」を指定して命令をしていくスタイル

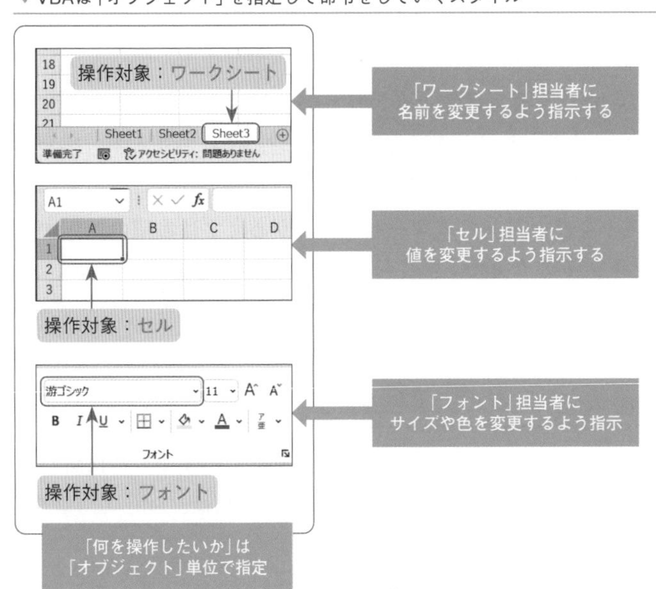

ただし、Excelはとても長い間にわたって利用され続けているアプリケーションであり、バージョンアップを繰り返し、いろいろな機能が追加されたり、ときには削除されてきました。それに合わせて、VBAの方も少しずつ追加・削除を伴うバージョンアップが行われています。言ってみれば、少しずつ増改築を繰り返してきた家のようなもので、多少でこぼこしています。結果として、VBAは他のプログラミング言語に比べ、いろいろと整理されていない点のある言語でもあります。

例えば、シート上のデータを並べ替える処理(ソート処理)に対応する命令が2通りあったり、Excel全体に関する設定やセル操作まで、バージョンによって利用できない命令や設定が混在していたりします。

さらに、オブジェクト指向の概念が広まる前の時代から引き継がれている命令も残っており、「急に違うルールの書き方が出てきたな」と感じる部分もあります。何と言っても、もう30年近く利用されている言語なのですから。

そのため、VBAの学習を進めていくと、特に几帳面な方は、「いったいどちらが『正しい』のだろう」「いったいどういうルールに『整理・統一』されているのだろう」と悩むような事態にぶつかってしまうことがあります。しかし、これらの答えは「どっちでもできる」「その命令を追加した時代が異なるのでルールは整理しきれていない」というのが実情です。学習を進める際には、「昔に作成され、長い間継ぎ足してきた言語」ということを頭の片隅に置いておき、「そういうものなんだな」という感覚で臨んでいただけると、スムーズに学習を進めていただけるかと思います。

また、VBAは、良い意味でも悪い意味でもわりといいかげんに書いてもそれなりに動く言語です。そして、きっちりと書くと速く動く言語でもあります。学習スタートの敷居は低く、そこそこ奥深くまでチューンナップできる作りになっています。まずは「いいかげん」な書き方からスタートし、とりあえずは希望の操作ができるようになりましょう。そのうえで「きっちり」した書き方を意識していくと、目的のプログラムを記述できるところまでたどり着けることでしょう。

ExcelでVBAを使うための環境作り

デスクトップ版Excelには、あらかじめVBAが組み込まれています。特に新たな環境作りは不要です。また、よりスムーズに開発作業を進めるには、リボンに「開発」タブを追加しておくのがよいでしょう。

「開発」タブは、VBAによる開発作業を行う際に便利な機能がまとめられています。リボンの「ファイル」タブの**オプション**を選択して表示される「Excelのオプション」ダイアログの画面左端のメニューから**リボンのユーザー設定**を選択し、ダイアログ右側にリボンに表示する項目の一覧から、**開発**にチェックを入れて**OK**ボタンを押せば表示されます。

▼「開発」タブ

▼「Excelのオプション」ダイアログから「開発」タブを追加

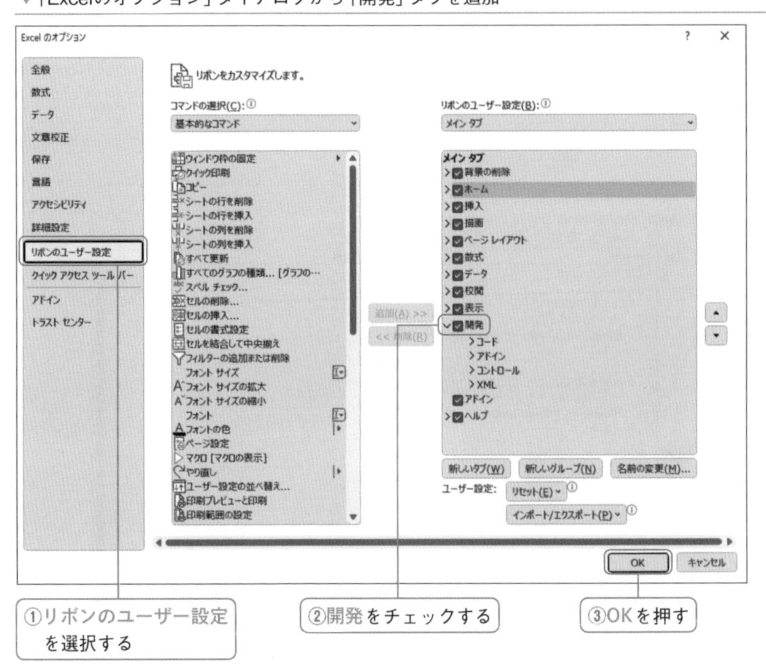

一度追加した「開発」タブは、Excelを終了しても追加されたままの状態となります。最初に1回追加作業を行えば、あとはそのままでOKというわけですね。作成したマクロの実行、コードの記述・確認にいたるまで、VBAがらみの機能を利用するときには、この「開発」タブを選択すればそこに目的の機能が揃っています。

section

03 VBEの使い方

マクロの確認・編集を行うには、専用のVBE（Visual Basic Editor）というツールを利用します。VBEは、リボンの「開発」タブの一番左端にある、**Visual Basic**ボタンを押すと表示されます。

▼VBEの表示

①Visual Basicを押す

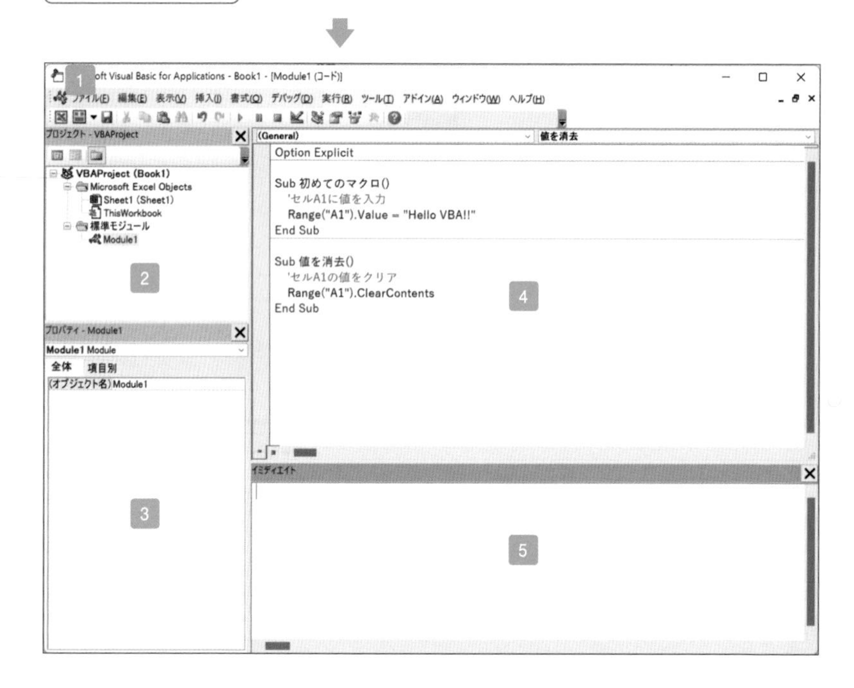

VBEの画面は、大まかに以下の5つの部分に分かれています。各ウィンドウの境目は、マウスでドラッグすると大きさを変更できます。

▼VBEの各エリアの用途

場所	用途
1 メニューとツールバー	VBEの各種機能を呼び出す
2 プロジェクトエクスプローラー	ブック内の「モジュール」の構成を確認・編集する
3 プロパティウィンドウ	選択したオブジェクトやコントロールの設定を行う（主にユーザーフォーム作成時に利用）
4 コードウィンドウ	プログラムを記述・編集するVBEのメインのウィンドウ
5 イミディエイトウィンドウ	値の確認や、簡単なコードの記述と実行ができる場所。いわゆるコンソール

表示したVBEからExcelの画面に戻るには、VBEの画面右上にある×ボタンを押して閉じるか、ツールバー左端の**Excelアイコン**のボタンを押します。また、Alt＋F11キーを押すことで、VBEとExcel画面の表示を切り替えられます。

メニューとツールバー

VBEの上端にはExcelと同じようにメニューが表示され、その下のツールバーに、よく使う機能に対応した各種のボタンが配置されています（VBEはExcel等のOffice製品に採用されているリボンインターフェイスではなく、昔ながらのツールバーです）。

その下の画面は4つのウィンドウに分割されています。

プロジェクトエクスプローラー

VBEの左上には、プロジェクトエクスプローラーがあります。現在開いているExcelのブック内のモジュール（プログラムを書く場所）の構成がどうなっているのかを確認・編集するために利用します（モジュールについては32ページで解説します）。

プロパティウィンドウ

VBEの左下には、プロパティウィンドウがあります。選択中のオブジェクトのプロパティを確認・設定するためのウィンドウなのですが、マクロを作成するだけであれば、ほぼ利用しません。では、どんなときに利用するかと言うと、ユーザーフォームを作成する際に、配置したボタンやテキストボックス等のコントロールの大きさや位置や各種設定を確認・設定する際に利用します。オブジェクトとプロパティについては55ページ、ユーザーフォームについては660ページで解説します。

コードウィンドウ

VBEの右上には、コードウィンドウがあります。マクロ作成時のメインウィンドウで、プロジェクトエクスプローラーで選択したモジュールの内容がここに表示されます。「メモ帳」等のテキストエディタのように、プログラムのテキスト(以降、コードと呼びます)を確認・編集できます。

イミディエイトウィンドウ

VBEの右下には、イミディエイトウィンドウがあります。マクロの作成中にちょっとした状態や「変数」の値の確認等を行いたい際に、ここに出力できます。また、プログラムの実行結果を表示することも可能です。つまりは、ちょっとした値とコードの確認ができる、プログラミング環境でよくある「コンソール」として利用できる場所です。

column

イミディエイトウィンドウが表示されない場合は

イミディエイトウィンドウが表示されていない場合には、VBEメニューの**表示→イミディエイトウィンドウ**を選択、もしくはCtrl+Gキーで表示/非表示を切り替えられます。

Chapter 2 (46ページ)でも触れますが、開発中の細かなチェックやちょっとしたテストに非常に役に立つウィンドウですので、ショートカットキーの方を覚えてしまうのがお勧めです。

section

04 一番小さなマクロの構成

それではVBEを利用して、一番小さな構成のマクロの作成を体験してみましょう。まずはExcelを起動し、新規ブックを作成します。続いて、リボンの「開発」タブのVisualBasicボタンを押してVBEを表示します。

標準モジュールを追加する

VBEのメニューから、**挿入→標準モジュール**を選択すると、プロジェクトエクスプローラー内の標準モジュールフォルダーに、Module1という名前の標準モジュールが追加されます。そして、コードウィンドウに「Module1」の内容が表示されます。この状態では、追加したてなのでModule1の内容は空白です。

ここで初めてVBAに触れる方は、「モジュールって何？」となるかと思いますが、とりあえずは「マクロを書く場所」くらいに考えておいて次の作業に進みましょう。

▼「標準モジュール」の追加

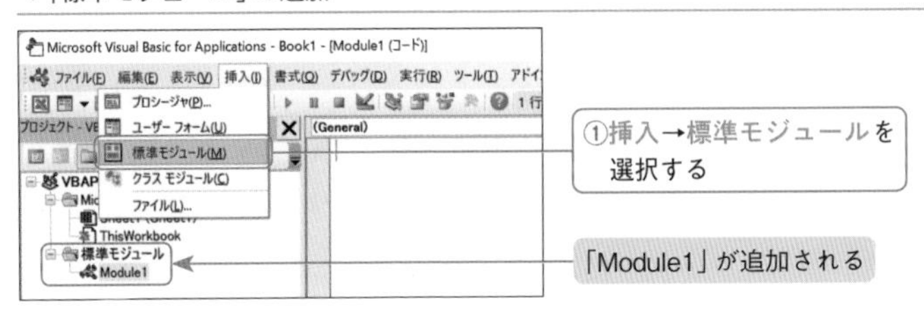

column

ツールバーから標準モジュールを追加する

ツールバーの**標準モジュール**ボタンを押すことでも、標準モジュールを追加できます。なお、ツールバーのボタン表示は、追加したモジュールの種類に合わせてアイコンが変更されます。

コードを入力する

コードウィンドウの適当な位置に、次のようにコードを入力します。

```
sub macro1
```

コードを入力するときは、日本語入力はオフにしておいてください。大文字・小文字はどちらでも構いません。「sub」と「macro1」の間は半角スペースを入力してください。ここで入力した「macro1」がマクロの名前になります。また、入力の際はプロジェクトエクスプローラーで先ほど追加したModule1が選択されているかを確認してください。

入力できたら、Enterキーを押しましょう。すると、次図のように自動的に「()」と「End Sub」というコードが自動的に追加入力されます。

▼マクロ名の入力

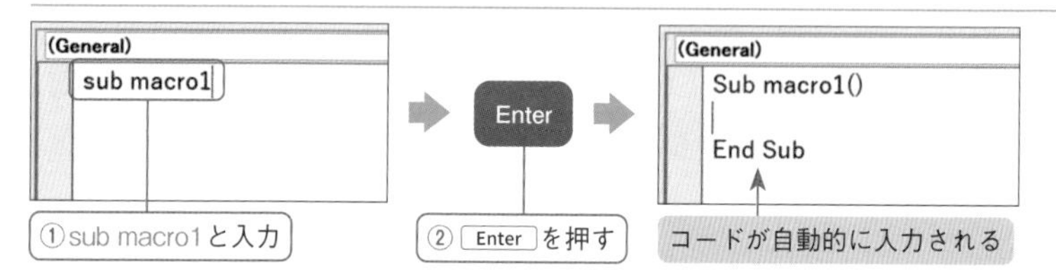

このとき、文字入力位置を示すカレット(点滅する縦棒)は、「Sub macro1 ()」と「End Sub」の間の行に表示されているかと思います。そこで、Tabキーを1回押して字下げ(インデント)を行い、次のようにコードを入力します。

```
MsgBox "Hello VBA!!"
```

「MsgBox」と「"Hello VBA!!"」の間には半角スペースを入力してください。ちなみに、デフォルトの設定では、Tabキーによるインデントは半角スペースが4つ入力されます。全体としては次のようになります。

▼マクロ 1-1

```
Sub macro1()
    MsgBox "Hello VBA!!"
End Sub
```

入力できたら完成です。これで、1行分の命令が記述されたマクロが作成できました。このマクロは、メッセージボックス内に「Hello VBA!!」という文字列を表示するものです。内容については後ほど解説いたします。

▼小さなマクロの完成

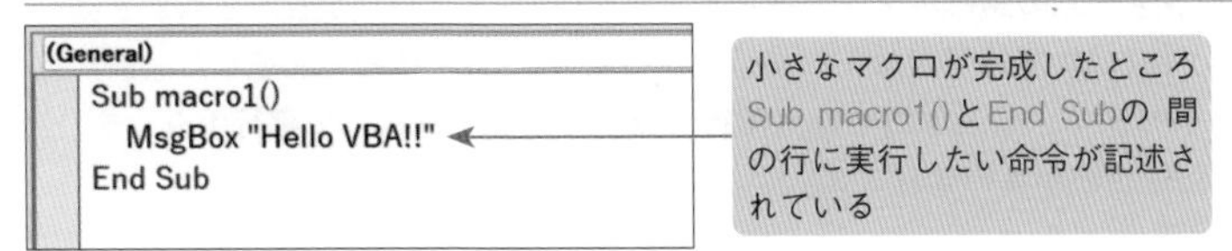
(General)
Sub macro1()
MsgBox "Hello VBA!!"
End Sub
小さなマクロが完成したところ
Sub macro1()とEnd Subの間の行に実行したい命令が記述されている

マクロを実行する

作成できたところで実行してみましょう。「Sub macro1()」から「End Sub」の間の任意の行にカレットが表示されていることを確認してください。もし、範囲外の箇所を選択してしまっているようであれば、「Sub macro1()」から「End Sub」の間の任意の行をクリックして選択し直しましょう。

この状態で、ツールバーの**Sub/ユーザーフォームの実行**ボタンを押します。すると、作成したマクロが実行されます。今回のマクロでは、Excel画面に切り替わり、「Hello VBA!!」と書かれたメッセージボックスが表示されます。

なお、マクロの実行は、メニューバーの**実行→Sub/ユーザーフォームの実行**を選択することでも行えます。

▼マクロの実行

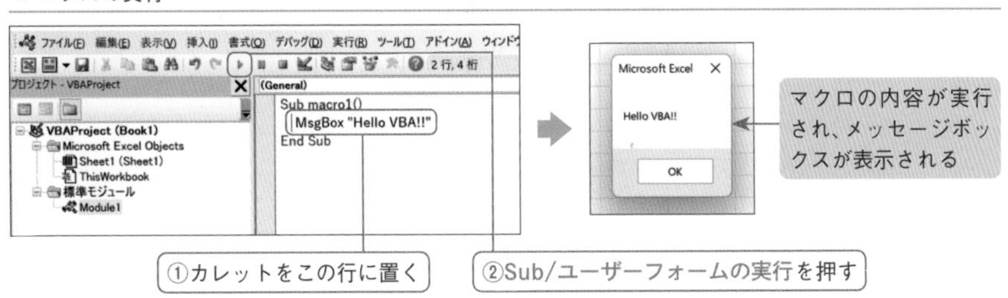
ファイル(F) 編集(E) 表示(V) 挿入(I) 書式(O) デバッグ(D) 実行(R) ツール(T) アドイン(A) ウィンドウ
2 行, 4 桁
プロジェクト - VBAProject
VBAProject (Book1)
Microsoft Excel Objects
Sheet1 (Sheet1)
ThisWorkbook
標準モジュール
Module1
(General)
Sub macro1()
MsgBox "Hello VBA!!"
End Sub
Microsoft Excel
Hello VBA!!
OK
マクロの内容が実行され、メッセージボックスが表示される
①カレットをこの行に置く
②Sub/ユーザーフォームの実行を押す

column

「マクロ」ダイアログから実行する

「Sub macro1 ()」から「End Sub」の間の任意の行にカレットが置かれていない状態で**Sub/ユーザーフォームの実行**ボタンを押すと、「マクロ」ダイアログが表示されます。

このダイアログ内には、実行可能なマクロのマクロ名(「Sub」の後ろに記述した名前)のリストが表示されます。リストの中から実行したいマクロを選択して**実行**ボタンを押すと、選択したマクロが実行されます。

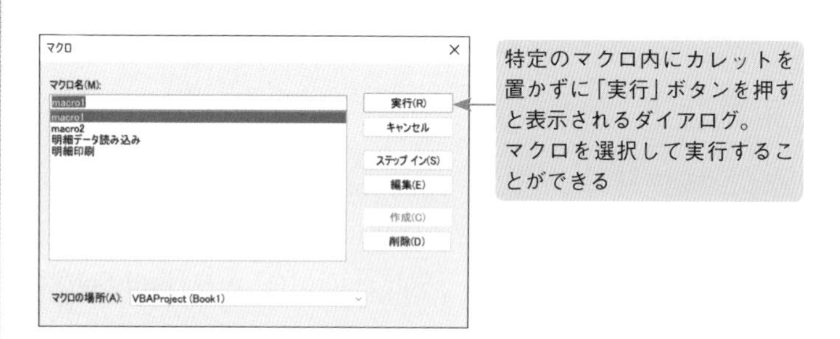

作成したマクロの数が増えてきた際に覚えておくと、必要なマクロを素早く探して実行できる方法です。

なお、この「マクロ」ダイアログは、Excel画面側でリボンの「開発」タブ左側の**マクロ**ボタンを押しても表示されます。Excel画面側から実行したいマクロを選択・実行する際と同じ操作でマクロを実行できるというわけですね。

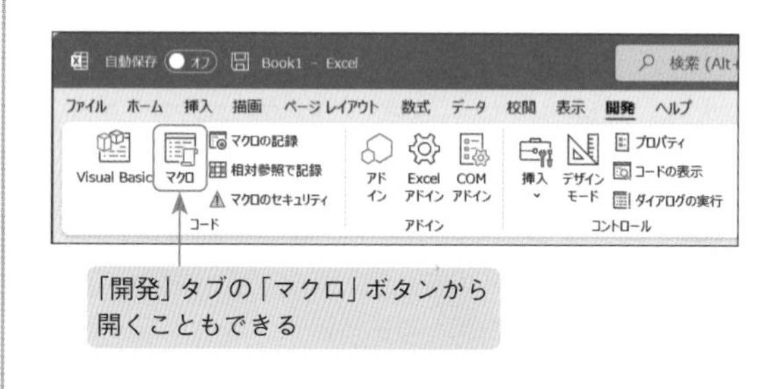

マクロ作成作業の流れの整理

以上の一連の作業がマクロを作成する際の典型的な流れとなります。順番にポイントを整理しましょう。

●マクロの「入れ物」を用意する

VBAのコードはモジュールという場所に記述します。通常のマクロを作成するためのモジュールは標準モジュールと呼ばれ、ブック内に自由に追加/削除できます。

多くの場合、マクロを作成する際には、この標準モジュールを準備するところから作業を始めることとなります。標準モジュール以外にも「オブジェクトモジュール」や「クラスモジュール」というものも用意されています。オブジェクトモジュールについては次のColumnを、クラスモジュールについては245ページで解説します。

column

あらかじめ用意されている「オブジェクトモジュール」

標準モジュールを追加する際、「Sheet1」と「ThisWorkbook」という2つのモジュールが既に用意されていることに気づいた方も多いでしょう。この「Sheet1」や「ThisWorkbook」はオブジェクトモジュールと呼ばれるモジュールです。

オブジェクトモジュールも標準モジュールと同じように、ダブルクリックすることでコードウィンドウにその内容を表示し編集できます。オブジェクトモジュールの用途は、主にイベント処理(212ページ)を記述する際に利用します。「ブックを開いたときに任意の処理を実行したい」「Sheet1のセルの内容を変更したときに任意の処理を実行したい」というような場合、それぞれ対応するオブジェクトモジュールを選択し、そこにコードを記述していきます。

なお、このオブジェクトモジュールは、Excelにブックやシートを追加/削除することで、自動的に対応するモジュールが追加/削除されます。

●マクロの「外枠」を作成する

1つの標準モジュール上には、複数のマクロを作成できる仕組みになっています。そのため、個々のマクロの内容が、「どこからどこまでなのか」を規定するために、マクロの「外枠」を作成します。

▼マクロの外枠

```
Sub マクロ名()
        この部分に記述したコードが、マクロの実行内容となる
End Sub
```

「Sub」の後ろには半角スペースを1つ空け、他のマクロと区別できるマクロ名を記述します。マクロ名は英語・日本語問わずに自由に名付けられますが、「数値から始めてはいけない」「_（アンダーバー）以外の記号は使用できない」等の制限があります。

VBAでは、1つのマクロは「Sub マクロ名()」から始まり、「End Sub」で終わるというルールとなっています。つまり、この間に記述したコードが、そのマクロの実行内容となります。

▼1つの標準モジュールに複数のマクロを作成できる

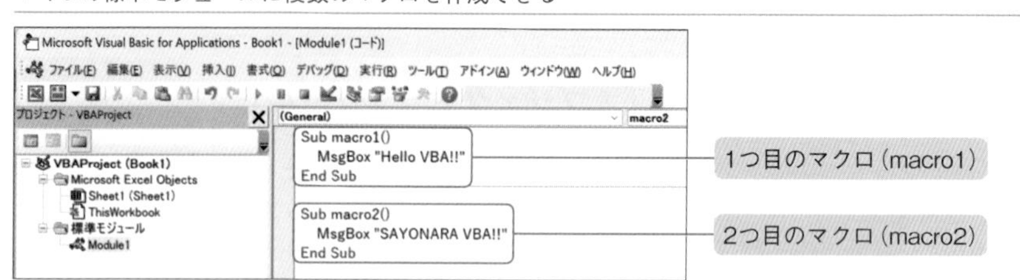

ちなみに、先ほど体験していただいたように、「Sub マクロ名」まで打ち込んで Enter キーを押せば、マクロ名の後ろの括弧と「End Sub」の部分は自動的に入力されます。「Sub」の部分は、「sub」と小文字で打ち込んだり、「Ｓｕｂ」と全角で打ち込んだりしても、自動的に「Sub」へと補正してくれます。便利ですね。

なお、標準モジュール内に複数のマクロを作成した場合、「Sub/ユーザーフォームの実行」ボタンで実行されるのは、カレットが置かれたマクロになります。どのマクロにもカレットが置かれていない場合は、「マクロ」ダイアログが表示されるので、リストから実行するマクロを選択します。

●マクロの内容を記述する

外枠が固まったら、あとは「Sub マクロ名()」と「End Sub」の間の行にコードを記述していくだけです。先ほどのマクロは1行だけのコードでしたが、もちろん複数行のコードを記述することができます。記述されたコードは、基本的には上の行から順番に実行されていきます。

このようにVBAのマクロは、「標準モジュールの準備→マクロ名決定と『外枠』の確保→マクロの内容を記述」といった流れで作成していきます。

column

マクロ名は「マクロ」ダイアログに表示される

マクロ名には英数字に加え日本語も利用できますが、既に何らかのプログラミング経験のある方は、日本語等の全角文字を利用するのに抵抗があるかもしれません。その場合はもちろん、半角英数字のみでマクロ名を付けていただいて構いません。

ただ、VBAの場合には次のような事情もあります。VBEで作成したマクロは、Excelの「開発」リボンの「マクロ」ボタンを押して表示される、「マクロ」ダイアログから任意のものを選択・実行できるようになっています(「Sub/ユーザーフォームの実行」ボタンで表示されるダイアログと同じものです)。

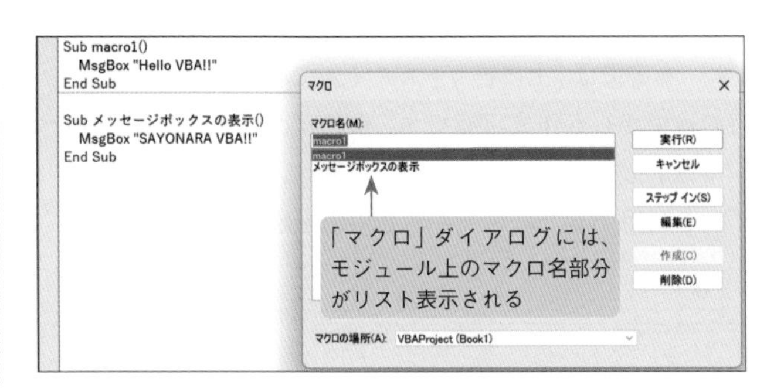

この際に表示されるマクロ名は、「Sub」の後ろに記述したものとなります。そのため、「用途をわかりやすくするために日本語でマクロ名を付ける」というスタイルの方が、マクロを利用する人にとっては便利な場合もあるのです。このあたりは、「誰が、どのように利用するのか」まで視野に入れてマクロ名を付けてみてください。

便利な「コメント」の付け方と「改行」の仕方

ここで、VBAのマクロを作成したり、学習のためのサンプルコードを読んだりするときに便利な仕組みを2つご紹介します。

●コメント

VBAでは、「'(シングルクォーテーション)」を入力すると、それ以降の部分はコメントとして扱われます。コメントは、プログラムの結果に影響を与えない単なる「メモ」のように機能します。このコメント部分は、VBEでは緑色で表示されます。

コメントの用途はいろいろあります。「マクロの内容や意図のメモ」「開発途中ではToDo項目のメモ」等に積極的に利用していきましょう。

▼コメント

```
Sub macro1()
  'シングルクォーテーションから始まる部分はコメントです

  'セルA1に値を入力
  Range("A1").Value = "Hello VBA!!"
End Sub
```

ちなみに、コードに関するコメントを書く際には、「コメントを上に配置し、下にあるコードの説明を記述」派と、「コメントを下に配置し、上にあるコードの説明を記述」派があります。本書では「上に書く」スタイルで解説を行います。

このコメントは、行の途中からも作成可能です。例えば、同じような処理をまとめて記述する際には、コードの後にスペースやタブを開け、そこから説明コメントを記述するこのスタイルを利用すると、スッキリと用途を説明できます。

▼行の途中からコメントを記述

```
Sub macro1()

    '変数の宣言
    Dim customerName As String    '顧客名を扱う文字列
    Dim birthDay As Date          '誕生日を扱う日付値
```

column

複数行をまとめてコメントにする

複数行をまとめてコメントにする際、1行ずつ「'」を入力するのは面倒です。「コメントブロック」機能を利用すれば、複数行を一発でコメントにできます。

コメントにしたい行を選択した状態で、メニューバーから**表示→ツールバー→編集**を選択します。「編集」ツールバーが表示されるので、**コメントブロック**ボタンを押します。コメントを外す場合は、**非コメントブロック**ボタンを押します。

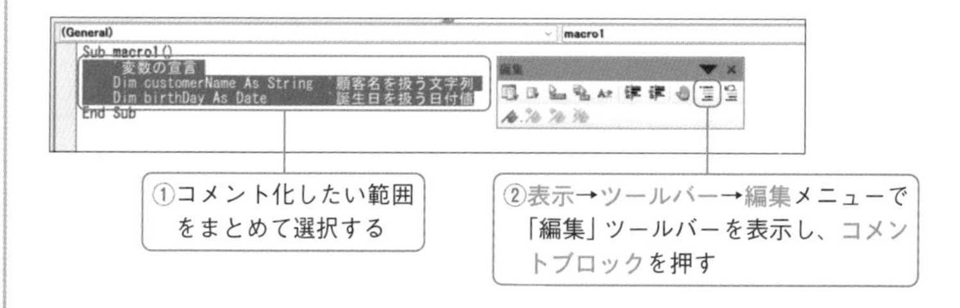
(General)
macro1
Sub macro1()
'変数の宣言
Dim customerName As String　'顧客名を扱う文字列
Dim birthDay As Date　'誕生日を扱う日付値
End Sub
編集
①コメント化したい範囲をまとめて選択する
②表示→ツールバー→編集メニューで「編集」ツールバーを表示し、コメントブロックを押す

●行をまたぐ場合の記述方法

VBAのコードは基本的に、「1行でひとかたまり」という形で扱います。このコードの固まりをステートメントと呼びます。1行が長くなってしまう場合には、単語の切れ目で改行を挟むことも可能です。

改行を挟む場合には、「 _(半角スペース・アンダーバー)」を利用します。例えば、次のように少々長めのコードがあるとします。

```
Set rng = Application.InputBox(Prompt:="処理対象セルを選択", Type:=8)
```

このコードは、次のように2行に分けて記述可能です。

```
Set rng = _
    Application.InputBox(Prompt:="処理対象セルを選択", Type:=8)
```

もしくは、次のように3行以上にも分割して記述することも可能です(ちょっと極端な例ですが)。

```
Set rng = Application.InputBox( _
                Prompt:="処理対象セルを選択", _
                Type:=8 _
)
```

VBAは、引数(ひきすう)と呼ばれる、プログラムの制御に必要ないくつかのパラメーターを渡す仕組みが用意されています。上記のコードでは2つの引数を利用しており、個々の引数ごとに改行の仕組みを使って整理・入力しています。

後からコードを見直したとき、1つひとつの引数と渡した値をわかりやすいよう整理しています。どの記述方法でも実行結果は同じです。つまりは、コードを見やすくするためだけの意図で、1行のステートメントに改行を入れているわけですね。多少入力の手間はかかりますが、視認性がかなりよくなります。この「見た目がわかりやすくなる」という理由で「スペース・アンダーバー」を挟んで記述することはよくあります。

また、本書をはじめとしたVBAを解説する「書籍」特有の理由として、「1行のコードが長いとページの端で桁折れしてしまう」ために、その対策としても利用されます(本書籍でもよく利用しています)。

ともあれ、行の末尾に「アンダーバー」があるコードを見かけた場合には、「ああ、ここは次の行に続くコードなんだな」という認識で読み進めてください。

section

05 作ったマクロはどう保存する？

マクロを作成したブックを保存する際には、通常のブックとはちょっと異なる手順が必要です。ブックを保存する際には、「ファイルの種類」をExcelマクロ有効ブック（*.xlsm）にしたうえで保存します。

▼マクロを記述したブックはxlsm形式で保存

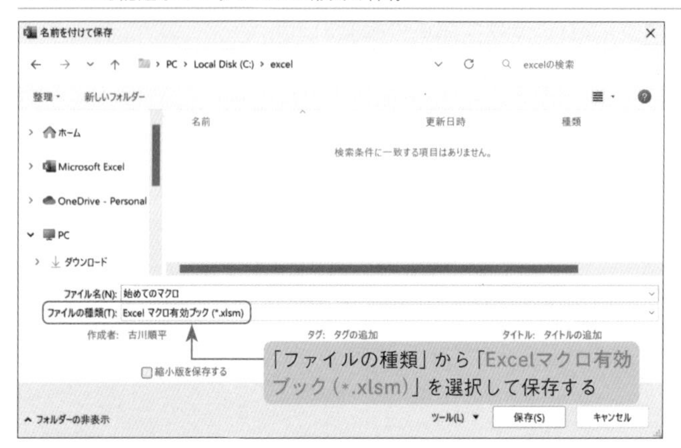

保存されたブックは、拡張子「*.xlsm」形式のファイルとして保存され、通常のExcelのアイコンの上に、「!」が付加された状態で表示されます。

▼xlsm形式で保存されたブックのアイコン

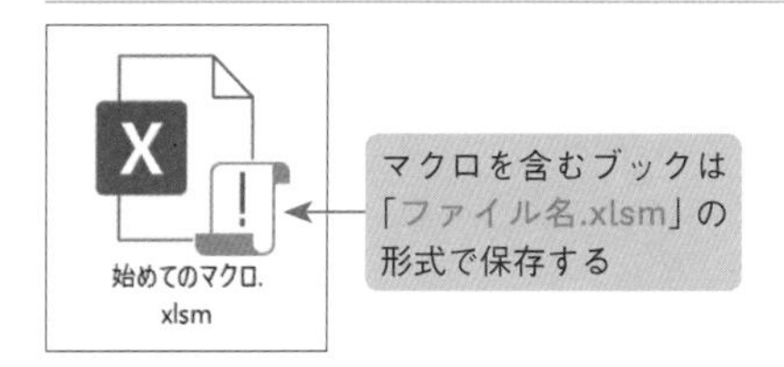

なぜ、このような手順が必要なのかと言うと、このブックを第三者が利用する際に、「このブックはマクロを含んでいますよ。むやみに実行すると、ひょっとしたら悪意のあるプログラムが含まれているかもしれませんよ」という注意喚起を行うためです。

実は、悪意のあるコードが含まれたブックをインターネットを介して広め、うっかり開かせてPCに被害を与える、いわゆる「マクロウイルス」が大流行したことがあるのです(今もよく見かけます)。Excelもマクロ機能が利用できるアプリケーションの代表格ですので標的となり、大きな問題となった経緯があります。

そこで、セキュリティ面を強化する施策の1つとして、「すべてのマクロを含むファイルは、通常のブックとは異なる拡張子で保存する」「マクロを含むブックを開く際にはセキュリティのチェックを行う」という仕組みが付け加えられたのです。

なお、このような仕組みのため、既存のブックにマクロを付け加えた際には、元のブックとは別に、新たに「*.xlsm」形式のブックとして別名保存しなくてはいけません。この点には注意しましょう。

column

マクロは自動化したブック1つひとつに作成しなくてはいけない？

「マクロはブックに標準モジュールを追加して作成する」わけですが、このルールを聞いて不安になった方もいるのではないでしょうか。「じゃあ、マクロで自動化したいブックが複数あったら、その数だけ標準モジュールを追加してマクロを書いて、さらに『*.xlsm』形式で別名保存しなくちゃいけないの？」と。

その答えは「はい」でもあり「いいえ」でもあります。実はマクロの書き方によっては、「マクロを記述した以外のブック」を対象に操作を行うこともできます。マクロで操作を自動化したいブックが複数ある場合には、そのすべてにマクロを書かずとも、1つのブックにマクロを記述し、「そのブックのマクロを、任意のブックを対象に実行する」という形での運用も可能です。

さらに、「どのブックでも共通して利用したいマクロ」を保存するための「個人用マクロブック」という仕組みも用意されています。こちらの仕組みでも「自分のPCでよく使うマクロは個人用マクロブックにまとめて記述し、任意のブックを操作対象に自動化処理を実行する」といった運用が可能です。

section 06

他のPCへマクロを含むブックを持ち込むときの仕組み

マクロを作成したブックを他のPCで使ったり、他の人に配布して利用してもらう場合には注意が必要です。

役に立つマクロができたので他の場所で使おうとしたり、他の人に配布したときに、「いざ実行しようとすると使えない」という事態が起きがちです。いったいなぜでしょうか。その仕組みと対処方法を押さえておきましょう。

2022年10月に、Excelを始めとしたOfficeアプリケーションのセキュリティ設定が以前よりも厳しく改善されました。

まず、インターネット等から入手したファイルに対しては、

- インターネット経由で送信・ダウンロードしたファイルには「インターネットから入手したファイルですよ」という「Mark Of The Web（MOTW/Webのマーク）」という印が自動的に付けられる
- ExcelでWebのマークのあるブックを開くと、警告が表示されマクロは実行できない

という基本方針となりました。

Webのマークが付いたブックを開こうとすると、画面上部に赤色の「セキュリティリスク」警告メッセージが表示されます（メッセージはお使いの環境によって異なる場合があります）。インターネットから入手したファイルに危険なプログラムが含まれている場合を想定し、許可なく実行されることがないようにしているわけですね。

▼Webのマークが付いているブックを開こうとした場合の警告表示

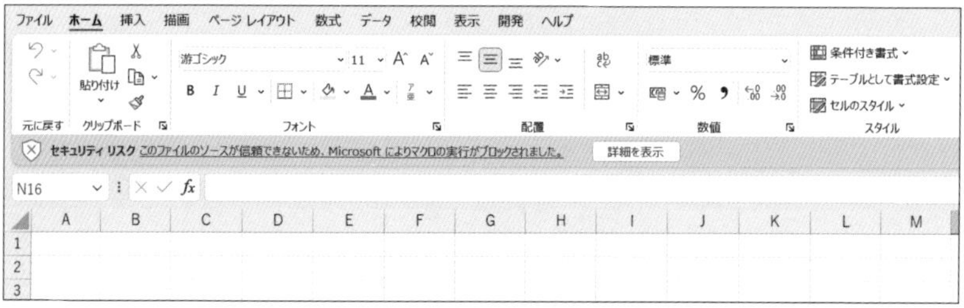

つまり、このままではマクロは実行できません。Webのマークを解除/回避する必要があります。

「Webのマーク」によるセキュリティ制限と解除・回避方法

Webのマークを解除/回避する方法は大きく分けて2つあります。1つは、ローカル環境に保存したブックのマークを個別に解除する方法です。もう1つは、「信頼できる場所」にマクロを含むブックを保存しセキュリティ制限を回避する方法です。

●個別のブックのWebのマークを解除する

個別のブックのWebのマークを解除するには、対象ブックをローカル環境に保存し、エクスプローラー等で対象ブックを右クリックして表示されるメニューから、**プロパティ**を選択します。

▼個別ファイルのプロパティを表示

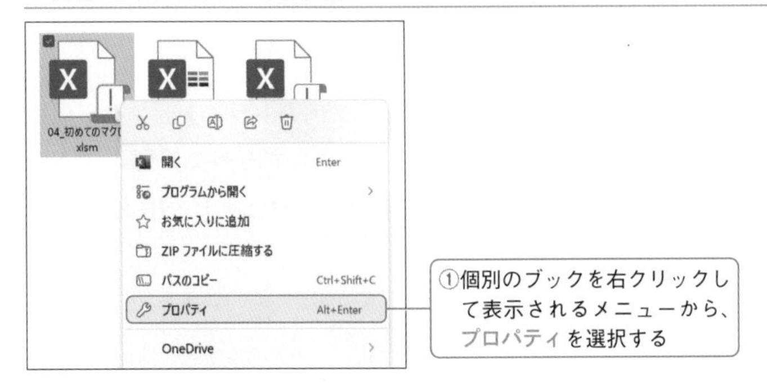

表示される「プロパティ」ダイアログの「全般」タブの最下段にある**セキュリティ**欄を見ると、次図のようにブロックされている旨が記述されています。この箇所の**許可する**チェックボックスにチェックを入れ、**OK**ボタンを押せば、このブックのWebのマークによるセキュリティ制限を解除します。

▼ブロックを解除する

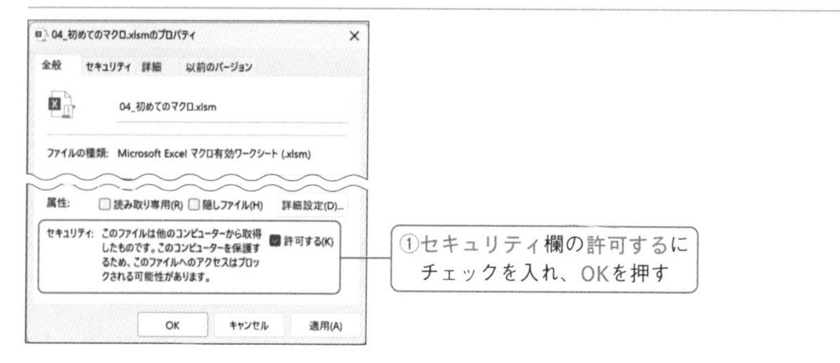

●信頼できるフォルダーを利用して、Webのマークによる制限を回避する

　続いて、複数ブックのセキュリティ制限をまとめて回避する方法です。Excelには、「このフォルダー内のブックは安全だという前提でマクロを実行しもいいですよ」という信頼できる場所（フォルダー）を設定できる機能があります。このフォルダー内にWebのマークの付いたブックを移動してから開くと、セキュリティ制限を回避できます。

　「信頼できる場所」は、「Excelのオプション」ダイアログ内のトラストセンター項目で確認/設定可能です。Webのマークを回避したいブックをまとめて任意のフォルダーへと集め、そのフォルダーを下記の手順で「信頼できる場所」として指定します。

▼「信頼できる場所」を指定する

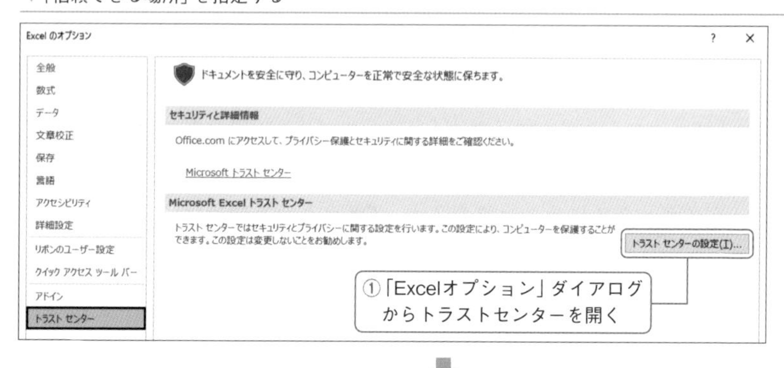

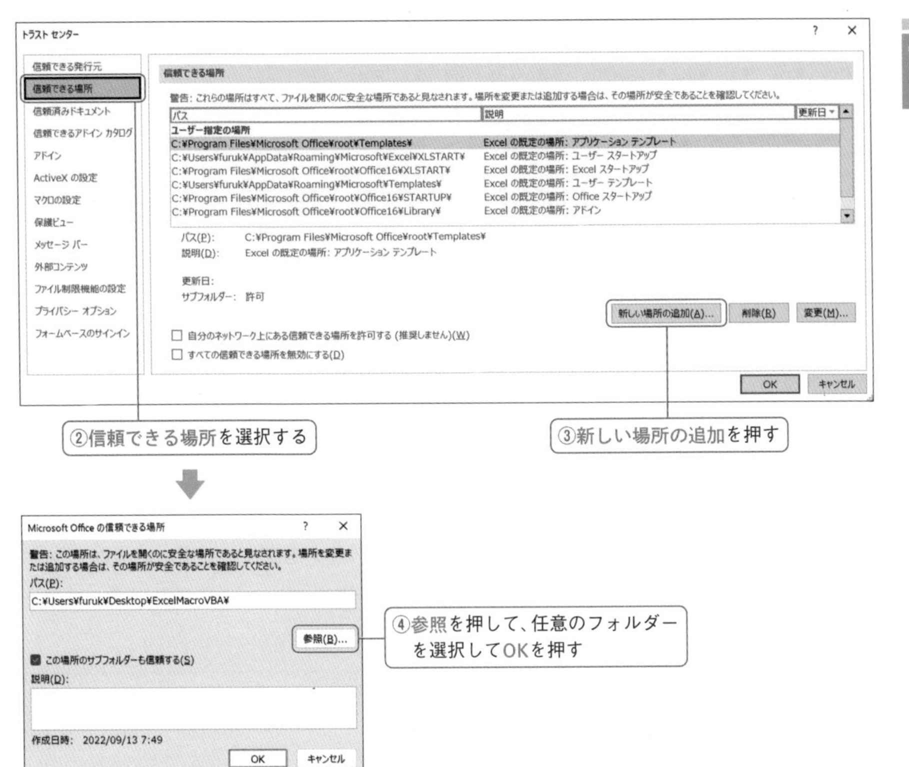

フォルダーを指定する際、「この場所のサブフォルダーも信頼する」にチェックを入れると、サブフォルダー内のブックに関してもセキュリティ制限を回避できます。

こちらはまとめてブロックを回避できる反面、フォルダー内に入れたブックのマクロを実行「してしまう」危険性と隣り合わせの方法と言えます。事前にどのフォルダーを「信頼できる場所」にするかを明確に決め、必要なくなったら「信頼できる場所」からの解除を忘れずに行うという運用ルールを徹底することに注意しながら利用していきましょう。

他のPCから持ち込んだブックのセキュリティ制限と解除

Webのマークによるセキュリティ制限を解除/回避しても、「見知らぬブック」(他のPCから持ち込んだり保存場所を変更したもの)であれば、さらにもう一段階のセキュリティ制限が行われる場合があります。その場合には、その場合には、次図のようにExcel画面に黄色の警告メッセージが表示されます。

▼他のPCから持ち込んだブックに対するセキュリティ制限

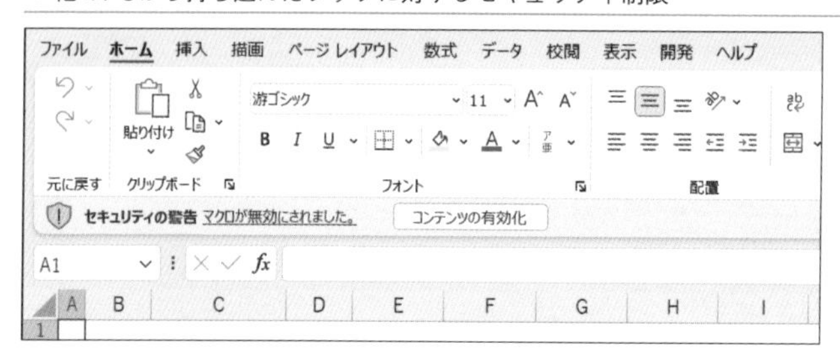

うっかり見知らぬマクロを含むブックを開いてしまった場合でも、悪意のあるマクロが勝手に実行できないような仕組みになっているわけですね。こちらはWebのマークの仕組みによるセキュリティ制限が厳格化される以前からある仕組みです。警告メッセージにある**コンテンツの有効化**ボタンを押せば、以降、そのPCではブックのマクロが実行可能となります。

なお、VBE画面が開いている際にこのタイプのブックを開くと、Excel画面ではなく、独立したダイアログボックスにセキュリティ警告のメッセージが表示されます。

▼VBE画面が開いている場合の警告メッセージ

Microsoft Excel のセキュリティに関する通知 ? ×

セキュリティに影響を及ぼす可能性のある問題点が検知されました。

警告: このコンテンツの発行元が信頼できるかどうかを確認することはできません。このコンテンツが重要な機能を備えており、発行元が信頼できる場合を除き、このコンテンツは無効のままにしてください。

ファイルのパス:

マクロが無効にされました。マクロには、ウイルスが含まれているか、その他セキュリティ上の危険性がある可能性があります。このファイルの発行元が信頼できない場合は、このコンテンツを有効にしないでください。

詳細情報

マクロを有効にする(E) マクロを無効にする(D)

この場合には**マクロを有効にする**ボタンを押せば、以降、そのPCではブックのマクロが実行可能となります。

「Webのマーク」に起因するセキュリティ制限と「見知らぬブック」に起因する2つのセキュリティ制限は、知っていれば手順を踏んで解除できる仕組みですが、知らない人にとってはいきなり「警告」メッセージが表示されるという「怖い」と感じる仕組みでもあります。

おそらく本書を読んでいる方はマクロを作成し、配布する側でしょう。配布する場合には、ブックを利用してもらう方に、きちんと事前にセキュリティ制限事情を説明してから利用してもらうよう心がけましょう。さもないと「怖くて使うのヤダ」となってしまったり、サポートを求める電話やメッセージや止まらないなんてことになってしまいます。

なお、セキュリティ制限を回避する方法には、上記の2つの方法の他にもデジタル署名を利用したり、クラウド上のファイルの場合にはクラウドのポリシーを設定するといった方法が用意されています。これらのセキュリティに関する仕様は、今後も変化する可能性があります。

マクロを実行したいPC/Excelの「トラストセンター」の設定を確認し、できれば、定期的にMicrosoft社のWebページ等でチェックするクセをつけておきましょう。2022年12月現在では、下記Webページで包括的な方針と仕組みを確認可能です。

Microsoft社提供のマクロのブロックとセキュリティに関する情報

URL https://learn.microsoft.com/ja-jp/deployoffice/security/internet-macros-blocked

column

ネットワークドライブ上のファイルのセキュリティ制限

マクロが記述されているブックがローカルPC上ではなく、いわゆるファイルサーバー等のネットワーク上の別の場所に保存されている場合のセキュリティ制限回避方法は、少し特殊になります。

まず、大前提として、「ローカル上に移動できるのであれば、ローカル上に移動して実行する」のが安定した手法です。移動できるのであれば移動しましょう。

でも、そうはいかない場合もあります。その場合、なんとかしてネットワーク上の他の場所のセキュリティ制限を解除する必要があります。Windowsのネットワークドライブを利用していたり、既にUNCパスが通っている場合には、そのドライブ名やUNCパス名を「トラストセンター」の「信頼できる場所」に追加します。

ネットワークドライブが未割り当てであったり、UNCパスが通ってなかったりといった状態で、ダイレクトに「file://192.168.0.2/...」等、他のPCに割り当てられたIPアドレス経由でアクセスしている場合には、Excelだけの設定ではなく、Windowsの「ローカル イントラネット」設定を合わせて変更する必要があります。Windowsのコントロールパネルから「インターネット オプション」を開き、「セキュリティ」タブ内の**信頼済みサイト**を選択して**サイト**ボタンを押します。

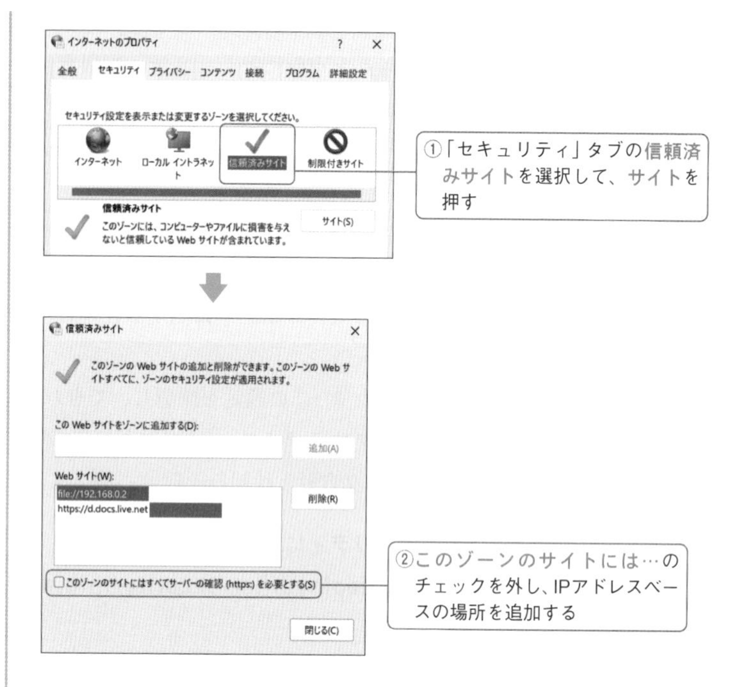

「信頼済みサイト」ダイアログが開くので、**このゾーンのサイトにはすべてサーバーの確認（https:）を必要とする**のチェックを外し、「file://192.168.0.2」等の場所を追加します。これでその場所は「信頼済みサイト」として扱われ、Webのマークによるセキュリティ制限が回避されます。

詳しくは本文中でもご紹介したMicrosoft社のWebサイト内の「ネットワーク共有または信頼されたWebサイトに一元的に配置されたファイル」項目をご覧ください。

Windows自体の設定を変更してしまうため、あまりお勧めはできません。ネットワーク上でExcelブックを共有したいような場合には、あらかじめセキュリティ制限の対策が施されているMicrosoftのOneDriveやSharePoint等のサービス利用を検討した方が面倒がないかもしれません。それより何より、ローカルですむのならばローカルで動かすのが一番確実です。

ともあれ、ネットワーク上の別の場所にあるブックのマクロを実行したい場合や、「なぜか前は使えていたマクロが動かない」というような場合には、これらの設定を確認する手順を頭の片隅に入れておくと、問題解決の一助になるでしょう。

基礎編

Chapter 2

オブジェクト単位で各種機能にアクセスする

本章ではVBAによるプログラミングの基本概念である「オブジェクト指向」とExcelの各機能の関連性についてご紹介します。
オブジェクト指向形式のプログラミングではおなじみの「ドットシンタックス」の仕組みや、Excelの各種機能と割り当てられたオブジェクトの関係性の整理、そして個々のオブジェクトへアクセスする際の基本ルールを学習しましょう。

本章の学習内容

❶オブジェクトの整理
❷機能とオブジェクトの関係性
❸オブジェクトを指定する際の基本ルール

section 01

イミディエイトウィンドウの使い方

さて、今からVBAの学習を始めるわけですが、まず覚えておくと便利なものが、イミディエイトウィンドウの使い方です。

イミディエイトウィンドウは、VBEのメニューバーから**表示→イミディエイトウィンドウ**を選択すると表示されるウィンドウです。初期設定では、VBEの画面右下に表示されます。

▼イミディエイトウィンドウ

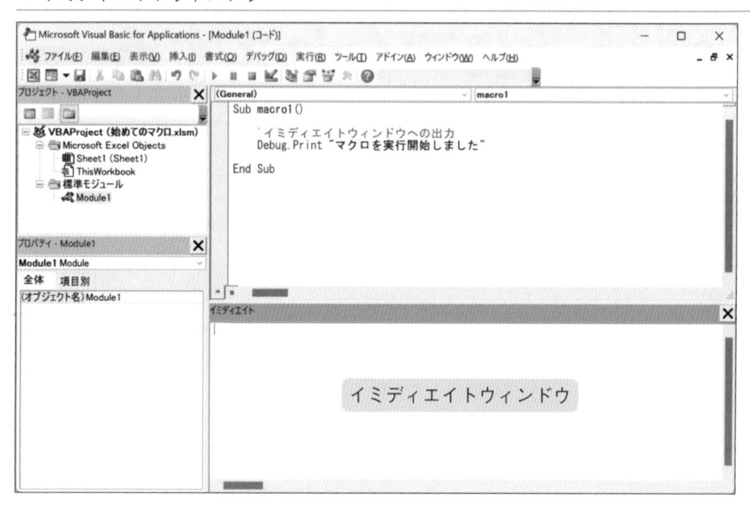

マクロからイミディエイトウィンドウへ値を出力する

VBAでは次のコードでイミディエイトウィンドウへと値を出力できます。「Debug.Print」の後に半角スペースを入れて、表示する値を入力します。

▼値を表示する

```
Debug.Print 値
```

また、出力したい値が複数あるときには「,(カンマ)」で区切って列記できます。

▼複数の値を表示する

```
Debug.Print 値1, 値2, …
```

例えば、次のマクロを実行すると、**イミディエイトウィンドウに「Hello VBA」という値(文字列)が出力**されます。マクロの実行方法は29ページを参照してください。

▼マクロ 2-1

```
Sub Macro2_1()
    Debug.Print "Hello VBA"
End Sub
```

実行例　イミディエイトウィンドウへの出力

イミディエイト
Hello VBA
「Debug.Print」に続けて入力した値や式の結果が出力される

ちょっとしたコードをテストしたい場合等にとても便利な機能です。また、文字列等の値だけでなく、計算式の結果を表示することも可能です。

なお、イミディエイトウィンドウはVBEの画面から分離して表示可能です。ウィンドウのタイトルバー部分(上部の「イミディエイト」と表示されている青い部分)をドラッグすると、好きな位置に分離・移動可能です。さらに右下をドラッグすることでサイズの変更も可能です。

直接コードを入力して実行する

さらにイミディエイトウィンドウは、値の出力だけではなく、1行分のコードを入力してその場で実行も可能です。

例えば、イミディエイトウィンドウへ次のコードを記述します。

```
ActiveCell.Clear
```

このコードの内容は、「アクティブセルの値を消去する」というものです。このコードをイミディエイトウィンドウに直接記述し、Enterキーを押すと、その場で入力したコードが実行されます。

▼イミディエイトウィンドウからコードを実行

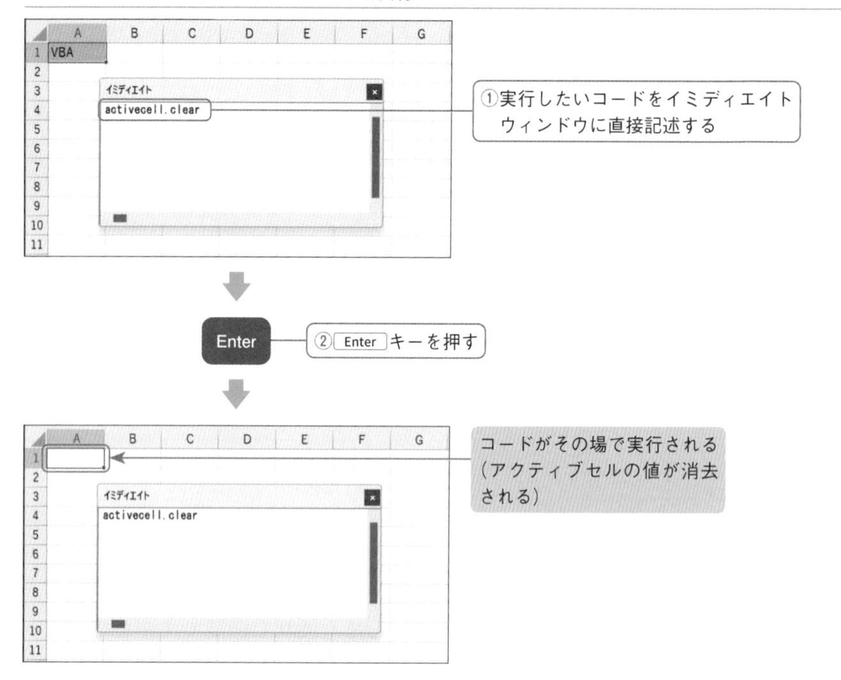
VBA
イミディエイト
activecell.clear
①実行したいコードをイミディエイトウィンドウに直接記述する
Enter
②Enterキーを押す
コードがその場で実行される（アクティブセルの値が消去される）

VBAの学習段階では、ちょっとしたコードの動作や状態を確認したいケースが多々出てきます。そんなとき、イミディエイトウィンドウで直接コードを実行する仕組みを知っていれば、手軽にテストや確認ができます。このようにイミディエイトウィンドウは、ちょっとしたコードの実行と値の確認が可能です。他言語の開発環境で言うところの、いわゆる「コンソール」的な役割を持つウィンドウというわけですね。とても便利なので、積極的に利用していきましょう。

ちなみに、イミディエイトウィンドウを利用する際に知っておくと便利なのが、「？」を利用した記述方法です。「？」は、イミディエイトウィンドウ内において、先述の「Debug.Print」の簡易的な構文（**糖衣構文/シンタックスシュガー**）として機能します。「？」に続けて半角スペースを1つ入れ、イミディエイトウィンドウへと出力したい内容を記述すれば、その値が出力されます。

```
? 出力したい内容
```

いちいち「Debug.Print」と記述せずとも「?」だけですむため、その場でパッと気になる値をチェックしたり、計算やコードの結果をチェックできます。「イミディエイトウィンドウ、教えて？」と聞いていくイメージですね。こちらもあわせて覚えておきましょう。

▼「？」を利用した糖衣構文

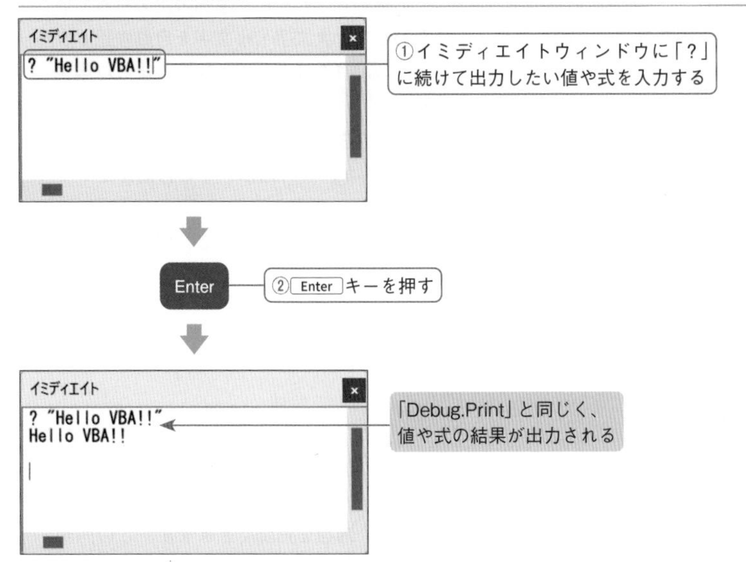
イミディエイト
? "Hello VBA!!"
①イミディエイトウィンドウに「？」に続けて出力したい値や式を入力する
Enter
②Enterキーを押す
イミディエイト
? "Hello VBA!!"
Hello VBA!!
「Debug.Print」と同じく、値や式の結果が出力される

column

VBAは大文字・小文字を区別「しない」言語

本文中で、「ActiveCell.Clear」というアクティブセルの内容を削除するコードを紹介しましたが、ここで前ページの図をもう一度見てみてください。イミディエイトウィンドウには、「activecell.clear」と、すべて小文字でコードが入力されていますね。にもかかわらず、Enterキーを押すと問題なくコードが実行されます。

実はVBAは「大文字・小文字を区別『しない』言語」なのです。VBAにとっては、「ActiveCell」も「activecell」も同じです。特にイミディエイトウィンドウを利用してちょっとしたテストをしたい場合には、大文字・小文字を気にせずに入力できるため、とても楽ちんですね。

column

VBEはわりと自動整形してくる

VBEでは、コードウィンドウに入力したコードを自動修正します。例えば、すべて小文字で入力したコードがVBAのキーワード（VBAの記述ルールで意味の定められているもの）である場合には、そのキーワードに合わせて、大文字・小文字を自動修正します。また、引数をカンマ区切りで列記した場合にも、1つひとつのカンマの後ろに半角スペースを入れてきたりもします。

行頭のインデントや途中の何も入力していない空白行等は、VBAの記述ルールでは特に特別な意味を持たないために修正を行いませんが、その他はわりと自動修正してきます。

この仕組みを利用して、「キーワードをわざとすべて小文字で入力し、VBEに修正されなかったら、何かスペルミスをしているかもしれないと疑う」なんていうスタイルでコードを記述していくこともできたりします。

column

Debug.Printのもうひとつの出力方法

Debug.Printはカンマで区切って複数の出力したい内容を列記できますが、この列記の指定は、カンマではなくセミコロンでも可能です。

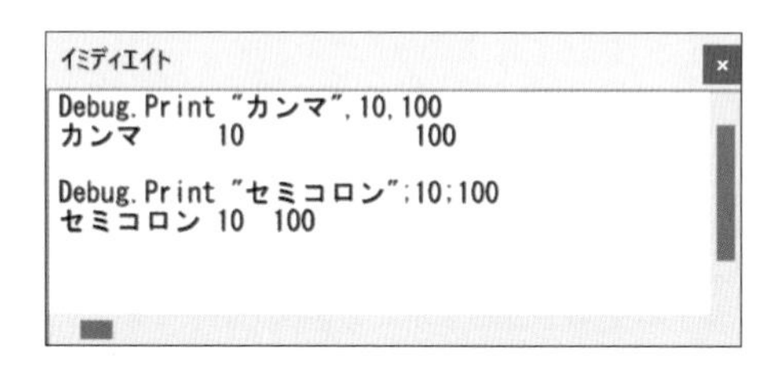

両者の違いは、列記した値の表示間隔です。カンマはタブ基準、セミコロンは文字列や数値等のデータ型に応じた間隔基準で表示されます。どうもカンマ区切りだと表示幅が広くて見にくい、という場合にはセミコロンで区切ってみてください。

section
02 セルの値を操作する

手軽にコードをテストできる方法を覚えたところで、いよいよVBAの基本文法の学習に入りましょう。まずは実際のコードと結果をご覧いただき、その後に仕組みの解説を行います。ここでのテーマは、VBAの基本とも言えるセルの値の操作としてみましょう。

各コードは、それぞれイミディエイトウィンドウへと直接入力して実行可能です。また、本書のサポートページでは、サンプルファイルを配布しておりますので、そちらからコピー＆ペーストしての実行・確認も可能です。入力が苦手という方はこちらの方法で記述ルールと結果の確認を行ってみてください。

本書のサポートページ

URL https://isbn2.sbcr.jp/17714/

セルに値を入力する

最初に、セルに値を入力するコードを見てみましょう。次のコードは、**セルA1に「Hello VBA!!」という値（文字列）を入力**します。

▼マクロ 2-2

```
Range("A1").Value = "Hello VBA!!"
```

実行例　セルA1に文字列「Hello VBA!!」を入力

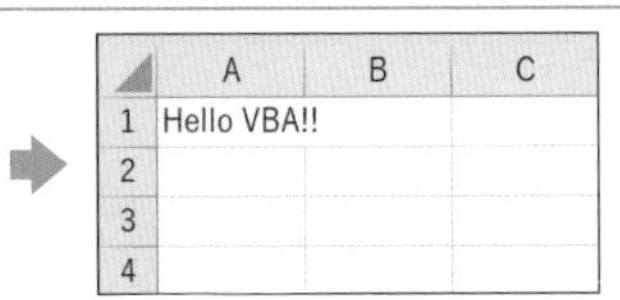

次のコードは、**2行目・1列目のセルに「1000」という値（数値）を入力**します。

▼マクロ 2-3

```
Cells(2, 1).Value = 1000
```

実行例　2行目・1列目のセル（セルA2）に値「1000」を入力

	A	B	C
1			
2			
3			
4			

➡

	A	B	C
1			
2	1000		
3			
4			

次のコードは、**セル範囲A1：B2に「2023/6/5」という値（日付）を入力**します。

▼マクロ 2-4

```
Range("A1:B2").Value = #2023/6/5#
```

実行例　セル範囲A1:B2に日付値（2023年6月5日）を入力

	A	B	C
1			
2			
3			
4			

➡

	A	B	C
1	2023/6/5	2023/6/5	
2	2023/6/5	2023/6/5	
3			
4			

3つのコードはそれぞれ少しずつ異なりますが、どれも、

- 操作対象を指定している箇所
- 操作する特徴を指定している箇所
- 入力する値を指定している箇所

の3箇所に分けて記述されています。

▼操作対象を指定している箇所

```
Range("A1").Value = "Hello VBA!!"
Cells(2, 1).Value = 1000
Range("A1:B2").Value = #2023/6/5#
```

▼操作する特徴を指定している箇所

```
Range("A1").Value = "Hello VBA!!"
Cells(2, 1).Value = 1000
Range("A1:B2").Value = #2023/6/5#
```

▼入力する値を指定している箇所

```
Range("A1").Value = "Hello VBA!!"
Cells(2, 1).Value = 1000
Range("A1:B2").Value = #2023/6/5#
```

この3箇所はそれぞれ、後述する「オブジェクトの指定」「プロパティ(特徴)の指定」「値の代入」という処理を行っているのですが、とりあえずは「操作対象を指定し、特徴を指定し、値を指定する」というように、「どの対象に対して操作を行うのか」という視点からスタートする形でコードを記述していくというルールを押さえておきましょう。

入力する値の種類

また、この3つのコードはすべて「セルへ値を入力する」ものですが、入力する値は文字列、数値、日付の3種類となっています。ついでと言っては何ですが、この3種類の「値」をVBAで扱う際の記述をまとめておきましょう。また、VBAのコード内で扱う値(後述する「変数」とは異なる「値そのもの」)を、リテラル値と呼びます。

▼3種類の「値(リテラル値)」の記述方法

値の種類	記述方法	記述例
文字列	ダブルクォーテーションで囲む	"Excel" "VBA" "エクセル"
数値	そのまま記述	100 1500 -50
日付・時刻	シャープで囲む	#2023/1/10# #14:00#

後ほどもう少し詳しくご紹介しますが、

- 文字列は「" "」で囲む
- 数値はそのまま
- 日付や時刻は「# #」で囲む

というルールで記述します。

入力した値を消去する

セルへの値を入力するコードを見たところで、今度は入力した値を消去(クリア)するコードを見てみましょう。次のコードは、**セルB2の値を消去**します。

▼マクロ 2-5

```
Range("B2").ClearContents
```

実行例　セルB2の値をクリア

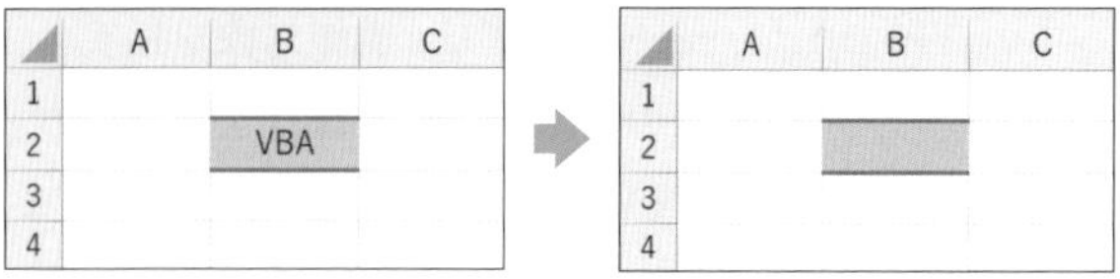

	A	B	C
1			
2		VBA	
3			
4			

➡

	A	B	C
1			
2			
3			
4			

値を削除するコードは、入力を行うコードと構成が少し異なっていますね。「Range("B2")」という「操作対象を指定する」部分は同じですが、その後ろはドットに続けて「ClearContents」というコードのみが記述されています。

この「ClearContents」という部分は、「セルの値のみをクリアする」という、Excelの一般機能で言うと、Deleteキーを押したときの動作(もしくはリボンの「ホーム」タブの**クリア→値と数式のクリア**を選択した際の動作)をプログラム化したものです。

VBAではこのような、「○○機能を『実行する』」と表現できる、Excelに用意されている各種機能もコードから実行可能です(後述する「メソッド」と呼ばれる仕組みとなります)。上記のコードは、「セルB2を指定し、実行したい機能である『ClearContents』メソッドを実行する」となっています。

メソッドという言葉はひとまず置いておいて、コードの大まかなルールである操作対象を指定後に、実行したい機能を指定している点に注目してください。機能を実行する場合でも、値を入力したときと同様に、「まずは操作対象を指定」し、その後に「機能を指定する」という順番でコードを記述していますね。

値の設定にしても、機能の実行にしても、「どの対象に対して操作を行うのか」という視点からコードの記述をスタートしています。この、操作対象を指定するところからコードを記述するというルールを頭に入れたうえで、次のテーマへと進みましょう。

column

日付リテラルの自動修正

シャープで囲んだ日付値をコードウィンドウ内に記述すると、「#月/日/年#」形式に自動的に修正されます。例えば、「#2023/9/3#」は「#9/3/2023#」という表記となります(詳しくは151ページで解説します)。

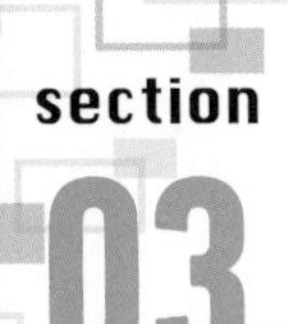

section 03 Excelの各機能はオブジェクトごとに整理されている

VBAからExcelの機能を利用するためのコードは、「操作対象を指定」するところからスタートします。この「操作対象」をオブジェクトと呼びます。

▼代表的なオブジェクト

オブジェクト	用途
Range	セルに対する操作
Worksheet	シートに対する操作
Workbook	ブックに対する操作
Application	Excel全体の設定や機能に対する操作
Font	フォントに対する操作
Interior	セルの書式に対する操作
Sort	並べ替え(ソート)設定に対する操作
AutoFilter	フィルター設定に対する操作

例えば、VBAでセルに関する操作を行う場合にはRangeオブジェクトを利用し、シートに関する操作を行うにはWorksheetオブジェクトを利用します。

また、オブジェクト(Object/物)と言うと、「目に見える物」という印象を持ちますが、「フォントを扱うためのFontオブジェクト」や「セルの見た目に関する設定を行うInteriorオブジェクト」、さらには「並べ替え(ソート)の設定を行うためのSortオブジェクト」「フィルターの設定を行うためのAutoFilterオブジェクト」等も用意されています。

どちらかと言うと、「物」というよりは「者」というイメージで捉え、「Excelの各パーツや機能に対する担当者」のような感覚で接するのがよいでしょう。「セルの担当者」「シートの担当者」「ソートの担当者」等が揃っており、それぞれの担当者は自分の担当機能のエキスパートである、というイメージですね。

Excelという膨大な機能を持つアプリケーションを操作するためには、まず「自分の操作したいパーツや機能を扱う窓口である担当者(オブジェクト)を探し、その担当者を通じて操作をしてもらう」というようなイメージです。市役所の窓口みたいですね。

オブジェクトとプロパティ・メソッド

各オブジェクトには、オブジェクトに対応したプロパティとメソッドが用意されています。プロパティは値や状態といった「特徴・状態」を扱いたい際に利用し、メソッドはオブジェクトに応じた「機能・命令」を扱いたい際に利用します。

以下に、セルを扱うRangeオブジェクトの主なメソッドとプロパティを示します。

▼Rangeオブジェクトのプロパティ（抜粋）

プロパティ	用途
Value	セルの値を取得/設定する
Width	セルの幅を取得/設定する
Interior	セルの書式情報に関するInteriorオブジェクトへアクセスする

▼Rangeオブジェクトのメソッド（抜粋）

メソッド	用途
Clear	セルをクリアする
ClearContents	セルの値や式のみをクリアする
Delete	セルを削除する

プロパティやメソッドを利用する場合には、オブジェクトの指定に続けて「.（ドット）」を記述し、利用したいプロパティやメソッド名を記述します。いわゆるドットシンタックス方式ですね。

▼プロパティを指定する

```
オブジェクト.プロパティ
```

▼メソッドを指定する

```
オブジェクト.メソッド
```

プロパティの値を設定・取得する

オブジェクトの状態を変更したい場合は、「プロパティを指定して変更後の値を設定」します。値の設定は、プロパティの指定に続けて「.プロパティ名 = 新しい値」という形で記述します。

▼プロパティの値を設定する

```
オブジェクト.プロパティ = 新しい値
```

次のコードは、**セルA1の値を管理する「Valueプロパティ」に「Hello VBA!!」という値を設定**します。結果として、セルA1に「Hello VBA!!」が入力されます。

▼マクロ 2-6

```
Range("A1").Value = "Hello VBA!!"
```

実行例　セルA1の「Valueプロパティ」に「Hello VBA!!」を設定

	A	B	C	D	E
1	Hello VBA!!				
2					
3					
4					
5					

また、「セルに入力されている値が知りたい」「シート名が知りたい」等、プロパティの値を取得して利用したい場合には、「オブジェクトを指定し、取得したいプロパティ名を記述」します。

次のコードは、**イミディエイトウィンドウにセルA1の幅を出力**します。

▼マクロ 2-7

```
Debug.Print Range("A1").Width
```

実行例　イミディエイトウィンドウにセルA1の幅を出力

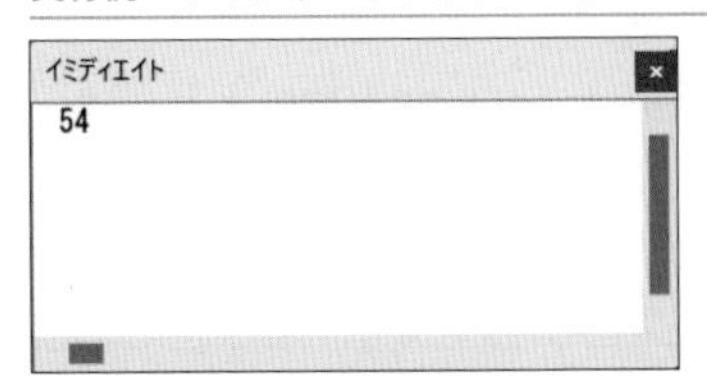

メソッドを実行する

オブジェクトに関する機能を利用したい場合には、「オブジェクトを指定してメソッドを実行」します。

メソッドを実行するには、オブジェクトの指定に続けて、「.メソッド」とメソッド名を記述します。

▼メソッドを実行する

```
オブジェクト.メソッド
```

次のコードは、**セルB2に対してClearContentsメソッドを実行**します。結果として、セルB2の値のみが消去されます。なお、消去されるのは値だけで、書式はそのままとなります。

▼マクロ 2-8

```
Range("B2").ClearContents
```

実行例　セルB2の値を消去

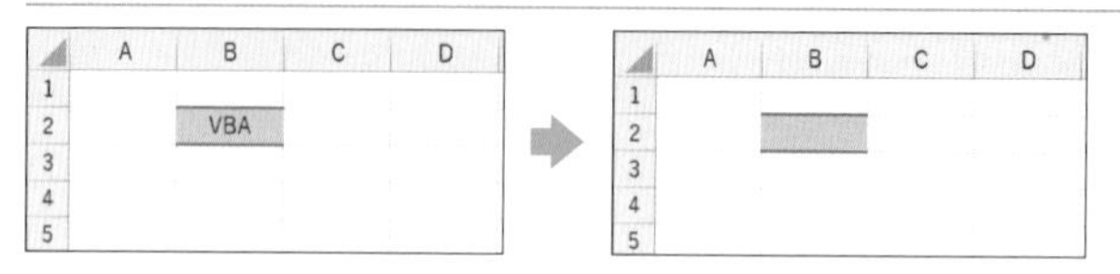

引数を指定してプロパティやメソッドを利用する

プロパティの一部や多くのメソッドでは、引数(ひきすう)が利用できます。引数は、プロパティやメソッドに対応する機能の「オプション設定」を指定する仕組みです。

「セルを削除する」メソッドである、RangeオブジェクトのDeleteメソッドを例に、引数の利用方法を見てみましょう。

まずは引数なしの通常のDeleteメソッドです。結果は、**セルB2が削除され、残ったセルが「上方向に」詰められます**。

▼マクロ 2-9

```
Range("B2").Delete
```

実行例　Deleteメソッドの実行結果

	A	B	C	D
1	1	2	3	
2	4	5	6	
3	7	8	9	
4				
5				

➡

	A	B	C	D
1	1	2	3	
2	4	8	6	
3	7		9	
4				
5				

続いて、セル削除後のシフト方向を、引数を利用して指定する方法をご覧ください。結果は、**セルB2の削除後にセルが「左方向」に詰められます**。

▼マクロ2-10

```
Range("B2").Delete Shift:=xlShiftToLeft
```

実行例　引数を指定したDeleteメソッドの実行結果

	A	B	C	D
1	1	2	3	
2	4	5	6	
3	7	8	9	
4				
5				

➡

	A	B	C	D
1	1	2	3	
2	4	6 ←		
3	7	8	9	
4				
5				

上記コードの「Delete」に続く「Shift:=xlShiftToLeft」が引数の部分です。引数の指定方法は、引数名と指定する値を「:=（コロン・イコール）」で繋いで、「引数名:=値」のセットで記述します。

▼メソッドで引数を指定する際の構文

```
オブジェクト.メソッド 引数名:=値
```

引数が複数ある場合には、このセットを「,（カンマ）」で区切って列記します。

▼複数の引数を利用する場合の構文

```
オブジェクト.メソッド 引数名1:=値1, 引数名2:=値2
```

プロパティやメソッドごとに、指定できる引数の数と引数名はさまざまです。これればかりは覚えるしかありません。ただし、VBEではメソッド名を入力後にスペースを1つ入れると、引数のポップアップヒントが表示されるので、それほど厳密に覚えなくても大丈夫です。ワークシート上で関数を入力する際に引数のヒントが表示されるのと同じですね。

▼引数のポップアップヒント

イミディエイト
Range("C2").Delete
Delete([Shift])
「Delete」まで入力してスペースを入力すると、Deleteメソッドの引数のポップアップヒントが表示される

また、引数には、必須の引数（必ず設定しなくてはいけない引数）と省略可能な引数（設定しなくてもよいが、その場合には既定の設定で実行される引数）の2種類が用意されています。例に挙げたDeleteメソッドの場合は「省略可能な引数」ですね。

必須の引数を省略した場合は、エラーとなります。肝心な設定の「指定し忘れ」が起きない仕組みになっているわけですね。ただし、省略可能な引数の指定し忘れは気づきにくい仕組みとも言えますので、ご注意を。ちなみに、ポップアップヒントの表示では、省略可能な引数は「[]（角括弧）」で囲まれて表示されます。

ともあれ、いつも使っている機能や設定の「オプション」を設定してプロパティやメソッドを利用したい場合には、引数を利用する点を押さえておきましょう。

なお、本書内でプロパティやメソッドの構文を示す際には、省略可能な引数は使用頻度の高いものに絞って掲載させていただくことがあります。その他の引数の詳細は、後述のヘルプ機能（76ページ）等を利用して調査していただければと思います。

「定数」を管理する「列挙」の仕組み

プロパティやメソッドの引数の多くは、「Excelに用意されている機能のオプション設定を指定するため」に利用します。例えば、先ほどから例に挙げているDeleteメソッドは、Excelが持つ「削除」機能をVBAから利用するものです。それを確認するために、まずは手作業でセルの削除を行う際に表示されるオプション設定ダイアログを見てみましょう。

▼ セルの削除機能のオプション

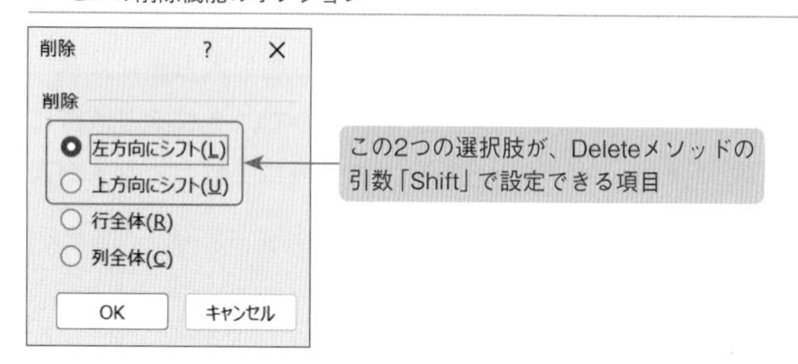

リボンの「ホーム」タブの**削除→セルの削除**等の操作で表示される「削除」ダイアログには、4つのオプションが表示されています。このうち、上の2つである「左方向にシフト」「上方向にシフト」の選択肢が、Deleteメソッドの引数「Shift」で指定できるオプションとなります。

つまり、メソッドに「どんな引数が指定できるのか」「どんな用途なのか」、そして「どんな値が設定できるのか」を知るためには、実際に対応する機能をExcel側で実行してみて、その際に表示されるダイアログを眺めてみれば大体わかるというわけです。

また、「削除」のような、「いくつかの選択肢の中からオプションを選択する方式」の機能の場合、各オプションの選択肢には、それぞれ対応する定数が設定されています。

▼引数Shiftに設定できる定数

定数名	意味
xlShiftToLeft	左方向にシフト
xlShiftToUp	上方向にシフト

「左方向にシフト」にはxlShiftToLeft、「上方向にシフト」にはxlShiftToUpという定数が割り当てられています。これらの「オプション項目設定用等のためにあらかじめ用意されている定数」を特に、組み込み定数と呼びます。

組み込み定数の多くは、接頭辞として「xl」や「vb」が付加されており、その後に定数の用途に合わせた判別しやすい名前が付けられています……と言っても名前の多くは英単語を組み合わせたものなので、残念ながら非英語圏の開発者にとっては、あまり意味がわからない場合も多いのがつらいところです。ともあれ、オプション選択式の引数には組み込み定数を設定するというルールを押さえておきましょう。

また、この仕組みを知っていると、サンプルのコードや他の方が書いたコードを見る際にも、「『英単語:=xl○○』という箇所は、オプション設定をしているんだな」という見当がつけられます。

column

組み込み定数をグループ化した「列挙」

組み込み定数は、各機能のオプションごとに列挙(れっきょ)と呼ばれるひと塊のグループとして定義されています。先ほどのDeleteメソッドの引数Shiftに設定できる2つの組み込み定数は、XlDeleteShiftDirection列挙としてグループ化されています。

初めて使用するようなプロパティやメソッドの場合、サンプルのコードや自動記録されたコード内で見つけた組み込み定数をキーワードに、どの「列挙」に属しているのかを調べると、同じ機能における、その他の設定項目に対応した組み込み定数を知ることができます。

手抜きして引数を指定できる仕組みも用意されている

VBAの引数は、2種類の指定方法が用意されています。例えば、セル範囲にフィルターをかけるAutoFilterメソッドでは、「どの列にフィルターをかけるのか」「フィルターの内容はどんなものか」という2つの情報を、2つの引数を利用して指定します。

次の2つのコードは、ともに**セル範囲B2:D20に「2列目」が「りんご」という抽出条件でフィルターをかけます**。

▼マクロ 2-11

```
'名前付き引数形式のコード
Range("B2:D20").AutoFilter Field:=2, Criteria1:="りんご"
```

▼マクロ 2-12

```
'引数の順番を利用した形式のコード
Range("B2:D20").AutoFilter 2, "りんご"
```

実行例 「りんご」でフィルターをかける

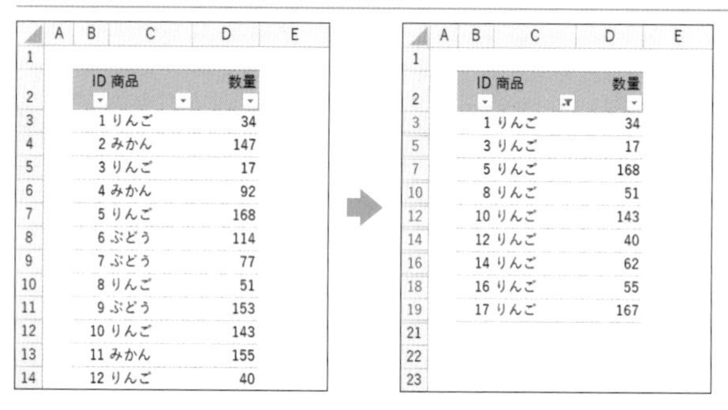

行	ID	商品	数量
3	1	りんご	34
4	2	みかん	147
5	3	りんご	17
6	4	みかん	92
7	5	りんご	168
8	6	ぶどう	114
9	7	ぶどう	77
10	8	りんご	51
11	9	ぶどう	153
12	10	りんご	143
13	11	みかん	155
14	12	りんご	40

行	ID	商品	数量
3	1	りんご	34
5	3	りんご	17
7	5	りんご	168
10	8	りんご	51
12	10	りんご	143
14	12	りんご	40
16	14	りんご	62
18	16	りんご	55
19	17	りんご	167

2つのコードの実行結果は同じものとなります。

VBAでは、引数が定義されている場合、引数名を省略して値のみを列記すると、定義されている順番に当てはまるように値が指定されたものとして処理する仕組みになっています。Excelのワークシート関数と同じ形式ですね。

前述のAutoFilterメソッドの場合には、1つ目の引数が「フィルターをかける列番号を指定する『Field』」であり、2つ目の引数が「フィルターの抽出条件を指定する『Criteria1』」と定義されています。そのため、「引数名:=値」のペアを列記した形式のコードと、メソッド名の後ろに順番に値のみを列記した形式のコードの結果が同じものとなったわけです。

このとき、最初のコードのように、引数名と値のペアをきっちり記述する方式を特に、名前付き引数形式と呼びます。引数名を特に指定しない形式は、特に名称はありません(多くの場合、標準引数形式と呼ばれることが多いようです)。

名前付き引数形式を用いる場合は、「どういった用途の引数に、どういった値が設定されているのか」が見た目にわかりやすくなるというメリットがありますが、入力が面倒というデメリットもあります。

引数を順番に指定する形式を用いる場合は、入力が簡単というメリットがありますが、後で見返した際に「どういう意図や用途で引数の値を設定しているのかがわかりにくい」というデメリットもあります。

どちらを利用するかは、正直言って「好み」です。実際に利用してみて、フィットする方を選んでください。

column

「途中から名前付き引数形式」での記述も可能

引数の指定は、標準引数形式で始め、途中から名前付き引数形式を混在させることも可能です。例えば、本文中でも利用したAutoFilterメソッドを、**「1つ目の引数『Field』は引数名を指定せずに記述し、2つ目の引数『Criteria1』は引数名を指定して記述する」**という形で記述することができます。

```
Range("B2:D20").AutoFilter 2, Criteria1:="りんご"
```

この記述でも、「『2』列目を『りんご』で抽出だな」と読み取ることはできそうですね。いわゆる標準引数形式では、設定したい引数の指定順が遅いと、そこまでたどり着くために、空の値を指定しなくてはいけない場合がありますが、これなら後半の引数をピンポイントで指定することも可能です。

なお、いったん名前付き引数で指定を行ったら、それ以降の引数の設定は、すべて名前付き引数で指定する必要があります。

自分で採用するかどうかは別として、このような書き方でもOKだということは頭に入れておきましょう。

section 04 目的のオブジェクトへアクセスする

VBAからExcelの機能を利用するためのコードは「操作対象であるオブジェクトを指定」するところからスタートし、「プロパティやメソッドを利用する」という仕組みをご紹介しましたが、そもそも、オブジェクトを指定するにはどうすればよいのでしょうか。その方法は大きく分けて2パターン用意されています。

▼2つのオブジェクト指定パターン

方法	概要
コレクションからアクセス	「コレクション」という仕組みを利用してオブジェクトを特定する
任意のオブジェクトを基準に階層構造からアクセス	オブジェクト同士の階層構造を利用して指定する

それぞれのパターンを見ていきましょう。

コレクション経由でオブジェクトを指定する

VBAでは、同じ種類のオブジェクトをまとめて扱うためにコレクションという仕組みが用意されています。コレクションの多くは、「オブジェクト名＋複数形の『s』」という名前となっています。

▼コレクションの例

コレクション	概要
Worksheetsコレクション	シートを扱うWorksheetオブジェクトがまとめられたもの
Workbooksコレクション	ブックを扱うWorkbookオブジェクトがまとめられたもの

例えば、シートを扱うオブジェクトはWorksheetですが、ブック内のすべてのシートをひとまとめにしたWorksheetsというコレクションが用意されています。

そして、個別のシートにアクセスするには、このWorksheetsコレクションの後ろに括弧を付け、その中にコレクションのメンバー（個々のオブジェクト）を指定するためのインデックス番号もしくは名前を指定します。

▼コレクション経由でオブジェクトを指定する

```
コレクション(インデックス番号/名前)
```

例えば、下図のような構成のブックがあったとします。ブック内には3枚のシートがあり、それぞれのシート名は「Sheet1」「Sheet2」「Sheet3」です。

▼3枚のシートを持つブック

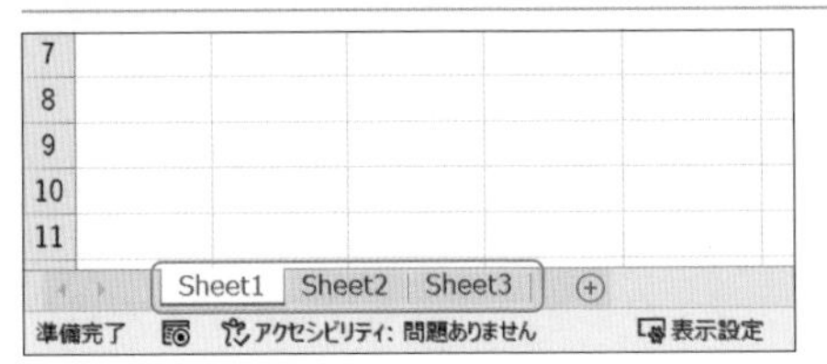

このとき、1枚目のシートである「Sheet1」には、次のいずれかのコードでアクセスできます。

```
'インデックス番号を使ってアクセス
Worksheets(1)

'シート名を使ってアクセス
Worksheets("Sheet1")
```

どちらもWorksheetsコレクション経由で、コレクション内の○○という形でコードが記述されていますね。

また、コレクション内のメンバーのインデックス番号は、通常は追加された順番に自動的に振られます。シートであれば、一番左にあるシートがインデックス番号「1」となり、以降、右側に向かって「2」「3」と1つずつ増えていきます。ブックの場合は、最初に開いたブックがインデックス番号「1」となり、以降、開いた順に「2」「3」とインデックス番号が振られていきます。

ちなみに、コレクションの中にはインデックス番号が変化するものもあります。例えばシートの場合は、シートの順番を入れ替えたり移動したりした際には、移動後の状態から見て一番左が「1」で、以下連番が振り直されます。

ともあれ、VBAで操作するオブジェクトを指定する際には、コレクション経由で指定可能というルールを押さえておきましょう。

オブジェクトの階層構造から指定する

コレクションの仕組みと並んで操作対象のオブジェクトを指定する際によく使う方法が、あるオブジェクトを起点に、関連する他のオブジェクトを、対応するプロパティ経由で指定する方法です。典型的なのが、「あるセルを元に、関連するオブジェクトへアクセスする」コードです。

VBAのオブジェクトは階層構造でたどれるよう整理されています。階層の最上位はアプリケーション(Excel自体)を管理するApplicationオブジェクトです。このApplicationオブジェクトを頂点とし、「Application→Workbook→Worksheet→Range→Font」のように、親子関係が設定されています。そして、階層構造を持つオブジェクトには、「親」や「子」となるオブジェクトをたどれるプロパティが用意されており、このプロパティを通じて親/子オブジェクトにアクセスできるようになっています。

▼セル(Rangeオブジェクト)経由で他のオブジェクトを取得するためのプロパティ

プロパティ	アクセス対象
Interior	起点のセルに関連するInteriorオブジェクト(書式)
Font	起点のセルに関連するFontオブジェクト(フォント)
Borders	起点のセルに関連するBordersコレクションオブジェクト(罫線)
Validation	起点のセルに関連するValidationオブジェクト(条件付き書式)
Worksheet	起点のセルのあるWorksheetオブジェクト(シート)

次の2つのコードはともに、セルA1を起点とし、書式情報を管理するInteriorオブジェクトや、フォント情報を管理するFontオブジェクトへとアクセスします。結果として、**セルA1の背景色やフォントサイズを変更**します。

▼マクロ 2-13

```
'書式情報へアクセスして背景色を変更
Range("A1").Interior.Color = RGB(255,0,0)
```

▼マクロ 2-14

```
'フォント情報へアクセスしてサイズを変更
Range("A1").Font.Size = 14
```

この形式では、たいていは目的のオブジェクト名と同名のプロパティが用意されているので、基準となるオブジェクトを指定し、○○オブジェクトを起点とした××オブジェクトという階層構造を連想するような形式でコードを記述すれば、意図したオブジェクトへアクセスできるようになっています。

このように、VBAで操作するオブジェクトを指定する際には、あるオブジェクトを基準として、階層構造をたどっても指定可能というルールとなっています。

「Range」でセルを指定する

「オブジェクトを指定するにはコレクション経由/階層構造から」という説明をしたばかりですが、実はセル(Rangeオブジェクト)だけは異なります。

Rangeオブジェクトの場合は、「Rangesコレクション」というような仕組みは用意されていません。単体のセルでもセル範囲でも、すべて「Rangeオブジェクト」です。操作対象とするセルを取得する仕組みはさまざまに用意されています。その代表格が**Rangeプロパティ**です。

▼Rangeを利用してセル/セル範囲を指定する

```
Range(アドレス文字列)
```

セル/セル範囲を指定する場合には、引数としてセル番地を表すアドレス文字列を指定します。アドレス文字列はシート上で関数式等に用いるのと同じ形式です。

単一のセルの場合は「A1」のように指定し、セル範囲の場合は「A1:C5」のように、セル範囲の左上のセルと右下のセル番地を「:(コロン)」で結んだ形式で指定します。次のコードは、**セルA1とセル範囲C1:E3にアクセスして値を入力**します。

▼マクロ 2-15

```
'セルA1に値を設定
Range("A1").Value = 100
'セル範囲C3:E3に値を設定
Range("C1:E3").Value = "VBA"
```

実行例　Rangeプロパティから目的のセルへアクセス

	A	B	C	D	E	F
1	100		VBA	VBA	VBA	
2			VBA	VBA	VBA	
3			VBA	VBA	VBA	
4						

Range（レンジ/範囲）という言葉が表す通り、もともと「セル範囲をまとめて指定できる」ことが前提として作られたような仕組みとなっています。そのうえで、単一セルの場合には「セルが1つだけのセル範囲」というような、まるでアーティストやお笑い芸人の「ひとりユニット」のような状態で指定できるようになっているのです。

セルはなんといってもExcelの基本となる仕組みです。そのため、他の仕組みとはちょっと違うルールになっても、手軽に使いやすいような仕組みが用意されているのでしょうね。

column

関連セルにアクセスしたい場合はたいていRangeでなんとかなる

ここまでセルを指定する際に「Range("A1")」のようにコードを記述してきました。ここで注意すべきなのは、ここで記述した「Range」はオブジェクトではなく「プロパティ」だということです。ちょっとややこしい話ですが、「Rangeプロパティに、扱いたいセル範囲を指定する『A1』という引数を渡し、その結果として、セルA1が扱えるRangeオブジェクトを取得している」という意味となります。

また、シートを扱うWorksheetオブジェクトを起点にし、そのシート上のセルにアクセスしたい場合には、Worksheetオブジェクトに用意されているRangeプロパティを使って「Worksheets(1).Range("A1")」とコードを記述します。同様に、任意のフィルターを起点に、そのフィルターが適用されているセル範囲へとアクセスしたい場合には、「ActiveSheet.AutoFilter.Range」とコードを記述します。

これは、「どんなオブジェクトでも、関連するセルを取得したい場合に利用するプロパティの名前は『Range』に統一しておこうか」というルールで、多くのオブジェクトに「Rangeという名前のプロパティ」が用意されているためです。「関連セルにアクセスしたければとりあえず『Range』」という考えで扱えるようにしているわけですね。

ちなみに、いきなり「Range("A1")」のように記述した場合には、グローバルと呼ばれる特殊なオブジェクト（の、ようなもの）のプロパティと見なされ、「目の前にあるシート上のセルを取得できるプロパティ」として機能します。Range以外の「グローバル」なプロパティやメソッド（関数）を知りたい場合には、オブジェクトブラウザーの「クラス」ペインの一番上の「<グローバル>」に用意されているメンバーを確認してみましょう（オブジェクトブラウザーについては、77ページを参照してください）。

「Cells」を使ってセルを指定する

単一セルを指定する方法として、Rangeの他にCellsというプロパティも用意されています。名前を聞くと、「Cellsプロパティ？ということは単一セルを扱う『Cellオブジェクト』があって、それを集めたコレクションなんじゃないの？」と思うかもしれません。ですが、VBAには「Cellオブジェクト」なるものは存在しません。セルを管理するのは、あくまでもRangeオブジェクトです。

さて、ちょっと脱線しましたが、Cellsプロパティの利用方法を見てみましょう。CellsはWorksheetオブジェクト等が持つプロパティで、引数として「行番号」「列番号」の2つを指定すると、その位置にあるセルを扱うRangeオブジェクトへとアクセスします。

▼Cellsを利用してセルを指定する

```
Cells(行番号, 列番号)
```

列番号を指定するに際には、数値の他にもシート上の列見出しに表示されている列番号に対応したアルファベットでもOKです。次のコードはそれぞれ、**セルB3とC3にアクセスして値を入力**します。

▼マクロ 2-16

```
'3行目・2列目のセル（セルB3）に値を入力
Cells(3, 2).Value = "Excel"
'3行目・C列目のセル（セルC3）に値を入力
Cells(3, "C").Value = "VBA"
```

実行例　Cellsプロパティを利用して値を入力

	A	B	C	D	E
1					
2					
3		Excel	VBA		
4					
5					
6					

ループ処理等を組み合わせて複数のセルに対して処理を行いたい場合には、Rangeプロパティよりも Cellsプロパティを利用した方が便利な場合もあります（111ページ）。

さて、RangeプロパティとCellsプロパティの2つをご紹介しました。ここでもう一度、Rangeオブジェクトと、Rangeプロパティ・Cellsプロパティの関係を整理しておきましょう。セルB3を扱うRangeオブジェクトを指定する場合には、Rangeプロパティを利用した方法とCellsプロパティを利用した方法が用意されています。次のコードはどちらも**セルB3へとアクセス**します。

```
Range("B3")
Cells(3, 2)
```

この指定方法の違いを、学校の教室等、何列かに机が並んでいる様子をイメージして整理してみましょう。

ある席に「田中君」が座っているとします。このとき、個々の机には「A1」「B2」等の名前が付いています。田中君は「B3」と名前が付いた席に座っており、その席は全体の席順で言うと「2列目の3番目」です。

田中君の名前を知らない場合、どうやって彼を呼んだらいいでしょうか。おそらく「名前がB3の席の人」、あるいは「2列目の3番目に座ってる人」のように指定するでしょう。VBA風に言うと「席の名前("B3")」「席順(3番目, 2列目)」という形ですね。指定方法は違えど、指定されるのは同じ「田中君」です。この田中君がRangeオブジェクト、「席の名前」「席順」等の指定方法がRangeプロパティやCellsプロパティという関係になります。

実はRangeやCellsの他にも、セルを扱うRangeオブジェクトを指定する方法はさまざまなものが用意されています(Chapter10でご紹介します)。さすがExcelにおけるメインの操作対象、よりどりみどりです。そのすべてを暗記する必要はありませんが、とりあえずは、「セルの指定方法は、いろいろある」ということを覚えておいてください。

目の前に「あるもの」と目の前に「ないもの」へのアクセス

WorksheetsコレクションやRangeプロパティ等の仕組みを利用して操作したいオブジェクトを指定できることをご紹介しました。今まで紹介してきた方法は、「目の前にあるもの(アクティブなもの)を基準に対象を選択する」方法となります。

例えば、次のコードは、**「セルA1」に値を入力**するものです。

```
Range("A1").Value = "VBA"
```

このコードは、現在アクティブなシートのセルA1が捜査対象となります。ブック内に複数シートがある場合、「Sheet1」がアクティブな状態で実行すると「Sheet1のセルA1」が操作対象となり、「Sheet2」がアクティブな状態では「Sheet2のセルA1」が操作対象となります。

同様に、次のコードは、**「1枚目のシート」のシート名をイミディエイトウィンドウに出力**するものです。

```
Debug.Print Worksheets(1).Name
```

このコードは、複数ブックを開いている場合、現在アクティブなブックの1枚目のシートが操作対象となります。つまり、これらは「アクティブなものを操作するコード」であり、「アクティブなものが変わると、それに応じて操作対象も変わる可能性があるコード」となります。

では、「アクティブではないシート上のデータを扱いたい」場合にはどうすればよいのでしょうか。この場合にはオブジェクトの階層構造の仕組みを利用して、「どのシートのセルを扱うのか」までを指定してあげます。

▼対象シートを含めて対象セルを指定する

```
対象シート.対象セル
```

次のコードは、**現在アクティブなシートがどのシートであるかに関わらず、「集計」シートのセルA1へと値を入力**します。

▼マクロ 2-17

```
Worksheets("集計").Range("A1").Value = "当期売上集計"
```

同じように、「どのブックのデータを扱うのか」までを含めて対象を指定することも可能です。

▼対象ブック・対象シートを含めて対象セルを指定する

```
対象ブック.対象シート.対象セル
```

次のコードは、複数ブックを開いている場合、**どのブックがアクティブであるかに関わらず、「東京本店.xlsx」の1枚目のシートのセル範囲A1:C5をコピー**します（「東京本店.xlsx」ブックを開いている状態で実行してください）。

▼マクロ 2-18

```
Workbooks("東京本店.xlsx").Worksheets(1).Range("A1:C5").Copy
```

Copyメソッドは、操作対象に指定したオブジェクトをコピーします。コピーしたオブジェクトは、PasteSpecialメソッド等で転記することができます。

このように、「アクティブではないもの」を操作対象として扱いたい場合には、階層構造の仕組みを利用して指定してあげればOKです。

操作対象を指定する場合には、それが目の前にあるかどうかによって、コードの記述方法も変わってくるという点を覚えておいてください。

「アクティブ」と「選択しているもの」を対象にする

マクロを開発していると、「現在選択しているセルに対して処理を行いたい」「現在アクティブなシートに対して処理を行いたい」というケースが出てきます。このような場合には、以下のプロパティを利用するのが便利です。

▼「現在アクティブな○○」を操作対象に指定できるプロパティ

プロパティ	操作対象
ActiveCell	アクティブなセル
Selection	選択しているセル範囲。もしくは、図形を選択している場合には選択している図形
ActiveSheet	アクティブなシート
ActiveWorkbook	アクティブなブック
ActiveWindow	アクティブなウィンドウ

このうち、ActiveCellとSelectionは、ともに選択しているセルを操作対象に指定する仕組みですが、ActiveCellは「単一セル」のみを扱い、Selectionは「セル範囲」も扱えるという点が異なります。

例えば、セルB2からドラッグを開始し、セル範囲B2:D6を選択した状態で次の2つのコード実行すると、結果はそれぞれ次の図のように異なります。

▼マクロ 2-19

```
'ActiveCellを使ってアクティブな単一セルを操作対象に指定
ActiveCell.Value = "VBA"
'Selectionを使って選択セル範囲全体を操作対象に指定
Selection.Value = "VBA"
```

実行例　ActiveCellとSelectionの操作対象の違い

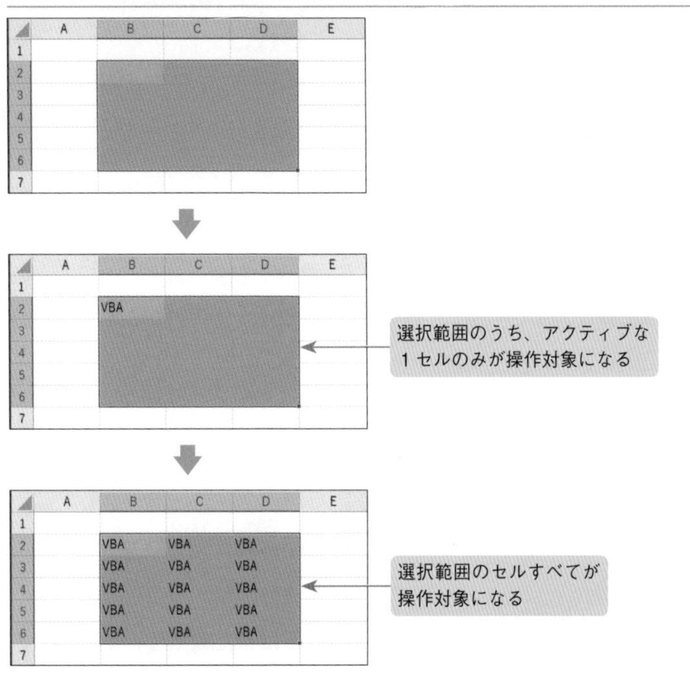
A
B
C
D
E
1
2
3
4
5
6
7
VBA
選択範囲のうち、アクティブな
1セルのみが操作対象になる
選択範囲のセルすべてが
操作対象になる

これらのプロパティは、特に選択対象に対して定番の処理を行いたいというマクロの作成に役立ちます。また、マクロを記述したブック「ではない」ブック内のオブジェクトを対象に操作を行いたい場合にも、「操作したい対象を手作業で選択・指定してからマクロを実行する」というパターンで作業を行う際に役に立ちます。

section
05 どの機能がどのオブジェクト？

「Excelの各機能を利用するにはオブジェクトにアクセスする」というルールをご紹介してきましたが、肝心の問題が残っていますね。「では、私が使いたい機能は何オブジェクトに割り当てられているの？」という点です。

これればかりは自分の手で調べるしかありません。しかしご安心を。VBAにはこの「目的のオブジェクトを調べる」ために便利な機能がいくつか用意されています。

最強の先生は「マクロの記録」機能

「開発」リボンの左端の「コード」エリアには、「マクロの記録」ボタンが用意されています。マクロの記録は、「自分が行った操作を、VBAのプログラムとして記録する」機能です。

▼「マクロの記録」ボタン

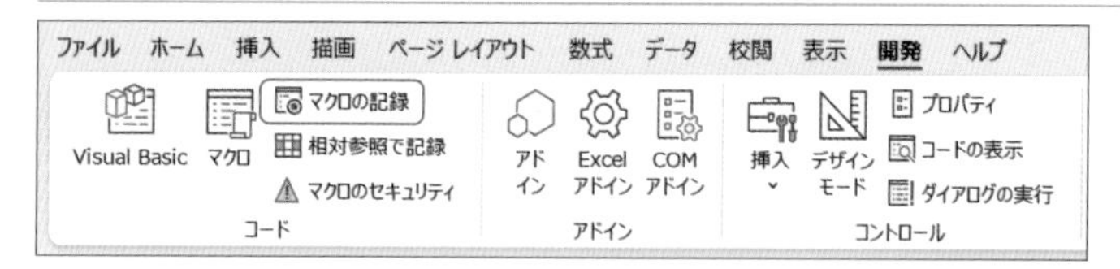

この機能は、実際に自分が行った操作を後で再現する用途に利用できますが、それ以外にも、自分が行った操作は、いったいコードで書くとどうなるのかを知るための手がかりにもなります。「マクロの記録」機能を実行中に行った操作に対応したマクロ（VBAのコード）が作成されるので、自分が行った操作がどのようなコードになるのかを確認することができるのです。

記録を開始するには、**マクロの記録**を押します。すると、「マクロの記録」ダイアログが表示されます。

記録中に行った操作は、「マクロ名」欄に入力された名前で、「マクロの保存先」に指定されたブックにマクロとして記録されます。コードを調べる用途であれば、名前はそのままで、保存先は「作業中のブック」にしておけばよいでしょう。

▼「マクロの記録」ダイアログ

マクロの記録 ? ×
マクロ名(M):
Macro1
ショートカット キー(K):
Ctrl+
マクロの保存先(I):
作業中のブック
説明(D):
OK キャンセル

OKを押すと、「開発」リボンの「マクロの記録」ボタンが、「記録終了」ボタンに変わります。以降、「記録終了」ボタンを押すまでに行った操作が、マクロとして記録されます。

▼「記録終了」ボタン

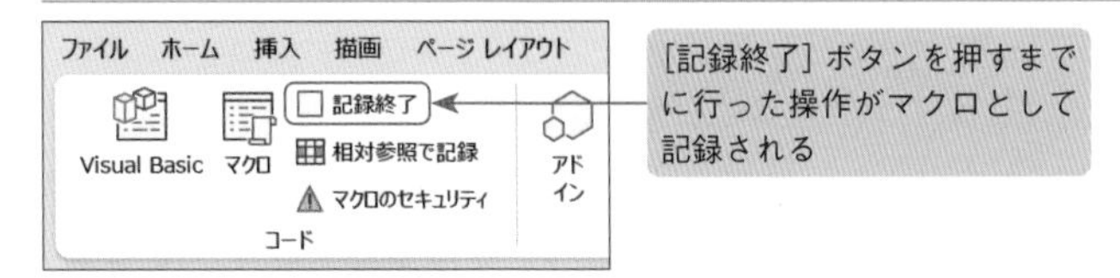

マクロは、下図のように記録されます。

▼記録されたマクロ

```
Sub Macro1()
'
' Macro1 Macro
'

'
    ActiveSheet.Range("$B$2:$D$20").AutoFilter Field:=2, Criteria1:="ぶどう"
End Sub
```

このマクロは、「セル範囲B2:D20のデータに、『2列目が"ぶどう"』という条件でフィルターをかける」操作を記録したものです。

記録されたマクロを見ると、なんとなく目的の操作を行うコードの見当がついてきますね。セル範囲を指定している「ActiveSheet.Range("セル番地")」の部分に続く「AutoFilter」がおそらくフィルター機能に当たるメソッドで、その後の「Field:=2」等の部分が、表記のスタイルから名前付き引数とその設定値だろうという「あたり」をつけられます。

このようにして、実際の操作を記録し、ざっくりとあたりをつけ、さらに以降の解説で紹介するヘルプやオブジェクトブラウザーを活用すれば、目的のコードの記述方法が突き止められるというわけです。

ただし、この「マクロの記録」機能は便利なのですが、記録される内容が「やや実況中継的で過剰」という弱点があります。例えば、「セルA1に値を入力」という操作を記録しようとすると、「セルA1を選択」「セルA1に値を入力」「セルA1の値入力確定後に選択セルを1つ下に移動する」というような、余計な操作まで記録されてしまいます。目的の機能のコードを知る用途で利用する場合には、できるだけ、「その目的の機能を実行するだけでマクロの記録を終了する」ように心がけましょう。そうすれば、自動記録されたコードの中から、自分の目的にあった部分を見つけ出す作業が簡単になります。

また、295ページで紹介している「ステップ実行」機能も、自動記録したマクロの内容を確認する際に役に立ちます。

ヘルプでリファレンスを確認する

自動記録されたコードやサンプル等に記述されているコードの意味を知りたい場合には、VBEの上で意味を知りたい部分を選択して F1 キーを押します。すると、Webブラウザーが起動し、選択部分に対応したリファレンスが表示されます。この機能を利用すれば、「辞書を引きながら意味を調べる」感覚で、コードの内容を調べることも可能です。

▼意味を調べたいコードを選択してリファレンスを表示

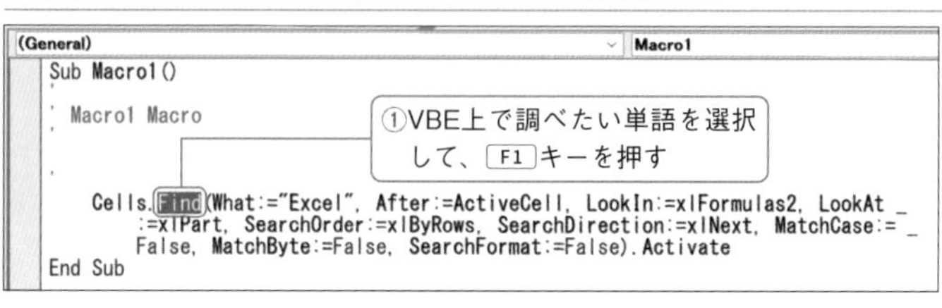

ただし、表示されるリファレンスは、VBE側で「たぶん、これかな？」と自動的に判断したページなため、ちょっと的外れな場合もあります。また、表示される内容は、こういったリファレンスを読み慣れている人にとっては見やすい構成とも言えますが、慣れてない方にとっては冗長でわかりにくいと感じるかもしれません。

ともあれ、とりあえず初めて見る単語（プロパティやメソッド）は選択して F1 キーを押すという習慣を身につけておくと、いろいろなコードの意味を知ることができますね。

より専門的な辞書である「オブジェクトブラウザー」

VBEには、オブジェクトのことを知るツールとして、オブジェクトブラウザーという機能も用意されています。

オブジェクトブラウザーを表示するには、VBEのツールバー上の**オブジェクトブラウザー**ボタン、もしくは F2 キーを押します。使い方は、Webブラウザー上で検索エンジンを使う操作に似ています。

まず、左上から2番目の検索文字列に調べたい単語を入力し、その右隣の**検索**を押します。

すると、画面下の3分割されたペインのうち、上部のペインに、入力した単語を持つオブジェクト名・プロパティ名・メソッド名・定数名・関数名等の候補が表示されます。

表示された候補をクリックすると、今度は下部の2つのペインに、選択した対象の情報が表示されます。左下は選択した対象の属するオブジェクト等の分類が、右下はプロパティやメソッド、定数や関数といった関連する項目が表示されます。

さらに、選択した対象が引数を持つような場合には、下端のスペースにその情報（というか定義）も表示されます。また、このスペースに表示される情報のうち、緑色で表示される部分は、その対象へのリンクとなっており、クリックすることでその情報がオブジェクトブラウザーに表示されます。ちなみに、オブジェクトブラウザー内で調べたい項目を選択して F1 キーを押しても、選択対象のリファレンスが表示されます。

▼オブジェクトブラウザーの表示と利用

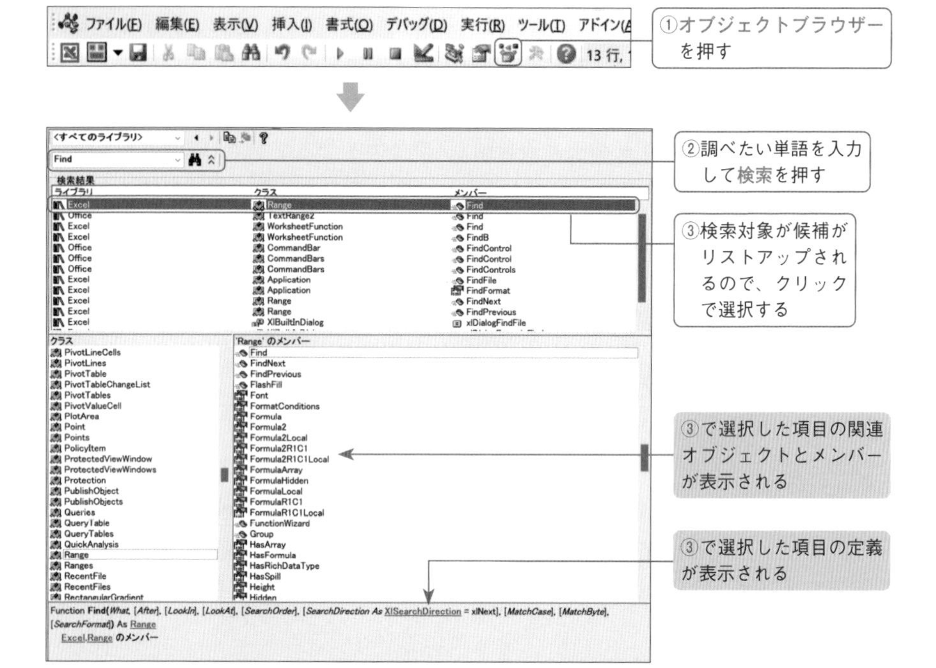
①オブジェクトブラウザーを押す
②調べたい単語を入力して検索を押す
③検索対象が候補がリストアップされるので、クリックで選択する
③で選択した項目の関連オブジェクトとメンバーが表示される
③で選択した項目の定義が表示される

慣れないとなかなか見難いのですが、「えーっと、確かオブジェクトで『Vaなんとか』というのは…」というようなケースや、「メッセージボックスに使う定数で『vbなんとか』だと思うんだけど…」というような曖昧な情報で検索を行い、表示されるリストを見たりたどったりして「ああ、これこれ！」というように目的のコードを突き止める際に非常に役に立ちます。

また、特定のオブジェクトをオブジェクトブラウザーで検索し、そのプロパティやメソッドの一覧を確認したい、といった用途にも利用できる他、自動記録で記録された組み込み定数を検索し、関連する組み込み定数や列挙を調べるのも簡単です。

このオブジェクトブラウザーは、うろ覚えでコーディングを開始してしまう筆者のようなスタイルのコーダーにとっては何よりも助かるツールです。ぜひ活用してください。

基礎編

Chapter 3

もっとプログラムらしく VBAの基礎文法

本章では、変数や制御構造（条件分岐・ループ処理）といった、よりプログラムらしい仕組みをVBAで実現する際のルールを紹介します。これらの仕組みを利用すれば、単にExcelの機能を順次実行するだけではなく、よりきめ細やかな操作や、大量の作業を一括して処理する仕組みも作成可能となります。

本章の学習内容

❶ 変数の仕組みと扱い方
❷ 各種計算を行うための演算子
❸ 条件分岐とループ処理の基本構文

section 01 VBAにおける変数の使い方

多くのプログラミング言語と同じように、VBAでも変数を利用できます。まずはざっと利用方法のダイジェストをご覧ください。

宣言と値の代入・再代入の方法

最初に、変数を宣言して、値を代入(だいにゅう)するコードを見てみましょう。次のコードは**変数「foo」を宣言し、「10」という値を代入**しています。

```
Dim foo As Long  '変数の宣言
foo = 10         '変数へ代入
```

続けて**変数「foo」へ元の値に「5」を乗算した値を再代入し、結果を表示**します。

```
foo = foo * 5                 'fooの値に「5」を乗算した値を再代入
Debug.Print "fooの値：", foo  '変数の値を出力して確認
```

▼変数を利用した計算の結果を表示

```
イミディエイト
fooの値：       50
```

なお、ここで紹介したVBAのコードを実行するためには、Chapter1に掲載したようにマクロの外枠を作成し、マクロ内に必要なコードを記述したうえで実行してください(27ページ)。例えば、ここで紹介した処理を実行するためには、次のようなマクロを作成します。

▼マクロ 3-1

```
Sub macro3_1()
    Dim foo As Long                  '変数の宣言
    foo = 10                         '変数へ代入
    foo = foo * 5                    'fooの値に「5」を乗算した値を再代入
    Debug.Print "fooの値：", foo     '変数の値を出力して確認
End Sub
```

また、本書のサポートページでは、それぞれのマクロのコードを配布しております。結果のみを確かめたい方はサンプルをダウンロードのうえ、実行・確認してみてください。

本書のサポートページ

URL http://isbn2.sbcr.jp/17714/

変数でオブジェクトを扱う

次のコードは、オブジェクト型の変数「rng」を宣言し、セル範囲(Rangeオブジェクト)を代入して操作します。**変数「rng」にセル範囲A1:C3を代入して、代入したセル範囲に値を入力**します。

▼マクロ 3-2

```
Dim rng As Range               'Rangeの固有オブジェクト型で変数を宣言
Set rng = Range("A1:C3")       '変数へオブジェクトを代入
rng.Value = "VBA"              '変数を通じてオブジェクトを操作
```

実行例　変数を利用してオブジェクトを扱う

	A	B	C	D
1	VBA	VBA	VBA	
2	VBA	VBA	VBA	
3	VBA	VBA	VBA	
4				

上記のように、変数を宣言し、その後で値やオブジェクトを代入したり再代入したりするというのがVBAの変数の基本的な使い方になります。では、もう少し詳しく利用方法を見ていきましょう。

VBAの変数はわりといいかげんに使える

変数を宣言するには、Dimステートメントを利用します。「Dim」に続けて変数名を記述すると、以降、その変数に値やオブジェクトを代入して扱えるようになります。

▼変数を宣言する（Dimステートメント）

```
Dim 変数名
```

変数名は英数字の他にも、日本語のような2バイト文字も利用できます。

```
Dim foo        '「foo」を変数として宣言
Dim 売り掛率   '「売り掛率」を変数として宣言
```

かなり自由に名前が付けられますが、マクロ名と同じように、「数値から始まる変数名はNG」「アンダーバー以外の記号はNG」等の制限もあります。

また、VBAの変数は、用途を示す**データ型**を指定せずとも利用できますが、以下のように、Asキーワードを併用すると、データ型を明示して宣言が行えます。

▼データ型を明示して変数を宣言する（Asキーワード）

```
Dim 変数名 As データ型
```

データ型を明示すると、変数を利用するたびにPCが値の種類のチェックをする必要がなくなり、処理速度の向上が期待できます。また、VBEで変数を扱う際に、宣言したデータ型に応じたコードヒントが表示されるようになったり、異なるデータ型の値を代入しようとした場合には警告メッセージが表示されるというメリットもあります。

▼データ型を宣言しておくとコードヒントが表示される

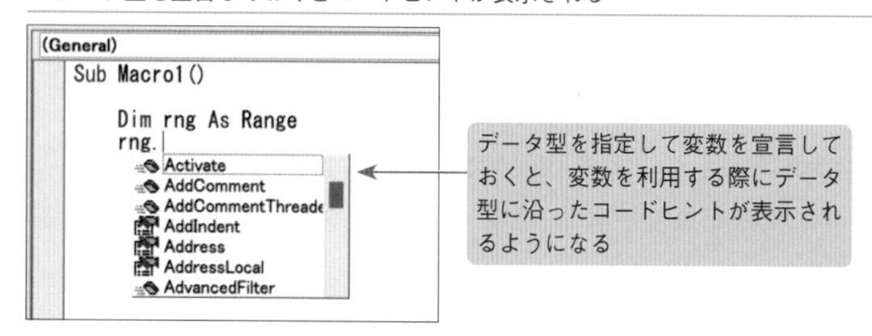

よく利用するデータ型

VBAでよく利用するデータ型には、以下のようなものが用意されています。

▼よく利用するデータ型

データ型	用途
String	文字列型
Integer	整数型(-32,768～32,767の範囲の整数)
Long	長整数型(-2,147,483,648～2,147,483,647の範囲の整数)
Single	単精度浮動小数点型(正の値:1.401298E-45～3.4028235E+38、負の値:-3.4028235E+38～-1.401298E-45)
Double	倍精度浮動小数点型(正の値:4.94065645841246544E-324～1.79769313486231570E+308、負の値:-1.79769313486231570E+308～-4.94065645841246544E-324)
Date	日付型(年月日・時分秒を扱う。西暦100年1月1日～西暦9999年12月31日)
Boolean	真偽値型(真の場合はTrue、偽の場合はFalse)
Object	汎用オブジェクト型(どんなオブジェクトでも代入可能)
Variant	バリアント型(どんな値・オブジェクトでも代入可能)
固有オブジェクト	RangeやWorksheet等、特定の種類のオブジェクト

また、VBA以外のプログラミング言語には、変数の宣言と同時に初期値を代入できるものもありますが、VBAでは同時に行えません。下記のコードはエラーとなります。

```
Dim foo As Long = 10  'エラー
```

なお、複数の変数を宣言する場合には、下記のように1行のDimステートメント内で、変数名とデータ型の定義を「,(カンマ)」区切りで列記してもOKです。次のコードは、**文字列型の変数「foo」と、長整数型の変数「bar」を宣言**します。

```
Dim foo As String, bar As Long
```

宣言なしで変数を利用する

さて、ざっと変数の宣言方法をご説明してきましたが、実はVBAでは、「宣言なし」でも変数が利用できます(できてしまいます)。次のコードは、**宣言なしでいきなり**

変数「foo」に「10」を代入して、値をイミディエイトウィンドウに表示するものですが、きちんと機能します。

▼マクロ 3-3

```
foo = 10
Debug.Print "fooの値：", foo
```

実行例　変数を宣言せずに利用

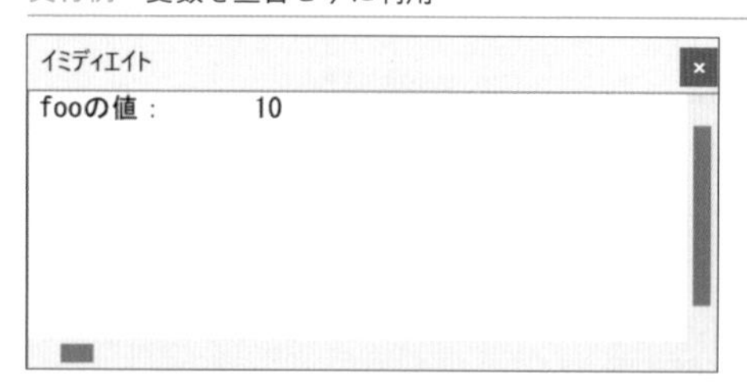

また、宣言を行う場合でも、Asキーワードによるデータ型の指定は「行わなくてもよい」仕組みになっています。データ型の指定を行わなかった変数は、Variant型と呼ばれる「何でも格納できるデータ型」として扱われます。

このように、VBAの変数はわりといいかげんに使えます。宣言せずに利用できたり、データ型の指定をせずに利用できたりする点に関しては、「簡単でいいね」と感じる方もいれば、「これは危険だ」と感じる方もいることでしょう。実際、この仕組みは、以下のようなミスを引き起こしやすくなります。

▼マクロ 3-4

```
Dim num As Long                 '数値を扱うつもりの変数「num」を宣言
num = 10                        '値「10」を代入
nun = num * 5                   '元の値に「5」を乗算した値を再代入
Debug.Print "numの値：", num    '結果を表示
```

実行例　うっかり記述ミスをした結果

イミディエイト

numの値：　10

上記のマクロは、**変数「num」を利用して「10×5」の計算を行い、その結果を表示**する意図で記述したものです。しかし、出力結果は「10」となってしまっています。これは、コードの3行目の冒頭で、「num」と書くところを「nun」と記述ミスしているために起きた現象です。

VBAでは変数を宣言せずにいきなり利用できるため、VBEにとって3行目のコードは「『nun』という新たな変数を用意し、そこに『num』と『5』を乗算した値を代入」という意味となってしまっているのです。VBAは、このようなミスが発生する可能性のある言語と言えます。

しかしご安心を。VBEでは、この手のスペルミスを防ぐための仕組みが用意されています。モジュールの先頭に「Option Explicit」の一文を記述しておくと、そのモジュール内では変数の宣言が強制され、宣言していない変数を利用できなくなります。上記のようなスペルミスをした場合でも、「変数が定義されていません」というエラーが表示されるようになります。

▼モジュール冒頭に「Option Explicit」を記述

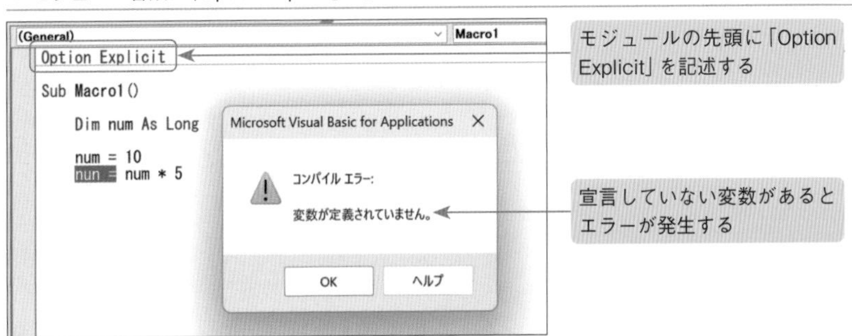

この設定は、VBEのメニューバーで**ツール→オプション**を選択して表示される、「オプション」ダイアログでも行えます。「編集」タブ内の**変数の宣言を強制する**にチェックを入れておくと、以降、新規作成される標準モジュールには、自動的に「Option Explicit」が記述されるようになります。

変数宣言の強制設定は、一度行えばExcelを終了しても引き継がれます。特に理由がなければ、真っ先に最初に設定しておいた方が、以降の無用のミスを防げるでしょう。

▼変数の宣言を強制するためのオプション項目

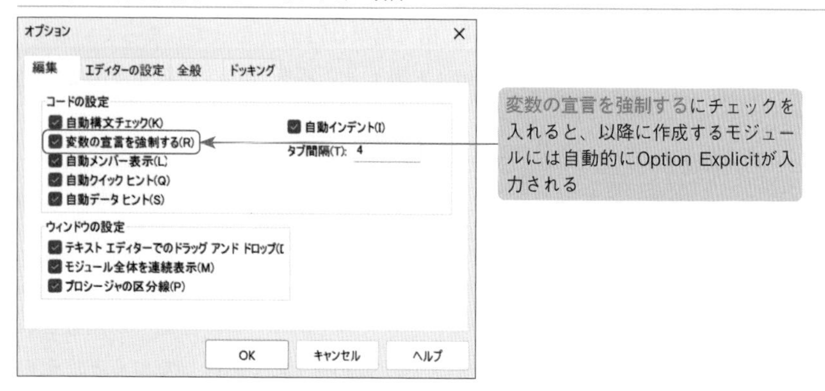

変数に値を代入する

宣言した変数へと値を代入あるいは再代入するには、「=(イコール)」演算子を利用します。次のコードは、**変数numに「10」という値を代入**するという意味となります。

```
Dim num As Long    '数値を扱う変数「num」を宣言
num = 10           '変数numに「10」を代入
```

▼変数に値を代入する

```
変数 = 値
```

文字列や日付といった値(リテラル値)を代入する際にも、同様にイコールを利用します。次のコードは、**文字列型の変数「str」と日付型の変数「dateVal」を宣言し、それぞれに文字列と日付を代入して表示**します。

▼マクロ 3-5

```
Dim str As String, dateVal As Date    '文字列と日付を扱う変数を宣言
str = "指定日："                      '変数strに文字列を代入
dateVal = #10/05/2023#                '変数dateValに日付を代入
Debug.Print str, dateVal              '変数の値を表示
```

実行例　文字列と日付の代入

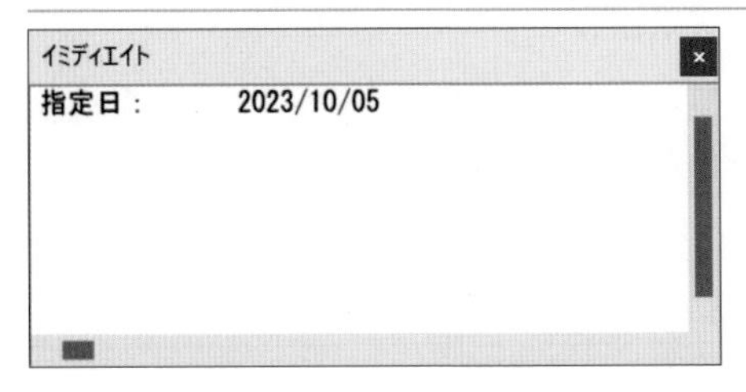

また、他のプログラミング言語ではよくある方法ですが、VBAでは利用できない記述方法としては、**インクリメント(++)**や**デクリメント(--)**の記法があります。インクリメントは値を1ずつ加算していき、デクリメントは1ずつ減算していきます。

```
num++   'これはエラー
num--   'これもエラー
```

変数の値を1ずつカウントアップしたい場合には、次のように記述する必要があります。

```
Dim num As Long   '変数を宣言
num = 1           '初期値を代入
num = num + 1     '1だけ加算（インクリメント）
```

加算代入や**乗算代入**を行う場合も、他言語のような以下の記述はエラーとなります。加算代入は、元の変数の値に「+=」の右辺に示した値を加算し、その結果の値を元の変数に代入します。乗算代入は、元の変数の値を「*=」の右辺に示した値で乗算し、その結果を元の変数に代入します。

```
num += 10   'これはエラー
num *= 5    'これもエラー
```

こちらも次のように記述します。

```
Dim num As Long   '変数を宣言
num = 1           '初期値を代入
num = num + 10    '元の値に10を加算した値を再代入（加算代入）
num = num * 5     '元の値に5を乗算した値を再代入（乗算代入）
```

変数にオブジェクトを代入する

オブジェクトを変数で扱いたい場合には、そのオブジェクトの型で変数を宣言します。さらに、変数へとオブジェクトを代入(セット)するには、値のようにイコールで代入するのではなく、Setステートメントを利用します。

▼変数にオブジェクトを代入する(Setステートメント)

```
Set オブジェクト変数 = セットしたいオブジェクト
```

次のコードは、**変数「rng」に「セル範囲A1:C3」をセット**します。

```
Dim rng As Range              'Rangeの固有オブジェクト型で変数を宣言
Set rng = Range("A1:C3")      '変数へオブジェクトを代入(セット)
```

値(リテラル値)を扱う変数とは少し違いますね。

また、慣れないうちはオブジェクトを扱う変数を宣言する際、対応するデータ型がわからない場合もあるかと思います。その場合には、Object型で宣言しておくと、「値ではなく、オブジェクトを扱う汎用的な変数」として扱われるようになります。

```
Dim rng As Object             'とりあえずオブジェクト型で変数を宣言
Set rng = Range("A1:C3")      '変数へRangeオブジェクトを代入(セット)
```

Object型の変数には、どのオブジェクトでも代入できます。ただし、どのオブジェクトを扱うかをVBEでは判断できないので、きっちり型指定したときのようなコードヒントは表示されません。

column

オブジェクトは「Set」、リテラルは「Let」

「オブジェクトを扱うときはSetステートメントを使うのに、値を扱うときは単にイコールだけでよいのは何かバランスが悪くて気持ち悪い」と思う方もいらっしゃるかもしれません。実は、値の代入をきっちり記述すると、次のようにLetステートメントを利用した記述となります。

```
Let num = 10   '変数numに10という値を代入
```

値の代入の場合には、「Letを省略してもOK」というルールになっているのです。VBAでは、代入に利用するイコール演算子を、「等しいかどうかを判定する比較演算子」としても利用するので(97ページ)、「ここは比較ではなく値の代入ですよ」と明示したい場合には、こちらの記述方法を利用するのもよいでしょう。

なお、他言語の中には「Let」を変数の宣言として利用するものもあります。VBAではあくまでも「値の代入」のため、上記のコードは「変数numを宣言すると同時に値10を代入」という意味ではありません。宣言を行っていない場合には「未宣言の変数numを勝手に利用して値10を代入」という、危険なコードとなります。Letでの宣言を行う他言語に慣れ親しんでいる方は、Letの扱いにご注意を。

column

変数の宣言と初期値の代入をセットで記述する苦肉の策

本文中でも説明したように、VBAではDimステートメントで変数を宣言する際に初期値を代入することはできません。宣言と代入は2行に分けて記述する必要があります。

```
Dim foo As Long
foo = 10
```

しかし、この仕組みはやや煩雑であり、初期値のセットし忘れというケアレスミスが起きやすい仕組みでもあります。できることなら変数の宣言と初期値の代入は、セットで行うようにしたいと思う方も多いでしょう。

そこで、苦肉の策として、以下のような記述方法を考えてみました。以下の例は、**変数「foo」を宣言し、初期値に「10」を代入**します。

```
Dim foo As Long: foo = 10
```

実はVBAでは、「:(コロン)」をステートメント中に挟むことで、通常、2行に分けて記述するステートメントを1行で記述することができます。上記のコードは、前述の2行のステートメントを、コロンを使って1行に整形したものです。

これであれば、1行で宣言と初期値の代入を「同時」に、忘れずに記述できます。ただ、VBAの記述としては特殊でかえって見づらいというのも本当のところです。ご自分の記述スタイルに合わせ、こちらの方が違和感なく利用できそうだという場合には採用してみてください。

変数のスコープは基本的にマクロ内にある

VBAの変数は、基本的にあるマクロ内で宣言された変数は、そのマクロの中のみで有効というルールになっています。同じ変数名でも、異なるマクロの中でそれぞれ宣言された変数であれば、異なるものとして扱われます。

例えば、2つのマクロ内のそれぞれで変数fooを宣言した場合、それぞれのマクロの中の変数fooは異なるものとして扱われます。それぞれの変数は、それぞれのマクロ内で代入した値しか保持しませんし、他のマクロ内から扱うことはできません。

▼マクロ内で宣言された変数はそのマクロ内のみで有効

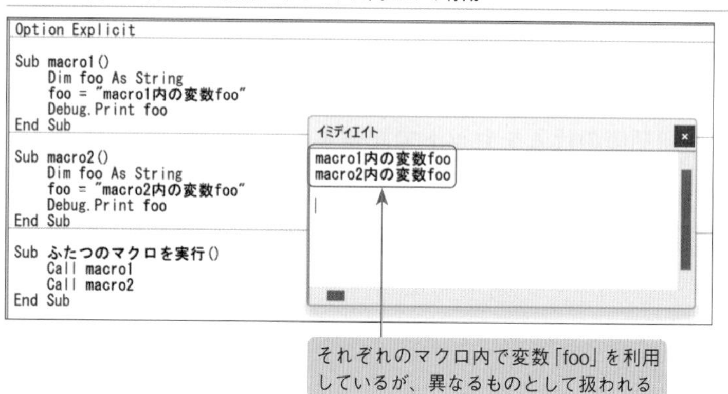

「その変数が扱える範囲」をプログラミング用語ではスコープと呼びますが、「マクロ内で宣言された変数のスコープは、そのマクロ内のみ」となります。

もう少しスコープの広い変数は利用できるのでしょうか。複数のマクロでも共有して変数を利用したい場合には、マクロの外側でDimステートメントを使って宣言します。つまりは、モジュールにいきなりDimステートメントを書いてしまうわけですね。こうすることで、そのモジュール内に記述したマクロで変数を共有することができます。

次のモジュールでは、マクロ外で変数「foo」を宣言し、2つのマクロ「macro1」と「macro2」内で変数fooを利用しています。

▼マクロ外で宣言した変数はモジュールレベルのスコープを持つ

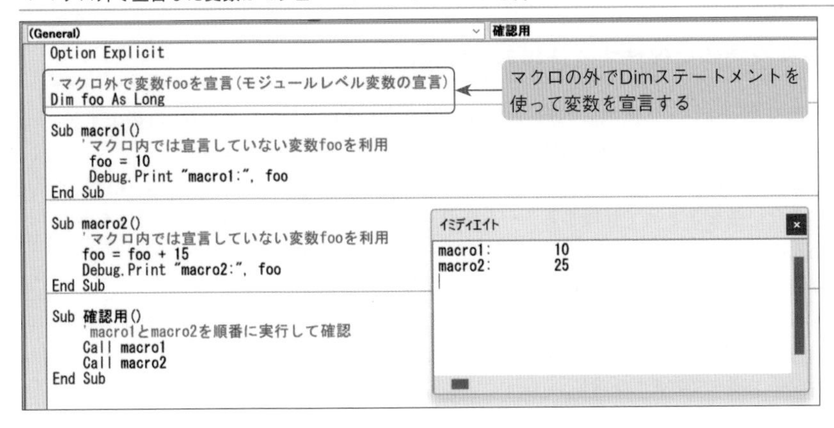

画像中のmacro1、macro2をご覧ください。ともに変数fooを利用していますね。このとき、macro1→macro2の順番で実行した結果に注目してみましょう。macro1で変数fooに代入した値「10」を保持したまま、macro2内で値「15」を加算していることがわかりますね。

▼モジュールレベル変数は値を保持する

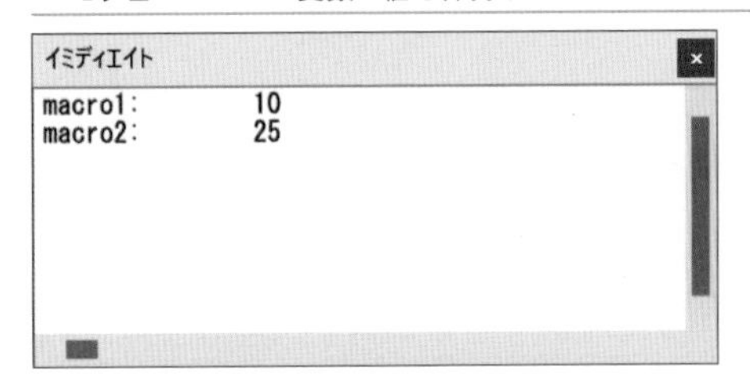

このような、マクロ外でDimステートメントにより宣言された変数は、モジュールレベル変数と呼びます。モジュールレベル変数は、「マクロが停止されるまで」値を保持し、モジュール内の別のマクロから参照できます。この「マクロが停止されるまで」というのは、エラーによりマクロが停止した場合や、VBE上のリセットボタンが押されたときを指します。

ちなみに、VBAのマクロは、わりと「停止」する機会が多くあります。そのため、モジュールレベル変数を「Excel起動中に、永続的に値を保持する仕組み」として利用するのは正直言って現実的ではありません。注意しましょう。

column

値を永続的に保持する仕組みの候補は？

モジュールレベル変数は「値を永続的に保持する仕組みに向いていない」のですが、では「値を永続的に保持するのに向いている」仕組みはあるのでしょうか。

最も単純な候補は、「シート上のセルに値を書き込んでしまう」ことです。保持しておきたい値をまとめて管理するシートを用意し、そこに集中的に保持したい値を書き込んでおくことで、一種の「設定確認用シート」としても機能します。このシートは、非表示に設定しておいてもよいでしょう。

また、SaveSettingステートメントとGetSetting関数を利用して、レジストリに値を保存する方法も考えられます。本書ではご紹介しませんが、興味のある方はヘルプやWebで調べてみましょう。

定数を利用する

VBAでユーザー定義の定数を利用するには、Constステートメントを利用します。

▼定数を定義する（Constステートメント）

```
Const 定数名 As データ型 = 値
```

例えば、**消費税率である「0.1」という値を、「TAX」という名前の定数で扱う**場合には、次のようにコードを記述します。

▼マクロ 3-6

```
'消費税率を扱う定数を宣言
Const TAX As Double = 0.1
'定数を利用して計算
Debug.Print "1000円の商品の消費税額:", 1000 * TAX
```

実行例　定数の利用

定数は、宣言時に設定した値から値を変更できない仕組みになっています。つまりは、「固定した値を、わかりやすい名前で扱いたい」場合に利用できる仕組みです。

変数の命名ルールを決めておく

変数を利用する際には、あらかじめ自分なりの命名ルールを決めておくのがお勧めです。よくある変数の名付けルールには、以下のような例があります。

▼変数の名付けルールの例

変数名	意図・理由
str、num、等	文字列(String)、数値(Number)といった値を扱う変数。扱うデータ型がわかるように、データ型を短くした変数名にする
tmp、buf、等	一時的なデータを扱う際の変数名。英単語の「temporary(テンポラリ)」や「buffer(バッファ)」が元になっている
rng、sh、bk、等	それぞれ、Range、Worksheet、Workbookを扱う際の変数名。扱うオブジェクト名を短くした変数名。ちなみに、shやbk等は、イベント処理(212ページ)の引数名としても利用されている
i、j、k	ループ処理(103ページ)の際に利用する変数名。伝統的に「i」や「j」が利用される
arr、strList、numList、等	配列(164ページ)を扱う際の変数名。「Array(配列)」の短縮や「List(リスト)」を変数名に組み込んで、配列であることをわかりやすく示す意図がある
coreNumber、targetRange、等	「用途+データ型」という形式で、用途とデータ型をわかりやすく示す意図の変数名。意図を示すことを優先し、特に元の単語を短縮しないで名付ける
myStr、myNum、等	すべての変数に統一した接頭辞を付けておき、「これは変数ですよ」と見た目にわかりやすい意図の変数名

他にもさまざまなルールがありますが、意識しておくのは、自分なりのルールを決めておくことです。チームで開発を行う場合にも、チーム内での変数名の名付けルールを統一しておくと、プログラムを見直した際に、「どの部分が変数なのか」「どういった用途で用意された変数なのか」あるいは、「誰が用意した変数なのか」等の情報を、変数名から読み取ることができるようになります。

なお、他言語の経験者の方に注意していただきたいのは、「VBAでは大文字・小文字は区別されない」点です。つまり、「String型の変数だから、小文字で『string』にしよう」というように、オブジェクト名（クラス名）を小文字にした変数名とするという名付けはできないということです。

また、変数名には「_（アンダーバー）」も利用できますが、「先頭がアンダーバーの変数名はNG」となっています。いわゆるプライベートな値を扱いたい変数の先頭にアンダーバーを付ける、「_name」「_price」等の名付けはできません。注意しましょう。

column

「変数？ セルがあるじゃないか」というExcelならではの仕組み

変数は「値を保持し、プログラム内で利用する」ための仕組みでもありますが、他のプログラミング開発環境と違い、Excelには値を保持しておく場所がもう1つありますね。そう、セルです。特定シートの特定セルに値を書き込んでおき、プログラム内で必要になった場合には、そのセルの値を参照するという仕組みを作ることもできます。この方法は、いわゆるコンフィグ設定や、プログラムのパラメーター的な調整等をプログラマ以外のユーザーにも行ってもらえる仕組みにもなり得ます。また、値を変更してブックを保存すれば、次回起動時にもその設定を引き継ぐことも可能です。

保守・運用的にちょっと不安であったり、速度的に不安であったりする面もありますが、用途によっては、とても有効で、何より手軽な仕組みにもなります。「セルに値を保存することができる」という手法も頭の片隅に入れておくと、より快適にVBAでの開発を進められるでしょう。

section 02 プログラム内で完結する計算を行う演算子

Excelは表計算アプリなので、シート上で計算を行うことができますが、もちろんマクロ内で直接計算を行う方法も用意されています。

マクロ内で直接計算を行うためには、さまざまな演算子を利用します。

各種計算を行う算術演算子

四則演算をはじめとした算術計算を行う算術演算子には、次のものが用意されています。

▼VBAの算術演算子

演算	演算子	使用例	結果
加算	+	5 + 2	7
減算	-	5 - 2	3
乗算	*	5 * 2	10
除算	/	5 / 2	2.5
除算の商の整数部分	¥	5 ¥ 2	2
剰余	Mod	5 Mod 2	1
累乗(べき乗)	^	5 ^ 2	25

演算子は、「数値1 演算子 数値2」の順番で記述して利用します。左辺の値に対して、右辺の値を演算します。

▼算術演算子の使い方

```
数値1 演算子 数値2
```

以下に、**算術演算子を利用した計算**の例を示します。

▼マクロ 3-7

```
Range("E3").Value = 5 + 2      '加算
Range("E4").Value = 5 - 2      '減算
Range("E5").Value = 5 * 2      '乗算
Range("E6").Value = 5 / 2      '除算
Range("E7").Value = 5 ¥ 2      '除算の商
Range("E8").Value = 5 Mod 2    '剰余
Range("E9").Value = 5 ^ 2      '累乗
```

実行例 算術演算子を利用した計算と結果

演算	演算子	使用例	結果
加算	+	5 + 2	7
減算	-	5 - 2	3
乗算	*	5 * 2	10
除算	/	5 / 2	2.5
除算の商の整数部分	¥	5 ¥ 2	2
剰余	Mod	5 Mod 2	1
累乗(べき乗)	^	5 ^ 2	25

文字列連結演算子とメタ文字定数

2つの文字列を連結して1つの文字列にするには、「&」演算子を利用します。実は「+」演算子でも文字列を連結できますが、加算演算とまぎらわしいので、&演算子のみを利用するのがよいでしょう。

なお、Excelでは、セルに値を入力する際に、Alt + Enter キーでセル内改行ができますが、このセル内改行をVBAから行うには、ラインフィードを表すメタ文字定数であるvbLfを利用します。

以下に、文字列を連結する例を示します。それぞれ、**「Excel」と「VBA」という文字列を連結**します。

▼マクロ 3-8

```
Range("C3").Value = "Excel" & "VBA"
Range("C4").Value = "Excel" + "VBA"
Range("C5").Value = "Excel" & vbLf & "VBA"
```

実行例　文字列連結演算子を利用した結果

	A	B	C	D	E
1					
2		演算子/メタ文字	結果		
3		&で連結	ExcelVBA		
4		+で連結	ExcelVBA		
5		vbLfを挟んで連結	Excel VBA		
6					

結果はこのようになります。なお、ここでは結果がわかりやすいように、結果を表示するセル以外にも文字等を入力してあります。

column

数値と文字列を&演算子で連結

数値と文字列、あるいは日付と文字列を&演算子で連結すると、数値や日付は自動的に文字列に変換されて連結されます。以下の例は、**文字列と数値を&演算子で連結して表示**します。

```
MsgBox "在庫数：" & 15
```


比較演算子も基本はイコール

Ifステートメント等の条件式(105ページ)にも利用する**比較演算子**には、次のものが用意されています。基本は「=(イコール)」と「<」「>」の2つの不等号の3つの演算子であり、「以上」や「以下」等の判定を行う演算は演算子を組み合わせて利用します。

比較演算子は、「左辺 比較演算子 右辺」という形で利用し、演算の結果が成り立つ「真」の場合にはTrueを、成り立たない「偽」の場合にはFalseを返します。いわゆる**真偽値**ですね。真偽値のデータ型は、Boolean型となります。

▼比較演算子の使い方

```
値1 演算子 値2
```

▼VBAの比較演算子

判定の種類	演算子	使用例	結果
等しい	=	5 = 2	False
等しくない	<>	5 <> 2	True
より小さい	<	5 < 2	False
以下	<=	5 <= 2	False
より大きい	>	5 > 2	True
以上	>=	5 >= 2	True

以下に、**比較演算子による値の判定**の例を示します。

▼マクロ 3-9

```
Range("E3").Value = 5 = 2      '等しい
Range("E4").Value = 5 <> 2     '等しくない
Range("E5").Value = 5 < 2      'より小さい
Range("E6").Value = 5 <= 2     '以下
Range("E7").Value = 5 > 2      'より大きい
Range("E8").Value = 5 >= 2     '以上
```

実行例 比較演算子を使った計算

	A	B	C	D	E	F
1						
2		演算	演算子	使用例	結果	
3		等しい	=	5 = 2	FALSE	
4		等しくない	<>	5 <> 2	TRUE	
5		より小さい	<	5 < 2	FALSE	
6		以下	<=	5 <= 2	FALSE	
7		より大きい	>	5 > 2	TRUE	
8		以上	>=	5 >= 2	TRUE	
9						
10						

1つ注意したい点は、「等しい」かどうかを判定する「=(イコール)」の扱いです。**イコールは変数へ値を代入する代入演算子としても機能**します。まったく同じ演算子ですが、2つの用途がある点に注意しましょう。

オブジェクトを比較する

値ではなく、2つのオブジェクトが等しいかどうかを判定するには、**Is演算子**を利用します。

▼オブジェクトを比較する(Is演算子)

```
オブジェクトA Is オブジェクトB
```

左辺のオブジェクトと右辺のオブジェクトが等しい場合には「True」を、等しくない場合には「False」を返します。

例えば、**「1枚目のシート」と「Sheet1」をIs演算子で比較**すれば、当たり前ですが「True」という結果が得られます。

```
MsgBox Worksheets(1) Is Worksheets("Sheet1")
```

▼オブジェクトの比較

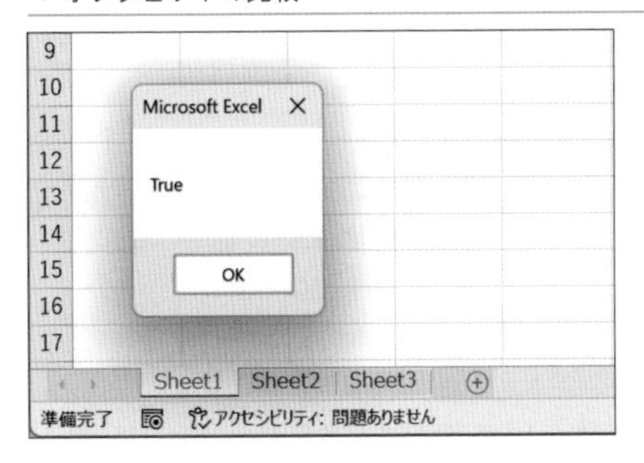

また、Is演算子とセットで覚えておくと便利なのが**Nothing**キーワードです。VBAでは「Nothing」は「オブジェクトが存在しない状態」を示す値となります。

例えば、Rangeオブジェクトの**Find**メソッドは、指定セル範囲を検索して検索値が見つかった場合にはそのセルへの参照を返し、見つからなかった場合には「Nothing」を返します。つまり、戻り値が「Nothingであるかどうか」で、「検索値が見つかったかどうか」を判定できます。

次のコードは、**キーワード「Nothing」を使って対象セルの有無の判定を行う**ものです。なお、ここではCellsプロパティを引数なしで利用して「シート上のセル全体」を扱うRangeオブジェクトにアクセスしています。

```
If Cells.Find("VBA") Is Nothing Then
    Debug.Print "「VBA」という値のセルは見つかりませんでした"
End If
```

また、「任意のセル範囲の値を変更した際にマクロを実行する」という仕組みを作成したい場合にも、このNothingを利用したオブジェクトの比較を利用します(218ページ)。

オブジェクトがない場合の判定は、「○○ Is Nothing」というパターンを覚えておきましょう。

column

Rangeの比較は要注意

Is演算子はオブジェクトの比較に利用しますが、セル(Rangeオブジェクト)同士の比較に利用する際には注意が必要です。例えば、次のセルA1とセルA1を比較する意図のコードの結果は「True」でしょうか「False」でしょうか。

```
Range("A1") Is Range("A1")
```

結果は「False」となります。「セルA1とセルA1を比較してFalse ってどういうこと？」と思いますが、これはExcel特有の仕組みのためです。「Range (セル番地)」のような形でRangeオブジェクトを取得する場合には、「その都度、指定されたセル番地のセル/セル範囲を扱えるようにしたオブジェクト」を生成するような動きとなります。そのため、1つ目の「Range("A1")」は2つ目の「Range("A1")」とは別のものとして判断されてしまうのです。

言ってみれば、「セルを扱おうとするたび、誰か1人を呼んで担当者とし、その担当者に扱うセル範囲を指示している」ようなイメージです。扱う対象は同じでも、担当者が異なるので「別もの」というわけですね。

ともあれ、「同じセルかどうかを判定したい」というケースでは、Is演算子の利用はあまりお勧めできません。対象セルのAddressプロパティ(セル番地)の値を比較する等、別の方法でチェックを行うようにしましょう。

```
Range("A1").Address = Range("A1").Address
```

論理演算子で条件式を拡張する

複数の条件を「ともに満たす場合」や「いずれかを満たす場合」等、組み合わせて判定したい場合には論理演算子を利用します。

▼VBAの論理演算子

判定の種類	演算子	使用例	結果
論理積（ともにTrue）	And	a = a And b = b	True
論理和（いずれかがTrue）	Or	a <> a Or b = b	True
論理否定（論理値を反転）	Not	Not a = a	False

※a、bは任意の値とする

日本語で考えるなら、And演算子は「○○、かつ、××」、Or演算子は「○○、もしくは、××」という判定となります。

次のコードは、**セルA1に値が入力されており、かつ、セルA1の値が数値である**場合にTrueを返します。1つ目の条件式は、比較演算子を使い、セルの値（Value）が空白（""）と等しくない（<>）という判定を行っています。また、2つ目の条件式のIsNumericは、引数に指定した値を関数に変換できるかどうかを判定する判定する関数です。

```
Range("A1").Value <> "" And IsNumeric(Range("A1").Value)
```

「And」より左の部分が1つ目の条件式、右の部分が2つ目の条件式です。

次のコードは、**セルA1の値が「Excel」、もしくは、セルA2の値が「VBA」である**場合にTrueを返します。

```
Range("A1").Value = "Excel" Or Range("A2").Value = "VBA"
```

さらに、論理値を反転した値を得たい場合には、Not演算子が利用できます。日本語で考えるのであれば、「○○じゃない場合」というケースですね。

次のコードは、**セルA1の値が「Excel」ではない**場合にTrueを返します。

```
Not Range("A1").Value = "Excel"
```

Not演算子は、「オブジェクトを返すメソッド」の結果の判定によく利用されます。例えば、先ほども例示したRangeオブジェクトのFindメソッドは、Excelの「検索」

機能を実行するメソッドですが、検索対象のセルがある場合にはそのセルを扱うRangeオブジェクトを返し、見つからない場合には「Nothing」を返します。

この仕組みを利用して、検索結果が見つかった場合に任意の処理を実行したい場合、次のようにメソッドの結果が「Nothing」ではない場合という書き方をします。

```
Not Cells.Find("Excel") Is Nothing
```

この「Nothingではない」という書き方は、いろいろな場面で利用できますので、頭の片隅に入れておきましょう。

column

関数・メソッド・ステートメント

「関数と一部のメソッドは、ともに戻り値を返す仕組みですが、どのように呼び分ければいいんですか？」と質問をいただく場合があります。

一般的に、「オブジェクトに依存せずに呼び出せるのが関数」「オブジェクトに定義されているので、オブジェクト経由で呼び出すのがメソッド」として呼び分けられます。また「Call（232ページ）等の一部のステートメントは、関数のような書き方をしますが、関数ではないのですか？」との質問をいただく場合もあります。

ステートメントは、関数やメソッドとは異なり、VBAの文法的な仕組みとして定義されているという違いがあります。

また、関数やメソッドは、オブジェクトブラウザーで調べられる定義のされ方で分類する、という方法もあります。VBAでは一般的にオブジェクトブラウザーにおいて、「モジュール」上に定義されていれば「関数」、「オブジェクト」上に定義されていれば「メソッド」や「プロパティ」です（ただ、この見方はあくまでも分類方法の1つです）。

section

03 プログラムの醍醐味、条件分岐とループ処理

多くのプログラミング言語に用意されている、プログラムの流れを変化させる、制御構造の仕組み、いわゆる条件分岐とループ処理の仕組みはVBAにも用意されています。まずはざっと利用方法のダイジェストをご覧ください。

処理を分岐する

最初はIfステートメントによる条件分岐の例です。次のコードは、**セルA1の値が「10」の場合にのみメッセージを表示**します。

▼マクロ 3-10

```
If Range("A1").Value = 10 Then
    MsgBox "セルA1の値は「10」です"
End If
```

次のコードは、**セルA1の値が「10」の場合と、それ以外の場合に表示するメッセージを変更**します。

▼マクロ 3-11

```
If Range("A1").Value = 10 Then
    MsgBox "セルA1の値は「10」です"
Else
    MsgBox "セルA1の値は「10」ではありません"
End If
```

実行例　Ifステートメントの結果

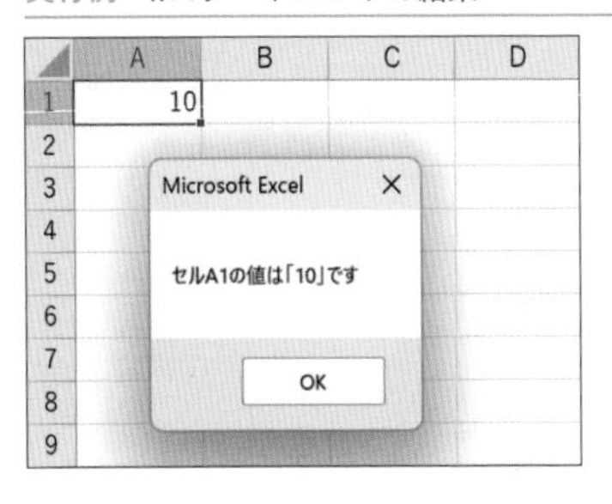

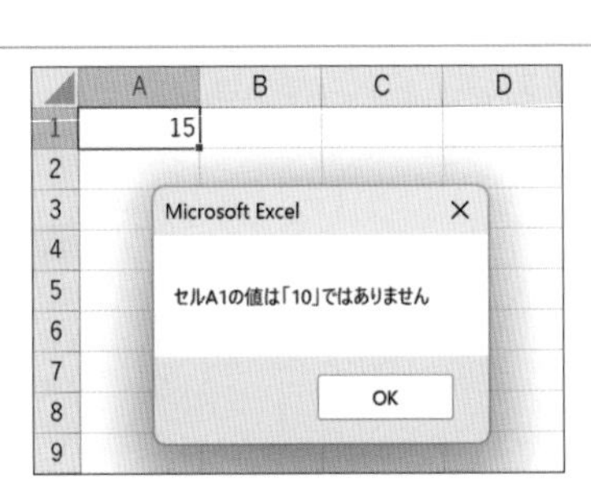

指定の回数だけ繰り返す

次は、Forステートメントによるループ処理（繰り返し）です。次のコードは、**カウンタ変数を用意し、5回処理を繰り返して変数の値を表示**します。

▼マクロ 3-12

```
Dim i As Long   'カウンタ変数
For i = 1 To 5
    Debug.Print "処理回数：", i
Next
```

実行例　Forステートメントによる処理

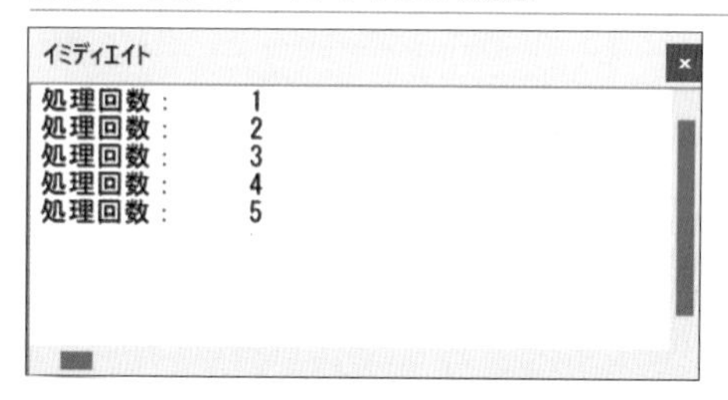

For Eachステートメントを利用すれば、指定したリストのメンバーすべてに対する繰り返し処理を行えます。ここでは、**セル範囲B3:B7に入力されたリストに対して文字列を連結（名前の末尾に「様」を付加）**します。

▼マクロ 3-13

```
Dim rng As Range
For Each rng In Range("B3:B7")
    'セルの値の末尾に「 様」を付け加える
    rng.Value = rng.Value & " 様"
Next
```

実行例　For Eachステートメントによる処理

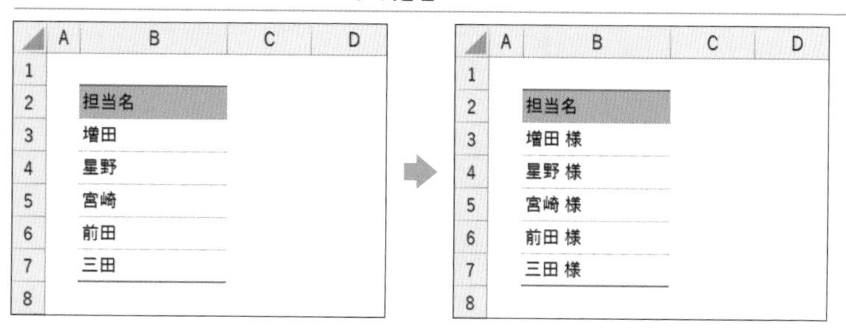

制御構造の仕組みを利用する際のポイントは、分岐やループの範囲を特定のキーワードで挟み込んで指定することです。もう少し詳しく見てみましょう。

Ifステートメントによる条件分岐

VBAは記述したコードを上の行から1行ずつ順番に実行していきます。この流れを特定の条件を満たす場合に分岐させるには、IfステートメントやSelectステートメントを利用します。

●条件を満たす場合は処理を分岐する

Ifステートメントは次のように記述します。

▼条件を満たす場合は処理を分岐する（Ifステートメント）

```
If 条件式 Then
    条件式がTrueのときに実行するコード
End If
```

ポイントは、「If」で始め、条件式を満たす場合に実行する処理を「Then」以降の行に記述し、最後に「End If」で挟んで範囲を指定する点です。また、条件式は各種の比較演算子（98ページ）を利用して作成します。次のコードは、**セルA1が空白の場合はメッセージを表示**します。

▼マクロ 3-14

```
If Range("A1").Value = "" Then
    MsgBox "セルA1に値を入力してください"
End If
```

条件式がTrueの場合（条件を満たす場合）とFalseの場合（条件を満たさない場合）で分岐を振り分けるには、Elseキーワードを併用します。

▼満たす場合と満たさない場合で分岐する（Elseキーワード）

```
If 条件式 Then
    条件式がTrueのときに実行するコード
Else
    条件式がFalseのときに実行するコード
End If
```

「If 条件式 Then」と「Else」に挟まれた行が条件式が「True」の場合に実行される箇所、「Else」と「End If」に挟まれた行が条件式が「False」の場合に実行される箇所です。

次のコードは、**セルA1の値が空白かどうかで処理を分岐して、表示するメッセージを切り替え**ます。

▼マクロ 3-15

```
If Range("A1").Value = "" Then
    MsgBox "セルA1に値を入力してください"
Else
    MsgBox "セルA1に値が入力されています"
End If
```

また、異なる条件式を設定して流れを分岐したい場合には、**ElseIf**キーワードも利用可能です。

▼複数の条件式を指定する（ElseIfキーワード）

```
If 条件式1 Then
    条件式1がTrueのときに実行するコード
ElseIf 条件式2 Then
    条件式2がTrueのときに実行するコード
Else
    すべての条件式がFalseのときに実行するコード
End If
```

ElseIfを利用する場合には、「**ElseIf 新たな条件式 Then**」の形式で条件式を設定します。さらにElseIfを重ねれば、条件式を3つ以上設定することも可能です。条件式を複数設定した場合、条件式は上から順番に評価され、最初にTrueとなった条件式のブロックのコードのみを実行し、処理を抜けます。

また、ElseIfを利用した場合でも、Elseキーワードを利用可能です。Else部分の処理が実行されるのは、**すべての条件式が「False」の場合**となります。

●Exit Subステートメント

Ifステートメントを利用した条件分岐では、特定の条件を満たした場合にはそれ以降のマクロの内容を実行せずに、その時点でマクロを終了させることができます。

そのための仕組みが、Exit Subステートメントです。

次のコードは、**セルA1の値が「完了」ではない場合には、メッセージを表示し、マクロの実行を終了**します。

▼マクロ 3-16

```
If Range("A1").Value <> "完了" Then
    MsgBox "入力を完了させてからマクロを実行してください"
    Exit Sub
End If
'以降、セルA1の値が「完了」である場合の処理を記述
```

特に、マクロを実行する前提条件として、「特定のセルへの値の入力が必要な場合」や「必要なブックやシートの有無のチェックを行いたい場合」には、マクロの冒頭にこの手の処理を入れておくと便利です。

column

三項演算子のかわりのIIF関数

プログラミング言語の中には、判定式に応じて2種類の値のいずれかを返す「三項演算子」という仕組みを持っているものも多くありますが、VBAには三項演算子の仕組みは用意されていません。似た用途として利用できるのが、IIF関数です。IIFは3つの引数を取る関数であり、1つ目の引数に条件式を、2つ目の引数には条件式がTrueの場合に返す値を、3つ目の引数には条件式がFalseの場合に返す値を指定します。

```
IIF(条件式, True時の値, False時の値)
```

次のコードは、**現在時刻が12:00より小さければ「午前」という文字列を、そうでなければ「午後」という文字列を出力**します。

```
Debug.Print IIF(Time<#12:00#,"午前","午後")
```

三項演算子を利用した式に慣れている方は、覚えておくと代替として利用できますね。また、ワークシート関数に慣れ親しんでいる方であれば、「IFワークシート関数」のような使い方でコードを記述できるでしょう。

Select Caseステートメントによる条件分岐

特定の値に注目して細かく処理の流れを分岐したい場合には、Select Caseステートメントが利用できます。Select Caseステートメントでは、まず「Select Case」の後ろに注目したい値を指定します。その後、「Case 値1」という形式で特定の値を指定し、その後ろの行に「値1」だった場合に実行する処理を記述します。さらに、「Case 値2」「Case 値3」…と、チェックしたい値のリストと、その値であった場合に実行する処理をセットで追加していきます。

また、「Case Else」を記述すると、リストアップした値に当てはまらなかった場合の処理を指定できます。

最後に、「End Select」を記述し、Select Caseステートメントを「閉じ」ます。

▼特定の値で処理を分岐する（Select Caseステートメント）

```
Select Case 注目したい対象
    Case 値1
        対象が値1だった場合の処理
    Case 値2
        対象が値2だった場合の処理
    Case Else
        対象がリストアップした値以外だった場合の処理
End Select
```

次のコードは、**セルA1の値に注目し、「編集中」だった場合、「完了」だった場合、その他の場合の3パターンのケースに応じて、3通りのメッセージを表示**します。

▼マクロ 3-17

```
Select Case Range("A1").Value
    Case "編集中"
        MsgBox "必要項目を入力してください"
    Case "完了"
        MsgBox "入力したデータを元に計算を開始します"
    Case Else
        MsgBox "予期せぬ値が入力されています。確認をお願いします"
End Select
```

また、リストアップする値を指定する際には、次のように範囲を指定することも可能です。

▼Case句で利用できる範囲を指定する記述

範囲	記述	内容
特定の値	Case 1	値が「1」
複数の値のいずれか	Case 1, 3, 5	値が「1」「3」「5」のいずれか
範囲指定①	Case Is < 5	値が「5」より下
範囲指定②	Case 1 To 5	値が「1」〜「5」
リストアップした値以外	Case Else	リストアップした値以外

次のコードは、**セルA1の値に注目し、その値が特定の範囲かどうかをチェックし、メッセージを表示**します。

▼マクロ 3-18

```
Select Case Range("A1").Value
    Case 1
        MsgBox "値が1です"
    Case Is < 5
        MsgBox "値が1ではなく、5より下です"
    Case 6, 8, 10
        MsgBox "値が6・8・10のいずれかです"
    Case 15 To 20
        MsgBox "値が15~20の間です"
    Case Else
        MsgBox "上記の範囲に当てはまらない値です"
End Select
```

Select Caseステートメントは、上から順にCase句に指定した値に当てはまるかをチェックし、当てはまる場合にはその部分のステートメントを実行し、そこでSelectステートメント内の処理を抜けます。

例えば、上記のケースではセルA1に「1」という値が入力されていた場合、まず、最初のCase句である「Case 1」の部分がチェックされ、これに当てはまる「MsgBox "値が1です"」というコードを実行し、以降の処理は実行されません。条件だけを見ると、次の「Case Is < 5」も当てはまりますが、この部分は実行されません。

そのため、複数のケース分けをする場合には、各ケースを記述する順番に気をつけましょう。どんなにケース分けを細かくしたとしても、実行されるのは上から順にチェックし、合致した1つのブロック内のコードだけなのです。

column

1行で完結するIfステートメント

Ifステートメントは通常、「If～End If」という形で条件式に対応するコードを区切りますが、次のように1行だけで完結させる記述方法も用意されています。

```
If num<10 Then Debug.Print "numの値が10より下です"
```

「Then～End If」に挟んで記述する部分のコードがごく短く、1行ですむものであれば、そのまま「Then」の後ろに記述するだけでOKです。この場合、「End If」は不要です。

条件式に応じた処理部分がやや見分けづらくなるので、利用するのはそんなにはお勧めできませんが、「1行で書けるものは1行で書く」というワンライナーな記述ポリシーにする場合には、この方法が利用できるでしょう。

3種類の繰り返し・ループ処理

プログラムの醍醐味と言えばループ処理です！手作業では気の遠くなるような時間のかかる作業を、本当に一瞬で終わらせることさえできます。VBAには、3つの方式のループ処理用の仕組みが用意されています。

●「数」を指定するFor～Nextステートメント

1つ目のループ方法は、For～Nextステートメントです。ループ処理を行う「数」「回数」を指定するタイプの仕組みとなっています。

▼指定した数だけ繰り返す（For～Nextステートメント）

```
For カウンタ変数 = 開始値 To 終了値
    繰り返したい処理
Next
```

処理を繰り返す際には、「For」で始まる先頭行においてカウンタ変数を1つ用意し、開始値と終了値を指定します。この行から「Next」で挟んだ間にあるコードが、開始値から終了値までの数の分だけ繰り返し実行されます。

例えば、5回処理を繰り返したい場合には、次のようにコードを記述します。**開始値として「1」、終了値として「5」を指定し、1～5の5回分の処理（セルに繰り返しの回数を表示）**を行います。

▼マクロ 3-19

```
Dim i As Long  'カウンタ変数
'カウンタ変数「i」を1～5に変化させながら処理を繰り返す
For i = 1 To 5
    Cells(i, 1).Value = i & "回目の処理"
Next
```

実行例　処理を5回繰り返す

	A	B	C
1	1回目の処理		
2	2回目の処理		
3	3回目の処理		
4	4回目の処理		
5	5回目の処理		
6			
7			
8			
9			

カウンタ変数は、「For～Next」に挟まれた部分のコードが実行されるたびに「1」だけ加算され、終了値を超えるまで繰り返されます。そのため、ループ処理内でカウンタ変数の値を利用することで、処理の内容に変化がつけられるようになっています。

特にVBAでは、「Cells(行番号, 列番号)」という形式で操作対象のセルを指定できるので、「○行目から×行目のセルに対してループ処理をしたい」というようなケースと非常に相性がよい仕組みです。上記のコードでは、開始値を「1」、終了値を「5」とし、カウンタ変数の値を行番号として利用することで、セルA1～セルA5を操作対象としています。

このマクロの開始値を「6」、終了値を「10」とすれば、今度はセルA6～セルA10が操作対象となります。

●Stepキーワードで増減の方向や間隔を指定

For～NextステートメントにStepキーワードを併用すると、カウンタ変数の増減の方向や間隔を指定することができます。

次のコードは、**開始値を「5」、終了値を「1」とし、「1」ずつ減算しながらループ処理**を行います。

▼マクロ 3-20

```
Dim i As Long
For i = 5 To 1 Step -1
    Debug.Print "カウンタ変数の値：", i
Next
```

実行例　減算しながら処理を繰り返す

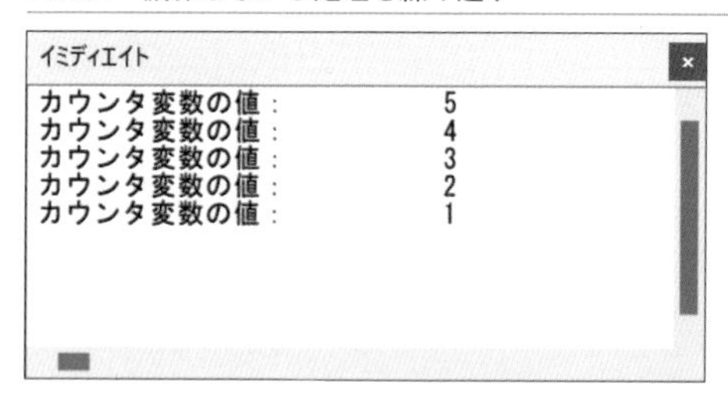

次のコードは、**セル範囲B2:D2を基準に、3行ごとに下線を引きます**。なお、コード内の一部のステートメントは、1行に収めるには長すぎるため途中で改行しています(35ページ)。

▼マクロ 3-21

```
Dim i As Long
For i = 0 To 10 Step 3
    Range("B2:D2").Offset(i). _
        Borders(xlEdgeBottom).LineStyle = xlContinuous
Next
```

実行例　特定の行だけに処理を行う

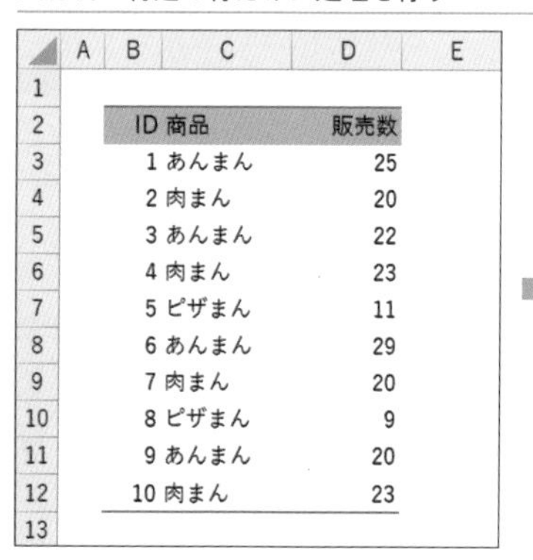

	A	B	C	D	E
1					
2		ID	商品	販売数	
3		1	あんまん	25	
4		2	肉まん	20	
5		3	あんまん	22	
6		4	肉まん	23	
7		5	ピザまん	11	
8		6	あんまん	29	
9		7	肉まん	20	
10		8	ピザまん	9	
11		9	あんまん	20	
12		10	肉まん	23	
13					

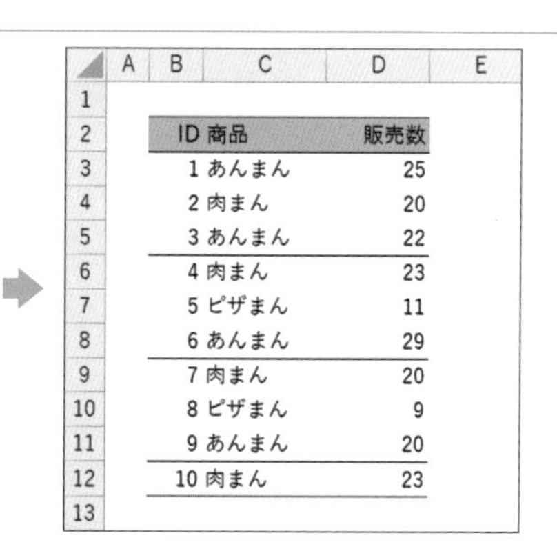

	A	B	C	D	E
1					
2		ID	商品	販売数	
3		1	あんまん	25	
4		2	肉まん	20	
5		3	あんまん	22	
6		4	肉まん	23	
7		5	ピザまん	11	
8		6	あんまん	29	
9		7	肉まん	20	
10		8	ピザまん	9	
11		9	あんまん	20	
12		10	肉まん	23	
13					

こちらの仕組みは、「3行ごとに罫線を引きたい」だとか、「10レコードずつ転記・集計したい」というような、「まとまった数ごとに何らかの処理を繰り返したい」という場合に便利ですね。

●リストを走査するFor Eachステートメント

2つ目のループ方法は、For Eachステートメントです。特定のリストを元にして、そのリストに属するすべての要素（メンバー）に対して処理を繰り返したい、という場合にはこの仕組みを利用します。

▼リストを元に繰り返す（For Eachステートメント）

```
For Each メンバー変数 In リスト
    個々のメンバーに対する処理
Next
```

For Eachステートメントでは、まず、処理対象をまとめたリストと、そのリスト内の個々のメンバーを扱うためのメンバー変数を用意します。そのうえで「For Each メンバー変数 In リスト」の形式でコードを記述すると、「Next」に挟まれた部分の処理をリスト内のメンバー数分だけ繰り返します。

この際、メンバー変数には、リスト内の任意の1メンバーが代入されるので、変数を通じて個別のメンバーに対して行いたい処理を実行できる仕組みとなっています。

ループの対象となるリストは、セル範囲を指定したり、Worksheetsコレクション（シート全体）等の各種コレクションや配列を指定します。

次のコードは、**セル範囲B3:B7をループ対象のリストと見なし、そのすべてのメンバーに対して「値の末尾に『様』を付ける」**処理を繰り返します。

▼マクロ 3-22

```
Dim rng As Range
For Each rng In Range("B3:B7")
    'セルの値の末尾に「 様」を付け加える
    rng.Value = rng.Value & " 様"
Next
```

実行例　リストに対して処理を繰り返す

	A	B	C
1			
2		担当名	
3		増田	
4		星野	
5		宮崎	
6		前田	
7		三田	
8			

➡

	A	B	C
1			
2		担当名	
3		増田 様	
4		星野 様	
5		宮崎 様	
6		前田 様	
7		三田 様	
8			

結果として、指定したセル範囲内のセルすべての値の末尾に「 様」を付加できていますね。

また、ちょっとしたリストを作成し、そのすべての値についてループ処理を行いたい場合には、Array関数(182ページ)との組み合わせがお手軽です。次のコードは、**Array関数を利用して作成した配列に対してループ処理を行い、すべての要素を順番に表示**していきます。

▼マクロ 3-23

```
'リスト格納用の変数とメンバー変数を両方Variant型で用意する
Dim tmpList As Variant, tmp As Variant
'Array関数を利用して値やオブジェクトの簡易リスト(配列)を作成
tmpList = Array("巨人", "阪神", "広島", "ヤクルト", "中日", "横浜")
'リストの個々のメンバーについてループ処理
For Each tmp In tmpList
    Debug.Print tmp
Next
```

実行例　Array関数と組み合わせて処理を繰り返す

VBAには、「配列の作成が面倒なうえに操作が手軽じゃない」という弱点がありますが、Array関数を利用すると比較的お手軽にリスト内のすべてをループ処理し

たいという処理が作成できます。このときの注意点は、リストを格納する変数と、メンバー変数の双方をVariant型（汎用型）で宣言しておくことです。

実は、For Eachステートメントでは、メンバー変数にVariant型オブジェクト、もしくはオブジェクト型（Object型、Rangeオブジェクト等の特定のオブジェクトのデータ型の双方）しか使用できません。文字列のリストを扱いたい場合でも、メンバー変数はVariant型にしておく必要があります。ちょっとクセがありますが、頭の中に入れておきましょう。

column

Continueステートメントはありません

プログラミング言語の中には、「ループ処理の途中で残りの部分をスキップする」用途に利用する「Continue文」が用意されているものが多くありますが、VBAには「Continueステートメント」は用意されていません。

似たような用途として、「ループ処理の途中で、ループ処理全体をスキップする」に利用できるExit Forステートメントというものはありますが、これはループの残り回数が何回残っていようと問答無用でループ処理全体から抜けてしまいます。

例えば、次のようにループ処理内にExit Forステートメントを記述すると、1回目の処理が実行された段階でループ処理から抜け出します。

```
Dim i As Long
    For i = 1 To 5
    Debug.Print "処理回数：", i
    Exit For
Next
```

「残り部分をスキップしたい」という場合には、Ifステートメントを駆使して、特定の値の場合は「残り部分」を実行しないような仕組みにしてみましょう。

●条件式を満たす間は実行を続けるDo Loopステートメント

3つ目のループ方法は、Do Loopステートメントです。ループ処理の終了条件を決めておき、終了条件を満たしている間（あるいは満たさない間）はループ処理を続けたい場合には、この仕組みを利用します。

▼条件式を満たす間は繰り返す(Do Loopステートメント)

```
Do While 条件式
    繰り返したい処理
Loop
```

Do Loopステートメントは、「Do While 条件式」の形式からコードを記述し、「Loop」との間に挟まれた部分のコードを繰り返し実行します。ループは、指定した条件式が「True」である限り繰り返されます。このとき気をつけるのは、繰り返すコード内で、条件式の結果が変更されるような仕組みを用意しておくことです。

次のコードは、**アクティブセルの隣のセルに「○」を入力する処理を、「アクティブセルに何か値が入力されている間」という条件で実行**します。

▼マクロ 3-24

```
Do While ActiveCell.Value <> ""
    ActiveCell.Next.Value = "○"
    'アクティブセルを1つ下のセルに更新
    ActiveCell.Offset(1).Select
Loop
```

実行例　条件を満たす間だけ繰り返す

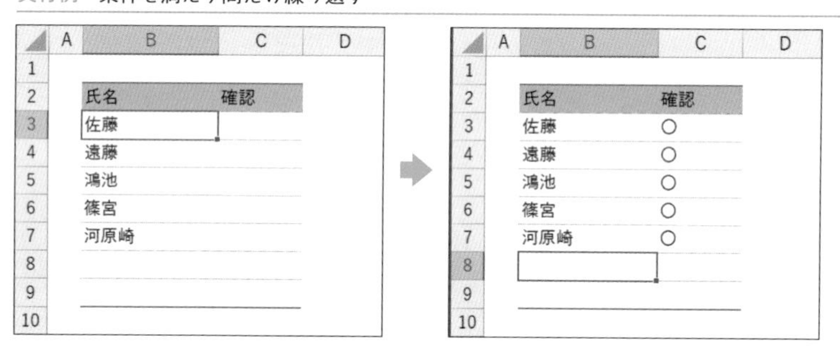

ループ処理内では、「ActiveCell.Offset(1).Select」というコードで、「アクティブセルを1行下に変更する」という動作を行い、終了条件が満たされるようにしています(「Offset」については328ページで解説します)。

また、ループの終了条件を指定する際には、Whileキーワードのかわりに Untilキーワードも利用できます。Untilキーワードを利用した場合には、条件式の結果が「False」である間は実行されるループ処理となります。

▼条件式を満たさない間は繰り返す(Untilキーワード))

```
Do Until 条件式
    繰り返したい処理
Loop
```

●条件式の位置を変更することで「最低1回保証」のループ処理も可能

Do Loopステートメントの条件式は、先頭のDoキーワードの後ろではなく、末尾のLoopキーワードの後ろに配置することも可能です。この場合、まずは「Do」〜「Loop」に挟まれた部分の処理が1回実行され、その後で条件式が評価されます。つまり、「最低でも1回はループ処理内のコードが実行されるループ処理」となります。

例えば、次のコードは、**サイコロのように1〜6のランダムな数値を発生させ、「6」が出るまで処理を繰り返します**。

▼マクロ 3-25

```
Dim diceNum As Long
'擬似サイコロを振って「6」が出るまで処理を繰り返す
Do
    '1〜6の値をランダムに生成して出力
    diceNum = Int(Rnd * 6) + 1
    Debug.Print "サイコロの目:", diceNum
Loop Until diceNum = 6
```

実行例　最低1回は処理を行う繰り返し処理

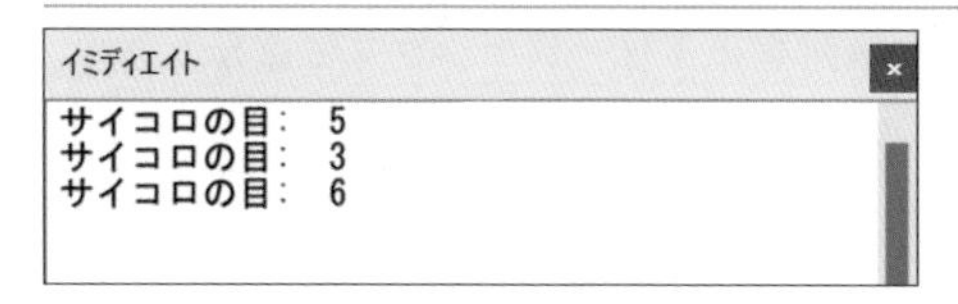

ループ処理の終了条件である「Until diceNum = 6」をDo Loopステートメントの末尾の方に記載しているため、最低でも1回は擬似サイコロを振って結果を出力する処理が実行されます。

このように条件式を末尾に配置すると「最低でも1回はDo 〜 Loop間のステートメントを実行したい」という、最低1回保障の形でループ処理を作成できます。

section

04 実行時にユーザーと対話する

マクロ実行時にユーザーに確認を取りたくなるケースはありませんか？「本当に削除していい？」「バックアップ取ってる？」等の確認や、「売り掛率の値はいくつ？」「集計セル範囲ってどこ？」等の問い合わせ、さらに、「どのブックを集計する？」「どのフォルダーを扱う？」等のファイルの指定まで、さまざまなケースに遭遇することでしょう（ファイルの選択に関しては462ページを参照）。

また、学習過程で検証したい値をダイアログ表示してチェックしたり、処理の方式や対象を切り替えて試したい場合もあるでしょう。

そういった「対話」や情報の表示ができる仕組みをいくつかご紹介します。

メッセージボックスでメッセージを表示する

最も手軽な仕組みはメッセージボックスです。メッセージボックスを表示するには、**MsgBox**関数を利用します。MsgBox関数は引数に指定した文字列をダイアログ表示します。

▼メッセージボックスを表示する（MsgBox関数）

```
MsgBox 表示する文字列
```

次のコードは、**「Hello VBA!!」という文字列をメッセージボックスで表示**します。

▼マクロ 3-26

```
MsgBox "Hello VBA!!"
```

実行例　メッセージボックスを表示する

実行すると、「OK」ボタン付きのメッセージボックスのダイアログが表示されますね。このMsgBox関数の特徴は、**ダイアログを表示している間は、以降のコードの実行はされない**という点にあります。

例えば、次の2行のコードを持つマクロがあるとします。**1行目はMsgBox関数でメッセージボックスを表示するコード、2行目はセルF3に値を入力するコード**です。

```
MsgBox "計算の結果を考えましょう。答えは出ましたか？"
Range("F3").Value = 35
```

このコードを実行すると、まず、1行目によりメッセージボックスが表示され、その時点でマクロの実行がストップします。ユーザーにより「OK」ボタンが押されるとメッセージボックスが消え、その時点から2行目のコードが実行されます。

▼メッセージボックスの表示中は処理を停止する

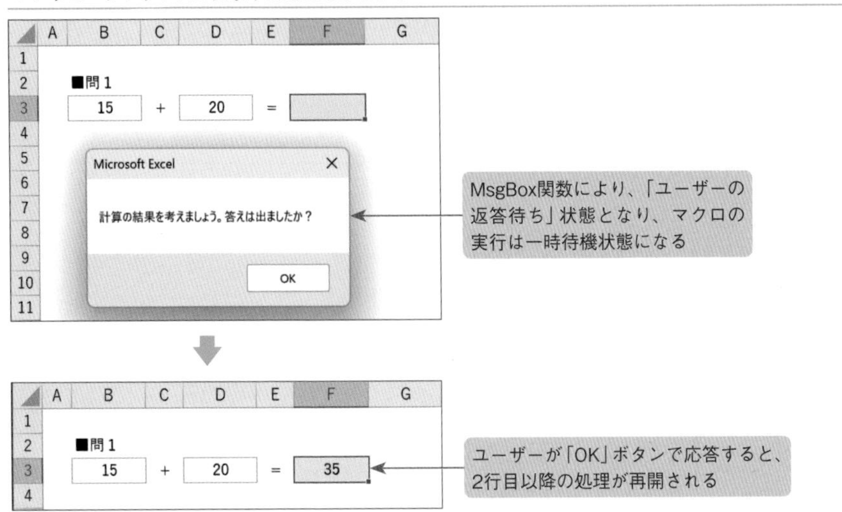

■問1
15
+
20
=
Microsoft Excel
計算の結果を考えましょう。答えは出ましたか？
OK
MsgBox関数により、「ユーザーの返答待ち」状態となり、マクロの実行は一時待機状態になる
■問1
15
+
20
=
35
ユーザーが「OK」ボタンで応答すると、2行目以降の処理が再開される

「ユーザーと対話しながら処理を進める」と言うとちょっと大げさな気もしますが、手軽に「反応を待って処理を進める」仕組みが作成できるようになっているわけですね。

●選択肢付きのメッセージを表示して反応を受け取るには？

「はい」「いいえ」「キャンセル」等のボタンを持つメッセージボックスを表示したい場合には、MsgBox関数の引数を利用します。

▼MsgBox関数の3つの引数

引数	指定できる内容
Prompt	表示する文字列
Buttons	ボタン。表示するボタンの種類を定数で指定（省略可能）
Title	タイトル。ダイアログ上端に表示するタイトル文字列（省略可能）

▼メッセージボックスにボタンやタイトルを設定する

```
MsgBox 表示する文字列[, ボタン][, タイトル]
```

例えば、**「はい」「いいえ」ボタンを持つメッセージボックスを、タイトルまで指定して表示**するには、次のようにコードを記述します。

▼マクロ 3-27

```
MsgBox Prompt:="犬よりも猫が好きですか?", _
    Buttons:=vbYesNo, _
    Title:="ワンニャン調査"
```

実行例 表示するボタンやタイトルを指定する

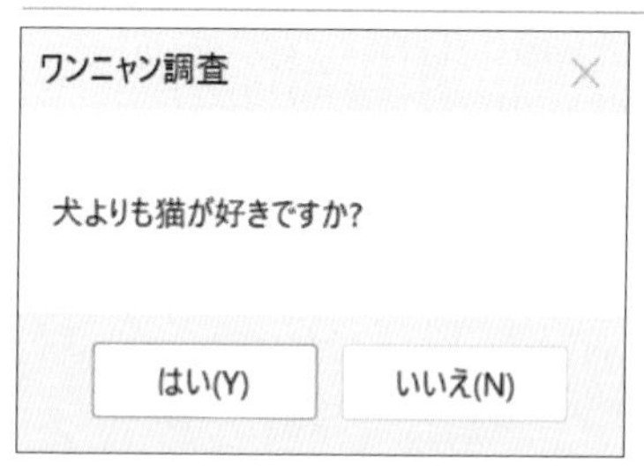

表示するボタンの組み合わせは、引数Buttonsへ、対応するVbMsgBoxStyle列挙の定数を指定して決定します。どんな定数があるかは、122ページの表をご覧ください。

さて、ボタンの種類が指定できるからには、「ユーザーがどのボタンを押したのか」を知る方法も用意されているはずですね。これは、MsgBox関数の戻り値で判定できるようになっています。戻り値は、ボタンに応じた値が、VbMsgBoxResult列挙の定数（123ページ）のいずれかの形で返されます。

次のコードは、**ユーザーが押したボタンの種類を表す戻り値を変数「result」で受け取り、その結果によって処理を分岐**します。

▼マクロ 3-28

```
Dim result As VbMsgBoxResult
'「はい」「いいえ」ボタンを持つメッセージボックスを表示して選択結果を取得
result = MsgBox("犬よりも猫が好きですか？", Buttons:=vbYesNo)
'結果により処理を分岐
If result = vbYes Then
    MsgBox "猫の方がお好きなんですね"
Else
    MsgBox "犬の方がお好きなんですね"
End If
```

実行例　表示するボタンやタイトルを指定する

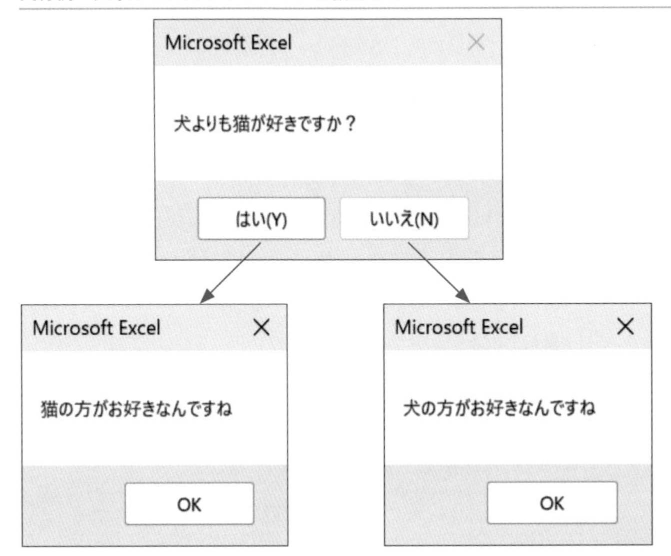

この処理のポイントは2つあります。1つ目は、「変数 = MsgBox(各引数)」のようにMsgBox関数の引数全体を括弧で囲む点です。

VBAでは、関数やメソッドの戻り値を変数に格納したり、利用する場合には、その引数全体を括弧で囲みます。単にメッセージボックスを表示するだけであれば、引数全体を囲む括弧は必要ありません。この違いに注意しましょう。

2つ目は、変数resultで受け取った戻り値を、ボタンの種類に対応した定数と比較して条件分岐を行っている点です。今回は、「はい」「いいえ」の2つのボタンを表示させましたが、「はい」を押した場合には戻り値として「vbYes」が格納され、「いいえ」

を押した場合には戻り値として「vbNo」が格納されます。

▼ VbMsgBoxStyle列挙の定数

名前	説明	値
表示ボタンの組み合わせに関する項目		
vbOKOnly	「OK」ボタン(既定値)	0
vbOKCancel	「OK」「キャンセル」ボタン	1
vbAbortRetryIgnore	「中止」「再試行」「無視」ボタン	2
vbYesNoCancel	「はい」「いいえ」「キャンセル」ボタン	3
vbYesNo	「はい」「いいえ」ボタン	4
vbRetryCancel	「再試行」「キャンセル」ボタン	5
表示アイコンに関する項目		
vbCritical	警告メッセージアイコン	16
vbQuestion	問い合わせメッセージアイコン	32
vbExclamation	注意メッセージアイコン	48
vbInformation	情報メッセージアイコン	64
デフォルトボタンに関する項目		
vbDefaultButton1	1番目のボタンをデフォルトにする(既定値)	0
vbDefaultButton2	2番目のボタンをデフォルトにする	256
vbDefaultButton3	3番目のボタンをデフォルトにする	512
vbDefaultButton4	4番目のボタンをデフォルトにする	768
その他		
vbApplicationModal	アプリケーションモーダルに指定(既定値)	0
vbSystemModal	システムモーダルに指定	4096
vbMsgBoxHelpButton	「ヘルプ」ボタンを表示	16384
VbMsgBoxSetForeground	最前面のウィンドウとして表示	65536
vbMsgBoxRight	右寄せで表示	524288
vbMsgBoxRtlReading	右から左へ表示(アラビア語圏用)	1048576

▼VbMsgBoxResult列挙

名前	説明	値
vbOK	「OK」ボタン	1
vbCancel	「キャンセル」ボタン	2
vbAbort	「中止」ボタン	3
vbRetry	「再試行」ボタン	4
vbIgnore	「無視」ボタン	5
vbYes	「はい」ボタン	6
vbNo	「いいえ」ボタン	7

同じ項目に関する設定は、項目内のうちの1つしか指定できません。「その他」の設定は同時に指定できます(ただし、環境によっては機能しない定数もあります)。また、**列挙等の定数には、定数に対応する値が設定されています**。定数名と同様に、この値を使って指定することもできます。

インプットボックスで値を入力してもらう

インプットボックスを表示してユーザーに任意の値を入力してもらい、その値をマクロで利用するには、**InputBox関数**を利用します。

▼インプットボックスを表示する(InputBox関数)

```
変数 = InputBox(表示する文字列)
```

次のコードは、**ユーザーに「商品名」を入力してもらい、その値を出力して確認**します。

▼マクロ 3-29

```
Dim result As String
result = InputBox("商品名を入力してください")
Debug.Print "入力値：", result
```

実行例　インプットボックスを表示する

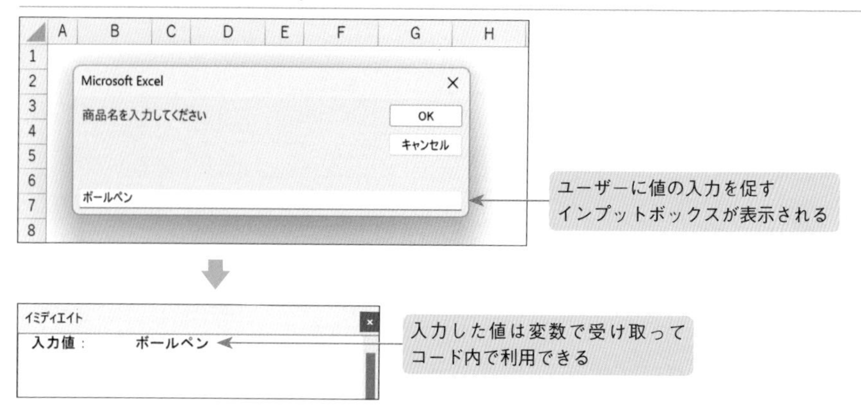

インプットボックスは、マクロの実行途中で手軽に必要な値を入力してもらう場合にとても便利な仕組みです。また、引数によって、タイトルを指定したり、やデフォルト値として表示しておく値を指定しておくことも可能です。

▼InputBox関数の引数（抜粋）

引数名	説明
Prompt	表示する文字列
Title	タイトル。ダイアログ上端に表示するタイトル文字列（省略可能）
Default	デフォルト値。入力欄に最初から入力されている文字列を指定（省略可能）

▼インプットボックスにボタンやタイトルを設定する

```
InputBox 表示する文字列[, タイトル][, デフォルト値]
```

●セル範囲を選択してもらうには

Excel独特のオペレーションとして、マクロの実行途中で、マクロに利用するセル範囲を選択してもらいたい場合があります。この場合には、Applicationオブジェクトの InputBoxメソッド（Application.InputBox）を利用します。

InputBoxメソッドは、InputBox関数よりも「少し機能が追加されたインプットボックス」です。同じ名前なのでややこしいですが、セル範囲の選択をしてもらいたい場合には、InputBoxメソッドの方を利用します。その際には、扱う対象のデータ型を指定する引数Typeに、セル参照（Range型）を表す「8」を指定します。

▼マクロの実行中にセル範囲を選択してもらう（Application.InputBoxメソッド）

```
Set Range型変数 = _
    Application.InputBox("表示文字列", Type:=8)
```

次のコードは、**InputBoxメソッドによりインプットボックスを表示し、ユーザーが選択したセル範囲の隣のセルに「○」を入力**します。

▼マクロ 3-30

```
'選択セル範囲を受け取る変数を宣言
Dim selectedRange As Range, rng As Range
'セル選択ダイアログを表示
Set selectedRange = _
    Application.InputBox("対象セル範囲を選択してください", Type:=8)
'選択セル範囲に対してループ処理
For Each rng In selectedRange
    rng.Next.Value = "○"
Next
```

実行例　セル範囲を選択するインプットボックス

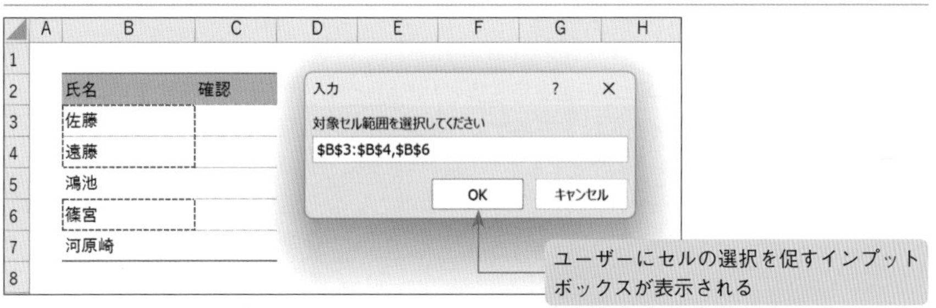

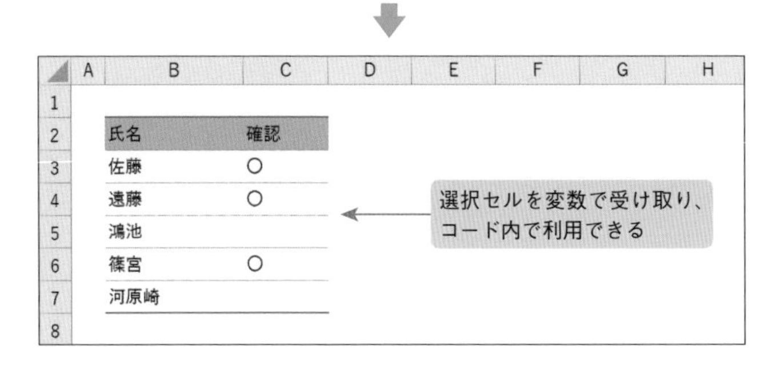

コード内では、Application.InputBoxメソッドの結果を変数selectedRangeにセットし、そのセル範囲に対してFor Eachステートメントでループ処理を行っています。このような形でコードの実行中にユーザーにセル範囲を選択してもらい、以降の処理に利用していきます。

column

シートとユーザーフォームという選択肢

メッセージボックスやインプットボックスは、マクロの途中で手軽に必要な情報をユーザーに指定してもらえる仕組みですが、単に必要な値をあらかじめ入力しておいてもらうだけであれば、何もダイアログを表示せずとも、特定のセルに値を入力してもらっておく、という方法もあります。

また、より詳細な自作ダイアログを作成して利用したい場合には、ユーザーフォームの仕組み（660ページ）を利用する方法もあります。目的に合わせて使い分けてみましょう。

column

ループ処理と画面更新の関係

ループ処理内で大量のセルの値を書き換えたり、シートやブックの構成を操作するような場合には、画面更新の設定や再計算の設定等、Excel独特の設定を調整することで処理速度や「見やすさ」を向上できます（622ページ）。こちらもあわせて確認しておきましょう。

基礎編

Chapter 4

「文字列」と「日付」と「時間」の扱い方

Excelでは「文字列」や「日付」「時間」等のデータを取り扱うことが多くあります。本章では、VBAでの文字列や数値・日付の扱い方をご紹介します。
基本的な記述の方式のおさらいから、それぞれの値を扱う際に知っておくと便利な関数を見ていきましょう。

本章の学習内容

1. 文字列の扱いと関数
2. 数値の扱いと関数
3. 日付や時間を扱うシリアル値の扱いと関数

section 01 人にとって大切な文字列の扱い方

文字列、テキスト、これらはアプリケーションを扱ううえで、「人にとっては」とても大切な要素です。逆に言うと、コンピュータにとっては「わりとどうでもいい」仕組みです。

でも、われわれはコンピュータではなく人間です。ExcelやVBAの行った計算結果をわかりやすく伝えたり、整理するために文字列は欠かせません。そのため、VBAにも文字列を扱うためのさまざまな仕組みが用意されています。

基本はダブルクォーテーションで「囲む」

既にご紹介していますが、VBAで文字列を扱う際には、「" (ダブルクォーテーション)」で文字列の前後を囲みます。

次のコードは、**セルA1に「文字列」を入力**するコードですが、セル番地を表す文字列である「A1」と、入力する値を表す「VBA」部分はダブルクォーテーションで囲まれています。

```
Range("A1").Value = "VBA"
```

さらに復習となりますが、文字列を連結するには&演算子を利用します。次のコードは、**セルA1に「Excel」と「VBA」を連結した文字列である「ExcelVBA」が入力**されます。

```
Range("A1").Value = "Excel" & "VBA"
```

そしてもう1つ、Excel特有の「セル内改行」を扱うには、定数vbLfを利用します。次のコードは、**セルA1に「Excel (改行) VBA」が入力**されます。

```
Range("A1").Value = "Excel" & vbLf & "VBA"
```

その他にも、特殊な文字列を表す定数としては、次表のものが用意されています。

▼特殊な文字列を表す定数（抜粋）

定数	値（Chr関数）	内容
vbCr	Chr(13)	キャリッジリターン
vbLf	Chr(10)	ラインフィード
vbCrLf	Chr(13) & Chr(10)	キャリッジリターンとラインフィード
vbNewLine	Chr(13) & Chr(10)またはChr(10)	Win、Macのプラットフォームに応じた標準改行文字
vbTab	Chr(9)	タブ

※Chr関数はキャラクターコードに応じた文字列を返す関数

キャリッジリターンは「左端に戻る」、ラインフィードは「1行下に移動」という命令です。どちらも、結果として改行されます。

文字列の情報や一部分を取り出す関数

続いて、文字列を扱う関数を見ていきましょう。文字数を調べたり、ある文字列から特定の部分を取り出すといった処理を行うために、次のような関数が用意されています。

▼文字列を扱う関数

関数	説明
文字数を調べたい	
Len	文字数を調べる
任意の文字列がある位置を調べたい	
InStr	文字列内の指定した文字列のある場所を調べる
InStrRev	文字列内の指定した文字列のある場所を逆から調べる
任意の文字列を抜き出したい	
Right	文字列の右から指定した文字数だけ取り出す
Left	文字列の左から指定した文字数だけ取り出す
Mid	文字列の指定した位置から指定した文字数だけ取り出す

▼文字列を扱う関数とその結果

関数	コード	結果
Len	Len("VBA")	3
Instr	InStr("192.168.0.1", ".")	4
InstrRev	InStrRev("192.168.0.1", ".")	10
Right	Right("Excel VBA", 3)	VBA
Left	Left("Excel VBA", 3)	Exc
Mid	Mid("Excel VBA", 3, 3)	cel

●文字列の長さを調べる

文字列の長さ（文字数）を調べるには、Len関数を利用します。文字は1バイト文字（半角英数字等）、2バイト文字（全角文字等）を問わずに、「1文字は『長さ1』」として数えます。

▼文字列の長さを調べる（Len関数）

```
Len(調査対象文字列)
```

次のコードは、**「VBA」という文字列の長さ**を数えます。

```
Len("VBA")   '結果は「3」
```

なお、関数の結果を確認するためには、次のようなマクロを作成するとよいでしょう。これは、**結果を変数に代入して、イミディエイトウィンドウに表示**するものです。

▼マクロ 4-1

```
Sub Macro4_1()
    Dim str As String
    str = Len("VBA")
    Debug.Print str
End Sub
```

あるいは、以下のようにイミディエイトウィンドウに記述することもできます（46ページ）。

```
Debug.Print Len("VBA")
```

●文字の位置を調べる

任意の文字が含まれている位置を知るには、InStr関数を利用します。InStr関数は、1つ目の引数に調査対象の文字列を、2つ目の引数に任意の文字列を指定します。すると、2つ目の引数に指定した文字列が「初めて現れる位置」を返します。このとき、位置を表す値は「1文字目が『1』」です。

▼文字列の位置を調べる（InStr関数）

```
InStr(調査対象の文字列, 任意の文字列)
```

「最後に現れる位置」を取得したい場合には、InStrRev関数を利用します。

▼「最後に現れる位置」を取得する（InStrRev関数）

```
InStrRev(調査対象文字列, 任意の文字列)
```

次のコードは、「192.168.0.1」という文字列から「.」が現れる位置を調べます。

```
InStr("192.168.0.1", ".")          '先頭からの検索結果は「4」
InStrRev("192.168.0.1", ".")       '末尾からの検索結果は「10」
```

なお、両関数とも、2つ目の引数に指定した文字が見つからない場合には「0」を返します。このため、「戻り値が0であるかどうか」をチェックすることで、特定の文字が含まれているかどうかの判定に利用できます。次のコードは、**変数strに「VBA」が含まれている場合はメッセージボックスを表示**します。

▼マクロ 4-2

```
Dim str As String
str = "VBA"
If InStr(str, "VBA") > 0 Then
    MsgBox "変数strに「VBA」という文字列が含まれています"
End If
```

実行例　特定の文字列を含むかを判定

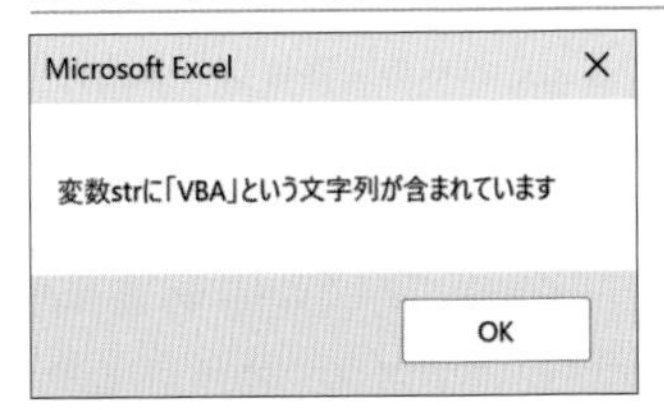

●文字列を抜き出す

任意の文字列の、「右から○文字」「左から○文字」を抜き出した値を取得するには、それぞれRight関数とLeft関数を利用します。

▼「右から○文字」を抜き出す（Right関数）

```
Right(対象の文字列, 任意の文字数)
```

▼「左から○文字」を抜き出す（Left関数）

```
Left(対象の文字列, 任意の文字数)
```

次のコードは、**「Excel VBA」という文字列から前後「3」文字を抜き出します**。

```
Right("Excel VBA", 3)   '結果は「VBA」
Left("Excel VBA", 3)    '結果は「Exc」
```

「○文字目から△文字分だけ抜き出したい」という場合には、Mid関数を利用します。

▼「○文字目から△文字分だけ」抜き出す（Mid関数）

```
Mid(対象の文字列, 開始文字位置[, 文字数])
```

次のコードは、**「Excel VBA」という文字列の「3」文字目から「3」文字文を抜き出します**。なお、第3引数である「文字数」の指定は任意です。省略した場合は、第2引数で指定した開始位置以降の文字列すべてを返します。

```
Mid("Excel VBA", 3, 3)   '結果は「cel」
Mid("Excel VBA", 3)      '結果は「cel VBA」
```

column

環境依存文字の「長さ」に注意

文字列の「数」や「位置」を扱う関数を利用する場合、注意が必要なのが環境依存文字です。具体的には「🐶」等のいわゆる絵文字や「吉」ではなく「𠮷(つちよし)」といった「昔は文字コードに登録されていなかった」系の文字です。これらの文字はシート上に入力できるものの、Len関数等では「1文字」扱いではなく「2文字」扱いになります。

そのため、扱うデータの中に環境依存文字が含まれていると、「何文字分か計算がズレる」現象が起きます。ご注意を。

column

文字列の指定に変数を利用する

Len や Right 等の関数には、引数として文字列を指定します。この際、文字列の指定に変数を利用することも可能です。次のコードでは、**文字列型（String型）の変数を宣言し、調査対象の文字列を代入**しています。

```
Dim  str1 As String, str2 As String
str1 = "Excel VBA"
str2 = Right(str1, 3)
Debug.Print str2, Len(str2)   '結果は「VBA 3」
```


文字列を変換する関数

文字列を整えたり、任意の値を元に「型にはめた文字列」を作成する関数も用意されています。計算の結果求められた数値をユーザーにわかりやすい形に加工して表示する際に便利な仕組みです。

▼文字列を加工・変換する関数

関数	説明
余分なスペースを取り除きたい	
Trim	文字列左右の余分なスペースを取り除く
LTrim	文字列左側の余分なスペースを取り除く
RTrim	文字列右側の余分なスペースを取り除く
任意の文字列を置き換えたい	
Replace	文字列内の任意の文字列を置き換える
文字列の形式を統一したい	
StrConv	大文字・小文字・ひらがな・カタカナ・全角・半角を統一する
指定した表示形式に変換したい	
Format	指定した値を任意の表示形式で表示した文字列を返す

▼文字列を加工する関数とその結果

関数	コード	結果
Trim	Trim(" Excel VBA ")	Excel VBA
Ltrim	LTrim(" Excel VBA ")	Excel VBA
Rtrim	RTrim(" Excel VBA ")	Excel VBA
Replace	Replace("Excel VBA", "Excel", "エクセル")	エクセル VBA
StrConv	StrConv("えくセルvba", vbKatakana + vbUpperCase)	エクセルVBA
Format	Format(18, "VBA-000")	VBA-018
	Format(150000, "#,###")	150,000
	Format(#7/9/2023#, "ggge年m月d日")	令和5年7月9日

●余分なスペースを取り除く

文字列から余分なスペースを取り除くには、Trim関数、LTrim関数、RTrim関数を利用します。それぞれ、左右・左側・右側のスペースを取り除いた結果を返します。

▼左右の余分なスペースを取り除く（Trim関数）

```
Trim(調査対象の文字列)
```

▼左側の余分なスペースを取り除く（LTrim関数）

```
LTrim(調査対象の文字列)
```

▼右側の余分なスペースを取り除く（RTrim関数）

```
RTrim(調査対象の文字列)
```

次のコードは、**「 Excel VBA 」という文字列の左右にある不要なスペースを取り除きます**。

```
Trim(" Excel VBA ")    '結果は「Excel VBA」
LTrim(" Excel VBA ")   '結果は「Excel VBA 」
RTrim(" Excel VBA ")   '結果は「 Excel VBA」
```

●文字列を置き換える

文字列を置き換えたい場合には、Replace関数を利用します。引数は、「置き換え対象の文字列」「検索文字列」「置き換え後の文字列」を順番に指定します。

▼文字列を置き換える(Replace関数)

```
Replace(置き換え対象の文字列, 検索文字列, 置き換え後の文字列)
```

次のコードは、**「Excel VBA」という文字列の、「Excel」を「エクセル」に置き換えます**。

```
Replace("Excel VBA", "Excel", "エクセル")  '結果は「エクセル VBA」
```

●文字列の形式を統一する

文字列中の、「ひらがな/カタカナ」「全角/半角」「大文字/小文字」等の表記を統一したい場合には、StrConv関数を利用します。

▼文字列の形式を統一する(StrConv関数)

```
StrConv(置き換え対象文字列, 変換ルール)
```

StrConv関数の第2引数には、変換ルールを以下の定数で指定します。互いに矛盾しないルールであれば、複数の定数を「+」で繋げて指定可能です。その際には、第2引数に各ルールに応じた定数を加算(Or演算)した値を指定することも可能です。

▼StrConv関数の第2引数に指定する定数

定数	値	形式
vbUpperCase	1	大文字に変換
vbLowerCase	2	小文字に変換
vbProperCase	3	先頭の文字を大文字に変換
vbWide	4	全角文字に変換
vbNarrow	8	半角文字に変換
vbKatakana	16	カタカナに変換
vbHiragana	32	ひらがなに変換
vbUnicode	64	既定のコードページからUnicodeに変換
vbFromUnicode	128	Unicodeから既定のコードページに変換

次のコードは、**「えくセルvba」という文字列を「カタカナ・大文字」に統一します。**

```
StrConv("えくセルvba", vbKatakana + vbUpperCase)  '結果は「エクセルVBA」
```

●表示形式を変換する

文字列を変換するのではなく、任意の値をプレースホルダー(後で値をはめ込みたい場所に、仮に置かれている文字列)を利用して作成した定型書式へとはめ込んだ結果を得たい場合には、Format関数を利用します。

第1引数に値を、第2引数に定型書式を表す文字列(以降、書式文字列)を指定します。書式文字列は、ワークシート上で設定できる「書式設定」機能とほぼ同じ形で設定可能です。

▼任意の値の書式を設定する(Format関数)

```
Format(値[, 書式文字列])
```

次のコードは、**「18」という数値を、「VBA-000」という書式にはめ込んだ文字列を作成**します。

```
Format(18, "VBA-000")  '結果は「VBA-018」
```

例えば、「VBA-000」という書式文字列は「000」という部分がプレースホルダーです。ここに「18」という値をはめ込むと、「018」となります。プレースホルダー以外の部分はそのまま文字列として出力されるので、結果は「VBA-018」となります(プレースホルダーとして利用できる文字列の種類に関しては382ページをご覧ください)。

同じ仕組みで、**数値を元に3桁区切りの文字列を作成**したり、**日付値を元に和暦の文字列を作成**したりといったことも可能です。

```
Format(150000, "#,###")              '結果は「150,000」
Format(#7/9/2023#, "ggge年m月d日")   '結果は「令和5年7月9日」
```

書式文字列のルールを覚えてしまえば、かなり自由に値の表記を変換できます。例えば、「ブックを保存するときにブック名の末尾に日付値を付けて保存したい」という場合には、実行時の日付が得られるDateプロパティと組み合わせて、次図のような書式文字列でFormatしてあげるのが楽です(図では、簡易表記(48ページ)を使って結果を表示しています)。

▼実行時の日付値をはめ込んだFormat

```
イミディエイト
? Format(Date, "売上日報_yyyymmdd.xl¥sx")
売上日報_20221109.xlsx
```

日付シリアル値「2022年11月09日」を当てはめて変換すれば、得られる文字列は「売上日報_20221109.xlsx」となります。この値をブック名として別名保存すればよいわけですね。

column

定数の値で指定する

StrConv関数では、「変換ルール」として複数の定数をまとめて指定可能です。下記のコードの第2引数に注目してみると、「カタカナに変換(vbKatakana)」と「大文字に変換(vbUpperCase)」を同時に指定しています。

```
StrConv("えくセルvba", vbKatakana + vbUpperCase)
```

これは、定数の「値」を使って、次のように指定することもできます。

```
StrConv("えくセルvba", 16 + 1)
```

関数や列挙等の定数には、それぞれ対応する値が設定されています。そして、引数に定数を指定する場合は、それぞれ対応する値として扱われるのです。ここで指定した「vbKatakana + vbUpperCase」は文字列を連結するのではなく、「2つの定数の値を加算する」という意味なります。また、あらかじめ複数の定数の値を加算した結果を指定することも可能です。

上記のコードは、次のように記述することが可能です。

```
StrConv("えくセルvba", 17)
```

次のコードのように、定数名と値を混在する形でも指定可能です。ここからも、定数が値として扱われていることが見て取れます。

```
StrConv("えくセルvba", vbKatakana + 1)
```

正規表現を利用する

VBAで正規表現を利用したい場合には、RegExpオブジェクトという外部ライブラリ(224ページ)の仕組みを利用します。ちょっとややこしい話になりますので、本項は興味のある方以外は読み飛ばしてくださって構いません。

RegExpオブジェクトを利用するには、CreateObject関数の引数にVBScript.RegExpを指定して実行します。

▼RegExpオブジェクトのプロパティ/メソッド(抜粋)

プロパティ/メソッド	用途
Globalプロパティ	全体を対象にする(True)か、最初の1つが見つかった時点で終了する(False)かを真偽値で指定。既定値はFalse
Patternプロパティ	パターン文字列を指定
Executeメソッド	マッチングを行う。結果をMatchesコレクションの戻り値として返す
Replaceメソッド	Patternプロパティに指定したパターンの箇所を、任意の文字列に置き換えた結果を返す
Testメソッド	マッチングするものがあるかどうかをテストし、結果を真偽値で返す

●マッチングと結果の取得

基本的な使用方法は、Patternプロパティにパターン文字列を指定し、Executeメソッドでマッチングを行います。パターン文字列として利用できるメタ文字には、以下のものがあります。

▼RegExpオブジェクトで利用できるメタ文字(抜粋)

メタ文字	マッチする要素
.	改行を除く任意の1文字
[ABC]	指定された任意の1文字(AかBかC)
[^ABC]	指定されていない任意の1文字(A・B・Cを除く文字)
?	直前パターンの0～1回までの繰り返し
+	直前パターンの1回以上の繰り返し
*	直前パターンの0回以上の繰り返し
^	文字列の先頭
$	文字列の末尾

¥n	改行
¥r	キャリッジリターン
¥t	タブ文字
¥d	数字
¥D	数字以外
¥s	スペース文字
¥S	スペース文字以外
¥	メタ文字のエスケープ文字。「¥¥」は「¥」にマッチ
( )	後方参照時のグループを指定
$1　$2　…	後方参照時の各グループ文字

マッチングの結果は、Matchesコレクションの形で返され、そこから個々のマッチング結果へとアクセスします。

以下にマッチングを行う例を示します。

▼マクロ 4-3

```
'外部ライブラリのオブジェクトを格納するObject型変数を宣言
Dim regExp As Object, matchList As Object
Dim str As String, patternStr As String
'マッチング対象の文字列
str = "0123-4567"
'パターン文字列を作成(「連続する数値」というパターン)
patternStr = "¥d+"
'正規表現オブジェクトを生成してマッチング
Set regExp = CreateObject("VBScript.RegExp")
With regExp
    'マッチング設定
    .Global = True
    .Pattern = patternStr
    'マッチングを行い、結果を取得
    Set matchList = .Execute(str)
End With

'結果を出力
Debug.Print "対象文字列：", str
```

```
Debug.Print "パターン：", patternStr
Debug.Print "マッチ数：", matchList.Count
Debug.Print "マッチ結果1：", matchList(0).Value
Debug.Print "マッチ結果2：", matchList(1).Value
```

実行例　正規表現によるマッチング

```
イミディエイト
対象文字列：　0123-4567
パターン：　　¥d+
マッチ数：　　 2
マッチ結果1：　0123
マッチ結果2：　4567
```

マッチング結果であるMatchesコレクションは、Countプロパティでマッチング数が得られます。また、個々のマッチング箇所に関しては、「Matchesコレクション(インデックス番号)」でアクセスできます。この際のインデックス番号は「0」から始まります。

個々のマッチング箇所は、Matchオブジェクトとして管理されており、Valueプロパティでマッチした文字列全体が得られます。また、括弧を使った後方参照を行っている場合には、さらに、SubMatchesプロパティ経由で、括弧内の文字列を取り出せます。例えば、**「静岡県富士市永田町1-100」という文字列から「県」「市」「それ以降の数値を除く文字部分」「さらにそれ以降」という後方参照を行いたい場合**には、マッチング文字列を「(.+県)(.+市)(¥D+)(.+)」のように、4つの後方参照を持つ文字列として指定します。

```
'マッチング対象の文字列
str = "静岡県富士市永田町1-100"
'パターン文字列
patternStr = "(.+県)(.+市)(¥D+)(.+)"
```

この場合、各括弧内にマッチした文字列は、MatchオブジェクトのSubMatchesプロパティ経由で以下のような形で取り出せます。

```
Debug.Print "後方参照1：", matchList(0).SubMatches(0)
Debug.Print "後方参照2：", matchList(0).SubMatches(1)
Debug.Print "後方参照3：", matchList(0).SubMatches(2)
Debug.Print "後方参照4：", matchList(0).SubMatches(3)
```

▼マッチングの結果（後方参照）

イミディエイト

```
対象文字列：　静岡県富士市永田町1-100
パターン：　　(.+県)(.+市)(¥D+)(.+)
マッチ数：　　 1
後方参照1：　静岡県
後方参照2：　富士市
後方参照3：　永田町
後方参照4：　1-100
```

●正規表現を利用した置換

置換処理にRegExpオブジェクト（138ページ）を利用する場合には、Replaceメソッドを利用します。次のコードは、**セル範囲B3:B7に入力されている値に対して、「数値以外(¥D)」というパターンでマッチングを行い、当てはまる文字を「""（空白文字列）」に一括で置換した値を隣のセルへと入力**します。つまり、「数値を残して消去」します。

▼マクロ 4-4

```
Dim rng As Range
'正規表現オブジェクトを生成
Dim regExp As Object
Set regExp = CreateObject("VBScript.RegExp")
With regExp
    '「数字以外」をマッチング設定
    .Global = True
    .Pattern = "¥D"
    'セル範囲B3:B7についてループ処理
    For Each rng In Range("B3:B7")
        '「数字以外」を空白文字列に置換した値を隣のセルに入力
        rng.Next.Value = .Replace(rng.Value, "")
    Next
End With
```

実行例　正規表現を利用した置換

	A	B	C	D
1				
2		元の値	置換後	
3		￥1,234	1234	
4		$1234	1234	
5		1234円	1234	
6		1,234ドル	1234	
7		1234ユーロ	1234	
8				

後方参照を利用した値の入れ替えを行いたい場合は、メタ文字である「()」と「$番号」を組み合わせます。次のコードは、**「Jyunpei FURUKAWA」という文字列を、正規表現を利用して「FURUKAWA Jyunpei」の順番へと入れ替えます。**

▼マクロ4-5

```
Dim original As String, replacement As String
original = "Jyunpei FURUKAWA"
'正規表現オブジェクトを生成
With CreateObject("VBScript.RegExp")
    .Global = True
    'スペースを境に、前後を後方参照できるようパターン作成
    .Pattern = "(¥S+)¥s(¥S+)"
    '後方参照を利用して位置を置換した文字列を作成
    replacement = .Replace(original, "$2 $1")
End With
'結果の表示
Debug.Print "元の値：", original
Debug.Print "入替後：", replacement
```

実行例　文字列の順番を入れ替える

正規表現が利用できると、「置換」機能や、Replace関数、RangeオブジェクトのReplaceメソッドだけでは面倒な文字列操作も、一気に処理を行える場面が増えてきます。

興味のある方は「正規表現」をキーワードに調べてみたり、Microsoftのリファレンス等を見てみてください。

RegExpオブジェクトのリファレンス

URL https://learn.microsoft.com/ja-jp/previous-versions/windows/scripting/cc392487(v=msdn.10)

column

Withステートメントで命令をまとめる

同じ操作対象(オブジェクト)に対して複数の命令を行う場合は、Withステートメントを使って1つにまとめて記述することができます。

「With」に続いて操作対象のオブジェクトを指定し、「.命令」の形で命令を記述します(命令は複数記述できます)。そうすると「With」~「End With」の間に記述された命令が、指定したオブジェクトに対して実行されます。

▼Withステートメントで操作をまとめる

```
With オブジェクト
    .命令
End With
```

Withステートメントを使うと、命令ごとにオブジェクトを指定する必要がなくなるので、コードをスッキリとまとめることができます。是非、活用してください。

section

02 数値の扱いと算術計算の関数

数値の扱いと算術計算に利用できる関数を見ていきましょう。関数に関しては、表計算アプリであるExcelならではの「ワークシート関数」をVBAから利用する方法も用意されています。

数値の扱い

VBAで数値を扱う際には、そのまま数値を入力すればOKです。正の数なら「10」、負の数ならマイナス符号を付けて「-10」、少数であればピリオドによる小数点を付けて「3.14」です。

▼数値の記述例

```
10
-10
3.14
```

変数で数値を扱う場合、基本的には整数値であればLong型(長整数型、32bitの符号付き整数型)、小数まで扱いたいのであればDouble型(倍精度浮動小数点型、32bit)で宣言します(83ページ)。

▼整数のみ扱うならLong、少数も扱うならDoubleを使う

```
Dim longNum As Long
Dim doubleNum As Double
```

「扱うつもりの数値の桁数が少ないからInteger型やSingle型(ともに16bit)の方がいいんじゃないの」という場合には、桁数の制限を明確にするためにそちらを利用してもよいでしょう。

また、整数型の変数に小数を代入したり、結果が少数となる式の答えを代入した場合には、端数を自動的に丸めた値が計算されて格納されます。次のコードは、**Long型の変数に整数値と小数値を代入し、格納された値を出力**します。

▼マクロ 4-6

```
Dim longNum As Long
longNum = 5
Debug.Print "整数を代入：", longNum
longNum = 9.5
Debug.Print "小数を代入：", longNum
longNum = 9 / 2
Debug.Print "計算結果が小数：", longNum
```

実行例　整数型の変数に小数値を格納しようとした結果

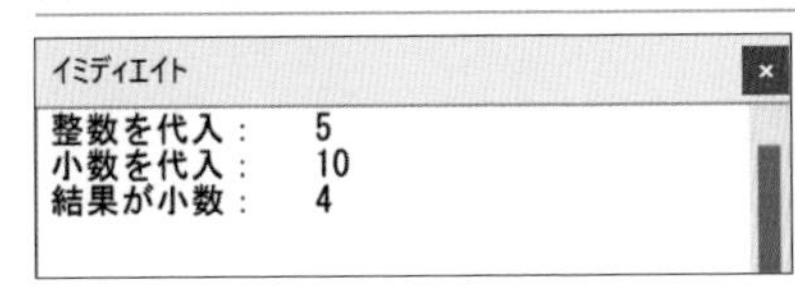

エラーは発生せず、丸められた結果がしれっと格納される点に注意しましょう。

算術計算を行う関数

VBAで算術計算を行う関数は、Mathモジュールという組み込みのモジュール内にまとめられています。

▼Mathモジュールで定義されている関数

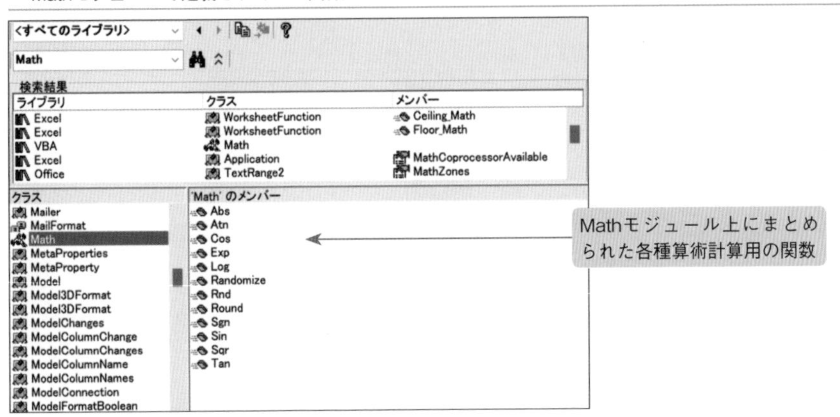

Sin関数やCos関数等の三角関数、対数を計算するLog関数等が揃っていますが、ここでは使用頻度が多く、利用する際にちょっとした注意点のあるRound関数と

Rnd関数の使い方をご紹介します。また、Rnd関数に必要なRandomizeステートメントも解説します。

▼Round関数とRnd関数

関数	計算の種類
Round関数	端数の丸め（銀行丸め／最近接偶数丸め）
Rnd関数	0以上1未満の乱数を返す（範囲は16bit）
Randomizeステートメント	乱数のシード値を初期化

●Round関数による端数処理

小数点以下の端数を処理したい場合には、Round関数を利用します。Roundの端数の処理方法は、いわゆる「銀行丸め」方式が採用されています。算数で習う四捨五入方式とは異なり、端数が「5」のときには、直近の偶数値になるように端数を処理する方式です。

次のコードでは、**「5.5」と「4.5」の2つの値をRound関数で丸めています**。どちらも結果が偶数になっている点に注目してください。

▼マクロ 4-7

```
Debug.Print "Round(5.5)", Round(5.5)    '結果は「6」
Debug.Print "Round(4.5)", Round(4.5)    '結果は「4」
```

実行例　Round関数による端数処理

注意したい点は、Excelではワークシート上で利用するROUNDワークシート関数がありますが、そちらは四捨五入方式（端数が「5」の場合は切り上げ）である点です。「あれ？シート上の計算と端数処理の結果が違うぞ？」という場合が出てくるというわけですね。

ROUNDワークシート関数と同様の四捨五入による端数処理を行いたい場合には、後述するVBAからワークシート関数を利用する方法（149ページ）を参照してください。

●Rnd関数でランダムな値を返す

プログラム内でランダムな値(乱数)がほしい場合には、Rnd関数が利用できます。Rnd関数は0以上1未満のランダムな値の小数を返す関数です。次のコードでは、**5回ランダムな値を出力**します。

▼マクロ 4-8

```
Dim i As Long
For i = 1 To 5
    Debug.Print i & "回目：", Rnd
Next
```

実行例 Rnd関数で乱数を発生

```
イミディエイト
1回目：        0.7055475
2回目：        0.533424
3回目：        0.5795186
4回目：        0.2895625
5回目：        0.301948
```

次のコードでは、**5回の試行を行い、30%の確率で「ヒット」と出力し、それ以外には「アウト」と出力**します。

▼マクロ 4-9

```
Dim i As Long, threshold As Single
'しきい値を設定
threshold = 0.3
'5回試行
For i = 1 To 5
    If Rnd < threshold Then
        Debug.Print "ヒット"
    Else
        Debug.Print "アウト"
    End If
Next
```

実行例 30%の確率で処理を分岐

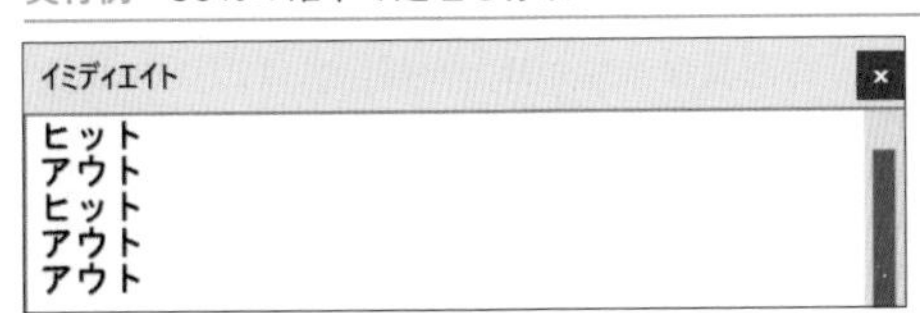

Rnd関数で算出される値は「0以上1未満の値」ですので、小数と組み合わせれば処理を分岐する確率をコントロールできます。野球の打率のように扱えるわけですね。

さらに、任意の範囲の整数値を得たい場合には、引数に指定した数値の端数を切り捨てした結果を返すInt関数と組み合わせます。次のコードは、**1〜10の範囲でランダムな整数を10回返します**。

▼マクロ 4-10

```
Dim i As Long
For i = 1 To 10
    '1〜10の範囲の整数を出力
    Debug.Print Int(Rnd * 10) + 1
Next
```

実行例　指定範囲の整数を出力

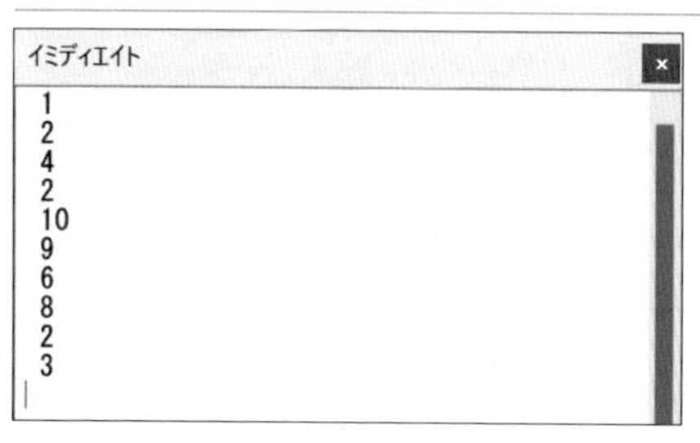

ちょっとややこしい式になりますね。Excelのバージョンによっては、同じ用途のワークシート関数、RANDBETWEENワークシート関数が利用できますので、そちらをVBAから利用した方がコードがわかりやすくなるでしょう(150ページ)。

column

乱数のシード値の初期化

Rnd関数はランダムな値(乱数)を返します。この乱数はあらかじめシード値と呼ばれる計算の基礎になる値を保持しておき、その値を元に算出される仕組みになっています。つまり、同じシード値である場合は、同じ値が同じ順番で返されるわけですね。

このため、シード値が変わらなければ、10個の乱数をRnd関数で出力するマクロを実行し、その値のリストを記録したうえでExcelを終了し、再び同じマクロを実行すると、同じ値のリストが得られます。しかし、毎回異なる値がほしい場合にはこれでは困ってしまいますよね。

そんなときは、Rnd関数を利用する前にシード値を初期化するRandomizeステートメントを実行しましょう。次のコードはマクロ4-10の内容に、乱数シードの初期化処理を付け加えたものです。これなら毎回異なる結果が算出されます。

```
Dim i As Long
Randomize  'シード値を初期化
For i = 1 To 10
    Debug.Print Int(Rnd * 10) + 1
Next
```

なお、Randomizeステートメントを引数なしで実行した場合には、実行時点のシステムタイマーから返される値を利用してシード値を生成します。そのため、毎回異なるシード値が生成される仕組みになっています。

●ワークシート関数を利用して数値を計算

表計算アプリであるExcelには、算術計算を行うワークシート関数が豊富に用意されています。これらの関数のほとんどは、VBAからも利用可能です。

VBAからワークシート関数を利用するには、WorksheetFunctionオブジェクトを利用します。

▼VBAからワークシート関数を利用する

```
WorksheetFunction.ワークシート関数名 引数1,…
```

WorksheetFunctionオブジェクトには各種ワークシート関数と同名・同用途のメソッドが用意されています。利用する場合には「WorksheetFunction.ワークシート関数名」という形式で記述していきましょう。

次のコードでは、**SUMワークシート関数をVBAから利用して結果を出力**します。

```
'SUM関数を呼び出す
Debug.Print "合計:", WorksheetFunction.Sum(1, 2, 3)  '結果は「6」
```

次のコードでは、**VBAのRound関数と、ROUNDワークシート関数の計算結果を出力**します。

▼マクロ 4-11

```
Dim num As Double
Dim wsRound As Double, vbaRound As Double
num = 4.5
vbaRound = Round(num)
wsRound = WorksheetFunction.Round(num, 0)
'VBA関数は銀行丸め、ワークシート関数は四捨五入
Debug.Print "VBAのRound関数：", vbaRound
Debug.Print "ROUNDワークシート関数：", wsRound
```

実行例　Round関数とROUNDワークシート関数

```
イミディエイト
VBAのRound関数：          4
ROUNDワークシート関数：    5
```

先述したように、端数を処理する際の「丸め方」が異なるのが確認できますね。

次のコードでは、**RANDBETWEENワークシート関数を利用して１～10の範囲の乱数を10回出力**します。

▼マクロ 4-12

```
Dim i As Long
For i = 1 To 10
    '1～10の範囲の整数を出力
    Debug.Print WorksheetFunction.RandBetween(1, 10)
Next
```

実行例　RANDBETWEENワークシート関数の利用

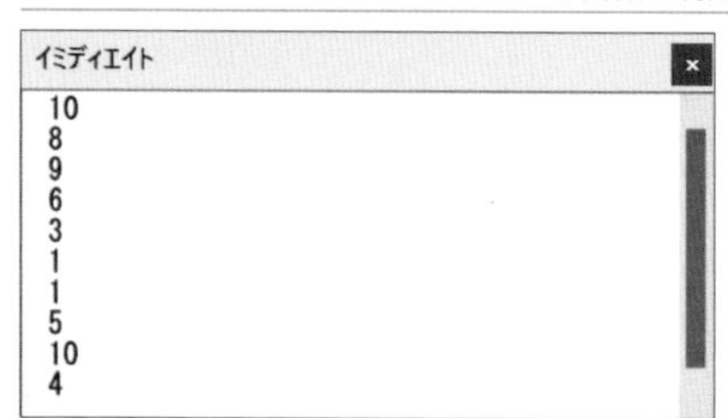

算術計算だけでなく、その他の用途のワークシート関数も同じようにWorksheetFunctionオブジェクト経由で利用可能です。ワークシート関数に慣れ親しんでいる方は活用していきましょう。

section 03 日付や時間の扱い方

日付や時間をVBAで扱う場合には、シリアル値の仕組みを頭に入れておくのがよいでしょう。さらに、シリアル値から「年」「月」「日」等、特定の要素を取り出す関数や、日付の計算に利用できる関数を見ていきましょう。

日付データはシリアル値で管理される

さて、おさらいです。VBAでは、日付リテラルを入力する場合は、「#2023/1/5#」のように、「#(シャープ)」で挟んで記述します。入力後は、「#1/5/2023#」というように「#月/日/年#」の形式に自動変換されます。日本では見かけない表記になってしまうので余計なお世話なのですが、これはVBAの仕組みなので仕方ありません。

▼日付リテラルの入力

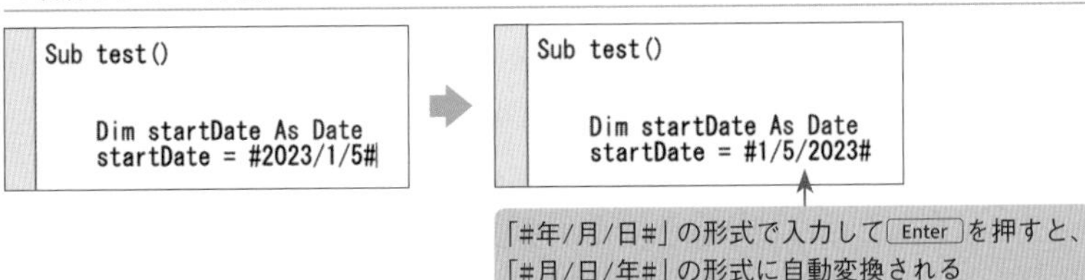
Sub test()
Dim startDate As Date
startDate = #2023/1/5#
Sub test()
Dim startDate As Date
startDate = #1/5/2023#
「#年/月/日#」の形式で入力して Enter を押すと、
「#月/日/年#」の形式に自動変換される

この日付値は、PC内部ではシリアル値(日付シリアル値)として管理されます。VBAのシリアル値は、「1899/12/31 0:00:00」を「1.0」とし、以降、「1日」が経過するごとに「1」を加算するルールで定義されています。つまりは、VBAにとっては、「1」は「1899年12月31日」であり、「2」は次の日である「1900年1月1日」です。「1.5」であれば、「1」から半日分だけ進んだ「1899年12月31日のお昼の12時」です。整数部分が日付、小数部分は時間を扱う仕組みになっています。

試しに、「2023年10月5日」という日付値を数値に変換してみると、「45204」という値になります(図中のCDbl関数は、引数に指定した値を小数の扱えるDouble型へと変換する関数です)。

▼日付値を数値に変換

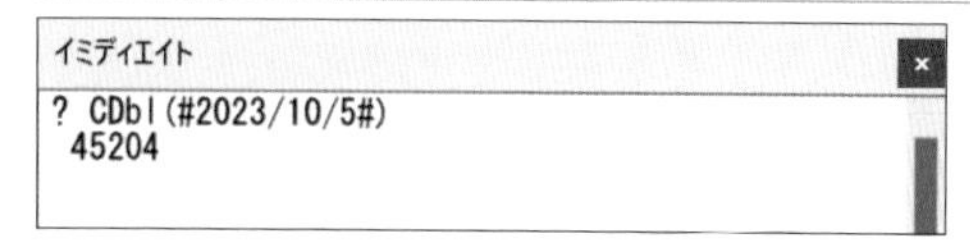
イミディエイト
? CDbl(#2023/10/5#)
45204

この数値を覚える必要はもちろんありませんが、日付データは、内部ではシリアル値という仕組みで管理されているということだけは、きちんと押さえておきましょう。

日付に変換する関数

文字列や年月日等を表す文字列や数値を、シリアル値に変換できる関数も用意されています。

▼シリアル値に変換する関数

関数	説明
DateValue	日付形式の文字列を日付シリアル値に変換する
TimeValue	時刻形式の文字列を日付シリアル値に変換する
DateSerial	引数に渡した「年」「月」「日」のシリアル値に変換する
TimeSerial	引数に渡した「時」「分」「秒」のシリアル値に変換する

日付形式の文字列をシリアル値に変換するには、DateValue関数を利用します。

▼日付形式の文字列をシリアル値に変換する(DateValue関数)

```
DateValue(日付形式の文字列)
```

次のコードは、**「2023年5月1日」という文字列をシリアル値に変換**します。

```
DateValue("2023年5月1日")    '結果は「2023年5月1日」の日付を表すシリアル値
```

時刻形式の文字列をシリアル値に変換するには、TimeValue関数を利用します。

▼時刻形式の文字列をシリアル値に変換する(TimeValue関数)

```
TimeValue(時刻形式の文字列)
```

次のコードは、**「12時30分」という文字列をシリアル値に変換**します。

```
TimeValue("12時30分")　'結果は「12:30:00」の時刻を表すシリアル値
```

引数に渡した日付の数値を元にシリアル値を作成するには、DateSerial関数を利用します。

▼日付の数値からシリアル値を作成する（DateSerial関数）

```
DateSerial(年, 月, 日)
```

次のコードは、**「年, 月, 日」の要素に「2023, 10, 5」と指定してシリアル値を作成**します。

```
DateSerial(2023, 10, 5)　'結果は「2023/10/05」の日付を表すシリアル値
```

引数に渡した時刻の数値を元にシリアル値を作成するには、TimeSerial関数を利用します。

▼時刻の数値からシリアル値を作成する（TimeSerial関数）

```
TimeSerial(時, 分, 秒)
```

次のコードは、**「時, 分, 秒」の要素に「14, 25, 30」と指定してシリアル値を作成**します。

```
TimeSerial(14, 25, 30)　'結果は「14:25:30」の時刻を表すシリアル値
```

▼シリアル値の作成結果

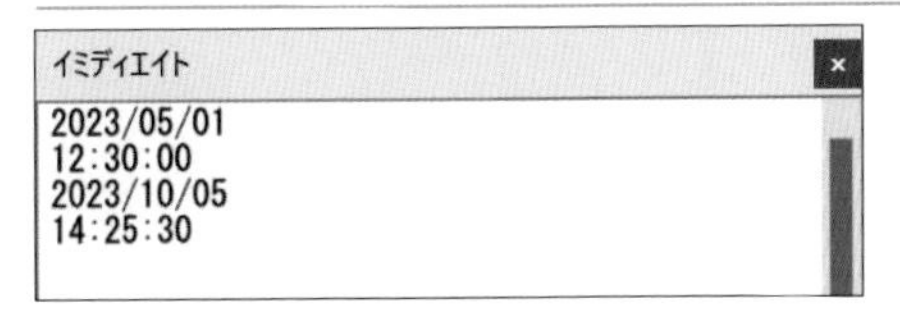

シャープで囲む形式の日付リテラルが読みにくい場合には、これらの関数を利用した方が可読性の面でよいコードになるかもしれませんね。

●日付の繰り越し

DateSerial関数とTimeSerial関数は、それぞれ3つの引数として「年」「月」「日」と「時」「分」「秒」を指定しますが、これらの値は、自動的に「繰り越し」をしてくれます。具体例を見てみましょう。

次のコードでは、**「年」に「2023」を指定し、「月」の値に「12+5」として、12月をオーバーする「17」を指定**しています。

```
DateSerial(2023, 12 + 5, 1)  '結果は「2024/05/01」の日付を表すシリアル値
```

この場合、返される日付値は、自動的に「17月」を「1年5か月」と解釈し、年の部分に繰り上げて計算し、「2024年5月1日」のシリアル値となります。覚えておくと、月や年をまたいだ計算を行う際に便利な仕組みですね。

▼ DateSerial関数は繰り越し計算してくれる

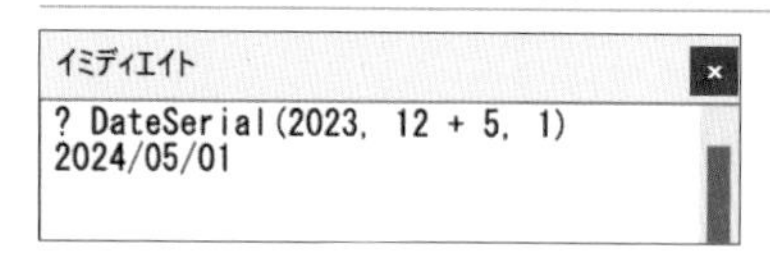

●日付の特定要素を取り出す関数

シリアル値から「年」「月」「日」の部分のみを数値として取り出すには、以下の関数が用意されています。

▼ シリアル値から特定の要素を取り出す関数

関数	説明
Year	「年」を取り出す
Month	「月」を取り出す
Day	「日」を取り出す
Hour	「時」を取り出す
Minute	「分」を取り出す
Second	「秒」を取り出す

▼ シリアル値から値を取り出す（図4-3-5）

	A	B	C	D	E
1					
2		値	関数	結果	
3		2023/5/10	Year	2023	
4			Month	5	
5			Day	10	
6		14:30:22	Hour	14	
7			Minute	30	
8			Second	22	
9					

シリアル値から「年」「月」「日」に該当する値を取り出すには、Year関数、Month関数、Day関数を利用します。

▼シリアル値から「年」を取り出す(Year関数)

```
Year(日付のシリアル値)
```

▼シリアル値から「月」を取り出す(Month関数)

```
Month(日付のシリアル値)
```

▼シリアル値から「日」を取り出す(Day関数)

```
Day(日付のシリアル値)
```

次のコードは、**「2023/5/10」というシリアル値から「年」に該当する値を取り出す**ものです。

```
Year(#5/10/2023#)   '結果は「2023」
```

column

実は「日付と見なせる文字列」からも取得できる

Year関数等、シリアル値から特定要素を取り出す関数は、引数に「"2023/5/10"」のような日付と見なせる文字列を指定しても目的の値を取り出せます。これは、VBAが「変換できそうなら自動変換してしまう」という、ある意味便利で、ある意味おせっかいな仕組みを採用しているためです。場合によっては、ちょっと「危ないな」と思う仕組みですが、「厳密に値を扱う言語ではない」という点を押さえておきましょう。

曜日を取り出す関数

曜日の情報を取り出したい場合には、Weekday関数を利用します。戻り値は、日曜が「1」で土曜が「7」です。また、Weekday関数の戻り値に対応した曜日の文字列を取得したい場合には、WeekdayName関数が利用できます。セットで覚えておくのがよいでしょう。

▼曜日の情報を扱う関数

関数	説明
Weekday	曜日を表す数値を返す。第2引数を指定しない場合は、日曜が「1」となり土曜が「7」となる
WeekdayName	数値に対応した曜日の文字列を返す

●曜日の情報を取り出す

Weekday関数は、以下のように記述します。

▼曜日を表す数値を取得する（Weekday関数）

```
Weekday(日付[, 最初の曜日])
```

例えば、**水曜日である「2023/5/10」をWeekday関数の引数に渡すと、「4」という戻り値を返します。**

```
Weekday(#2023/5/10#)  '結果は「5」
```

次のように、**第2引数に月曜日を表す「vbMonday」を最初の曜日として指定した場合は、「3」を返します。**

```
Weekday(#2023/5/10#, vbMonday)  '結果は「3」
```

最初の曜日は、以下の定数で指定します。

▼Weekday関数の定数

定数	値	曜日
vbUseSystem	0	システムの言語設定に応じた曜日
vbSunday	1	日曜日（既定値）
vbMonday	2	月曜日
vbTuesday	3	火曜日
vbWednesday	4	水曜日
vbThursday	5	木曜日
vbFriday	6	金曜日
vbSaturday	7	土曜日

●曜日の文字列を取得する

WeekdayName関数は、以下のように記述します。

▼曜日の文字列を取得する(WeekdayName関数)

```
WeekdayName(曜日を表す数値[, 曜日を省略するか][, 最初の曜日])
```

例えば、**WeekdayName関数の引数に「5」を渡すと、「木曜日」という文字列を返します**。

```
WeekdayName(5)    '結果は「木曜日」
```

第2引数に「True」を指定すると、結果から「曜日」を省略します(引数を省略すると「False」が指定されたものと見なされます)。第3引数は、Weekday関数と同様に基準となる最初の曜日を指定します。

▼曜日を扱う関数

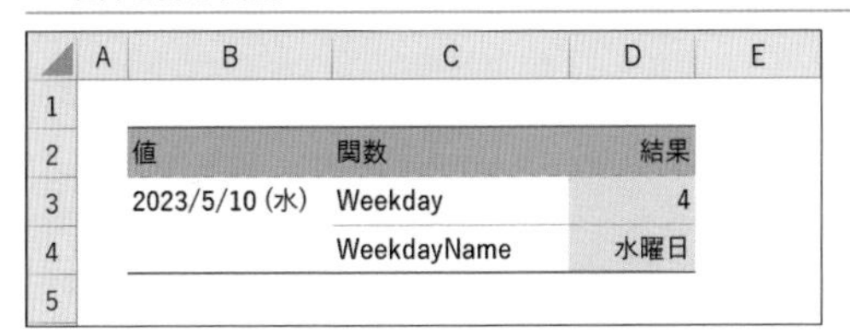

値	関数	結果
2023/5/10(水)	Weekday	4
	WeekdayName	水曜日

日付から曜日に応じた値を取り出したい場合には、Weekday関数が便利です。WeekdayName関数も便利と言えば便利なのですが、曜日の文字列は書式設定やFormat関数(136ページ)を利用しても表示や取得はできます。どちらを利用するのかは、好みで決めてしまいましょう。

日付を使った計算を行う関数

日付を使った計算をする際に利用できる関数が、DateAdd関数とDateDiff関数です。DateAdd関数は、特定のシリアル値から「10日後」「2月後」等、指定期間だけ経過後の日付の計算に利用できます。それに対して、DateDiff関数は、2つの日付の差分(2つの日付間の日数)が得られます。

▼日時の計算に便利な関数

関数	説明
DateAdd	特定の日付から、指定日時経過後の日付を返す
DateDiff	2つの日付の差分を返す

●経過後の日付を取得する

DateAdd関数は引数を3つ取ります。

▼経過後の日付を取得する（DateAdd関数）

```
DateAdd(要素の指定, 加算値, 基準シリアル値)
```

第1引数には、計算する要素に対応する文字列を指定します。

▼計算の要素を指定する文字列

文字列	対象
yyyy	年
m	月
d	日
h	時
n	分
s	秒

第2引数には加算する値を、第3引数には基準となる日付（シリアル値）を指定します。例えば、**「2023年1月1日」から、「15」「日」後の日付を計算**したい場合には、次のようにコードを記述します。

```
DateAdd("d", 15 , #2023/01/01#)   '結果は「2023/01/16」
```

▼経過後の日付を取得

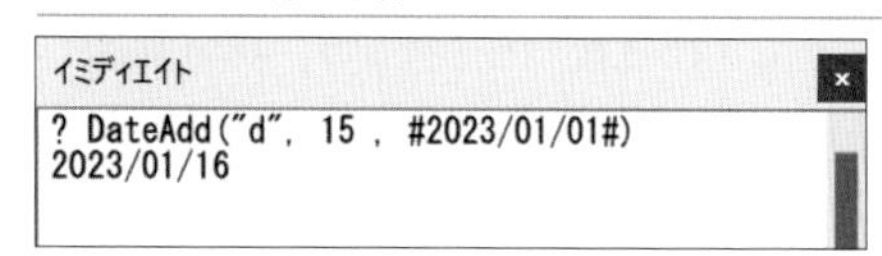
イミディエイト
? DateAdd("d", 15 , #2023/01/01#)
2023/01/16

年度や月度の繰り越し計算がある場合でも、シリアル値ベースで計算を行ってくれる便利な関数です。

●2つの日付間の日数を取得する

DateDiff関数は、引数を3つ取ります。

▼2つの日付間の日数を取得する（DateDiff関数）

```
DateDiff(要素の指定, 日付1, 日付2)
```

第1引数には、DateAdd関数同様に、どの要素を基準に比較するかを対応する文字列で指定します。第2引数と第3引数には、それぞれ比較したい日付を指定します。

次のコードは、**「2023年1月1日」から「2023年3月1日」までの、「日数」を算出**します。

```
DateDiff("d", #2023/01/01#, #2023/03/01#)  '結果は「59」
```

▼2つの日付間の日数を算出

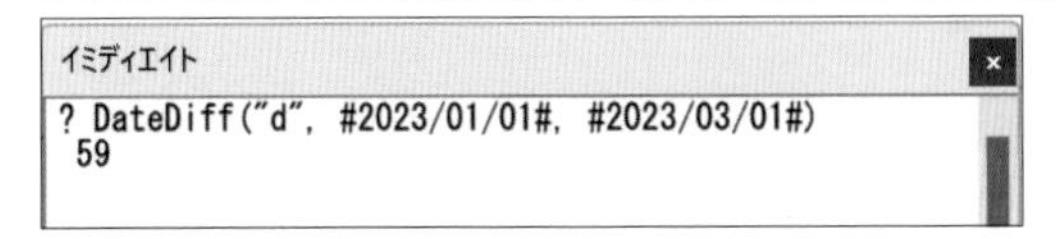

2023年はうるう年ではないので、1月分の「31」プラス2月分の「28」で「59」という日数が得られます。

●月末日を求める計算

日付を使った計算で要望が多いのが、取引の締め日としてもよく利用される月末日の求め方です。何パターンかの方法がありますが、ポピュラーな２つの方法をご紹介します。

1つ目は、次月の1日から「1」だけ減算するという方法です。シリアル値は、「1日の長さを『1』とする」というルールで管理されているため、「次月の月初日の1日前」を計算することになるわけですね。この考え方に沿うと、次のようなコードで指定した月の月末日を求められます。次のコードは、**「2023年12月10日」を基準として、その当月と2か月後の月の月末日を算出**しています。

▼マクロ 4-13

```
Dim tmpDate As Date
'基準日を設定
tmpDate = #12/10/2023#
'当月の月末日
Debug.Print "当月末：", DateSerial(Year(tmpDate), _
                                Month(tmpDate) + 1, 1) - 1
'2か月後の月末日
Debug.Print "2か月後：", DateSerial(Year(tmpDate), _
                                Month(tmpDate) + 3, 1) - 1
```

実行例　月末日を算出

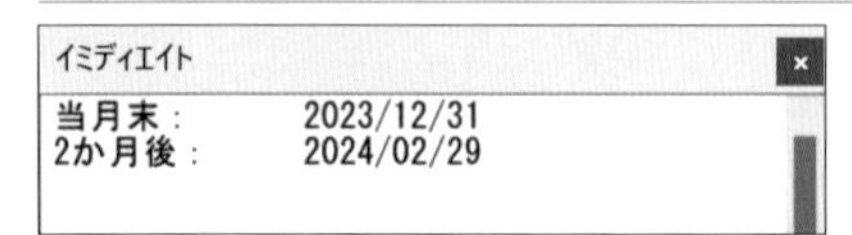

まず、Year関数とMonth関数で基準日の「年」「月」の値を取り出します。この値を基準にDateSerial関数で年・月・日を指定し、「該当月の次月の月初日」を計算します。「年」はそのまま、「月」は求めたい月末日に応じた値を加算し、「日」は月初日ですので「1」を指定します。これで、「月末日を求めたい次月の初日」のシリアル値が求められます。あとは「1」だけ減算してあげれば、目的の月の月末日が求められるというわけです。

2つ目の方法は、DateSerial関数の繰り越し計算を利用する方法です。DateSerial関数では3つの引数にそれぞれ「年」・「月」・「日」の値を指定しますが、「日」の値に「0」を指定すると、「日」の計算を繰り下げて、「前月の最終日」が得られます。

次のコードも、**「2023年12月10日」を基準として、その当月と2か月後の月の月末日を算出**します。

▼マクロ 4-14

```
Dim tmpDate As Date
'基準日を設定
tmpDate = #12/10/2023#
'当月の月末日
Debug.Print "当月末：", DateSerial(Year(tmpDate), _
                                Month(tmpDate) + 1, 0)
```

```
'2か月後の月末日
Debug.Print "2か月後：", DateSerial(Year(tmpDate), _
                                    Month(tmpDate) + 3, 0)
```

結果は先ほどと同じです。「0を指定すると繰り下がり計算される」という仕組みを知っているのであれば、こちらの方が若干コードがシンプルになりますね。

マクロ実行時の日付や時間を求めるには

マクロ実行時の時間や日付を求めるには、次の関数を利用します。

▼マクロ実行時に日付や時間を求める関数

関数	説明
Now	実行時の日時を取得
Date	実行時の日付を取得
Time	実行時の時刻を取得

これらの関数は、ダイレクトに「Now」「Date」「Time」のように記述して使用します。次のコードは、**実行時の「日次」「日付「時刻」を取得して表示**します。

▼マクロ 4-15

```
Debug.Print "日時：", Now
Debug.Print "日付：", Date
Debug.Print "時刻：", Time
```

実行例　実行時の日付や時間を取得

```
イミディエイト
日時：        2022/11/10 14:20:09
日付：        2022/11/10
時刻：        14:20:09
```

実行時のタイムスタンプを記録したい場合や、日時によって表示内容や処理内容を切り替えたい場合に利用していきましょう。

column

乱数のリスト作成はRANDARRAYワークシート関数がお手軽

乱数の取る値の範囲や作成したい個数が決まっている場合、RANDARRAYワークシート関数が利用できる環境では、VBAから実行してリストを取得するのがお手軽です。次のコードは、**10 ~ 20の整数値を5個持つリストを作成**します。

```
Dim rndList As Variant, v As Variant
'RANDARRAY関数で10 ～ 20の範囲で5個の乱数を作成
rndList = WorksheetFunction.RandArray(5, 1, 10, 20, True)
For Each v In rndList
    Debug.Print v
Next
```

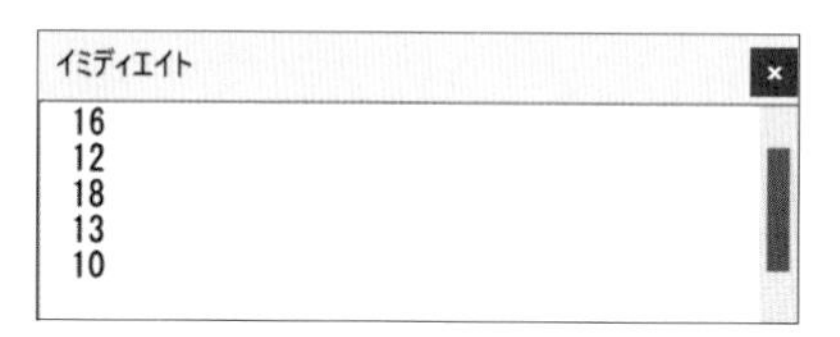

column

日付・時間関係の関数はDateTimeモジュールに集められている

算術関係の関数はMathモジュール(145ページ)に集められていましたが、日付・時間関係の関数はDateTimeモジュールに集められています。

日付・時間関係の処理で関数名があやふやな場合は、オブジェクトブラウザーで「DateTime」を検索してDateTimeモジュールを探して確認してみましょう。

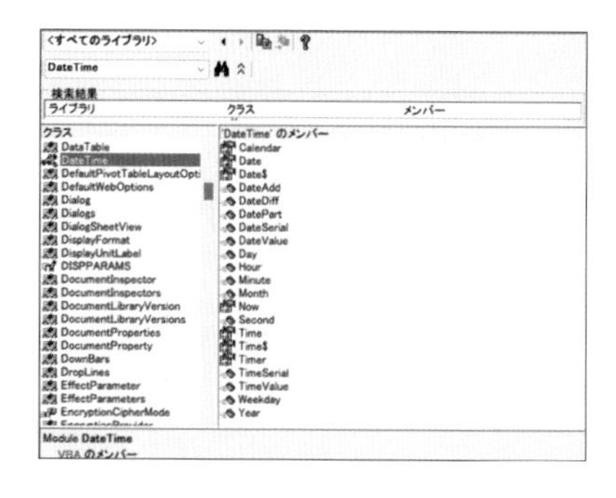

基礎編

Chapter 5

リストを一気に処理 配列・コレクションの仕組み

本章では、VBAでの配列の使い方をご紹介します。先に言っておきますが、VBAの配列は他言語と比べるとお手軽ではなく、なかなかに使うのが面倒です。
それでも、やはり便利でいろいろと役に立つのが配列なのです。そこで、手軽な代替手段も交えながら、VBAで「リスト」を扱う際の方法をいろいろとご紹介させていただきます。

本章の学習内容

❶ 配列の基礎
❷ 配列を使ったシートへの値の出し入れ
❸ コレクションを使ったリストや連想配列

section 01 面倒くさいけど効果は抜群な配列の使い方

いくつかの値やオブジェクトをグループ化・リスト化して扱いたい場合に便利な仕組みが配列です。もちろんVBAにも用意されていますが、あまり使い勝手がよくありません。少々面倒です。ただ、それでも凄く便利で効果があるのが配列です。

配列が特に威力を発揮するのが、セルとの値のやり取りの場面です。セルは「行・列」という2次元のグリッドで位置と値を管理していますが、これが「2次元配列」の仕組みと非常に相性がよいのです。大量の値の出し入れを行う場合には、もの凄く効果的です。

1つのセルに配列を入力すると「あふれて」表示する、いわゆるスピルの機能が利用できるバージョンのExcelでは、さらに相性よくデータを一括管理できます。「少々面倒だけど覚えると効果が凄い」、それがVBAの配列なのです。その仕組みを見ていきましょう。

VBAの配列はカッチリしていて面倒くさい

VBAにおいても配列は、関連するいくつかの要素(配列で管理する個々の値やオブジェクト)をまとめて扱う仕組みです。配列を扱うには、変数と同じく、Dimステートメントを利用して宣言します。Asキーワードによるデータ型の指定も行えます。

▼配列を宣言する(Dimステートメント)

```
Dim 配列名(サイズ) As データ型
```

宣言の際には、Dimステートメントに続けて配列名を記述し、さらに続く括弧の中に要素数(配列の「長さ」)に応じた数値を記述します。このとき、配列のインデックスは「0」から始まります。括弧の中の数値を「2」として宣言した場合、その配列はインデックス番号「0、1、2」の3個の要素を持つ要素数3の配列となります。

例えば、**3個の文字列型の値を要素に持つ配列「strList」を宣言**するには、次のようにコードを記述します。

```
Dim strList(2) As String
```

宣言した配列に値を代入するには、配列名の後ろの括弧の中に「0」から始まるインデックス番号を指定し、「=」演算子で代入します。次のコードは、**配列strListの1つ目の要素に「りんご」、2つ目の要素に「みかん」、3つ目の要素に「ぶどう」を代入**します。

```
strList(0) = "りんご"
strList(1) = "みかん"
strList(2) = "ぶどう"
```

配列に格納した値を取り出すには、代入と同じように、インデックス番号を利用した連番で指定します。次のコードは、**配列strListの要素に代入された値を出力**します。

```
Debug.Print strList(0), strList(1), strList(2)
```

▼配列から値を取得

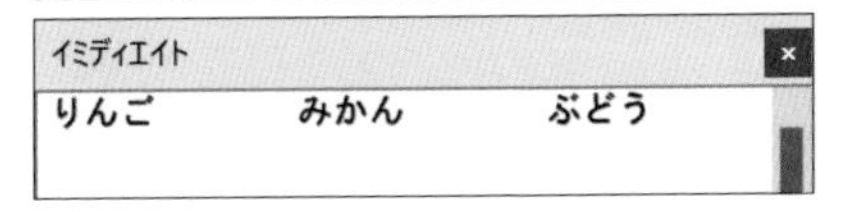

また、このような形の配列は、セルの列方向(横方向)での値の入力に対応しており、同じサイズのセルであれば、いっぺんに配列の持つ値をセルへと入力できます。

次のコードは、**要素数が3の文字列型配列に3つの文字列データを格納し、それぞれの要素の値をまとめてセル範囲B2:D2に入力**します。なお、入力先のセルには、あらかじめ書式を設定してあります。

▼マクロ5-1

```
'3個の文字列リストを持つ配列を宣言
Dim strList(2) As String
'配列の要素の値を代入
strList(0) = "りんご"
strList(1) = "みかん"
strList(2) = "ぶどう"
'配列の値をまとめてセルに出力
Range("B2:D2").Value = strList
```

実行例 配列の値をセルへと展開

	A	B	C	D	E
1					
2		りんご	みかん	ぶどう	
3					

これが配列の基本的な利用方法です。なお、「配列の宣言」と「初期値の入力」を同時に行うことはできません。また、値を取り出す際、他言語で言うところのPopやShiftのような、キューやスタックとしてメンバーを配列から1つずつ取り出す仕組みは用意されていません。地道にインデックス番号で指定していきます。

column

インデックス番号の先頭と末尾の値を指定

配列を宣言する際には、Toキーワードを利用して、「先頭のインデックス番号と末尾のインデックス番号を指定して宣言」することも可能です。次のコードは、**インデックス番号「1」～「3」を持つ、要素数「3」の配列「numList」を宣言**します。

```
Dim numList(1 To 3) As Long
```

VBAから学習を始めた方にとっては、セルの行・列番号やシートのインデックス番号等は「1」から始まりますので、配列の先頭が「0」というのに違和感を覚える方もいらっしゃるかと思います。その場合には、こちらの方法で「1」始まりで配列を宣言するのがよいでしょう。

また、すべての配列のインデックス番号を「1」から始めるようにする「Option Base 1」ステートメントという仕組みも用意されています。詳しくはリファレンス(https://learn.microsoft.com/ja-jp/office/vba/language/reference/user-interface-help/option-base-statement)を参照してください。

配列の情報を取得する関数

配列の最初のインデックス番号、末尾のインデックス番号等を知るためには、専用の関数を利用します。

▼配列の情報を取得する関数

関数	説明
LBound	配列先頭のインデックス番号を取得
UBound	配列末尾のインデックス番号を取得

LBound関数は配列の先頭のインデックス番号を、UBound関数は配列の末尾のインデックス番号を取得します。第2引数には、調べる配列の次元数を指定します(省略した場合は「1」が指定されます)。

▼先頭のインデックス番号を取得する(LBound関数)

```
LBound(配列名[, 次元数])
```

▼末尾のインデックス番号を取得する(UBound関数)

```
UBound(配列名[, 次元数])
```

次のコードは、**配列「tmpList」の先頭・末尾のインデックス番号を取得し、その値を利用してループ処理を行い、値を取り出しています。**

▼マクロ 5-2

```
'インデックスが「1〜3」の配列(要素数3)の宣言
Dim tmpList(1 To 3) As String, i As Long
'値の代入
tmpList(1) = "りんご"
tmpList(2) = "みかん"
tmpList(3) = "ぶどう"
'情報取得
Debug.Print "先頭：", LBound(tmpList)
Debug.Print "末尾：", UBound(tmpList)
'ループで走査
For i = LBound(tmpList) To UBound(tmpList)
    Debug.Print i, tmpList(i)
Next
```

実行例　インデックス番号を取得して表示

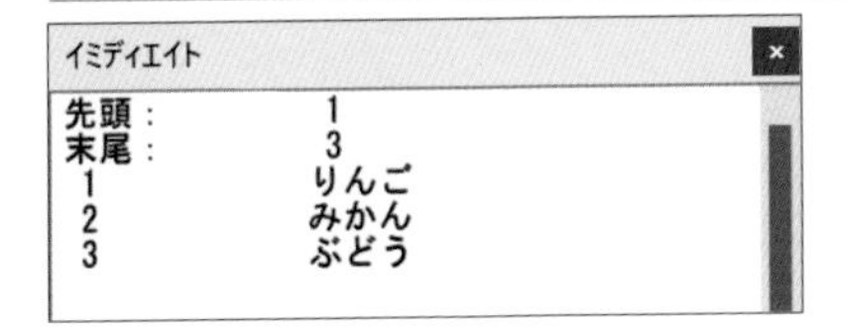

ちなみに、VBAには「配列の長さ(要素数・メンバー数)」を取得する関数や仕組みは用意されていません。要素数を知りたい場合には、UBound関数で取得した末尾のインデックス番号から、LBound関数で取得した先頭のインデックス番号を減算し、さらに「1」だけ加算した値で求めます。「配列を宣言した時点でメンバー数は固定なんだからわかってるだろ？」というスタイルなのです。

計算するのが面倒な場合は「インデックス番号は必ず1から始まる」ときっちりコーディングルールを決めて運用すれば、配列の要素数はUBound関数の値を調べるだけで定まるようになりますね。

ともあれ、VBAは配列の先頭のインデックス番号は可変な言語ということを頭の隅に入れておきましょう。特に他の人が作成したマクロでは、思わぬ番号から始まっている場合もありえます。

要素数を途中で変えたい場合には

配列の要素数をプログラム実行途中で変更することはできないのでしょうか？答えは、「条件付きでできる」です。

実行途中で要素数を変更可能な動的配列は、宣言時に要素数を指定せずに、括弧のみで宣言します。

▼動的配列を宣言する

```
Dim 配列名() As データ型
```

次のコードは、**文字列型の動的配列tmpListを宣言**します。

```
Dim tmpList() As String
```

そのうえで、初めて動的配列を利用する際に、ReDimステートメントを利用して配列のサイズ(要素数)を定義したうえで値を入力します。

▼動的配列のサイズを定義する(ReDimステートメント)

```
ReDim 配列名(サイズ)
```

次のコードは、**配列のサイズを「2」(インデックス番号0～2の要素の配列)に定義したうえで、各要素に値を代入**しています。

```
ReDim tmpList(2)
tmpList(0) = "りんご"
tmpList(1) = "みかん"
tmpList(2) = "ぶどう"
```

インデックス番号は「0」で始まるので、「Dim tmpList(2)」は、要素数が3つの配列を定義します。2つではない点にご注意ください。

また、既に値を代入してある配列に対して、さらに要素数を増やしたい場合には、ReDim Preserveステートメントを利用します。

▼動的配列の要素数を変更する(ReDim Preserveステートメント)

```
ReDim Preserve 配列名(サイズ)
```

次のコードは、**値を持った配列(上記のコードで代入したもの)に対し、元の値を保ったままサイズを「3」(インデックス番号0〜3の要素の配列)に拡張し、拡張した要素に値を代入**しています。

```
'配列tmpListの要素を保ったまま要素数を拡張　※前コードに続いて記述
ReDim Preserve tmpList(3)
tmpList(3) = "いちご"
```

「現在の配列に新たに1つ要素を追加したい」という場合には、次のコードのように、**UBound関数と組み合わせて末尾のインデックス番号を取得したうえで配列を拡張し、あらためて末尾のインデックスに値を代入**します。

```
'配列tmpListの要素を保ったまま要素数を1つ拡張　※前コードに続いて記述
ReDim Preserve tmpList(UBound(tmpList) + 1)
tmpList(UBound(tmpList)) = "メロン"
```

ReDim Preserveステートメントで現在の要素数よりも少ない要素数へと変更した場合には、指定した要素数のメンバーのみが残され、残りは廃棄されます。次のコードは、**元の配列(tmpList)の値を保ったまま長さを「1」(インデックス番号0〜1の要素の配列)に短縮**するものです。

```
ReDim Preserve tmpList(1)
```

▼要素の値の変化

```
イミディエイト
初期メンバー：          りんご みかん ぶどう
２期メンバー：          りんご みかん ぶどう いちご
３期メンバー：          りんご みかん ぶどう いちご メロン
４期メンバー：          りんご みかん
```

特定のメンバーのみを「削除」して要素数を詰める、といった仕組みは用意されていません。できるのはあくまでも「要素数を減らす」ことのみです。

いかがですか？率直に言って「しんどい」ですよね。VBAの配列は、「途中で要素数を変更しながら処理する」のに向いていないのです。もし、皆さんが「リストを増減させながら、処理対象のメンバーを管理していきたい」という処理をお考えでしたら、「配列」の仕組みではなく、コレクション（188ページ）や連想配列（192ページ）を利用した方が、目的の処理をスムーズに作成できるかもしれません。

ともあれ、VBAでは、動的な配列を利用するには、「宣言時には要素数は定義しない」「要素数変更時には、ReDim、ReDim Preserveで変更」というルールでコードを記述していきます。

お手軽に配列を作成・確認できる2つの関数

Excelで既存のデータを扱う場合、データが「りんご, みかん, ぶどう」のようにカンマ区切りの文字列（CSV形式）で提供される場合があります。このようなデータを配列に分割するには、Split関数を利用します。逆に、既存の配列をこのようなカンマ区切りの文字列として出力・表示したい場合には、Join関数が便利です。

▼配列⇔文字列変換に利用できる関数

関数	用途
Split	文字列を配列に変換。第1引数に文字列を指定し、第2引数に区切り文字を指定する。第2引数を省略した場合は、スペース区切りとなる
Join	配列を文字列に変換。第1引数に配列を指定し、第2引数に区切り文字を指定する。第2引数を省略した場合は、スペース区切りとなる

▼文字列を配列に変換する（Split関数）

```
Split(文字列[, 区切り文字])
```

▼配列を文字列に変換する（Join関数）

```
Join(文字列[, 区切り文字])
```

次のコードは、**カンマ区切りの文字列から、配列を作成**します。

▼マクロ 5-3

```
Dim str As String, arr() As String
'カンマ区切りの文字列から配列を作成
str = "りんご,みかん,ぶどう"
arr = Split(str, ",")
Debug.Print arr(0), arr(1), arr(2)
```

実行例　カンマ区切りの文字列から配列を作成

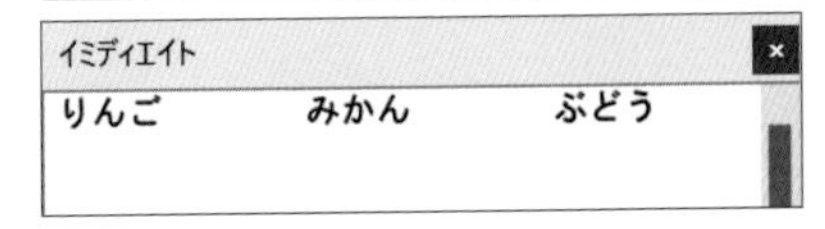

次のコードは、**前述のコードで作成した配列から、「：」を区切り文字として連結した文字列を作成し、出力**します。

▼マクロ 5-4

```
Dim str As String, arr() As String
'カンマ区切りの文字列から配列を作成
str = "りんご,みかん,ぶどう"
arr = Split(str, ",")
Debug.Print Join(arr, "：")
```

実行例　配列から「：」区切りの文字列を作成

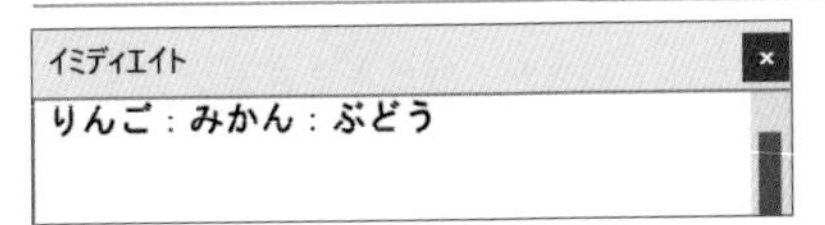

特にJoin関数は、開発中に配列の中身を出力して確認したり、メッセージボックスにまとめて表示する場合に重宝します。メッセージボックスに表示する場合には、区切り文字をvbCrLf（改行文字）にすれば、綺麗に改行して表示されます。次のコードは、**配列の中身をメッセージボックスに改行しながら表示**します。

▼マクロ 5-5

```
Dim str As String, arr() As String
'カンマ区切りの文字列から配列を作成
str = "りんご,みかん,ぶどう"
arr = Split(str, ",")
MsgBox Join(arr, vbCrLf)
```

実行例　配列の中身をメッセージボックスに表示

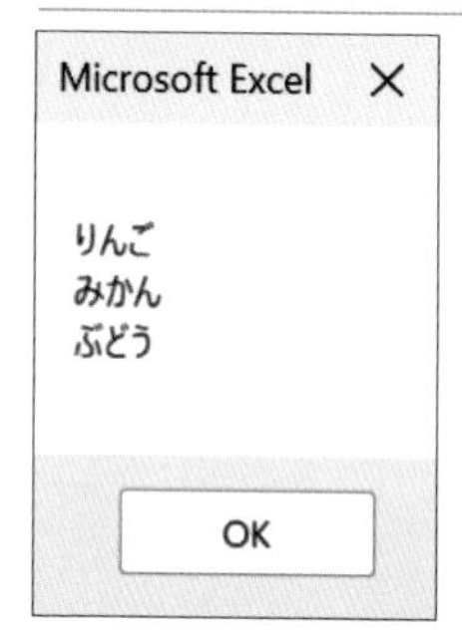

Join関数を利用する際に1つ注意しなくてはいけない点は、「基本的に、文字列を含む配列専用」の関数ということです。数値のみからなる配列を連結しようとしてもエラーとなってしまいます。その場合は面倒ですが、ループ処理で連結したり、Variant型の配列としたり、いったんセルに展開して、TextJoin関数(186ページ)で連結する等の運用で切り抜けましょう。

column

配列をソートする仕組みは「ありません」

VBAには配列をソートするための仕組みは用意されていません。自前でなんとかするしかありません。幸いにも(?)、同じ悩みに直面した多くの方が、既にさまざまなソート方法を公開してくださっています。Webで検索したり、書籍で調べたりしてみましょう。

一例として、以下にいわゆる**「バブルソート」で並べ替える**場合のサンプルをご紹介します。

▼マクロ 5-6

```
Dim arr(4) As Long, i As Long, j As Long, tmpNum As Long
'5個の適当な数を持つ配列を作成
For i = 0 To 4
    arr(i) = Int(Rnd * 90) + 10
Next
```

```
Debug.Print "ソート前：", arr(0), arr(1), arr(2), arr(3), arr(4)
'配列をソート
For i = LBound(arr) To UBound(arr)
    For j = UBound(arr) To i Step -1
        If arr(i) < arr(j) Then
            tmpNum = arr(i)
            arr(i) = arr(j)
            arr(j) = tmpNum
        End If
    Next
Next
Debug.Print "ソート後：", arr(0), arr(1), arr(2), arr(3), arr(4)
```

実行例　自作のソートで並べ替え

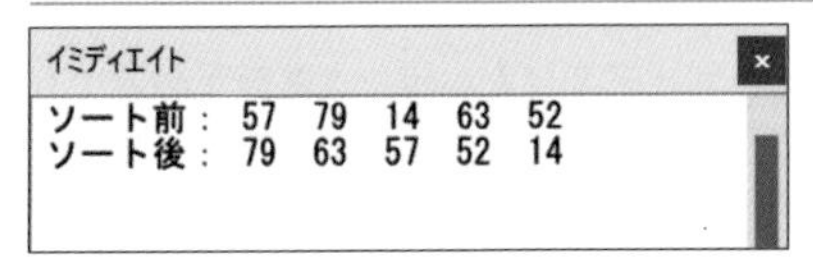

サンプルでは、適当に作成した5つの数値を、降順（大きい順）にソートします。ソートの方法・アルゴリズムはいろいろな種類がありますので、自分の業務・データに合ったものを探してみるのもよいですね。

また、Microsoft 365版等、SORTワークシート関数が利用できる環境であれば、**WorksheetFunctionオブジェクト経由で利用する方法**もあります。

▼マクロ 5-7

```
Dim arr(4) As Long, sorted() As Variant
Dim i As Long, wf As WorksheetFunction
'WorksheetFunctionオブジェクトの名前が長いので参照作成
Set wf = WorksheetFunction
'5個の適当な数をRANDBETWEENワークシート関数で作成
For i = 0 To 4
    arr(i) = wf.RandBetween(10, 90)
Next
'配列をSORTワークシート関数でソート
sorted = wf.Sort(arr, 1, -1, True)
'ソート前とソート後の結果を確認
Debug.Print "ソート前："; wf.TextJoin(" ", True, arr)
Debug.Print "ソート後："; wf.TextJoin(" ", True, sorted)
```

実行例　SORTワークシート関数を利用する

```
イミディエイト
ソート前：39, 60, 79, 52, 32
ソート後：79, 60, 52, 39, 32
```

こちらは、元の配列はそのままで、ソート結果の配列を別途返す形になる点に注意しましょう。結果の配列はインデックス番号「1」から始まる配列となります。もともとはワークシート関数であるためですね。Variant型の変数で受け取りましょう。

column

配列の初期化は不要

他言語の中には配列や変数の領域を確保後、別途初期値を設定する処理が必要なものもありますが、VBAではその必要はありません。配列や変数を宣言した時点で、各要素の値にはデータ型に応じた初期値が設定されます。

データ型	初期値
String型	vbNullString
LongやDouble等の数値を扱うデータ型	0
Date型	1899/12/30のシリアル値（0）
Boolean型	False
Objectや固有オブジェクト型	Nothing
Variant型	Empty

なお、文字列型の初期値のvbNullStringは、長さ0の文字列、いわゆる空白文字列である「""」とは厳密に異なりますが、比較を行う際には同値として扱うことが可能となっています。「vbNullString = ""」の結果は「True」です。

section

02 配列でセルの値の操作を速くする

ちょっと盛ったトピックタイトルにしてみました。とはいえ、実際に配列を使ったセルへの値の一括入力は、1つひとつのセルへと値を入力する処理に比べて高速です。わざわざ面倒なVBAの配列の使い方を覚えるのであれば、是非とも活用していただきたい仕組みです。

2次元配列を使ったセルへの値入力

セルへと値をまとめて入力する際に抑えておきたいのが、**2次元配列**の仕組みです。例えば、「タテ3行・ヨコ5列」のセルへと値をまとめて入力したいのであれば、「3×5」の大きさを持つ配列が必要です。

まずは実際のサンプルをご覧ください。次のコードは、**「3×5」の2次元配列を準備し、配列の値をセル範囲B2:F4に入力**しています。

▼マクロ 5-8

```
'インデックス管理用の変数を宣言
Dim rowIndex As Long, colIndex As Long
'3行×5列分の値を格納するつもりの2次元配列を準備
Dim tmpValue(1 To 3, 1 To 5) As Variant
'2次元配列に値を入力
For rowIndex = 1 To UBound(tmpValue)
    For colIndex = 1 To UBound(tmpValue, 2)
        tmpValue(rowIndex, colIndex) = rowIndex & "-" & colIndex
    Next
Next
'入力した値をセルへと展開
Range("B2:F4").Value = tmpValue
```

実行例　2次元配列を作成して値をセルに一括展開

	A	B	C	D	E	F	G
1							
2		1-1	1-2	1-3	1-4	1-5	
3		2-1	2-2	2-3	2-4	2-5	
4		3-1	3-2	3-3	3-4	3-5	
5							

2次元配列とは、その名の通り次元が「2」つある配列です。次元と言うと難しそうですが、ちょうどExcelのセルのグリッドをイメージしていただければよいでしょう。例えば、「1次元目が『3』、2次元目が『5』の2次元配列」であれば、「3×5で15個のデータを扱える配列」となります。言い換えると「3行5列分の値を扱える配列」です。

この2次元配列を宣言するには、Dimステートメントでの宣言時に各次元の要素数をカンマ区切りで指定します。

▼2次元配列を宣言する

```
Dim 配列名(1次元目の要素数, 2次元目の要素数)
```

2次元配列に値を入力するには、次の形でコードを記述します。

▼2次元配列に値を代入する

```
配列名(1次元目のインデックス番号, 2次元目のインデックス番号) = 値
```

値を取り出すには、2つの次元のインデックス番号を指定します。既にVBAのコードに慣れている方であれば、「Cells(行番号, 列番号)」で任意のセルへとアクセスできる仕組みをイメージしていただければ、同じように扱えるでしょう。

さて、この仕組みを踏まえたうえで、最初に提示したサンプル(マクロ5-8)のコードを見てみましょう。まず、「3行5列」のデータを扱える大きさの2次元配列を宣言します。

```
'インデックス管理用の変数を宣言
Dim rowIndex As Long, colIndex As Long
'3行×列分の値を格納するつもりの2次元配列を準備
Dim tmpValue(1 To 3, 1 To 5) As Variant
```

要素数を宣言する際、あらかじめ「3×5」個のように要素数がわかっている場合は、

インデックス番号を「0」から始める方式の「tmpValue(2, 4)」よりも、「1」から始める方式の「tmpValue(1 To 3, 1 To 5)」の方がわかりやすいかもしれません。このあたりは好みです。

ちなみに筆者は、セルへと展開するつもりの2次元配列は「1 To 3」のように宣言する派です。「3行・5列」のようにシート上の行数・列数と同じイメージで扱えるんですよね。

さて、話を戻しましょう。配列の大きさを定義したら、続いて値を入力していきます。規則性のある値を入力する際には、2次元配列の次元ごとにインデックス番号を管理する変数を用意し、ループ処理を2重にして（ネストして）入力するのが簡単です。

```
'2次元配列に値を入力
For rowIndex = 1 To UBound(tmpValue)
    For colIndex = 1 To UBound(tmpValue, 2)
        tmpValue(rowIndex, colIndex) = rowIndex & "-" & colIndex
    Next
Next
```

サンプルでは、1次元目（行方向）のインデックス番号を「rowIndex」、2次元目（列方向）のインデックス番号を「colIndex」で管理し、各要素に「行番号-列番号」という値を入力しています。

このとき、UBound関数を利用して2時限目の要素の最大インデックス番号を得たい場合には、「UBound(tmpValue, 2)」と、第2引数に次元数を指定する引数として「2」を指定します。

こうして作成した2次元配列の値をセルへと入力するには、同じ大きさ（範囲）のセルのValueプロパティへと配列を丸ごと代入すればOKです。

```
'入力した値をセルへと展開
Range("B2:F4").Value = tmpValue
```

このとき、セルの行・列と配列の次元の対応は、「1次元目が行番号、2次元目が列番号」となります。

column

配列と同じ大きさのセル範囲がわからない場合は

配列の値を丸ごと入れるセル範囲の大きさがわからない場合には、入力の基準となるセルを指定し、そこから配列の各要素の大きさの分だけResizeプロパティでサイズ変更したセル範囲を取得するのが便利です。

```
Range("B2").Resize( _
    UBound(tmpValue, 1),UBound(tmpValue, 2) _
    ).Value = tmpValue
```

上記のコードは、**セルB2を起点とし、2次元配列tmpValueの値を入力セル範囲までリサイズしたセル範囲に対して値を入力**しています。

なお、2次元配列tmpValueのインデックス番号は「1」から開始しています。

column

スピル形式の配列データとして入力するには

スピル形式の利用できるバージョンのExcelでは、ワークシート上の数式にて「={1,2,3;4,5,6}」等、配列の形式で数式の入力を行えばスピル形式で展開されます。

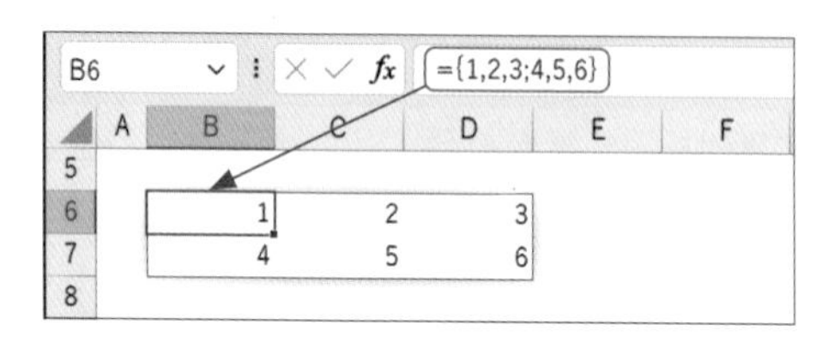

この仕組みを利用し、VBA側で作成した2次元配列をシート上に配列として展開してみましょう。単に2次元配列を数式バーに入力することはできないので、ひと工夫が必要です。例えば、Microsoft 365版であれば、ARRAYTOTEXTワークシート関数が利用できます。

2次元配列を数式入力できる形への変換にARRAYTOTEXTワークシート関数を使用し、その値をスピル形式で入力するためにFormulaプロパティではなく、Formula2プロパティを使用します。

次のコードは、**VBA上で作成した2次元配列（正確には「同要素数の配列を要素に持つ配列」）を作成し、シート上に展開**します。

▼マクロ 5-9

```
Dim arr As Variant
'2次元配列のかわりに簡易の「配列の配列」作成
arr = Array( _
          Array(1, 2, 3), _
          Array(4, 5, 6) _
      )
'配列を「厳密に文字列化」し、頭に「=」を付加してセルへ入力
Range("B6").Formula2 = _
    "=" & WorksheetFunction.ArrayToText(arr, 1)
```

結果は前述の図と同じ状態となります。計算結果の「行数」や「列数」が不定な計算を行い、その結果を転記したい場合等にはこちらの方法で入力してもよいですね。スピル形式でシート上に入力さえできれば、さらにシート側で各種スピル演算子を利用した関数式を作成できます。

シート上の値をVBA側の2次元配列として取り出す

既にセルに入力されている値を修正する操作を行う場面においては、多くの場合、シート上のセルを1つひとつ操作しながら値を修正していく処理よりも、セルの値をいったん2次元配列へ取り出してまとめて修正し、修正後の内容をセルへと一括展開した方が処理速度が速くなります。特に、データ量が多くなればなるほどその傾向が強まります。

「シート上のセルの値をいったん2次元配列へ取り出す」。これだけ聞くと、かなり面倒くさそうに思えます。何せここまでに見てきた通り、新規の2次元配列の作成と値の設定は、そこそこ手間がかかる処理でしたね。

ですが、実は2次元配列にセルの値を取り出すのはとても簡単です。要素数を指定せずに宣言した変数へ、セル範囲のValueプロパティの結果を代入するだけです。取り出した値は、インデックス番号「1」から始まる2次元配列として格納されます。

次のコードは、**変数tmpArrに、セル範囲B2:F4に入力されている値を2次元配列の形で格納し、配列に格納された値をインデックス番号を指定して出力**します。

▼マクロ 5-10

```
Dim tmpArr() As Variant
'2次元配列として指定セル範囲の値を取り出す
tmpArr = Range("B2:F4").Value
'配列の値を確認
Debug.Print "(1, 1)", tmpArr(1, 1)
Debug.Print "(2, 3)", tmpArr(2, 3)
Debug.Print "(3, 5)", tmpArr(3, 5)
```

実行例　セルの値を2次元配列に取り出す

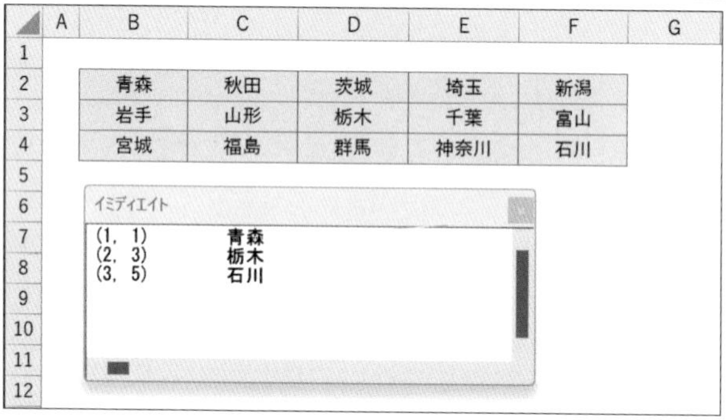

	A	B	C	D	E	F	G
1							
2		青森	秋田	茨城	埼玉	新潟	
3		岩手	山形	栃木	千葉	富山	
4		宮城	福島	群馬	神奈川	石川	

イミディエイト

```
(1, 1)        青森
(2, 3)        栃木
(3, 5)        石川
```

取り出した値を走査したい場合には、元のセル範囲の行数や列数を元にループ処理を行うか、UBound関数を利用して配列の各要素の最大インデックス番号を取得して利用します。

次のコードは、**セル範囲B2:F4の値をいったん2次元配列に格納し、「末尾に『県』を付ける」という処理を行ってからセルへと値を戻します**。

▼マクロ 5-11

```
Dim tmpArr() As Variant, tmp As Variant
Dim rowIndex As Long, colIndex As Long
'2次元配列に値を取り出す
tmpArr = Range("B2:F4").Value
'VBA上で取り出した配列の値を走査
For rowIndex = 1 To UBound(tmpArr)
    For colIndex = 1 To UBound(tmpArr, 2)
        '値の末尾に「県」を付加
        tmp = tmpArr(rowIndex, colIndex) & "県"
```

```
        tmpArr(rowIndex, colIndex) = tmp
    Next
Next
'修正後の値をシート側に一括入力
Range("B2:F4").Value = tmpArr
```

実行例　セル範囲の値を2次元配列に格納して加工

	A	B	C	D	E	F	G
1							
2		青森	秋田	茨城	埼玉	新潟	
3		岩手	山形	栃木	千葉	富山	
4		宮城	福島	群馬	神奈川	石川	
5							

↓

	A	B	C	D	E	F	G
1							
2		青森県	秋田県	茨城県	埼玉県	新潟県	
3		岩手県	山形県	栃木県	千葉県	富山県	
4		宮城県	福島県	群馬県	神奈川県	石川県	
5							

このサンプルでは「3行×5列」の15個のセルに対する処理なので、速度は実感できませんが、筆者の環境で「セル範囲A1:Z10000」の260,000個のセルの値を修正する場合、個々のセルをFor Eachステートメントで走査して値を修正する処理が「平均12秒」ほどかかるのに対し、2次元配列を利用する場合には「平均1.3秒」と、大きな差が出ました。

大量のセルへと値を書き込む処理を検討している方は、是非ともこの2次元配列を利用した仕組みをマスターしてください。

section

03 簡易リストなら Array関数がおすすめ

さて、これまでVBAのカチカチの配列を利用したコードを紹介してきたわけですが、正直言って面倒くさいですよね。そこで、「もっと手軽に値やオブジェクトのリストを扱う方法」という視点でVBAに用意されている仕組みをご紹介します。

まずご紹介するのは、Array関数です。

簡単に配列が作成できるArray関数

Array関数は引数に値やオブジェクトをカンマ区切りで列記すると、列記したものを要素に持つVariant型の配列を返す関数です。

▼配列を作成する(Array関数)

```
Array(要素1, 要素2, …)
```

配列に格納する要素は、「"りんご", "みかん", "ぶどう"」のようにカンマ区切りで指定します。

次のコードは、**「"りんご", "みかん", "ぶどう"」という値を格納した配列を作成**します。

▼マクロ 5-12

```
Dim arr() As Variant
'Array関数で配列作成
arr = Array("りんご", "みかん", "ぶどう")
'値を取り出す
Debug.Print arr(0), arr(1), arr(2)
```

実行例 Array関数で配列を作成

```
イミディエイト
りんご        みかん        ぶどう
```

これなら手軽に値のリストを扱えますね！ Array関数の戻り値である配列を変数で受け取る際には、変数を**要素数を指定しないVariant型の配列**で宣言しておきましょう。なお、Array関数で作成される配列のインデックス番号は、「0」から始まります。

1つ注意が必要なのは、「Array関数を利用して作成した値のリストをFor Eachステートメントで走査する場合、ループ用の変数もVariant型で用意する」という点です。たとえ文字列のリストであっても、数値のリストであっても、String型やLong型を利用することはできません。

次のコードは、**Array関数で作成した配列の値を走査して、1つずつ表示**します。

▼マクロ 5-13

```
Dim tmp As Variant
'For Eachで走査する場合はVariant型の変数で受け取る
For Each tmp In Array("りんご", "みかん", "ぶどう")
    Debug.Print tmp
Next
```

実行例　Array関数で作成した配列の値を走査して表示

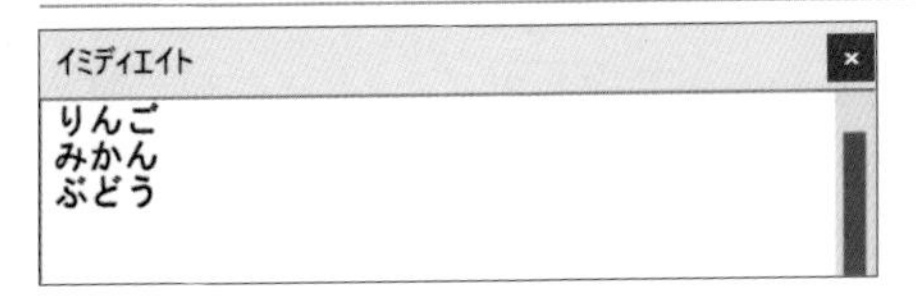

「手軽に利用できるけど、データ型を指定することができない」というのがArray関数の特徴です。長く利用することを考えているシステムで扱うのはためらわれますが、パッと手軽なツールとしてのマクロを作成するような場合には非常に重宝します。なにより、VBAはもともと「いいかげん」に利用できるのがチャームポイントの1つである言語です。積極的に利用していきましょう。

section

04 あわせて覚えておきたいTRANSPOSEワークシート関数

手軽に配列を扱うというよりは、「手軽にセルと配列の値をやり取りする」のに利用できるのがTRANSPOSEワークシート関数です。VBAでは、だいたいのワークシート関数をコードから利用できるのですが、その中で配列とワークシートとの値のやり取りに便利な関数の代表が、TRANSPOSEワークシート関数なのです。

セル範囲の値を配列に変換する

175ページでは、セル範囲のValueプロパティを2次元配列に取り出す方法をご紹介しましたが、この方法には1つ弱点があります。それは、「1行/1列のセル範囲でも2次元配列として取り出してしまう」点です。

単に1行/1列分の値を取り出して扱いたいのに、2次元配列として取り出してしまうため、扱いが面倒になってしまうのです。そこで登場するのが、TRANSPOSEワークシート関数です。TRANSPOSEワークシート関数は、もともとは「配列の行・列を入れ替える関数」ですが、VBA内でセル範囲から取り出した2次元配列に対して適用すると、「行・列を入れ替えた『1次元配列』として扱える状態」に変換してくれます。

次のコードは、**「セル範囲B2:B4（縦1列）」と、「セル範囲B2:F2（横1列）」の値を1次元配列に変換し、Join関数でその値をまとめて出力**します。

▼マクロ 5-14

```
Dim arr() As Variant
'縦方向の値を変換
arr = Application.WorksheetFunction.Transpose(Range("B2:B4").Value)
Debug.Print "セル範囲B2:B4：", Join(arr)
'横方向の値を変換
With Application.WorksheetFunction
    arr = .Transpose(.Transpose(Range("B2:F2").Value))
End With
Debug.Print "セル範囲B2:F2：", Join(arr)
```

実行例　セル範囲の値を取り出してまとめて出力

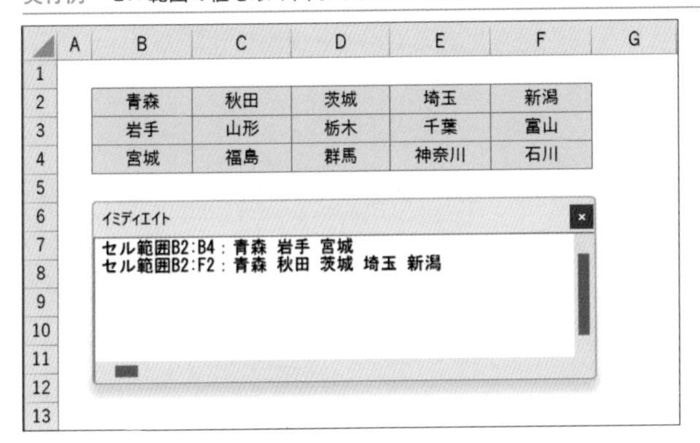

	A	B	C	D	E	F	G
1							
2		青森	秋田	茨城	埼玉	新潟	
3		岩手	山形	栃木	千葉	富山	
4		宮城	福島	群馬	神奈川	石川	

縦方向のセル範囲の値を1次元配列に変換するには、TRANSPOSEワークシート関数を「1回」適用します。横方向の場合は「2回」適用します。これだけで、1行/1列の値を1次元配列に変換できます。

また、1次元配列の値をセルに入力する場合には、通常、横方向にしか入力できません。しかし、TRANSPOSEワークシート関数を利用して変換後の値を入力すると、配列の値を縦方向に入力できます。次のコードは、**Array関数で作成した1次元配列の値をセル範囲B2:D2（横方向）とセル範囲B4:B6（縦方向）に入力**します。

▼マクロ 5-15

```
Dim arr() As Variant
arr = Array("りんご", "みかん", "ぶどう")
'横方向はそのまま入力
Range("B2:D2").Value = arr
'縦方向は1回Transposeしてから入力
Range("B4:B6").Value = Application.WorksheetFunction.Transpose(arr)
```

実行例　配列の値を縦に入力

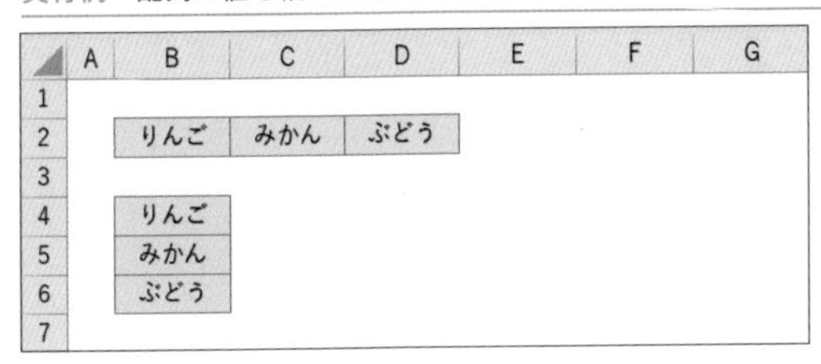

	A	B	C	D	E	F	G
1							
2		りんご	みかん	ぶどう			
3							
4		りんご					
5		みかん					
6		ぶどう					
7							

特に、表形式で入力されたデータの「1行分の値(1レコードの分の値)」をまとめて取得・入力といった処理を作成する場合に覚えておくと便利な仕組みです。

column

あの「Excel方眼紙」のデータを取り出そう

「セルの値を取り出せる」「配列の値を連結できる」と聞いて、ふと、この用途を思いつく方も多いのではないでしょうか。そう、あの「Excel方眼紙」のデータをいっぱしの「値」に変換できるのではないか、と。Excel方眼紙とは「1セル1文字」というルールでの入力を促す形式のシート作成ポリシーです。

Excel 2019以降では、セルの値を連結する関数であるTEXTJOIN関数やCONCAT関数が追加されました。こちらを利用すればExcel方眼紙形式の入力を、まとまった値として取り出すことが可能です。VBAからも「TextJoin」で利用できます。例えば、値を通貨型(数値)変換する「CCur関数」と組み合わせれば、**Excel方眼紙に入力されたデータを、簡単にVBAでも扱える値として取り出せます**。

▼マクロ 5-16

```
'WorksheetFunctionのショートカット作成
Dim wf As WorksheetFunction
Set wf = Application.WorksheetFunction
'TEXTJOIN関数、もしくはCONCAT関数で連結
Debug.Print "氏名：", wf.TextJoin("", True, Range("C2:G2"))
Debug.Print "金額：", CCur(wf.Concat(Range("C4:G4")))
```

実行例　方眼紙状の入力データを連結した値として取り出す

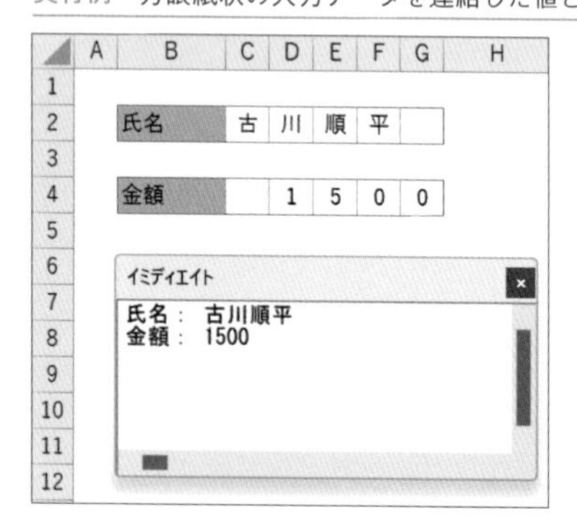

しかし、TEXTJOIN関数が利用できない環境ではこの方法は利用できません。この場合には、自前で次のような仕組みを用意しましょう。

▼マクロ 5-17

```
Dim arr() As Variant, wf As WorksheetFunction
Set wf = Application.WorksheetFunction
'配列に格納して連結
arr = wf.Transpose(wf.Transpose(Range("C2:G2").Value))
Debug.Print "氏名：", Join(arr, "")
'配列に格納して連結した結果を通貨型にキャスト
arr = wf.Transpose(wf.Transpose(Range("C4:G4").Value))
Debug.Print "金額：", CCur(Join(arr, ""))
```

基本方針は、「Transposeで配列化してJoinで文字列として連結」です。さらに必要であれば数値等にキャストします。これで過去のExcel方眼紙ブックからも、マクロで値を取り出して整理する仕組みが作成できますね。

ここで紹介した方法で、方眼紙状に入力されたデータからスポット的に値を取り出せます。なお、方眼紙状のデータは、Power Queryを使っても攻略可能です(578ページ)。

column

Array関数でオブジェクトを扱うリストを作成するには

Array関数でオブジェクトを扱うリストを作成する場合には、引数にそのままオブジェクトの参照を渡します。次のコードは、**セル範囲A1:A10とセル範囲B1:B10を要素に持つ配列を作成し、アクセスします。**

```
Dim rngList As Variant
'オブジェクトを扱う配列を作成
rngList = Array(Range("A1:A10"), Range("B1:B10"))
'要素を取り出す
Debug.Print rngList(0).Address   '結果は「$A$1:$A$10」
```

VBAではオブジェクトを代入する際、Setステートメントを利用しますが、Array関数でオブジェクトを扱う配列を作成する際には不要です。いきなりオブジェクトへの参照を指定してしまってもOKです。お手軽ですね。

section 05 コレクションを配列がわりに利用する

VBAの配列は、「要素を増減させながらリストを管理したい」という用途には向いていません。このようなケースでは、Collectionオブジェクトの利用を検討してみましょう。

特定の要素をまとめて管理する

Collectionオブジェクトは、以下の3つのプロパティ/メソッドを持つ、シンプルな「同じ種類のメンバーを管理するためのオブジェクト」です。

▼Collectionオブジェクトのプロパティとメソッド

プロパティ/メソッド	用途
Countプロパティ	要素数を取得
Addメソッド	要素を追加
Removeメソッド	要素を削除

Collectionオブジェクトを利用するには、Collectionオブジェクト型で変数を宣言し、New演算子で初期化します。

```
Dim userNames As Collection
'Collection変数を初期化
Set userNames = New Collection
```

値を追加するには、Addメソッドを利用します。

▼コレクションに値を追加する(Addメソッド)

```
コレクション.Add 追加する値[, キー値][, Before][, After]
```

引数BeforeとAfterには、インデックス番号を指定します。指定したインデックス番号の前あるいは後ろに追加されます。

特定の要素にアクセスするには、「1」から始まるインデックス番号を利用してアクセスします。次のコードは、**新規に作成したコレクションに値を追加し、要素数と先頭の値を取得**します。

▼マクロ 5-18

```
Dim userNames As Collection
'Collection変数を初期化
Set userNames = New Collection
'値を追加
userNames.Add "増田"
userNames.Add "星野"
userNames.Add "宮崎"
'要素数や値を取り出す
Debug.Print "要素数：", userNames.Count
Debug.Print "先頭の値：", userNames(1)
```

実行例　コレクションの値の表示

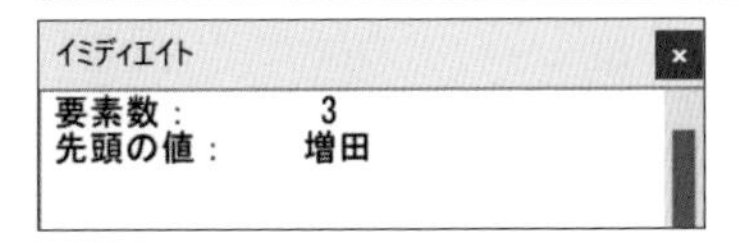

特定の要素を取り除くには、Removeメソッドの引数にインデックス番号を指定します。

▼特定の要素を取り除く（Removeメソッド）

```
コレクション.Remove インデックス番号
```

例えば、先頭の要素を取り除くには、Removeメソッドの引数に「1」を指定します。

```
userNames.Remove 1
```

いわゆるキュー行列のように、先入れ先出しルールでリストを扱いたい場合には、Collectionの要素数が「0」になるまでインデックス番号「1」の値を利用＆削除する仕組みを作成しましょう。

次のコードは、**コレクションの要素の先頭から出力と同時に削除します。そして、すべての要素がなくなったら「---処理終了---」と表示**します。

▼マクロ 5-19

```
Dim fruitsQueue As Collection
Set fruitsQueue = New Collection
'値を追加
fruitsQueue.Add "りんご"
```

```
fruitsQueue.Add "みかん"
fruitsQueue.Add "ぶどう"
'先入れ先出しでループ処理
Do While (fruitsQueue.Count > 0)
    Debug.Print fruitsQueue(1)
    fruitsQueue.Remove 1
Loop
Debug.Print "--- 処理終了 ---"
```

実行例 先入れ先出しで処理

スタック行列のように先入れ後出しルールの場合には、末尾のメンバーを利用&削除するように、コードのループ処理部分を修正しましょう。

次のコードは、**コレクションの要素の末尾から出力と同時に削除します。そして、すべての要素がなくなったら「---処理終了---」と表示**します。

▼マクロ 5-20

```
Dim fruitsStack As Collection, lastIndex As Long
Set fruitsStack = New Collection
'値を追加
fruitsStack.Add "りんご"
fruitsStack.Add "みかん"
fruitsStack.Add "ぶどう"
'先入れ後出しでループ処理
lastIndex = fruitsStack.Count
Do While (lastIndex > 0)
    Debug.Print fruitsStack(lastIndex)
    fruitsStack.Remove lastIndex
    lastIndex = fruitsStack.Count
Loop
Debug.Print "--- 処理終了 ---"
```

実行例　先入れ後出しで処理

なお、新規の要素を追加する際には、Addメソッドの引数BeforeやAfterを利用すると、任意の要素の「前」もしくは「後ろ」に指定した値を追加可能です。

次のコードは、**新しい要素「レモン」を、「インデックス番号『1』の要素の『前』、つまり先頭に追加**します。

▼マクロ 5-21

```
Dim fruitsQueue As Collection
Set fruitsQueue = New Collection
'値の追加
fruitsQueue.Add "りんご"
fruitsQueue.Add "みかん"
fruitsQueue.Add "ぶどう"
'「Before」を指定して値を追加
fruitsQueue.Add "レモン", Before:=1
'要素数や値を取り出す
Debug.Print "要素数：", fruitsQueue.Count
Debug.Print "先頭の値：", fruitsQueue(1)
```

実行例　先頭に要素を追加

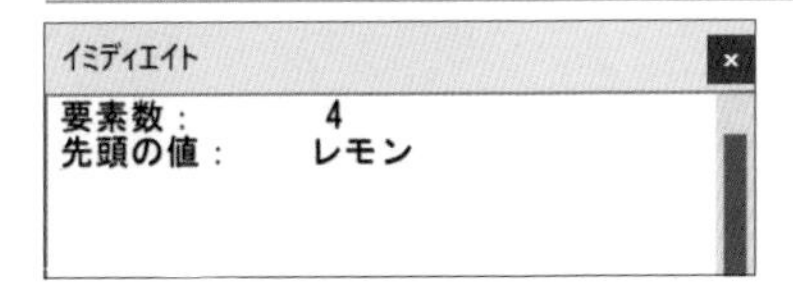

section 06 連想配列(ハッシュテーブル)でキーと値を一括管理する

キーとなる値と対応する値をまとめて管理する連想配列をVBAで利用するには、Collectionオブジェクトを利用するか、外部ライブラリを利用してDictionaryオブジェクトを利用するのがよいでしょう。

Collectionを連想配列として利用する

「商品の名前を指定すると、対応する価格が取得できる」という仕組みを、Collectionオブジェクトを使った連想配列で作成してみましょう。

Collectionオブジェクトは Addメソッドで新規の値を登録する際、第2引数に値を取り出すときの目印となるキー値を登録できます(キー値は任意です)。

▼Collectionオブジェクトにキー値を登録する

```
Collectionオブジェクト.Add 値[, キー値]
```

キー値を登録した値は、キー値を使ってアクセスできるようになります。取り出すときの登録名といった用途に使えるわけですね。また、キー値を登録した場合でも、追加した順にインデックス番号でアクセスすることも可能です。次のコードは、**Collectionオブジェクトpricesを宣言し、いくつかの値をキー値とセットで登録し、キー値を使って値にアクセス**します。

▼マクロ 5-22

```
Dim prices As Collection
Set prices = New Collection
'キー値と値をセットで追加
prices.Add 200, "りんご"
prices.Add 150, "みかん"
prices.Add 500, "ぶどう"
'キー値を使って値にアクセス
Debug.Print "りんごの価格:", prices("りんご")
'インデックス番号を使って値にアクセス
Debug.Print "3番目の価格：", prices(3)
```

実行例　Collectionでキー値を利用

```
イミディエイト
りんごの価格:   200
3番目の価格 :   500
```

名前を元に取り出したい場合はキー値を使って取り出し、「先頭」や「末尾」等の順番に着目して値を取り出す場合や、ループ処理を行う場合はインデックス番号を利用する、といった運用ができますね。

注意点としては、既に登録されているキー値で新規の値を登録しようとすると、エラーとなる点です。

Dictionaryオブジェクトで連想配列を作成する

外部ライブラリのDictionaryオブジェクトを利用すると、Collectionオブジェクトよりももうちょっと使いやすい連想配列が作成できます。

▼Dictionaryオブジェクトのプロパティ /メソッド

プロパティ /メソッド	用途
Countプロパティ	要素数を返す
Itemsプロパティ	すべての要素の値を含む配列を返す
Keysプロパティ	すべてのキー値を含む配列を返す
Addメソッド	キー値と値のセットを追加
Existsメソッド	特定のキー値が存在しているかを真偽値で返す
Removeメソッド	特定の要素を削除
RemoveAllメソッド	すべての要素を削除

Dictionaryオブジェクトを利用するには、Object型の変数を用意し、CreateObject関数の引数に「Scripting.Dictionary」を指定します。また、値の追加はCollectionオブジェクトと同様にAddメソッドで行いますが、「キー値」「値」と、Collectionオブジェクトとは逆の順番で引数を指定する点に注意しましょう。

▼Dictionaryオブジェクトにキー値を登録する

```
Dictionaryオブジェクト.Add キー値, 値
```

次のコードは、**オブジェクト変数pricesを用意してDictionaryオブジェクトを代入し、キー値と値を登録**しています。

▼マクロ 5-23

```
Dim prices As Object
Set prices = CreateObject("Scripting.Dictionary")
'キー値と値をセットで追加
prices.Add "りんご", 200
prices.Add "みかん", 150
prices.Add "ぶどう", 500
'キー値を使って値にアクセス
Debug.Print "りんごの価格:", prices("りんご")
'すべての値を配列に取り出して一括確認
Debug.Print "価格一覧：", Join(prices.Items)
```

実行例　Dictionaryオブジェクトで連想配列を作る

```
イミディエイト
りんごの価格:  200
価格一覧：     200 150 500
```

Dictionaryオブジェクトでは、キー値を登録する前にExistsメソッドで既にそのキー値が登録されているかどうかを知ることができます。

▼キー値の登録を確認する（Existsメソッド）

```
Existsメソッド(キー値)
```

この仕組みを利用すれば、特定の値のリストやセルの中から、ユニークな値のリストを取り出したり、集計を行うことも可能です。次のコードは、**セル範囲B2:D5に入力された値のリストを作成し、その中からユニークな値を出力**しています。

▼マクロ 5-24

```
Dim dic As Object, rng As Range
Set dic = CreateObject("Scripting.Dictionary")
'セル範囲B2:D5についてユニークな値のリストを作成
For Each rng In Range("B2:D5")
    'セルの値が辞書になければ新規登録
    If Not dic.Exists(rng.Value) Then
```

```
        dic.Add rng.Value, 1
    End If
Next
'キー値のリストを取り出す
Debug.Print "ユニークな値：", Join(dic.Keys, ",")
```

実行例　リストを作成してユニークな値を出力

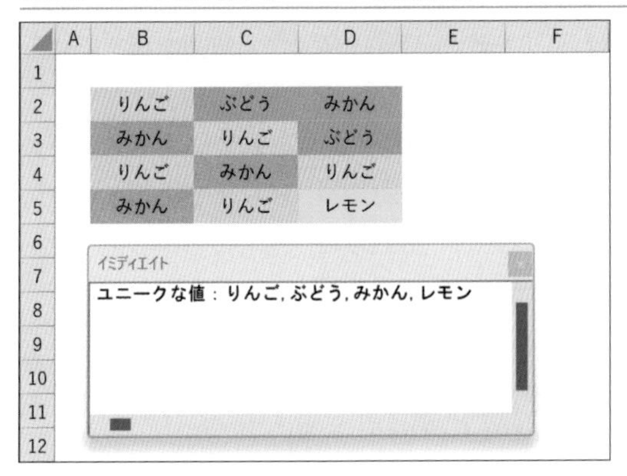

Keysメソッドでキー値の一覧、Itemsメソッドで値の一覧を配列として取り出せるので、Collectionオブジェクトと比較すると、同じような用途でも、非常に小回りの利く使いやすいオブジェクトとなっています。

section 07 スピル系のワークシート関数はVBAの配列にも適用可能

Excel 2021以降、そしてMicrosoft 365版ではSORTワークシート関数やUNIQUEワークシート関数等、スピル機能に合わせて2次元配列を扱えるワークシート関数が追加されました。これらの関数は、VBA側で配列、特に2次元配列を扱う際にも活用できます。

特にVBAは、配列のソートやコピー等の機能が標準実装されていません。そのため、SORTワークシート関数等の活用の余地が十二分にあるのです。さっそく使っていきましょう。なお、本項の内容はExcel 2021以降、もしくは、アップデートずみのMicrosoft 365版のみで動作します。

SORTワークシート関数で配列をソート

配列を並べ替え（ソート）するには、SORTワークシート関数が利用できます。VBA側から利用するには、WorksheetFunction.Sortメソッドとして利用します。このとき、ソートしたい配列を1つ目の引数に指定します。

▼SORTワークシート関数で配列をソートする（WorksheetFunction.Sortメソッド）

```
WorksheetFunction.Sort(配列[, インデックス番号][, 昇順/降順][, ソート方向])
```

▼SORTワークシート関数（Sortメソッド）の引数

引数	用途
配列	ソートを行う配列
インデックス番号	ソートのキーとなる位置のインデックス番号
昇順/降順	昇順（小さい順）は「1（既定）」、降順（大きい順）は「-1」
ソート方向	「列」方向基準なら「True」、「行」方向基準なら「False（既定）」、省略可

次のコードは、**VBA側で作成した1次元配列を降順でソートした結果を出力**します。

▼マクロ 5-25

```
'元の配列と結果を受け取る変数を用意
Dim arr(2) As Long, sorted() As Variant
'1次元配列の作成
arr(0) = 3
arr(1) = 1
arr(2) = 2
'SORTワークシート関数を利用
sorted = WorksheetFunction.Sort(arr, 1, -1, True)
'結果を出力
Debug.Print Join(sorted)
```

実行例　1次元配列をSORTワークシート関数でソート

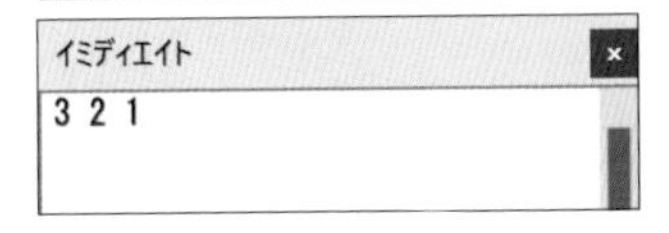

1次元配列をソートする場合には、第1引数にソートしたい配列を指定し、第2引数にはソートのキーとなる値の位置をインデックス番号で指定します。今回は次元が1つしかありませんので「1」を指定します。第3引数には今回は「降順」ですので「-1」を、そして第4引数には「列」方向(「横方向」というイメージがわかりやすいでしょう)なので「True」を指定してソートします。

このとき、ソート結果は元の配列とは別のソートずみ配列として返されます。この結果はVariant型の変数で受け取るのがよいでしょう。

次のコードは、**VBA側で作成した2次元配列の「行」方向に、「1」列目をキーとして昇順にソートし、結果をイミディエイトウィンドウとシート上に出力**します。

▼マクロ 5-26

```
'元の配列と結果を受け取る変数を用意
Dim arr(2, 1) As Variant, sorted() As Variant
'2次元配列を作成
arr(0, 0) = "さくら": arr(0, 1) = 3000
arr(1, 0) = "あかね": arr(1, 1) = 2000
arr(2, 0) = "かりん": arr(2, 1) = 850
'SORTワークシート関数を利用
sorted = WorksheetFunction.Sort(arr, 1, 1)
```

```
'結果をイミディエイトウィンドウに出力
Debug.Print WorksheetFunction.ArrayToText(sorted, True)
'結果をシートに出力
Range("B2:C4").Value = sorted
```

実行例 2次元配列をSORTワークシート関数でソート

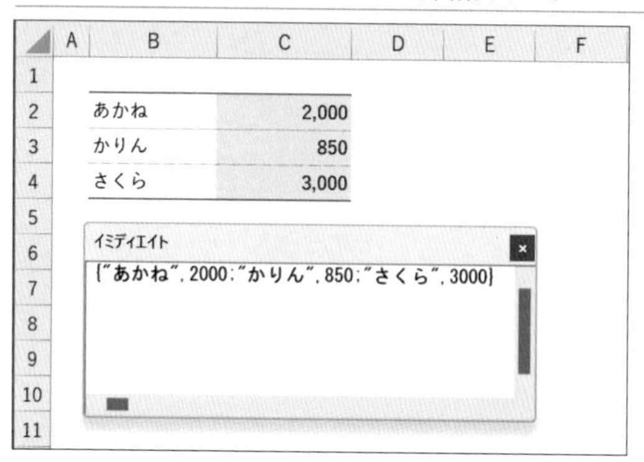

結果を見ると、配列の1つ目の値(さくら、あかね、かりん)をキーにして、きちんと「行」単位で昇順ソートされているのが確認できますね。

このように、SORTワークシート関数を利用すれば、VBA側で作成した配列を希望の順序でソート可能です。特に、「VBA以外の言語で作成ずみの一連の処理をVBAに移植したい」というようなケースにおいて、配列のソート手段がないために移植に非常に手間がかかることがあります。そういう場合は、ソート処理を自作するのもよいですが、こちらのSORTワークシート関数を利用するのがお手軽です。選択肢の2つとして頭に入れておきましょう。

column

複数キーを基準としたソートは配列で指定

SORTワークシート関数を利用して複数キーを基準にソートしたい場合には、優先度の高い列のインデックス番号から順に配列の形で指定します。次のコードは、**配列の「1列目」「3列目」をキーにそれぞれ「昇順(1)」「降順(-1)」でソートを行います。**

```
WorksheetFunction.Sort(arr, Array(1, 3), Array(1, -1))
```

INDEXワークシート関数で配列をコピー

VBA側で作成した2次元配列をコピーした配列を作成したい場合には、INDEXワークシート関数が利用できます。VBA側から利用するには、WorksheetFunction.Indexメソッドとして利用します。

▼INDEXワークシート関数で配列をコピーする（WorksheetFunction.Indexメソッド）

```
WorksheetFunction.Index(配列, 行番号[, 列番号])
```

▼INDEXワークシート関数（Indexメソッド）

引数	用途
配列	コピーしたい配列
行番号	コピーしたい行の行番号。「0」を指定するとすべての行が対象
列番号	コピーしたい列の列番号。省略可。省略時はすべての列が対象

次のコードは、**VBA側で作成した2次元配列をコピーし、シート上にその値を出力**します。

▼マクロ 5-27

```
'元の配列と結果を受け取る変数を用意
Dim arr(2, 1) As Variant, copied As Variant
'2次元配列作成
arr(0, 0) = "りんご": arr(0, 1) = 50
arr(1, 0) = "みかん": arr(1, 1) = 100
arr(2, 0) = "イチゴ": arr(2, 1) = 80
'INDEXワークシート関数でコピー
copied = WorksheetFunction.Index(arr, 0)
'結果をシートに出力
Range("B2:C4").Value = copied
```

実行例　2次元配列の内容をINDEX関数でコピー

	A	B	C	D
1				
2		りんご	50	
3		みかん	100	
4		イチゴ	80	
5				

INDEXワークシート関数は、第1引数に指定した配列を元に、第2引数で指定した位置の行の値をコピーした新しい配列を返します。この第2引数に「0」を指定すると、「全部の行がコピー対象」となります。つまり、丸ごとコピーできるわけですね。

ワークシート関数由来の仕組みなので、2次元を超える配列のコピーや、値ではなくオブジェクト等を要素に持つ配列のコピーには利用できかったり、インデックス番号の先頭が「0」ではなく「1」に修正される等の制限はありますが、元の配列やリストを保持したまま、それとは別にリストの値を加工したいような場合には、まずこの手法でコピーするのがお手軽です。

column

特定の行/列のみを取り出す

INDEXワークシート関数は、2次元配列中の特定の「行」、もしくは「列」を取り出す用途にも利用できます。というか、そちらが本来の用途です。例えば、上記のマクロ5-27を次のようにコードを修正すると、2次元配列の「2列目」の値のみをコピーした新しい配列を作成します。

```
'INDEXワークシート関数で「2列目」のみコピー
copied = WorksheetFunction.Index(arr, 0, 2)
```

「行」は「0」を指定して「全体」とし、「列」に「2」を指定して「2列目」のみを対象としているわけですね。

このように、SORTやINDEX等の配列ベースで扱えるワークシート関数は、VBAからも活用できます。

スピル機能の搭載後、配列ベースで値を扱えるワークシート関数は次第に増加しています。今後のアップデートでもいくつかのワークシート関数の増加がアナウンスされていますが、おそらく、それらもVBAから利用可能になるかと思います。

コードの可読性、わかりやすさという点から言うと、あまりわかりやすいコードとはならないのが悩ましいところですが、手軽に配列を使った処理を試したいという場合や、代替処理を作成するのが厳しい、という場合には活用していきましょう。

基礎編
Chapter 6

そのマクロ、いつ実行するの？

本章では「作成したマクロを実行する手段」をテーマとして、いろいろな実行手段をご紹介します。
主なパターンは3種類、「ユーザーによる指示」「ユーザーによる操作に応じたタイミング」、そして「一定時間ごと」です。あわせて、「イベント処理」についてもご紹介します。

本章の学習内容

❶ マクロを手動で実行
❷ マクロをイベント処理で実行
❸ タイマーの仕組みで実行

section 01 ユーザーが指定したタイミングで実行する

「作成したマクロをどのように実行するつもりですか？」という問いは、一見なんでもないように思えますが、案外大切な問いかけでもあります。

「どのようにすればマクロを開始するのか」というルール作りと、それに関連して、「どのブックにマクロを持たせるのか」という関係について、典型的なパターンとその方法をざっとご紹介します。

「マクロ」ダイアログから実行する

まずは一番正統派な方法です。リボンの「開発」タブの**マクロ**を選択して表示される、「マクロ」ダイアログからマクロを選択し、**実行**ボタンを押します。

▼「マクロ」ダイアログ

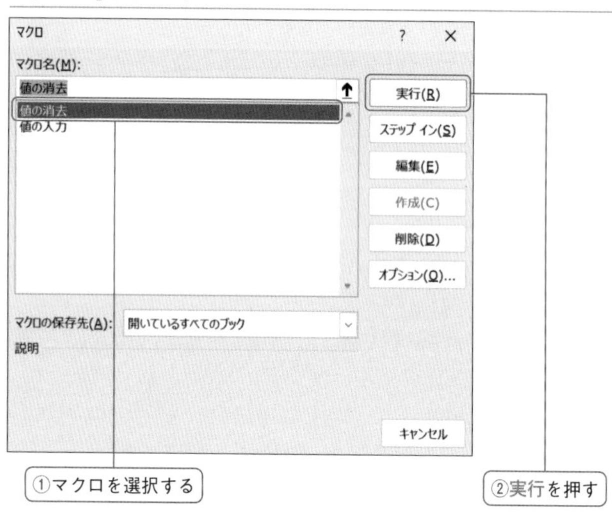

複数のブックを開いている場合は、他のブックに作成されているマクロもリストに表示されます。その場合は、「ブック名!マクロ名」の形で表示されます。

▼他のブックのマクロが表示される場合

マクロ
マクロ名(M):
マクロ用ブック.xlsm!値の入力
マクロ用ブック.xlsm!値の消去
マクロ用ブック.xlsm!値の入力
実行(R)
ステップ イン(S)
編集(E)

つまりは、他のブックに記述したマクロも、「マクロ」ダイアログから実行できるということです。もっと言えば、「マクロは1つのブックにまとめて記述しておき、実行する際には、マクロを利用したいブックから呼び出すことができる」ということです。

開発中はVBEから直接実行する

マクロの開発中に最も多く利用するであろう実行スタイルは、VBEから直接実行するスタイルです。29ページでもご紹介しましたが、実行したいマクロ内のどこかをクリック等で選択したうえで、ツールバーの**Sub/ユーザーフォームの実行**、もしくはF5キーを押します。

▼VBEから直接実行

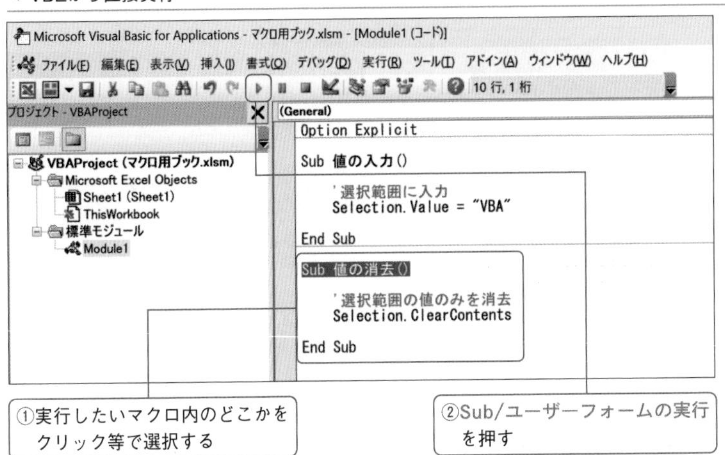

もの凄く手軽で、動作チェックを何回も行うことになる開発中には、大変お世話になるスタイルです。上記の図では、図としてわかりやすいようにマクロタイトル部分を選択していますが、実際はマクロ内のどこかをクリックし、カレットがマク

ロ内に表示されている状態であればOKです。

複数のマクロを作成すると、実行したいマクロの場所を探すのが面倒になってきます。そんな場合には、コードウィンドウ右上にある「プロシージャ」ドロップダウンリストボックスを利用しましょう。マクロ名の一覧がリスト表示されるので、選択をすれば、そのマクロのタイトル部分へと移動できます。

▼「プロシージャ」ドロップダウンリストボックス

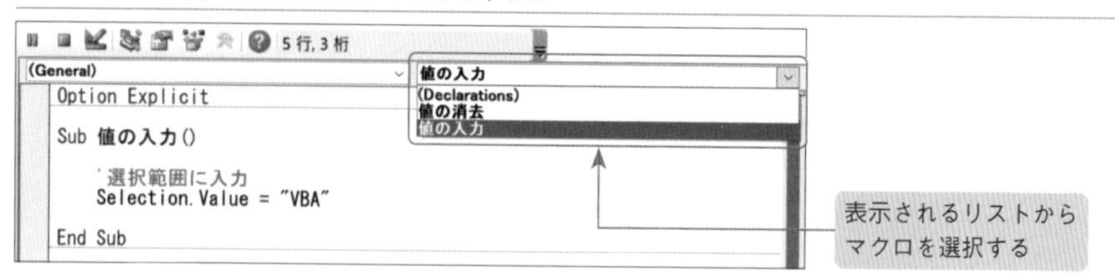

クイックアクセスツールバーに登録して実行する

Excel画面上端のクイックアクセスツールバーにマクロを登録する方法もあります。クイックアクセスツールバー右端の矢印ボタンを押し、メニューから**その他のコマンド**を選択して「Excelのオプション」ダイアログを表示します。

▼ボタンの登録

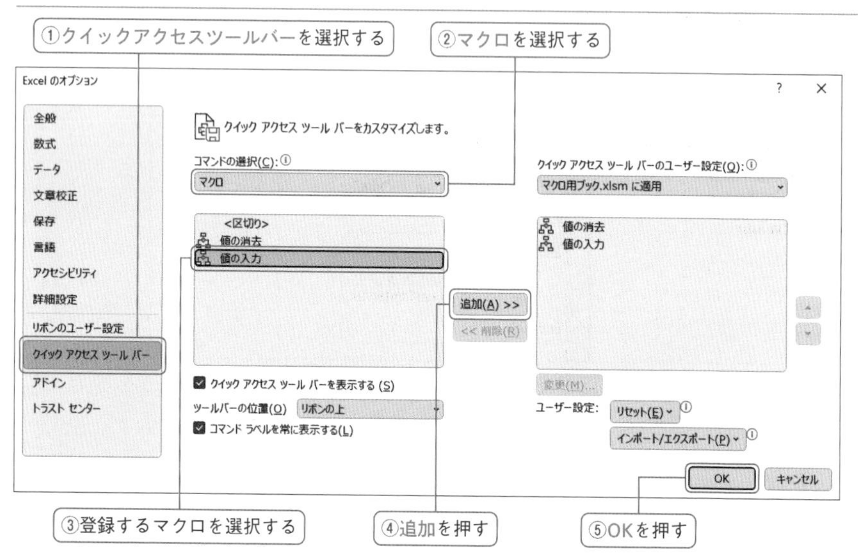

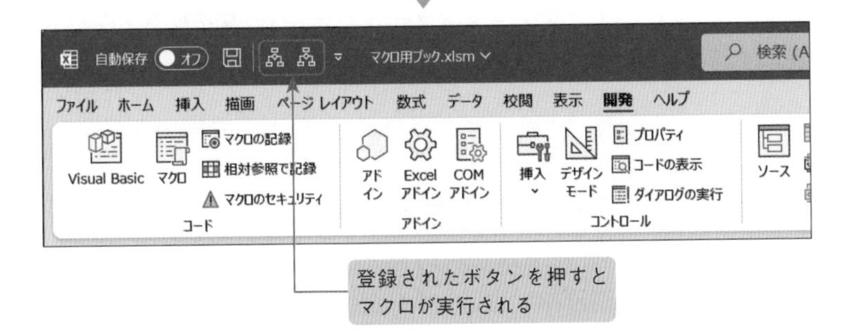

「Excelのオプション」ダイアログに2つあるリストボックスのうち、左側の上部にある、**コマンドの選択**から「マクロ」を選択すると、ブックに作成してあるマクロがリスト表示されます。その中から登録したいものを選択し、中央の**追加**ボタンを押すと、右側のリストボックスへとそのマクロ名が移動します。この状態で**OK**ボタンを押せば完成です。以降は、クイックアクセスツールバーのボタンを押すことで、対応するマクロを実行できます。

また、登録時には、右側のリストボックスの上にある、**クイックアクセスツールバーのユーザー設定**から、ボタンを「どのブックを利用する際にも共通して表示する」ようにするか「マクロを記述したブックがアクティブな場合にのみ表示する」ようにするかを選択できます。

▼スコープの選択

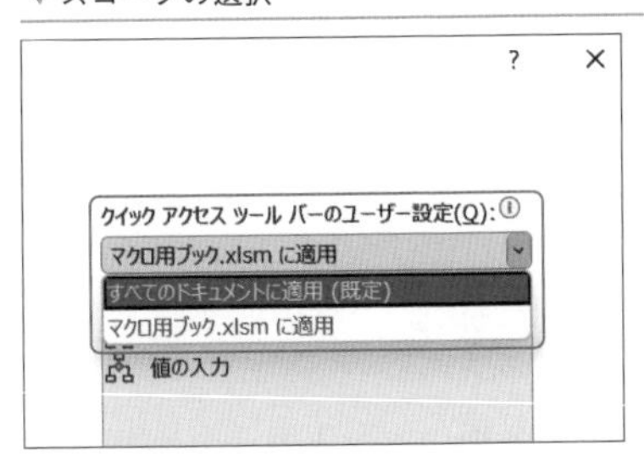

「特定のブックだけでマクロを利用したい」という場合には、この箇所の設定を変更しておくと、「意図していないブックで、うっかりクイックアクセスツールバー経由でマクロを実行してしまう」という事故を防げます。

なお、クイックアクセスツールバーの表示/非表示や表示位置はカスタマイズ可能です。クイックアクセスツールバーが見当たらない、という場合には、「Excelのオプション」ダイアログの「クイックアクセスツールバー」内の**クイックアクセスツールバーを表示する**にチェックを入れてください。

column

アイコンのボタンはいくつかの種類から選べる

クイックアクセスツールバーにマクロを登録する際のボタンアイコンは、あらかじめ用意されているものの中から選択可能です。ボタン追加時にアイコンを変更したいマクロを選択して、右下にある**変更**ボタンを押すと、図のような候補が表示されます。

複数のマクロを登録する場合には、見分けをつけるためにも、用途を想像できるようなアイコンを選んでおくと便利です。ただし、そのまま表示されるわけではなく、Excel全体の表示の設定に合わせて、白抜きのような状態で表示されるので、実際に追加して見た目をチェックしてから採用してください。

シート上に配置したボタンから実行する

「開発」リボンの**挿入**には、シート上に配置できる各種のコントロールが用意されています。

このうち、「フォームコントロール」の左上に用意されている**ボタン**を選択した状態でシート上の任意の場所をドラッグすると、その場所にボタンが配置されます。さらに、ボタンを押した際に実行するマクロを選択するダイアログ(「マクロ」ダイアログ)が表示されるので、登録したいマクロを選択しましょう。

▼シート上にボタンを配置する

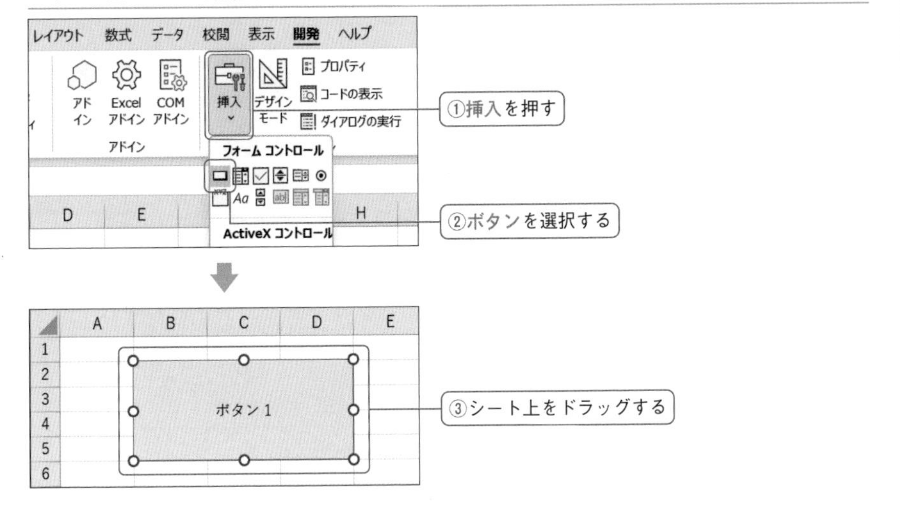

これで、シート上に配置したボタンを押した際に、登録したマクロが実行されるようになります。ボタンはいかにも「ボタン」という見た目で、マウスを上に乗せればマウスカーソルも指の形になり、「押せますよ！」とわかりやすくなります。ボタンに表示するキャプションも、右クリックして表示されるメニューから、**テキストの編集**を選べば変更可能です。マクロに不慣れなユーザーに、わかりやすくマクロを利用してもらうためには、非常に効果的な仕組みです。

column

Altキーを押しながらドラッグでセルに沿って配置

シート上にボタンを配置する際には、Altキーを押しながらドラッグすると、セルの枠線に沿った大きさにスナップしながら調整が可能となります。ボタンの外枠とセルの枠線が異なると、なんとなく散らかった印象になってしまいますが、この方法であれば、綺麗にボタンを馴染ませることができるのでお勧めです。

また、一度配置したボタンの位置やサイズ等を調整したい場合は、Ctrlキーを押しながらボタンをクリックすると、配置時と同じようにボタンの周りに白丸のハンドルが表示されます。こちらで調整していきましょう。

ショートカットキーから実行する

「マクロ」ダイアログから、特定のショートカットキーにマクロを登録することも可能です。リボンの「開発」タブの**マクロ**で「マクロ」ダイアログを開き、一覧からショートカットキーを登録したいマクロを選択し、**オプション**ボタンを押します。「マクロオプション」ダイアログが表示されるので、**ショートカットキー**にショートカットとして登録したいキーの文字を入力して、**OK**を押せば登録完了です。

以降、登録したキーをクリックすれば、対応するマクロが実行されます。コピー操作（Ctrl＋C）等、あらかじめ登録されているショートカットキーと同じキーを登録した場合には、マクロの方が優先されます。

▼ショートカットキーから実行

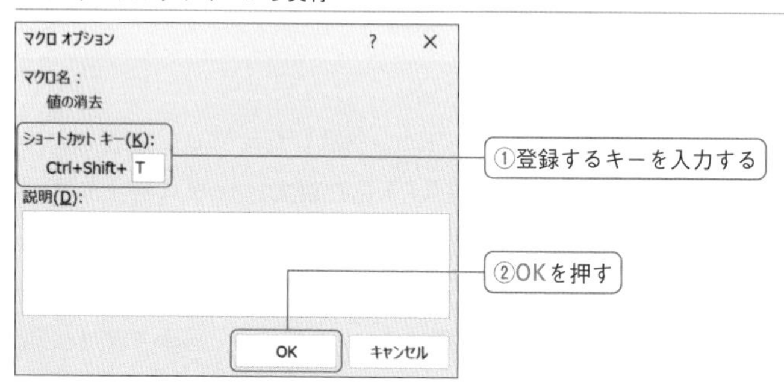

また、このショートカットキーは、マクロを作成してあるブック以外を操作しているときにも有効です。そして、ショートカットキーを登録したブックを閉じれば無効になります。

つまり、特定の作業に特化したマクロのみを作成&ショートカットキー登録したブックを用意しておけば、「他ブックで特定の作業を行う際、用意しておいたブックを開いてショートカットを駆使して作業を行い、他の作業を行う際には閉じておく」というような運用ができるようになります。

ちなみに、ショートカットキーを登録する場合には、大文字で登録すると、「Ctrl＋Shift＋登録したキー」という形でショートカットキーが登録されます。例えば「t」ではなく「T」で登録した場合には、「Ctrl＋Shift＋T」でマクロが実行されます。こちらの方が、もともとあるショートカットキーとバッティングする可能性が低くなりますね。

リボンに登録する

マクロをリボンに登録してしまう方法もあります。リボンの見出し部分を右クリックし、**リボンのユーザー設定**を選択する等で「Excelのオプション」ダイアログを表示し、右下にある**新しいタブ**を押すと、リボンに新規のタブを追加できます。**名前の追加**を押すと、追加したタブの名前を変更することができます。タブにマクロを登録する方法は、クイックアクセスツールバーへの登録と同様です(204ページ)。

▼リボンにマクロ実行用のボタンを用意

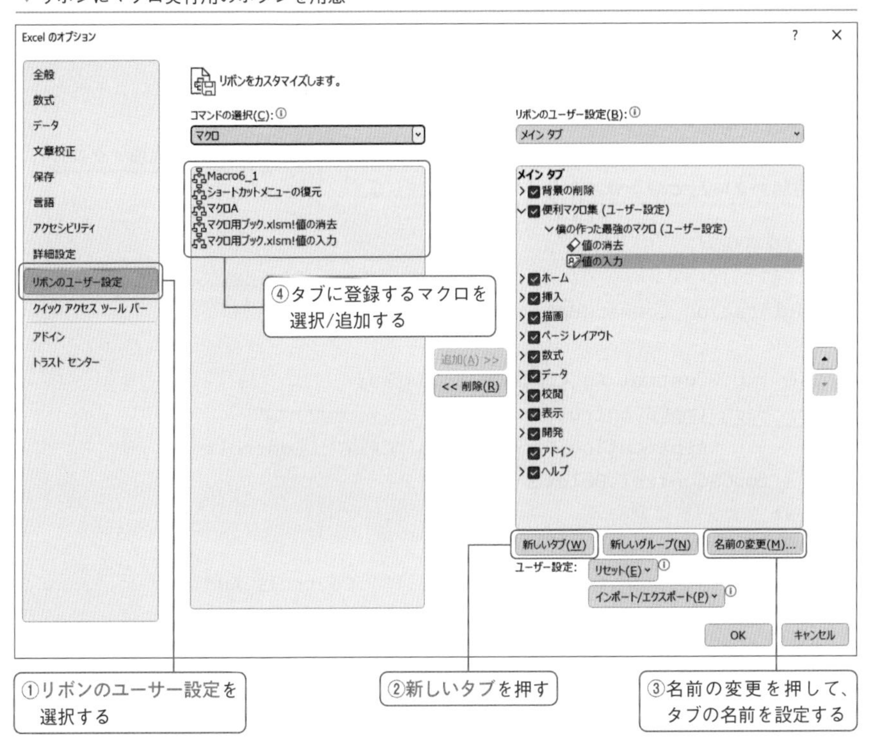

▼リボンにマクロを登録する

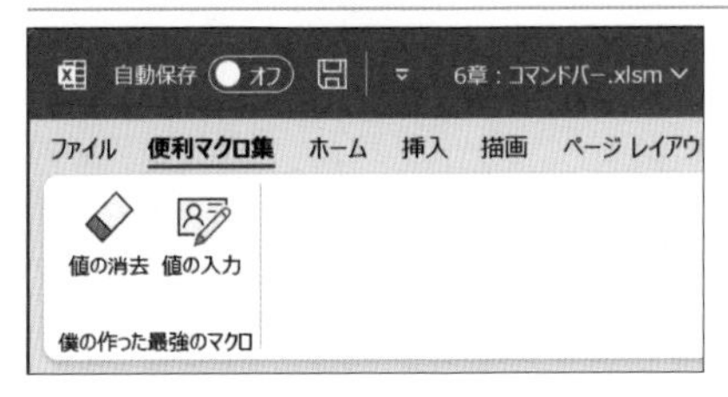

クイックアクセスツールバーよりも押しやすいので、マウスやタッチ操作メインで作業を行う場合には、こちらの方が便利ですね。また、キーボード操作派の場合でも、Altキーを押してから始動するキーボードを使ったショートカットでも操作可能となるので、慣れてくれば自分の意図するマクロを素早く実行できるようになるでしょう。

column

右クリックメニューに登録することも可能

CommandBarオブジェクトやCommandBarControlオブジェクトを利用すると、セルを右クリックしたり、Shift+F10キーで表示されるポップアップメニューへとマクロを登録することも可能です。

例えば、次のコードは、**既存のポップアップメニュー項目を削除し、「追加マクロ1」「追加マクロ2」というカスタムメニューを追加**します。

▼マクロ 6-1

```
'「Cells」のコマンドバー（右クリック時のポップアップメニュー）を初期化
Application.CommandBars("Cell").Reset
'既存のメニューを非表示に
Dim tmpCBControl As CommandBarControl
For Each tmpCBControl In _
         Application.CommandBars("Cell").Controls
    tmpCBControl.Delete
Next
'2つの新規メニューを追加
With Application.CommandBars("Cell").Controls.Add
    .Caption = "追加マクロ1"
    .OnAction = "マクロA"
    .FaceId = 1
End With
With Application.CommandBars("Cell").Controls.Add
    .Caption = "追加マクロ2"
    .OnAction = "マクロA"
    .FaceId = 1
End With
```

実行例　ポップアップメニューのカスタマイズ

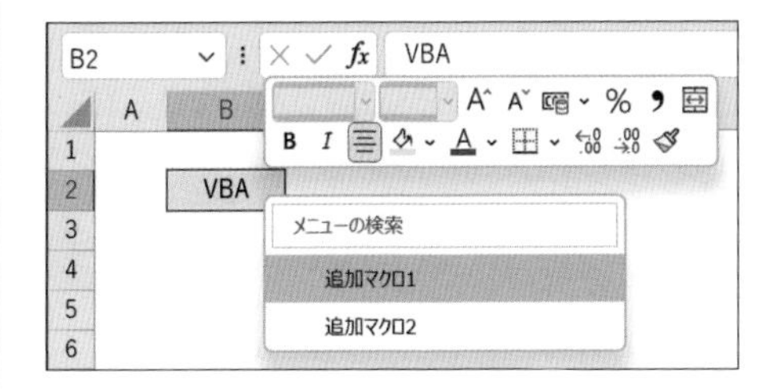

ポップアップメニューを管理しているコマンドバーは、「Cells」という名前で取得できます。このコマンドバー上の各種コントロールは、Controlsプロパティ経由でアクセス可能です。また、新規コマンドバーの追加は、例によってAddメソッドで行います。

各コントロールは、Caption・FaceId・OnActionの各プロパティで、表示テキスト・アイコン・実行するマクロを指定可能です。

また、コマンドバー経由で実行したマクロ内において、ActionControlプロパティを利用すると、「どのコマンドバーを押して実行されたのか」を知ることも可能です。

```
MsgBox CommandBars.ActionControl.Caption & "からマクロAを実行しました"
```

ちなみに、カスタマイズしたコマンドバーを既定の状態へ戻すには、

```
Application.CommandBars("Cell").Reset
```

と、Resetメソッドを実行します。

section 02

イベント処理で操作タイミングに合わせて実行する

「ブックを開いたとき」「シートに何かを入力したとき」「印刷をするとき」等、ユーザーが「○○したとき」にマクロを実行するには、イベント処理を利用します。

イベント処理とは何か？

VBAの一部のオブジェクトには、イベントが定義されています。イベントとは、主にユーザーの特定の操作によりオブジェクトの状態が変化するタイミングを指します。

▼イベントの例

オブジェクト	イベント	タイミング
Workbook	Open	ブックを開いたとき
	BeforeClose	ブックを閉じるとき
	BeforeSave	ブックを保存したとき
Worksheet	Change	セルの値を変更したとき
	SelectionChange	選択セルを変更したとき
	Activate	シートがアクティブになったとき
	Deactivate	他のシートを選択しようとしたとき

イベント発生時（タイミング）に対応するコードを準備しておくことで、ユーザーの操作に応じて任意のマクロが実行できるようになります。

「オブジェクトモジュール」でイベントを定義する

イベント処理用のコードは、オブジェクトモジュールに記述します。オブジェクトモジュールとは、VBEのプロジェクトエクスプローラー内で「ThisWorkbook」や「Sheet1」等と、Excelのブック構成に応じて表示されているモジュールを指します。

「ThisWorkbook」モジュールは、ブックレベルのイベント処理を記述するモジュールとなります。「Sheet1」や「Sheet2」は、対応するシート上でのイベント処理を記述するモジュールとなります。

各オブジェクトモジュールでは、モジュールを表示後に、コードウィンドウ上端にある2つのドロップダウンリストボックスにおいて、左側でオブジェクトを選択すると、右側に対応するイベント一覧を選択できるようになります。

一覧から個々のイベントを選択すると、そのイベントに対応したイベント処理のひな型がモジュール上に入力されます。

▼オブジェクトモジュールとイベント処理のひな型

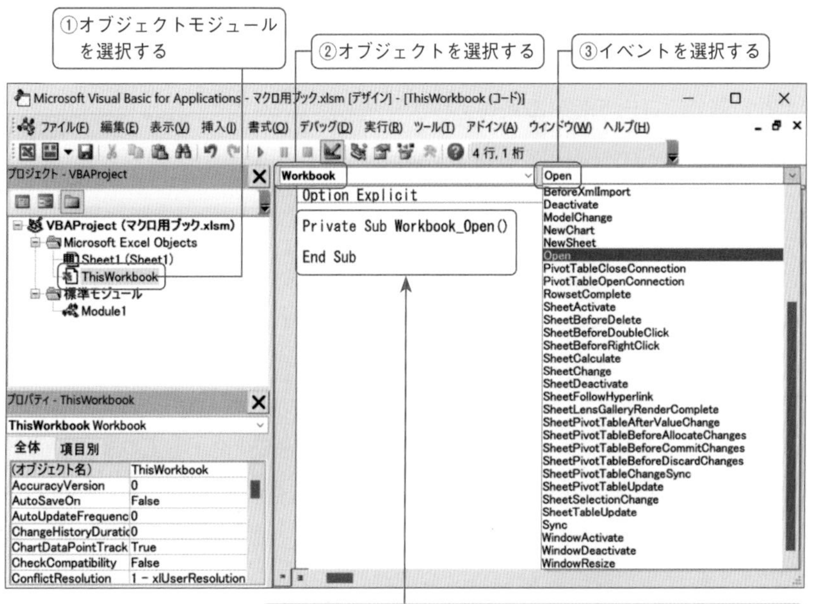
①オブジェクトモジュールを選択する
②オブジェクトを選択する
③イベントを選択する
Workbook
Open
Option Explicit
Private Sub Workbook_Open()
End Sub
各種オブジェクトモジュールで、オブジェクトとそのイベントを選択すると、そのイベント処理のひな型が入力される

例えば、ThisWorkbookモジュールで、左のボックスから「Workbook」を、右のボックスから「Open」を選ぶと、次のコードが入力されます。

```
Private Sub Workbook_Open()

End Sub
```

このひな型に挟まれた部分にコードを記述すると、Openイベント発生時に記述したコードが実行されるようになります。ちなみに、このひな型は「Private Sub オブジェクト名_イベント名」という形で作成され、特にイベントプロシージャと呼ばれます。WorkbookのOpenイベントであれば「Workbook_Openイベントプロシージャ」となります。

イベントプロシージャは、形式さえ合っていればひな型を作らずに直接記述してもOKです。しかし、ドロップダウンリストボックスを利用してひな型を作成した方が手軽で正確でしょう。

このように、

1 オブジェクトモジュールを選択
2 イベントに応じたイベントプロシージャのひな型を入力
3 挟まれた部分にコードを記述する

という3手順が、イベント処理を利用する際の基本となります。

イベント処理ならではの特殊な引数

イベント処理においては、イベントの種類によっては、イベントに関連する情報や、イベント処理終了後の既定の操作の調整を引数によって取得/設定できるものが用意されています。

例えば、WorksheetオブジェクトのChangeイベントは、「シート上のセルの値が変更されたときに発生するイベント」ですが、対応するWorksheet_Changeイベントプロシージャを自動入力すると、Range型の引数Targetが用意されていることがわかります。

```
Private Sub Worksheet_Change(ByVal Target As Range)

End Sub
```

実はこの引数Targetには、「値の変更を行ったセル」への参照が格納されています。つまりは、引数Target経由で、値の変更のあったセルへとアクセスできる仕組みとなっています。

次のコードは、**セルの値が変更された場合に実行され、変更のあったセルのアドレスを表示**します。「Sheet1」等のモジュールに追加し、対応するシート上でセルの値を変更してお試しください。

▼マクロ 6-2

```
Private Sub Worksheet_Change(ByVal Target As Range)
    '引数Targetを利用して変更のあったセルへとアクセス
    Debug.Print "対象セル番地：", Target.Address
End Sub
```

実行例　引数Target経由で操作を行ったセルへとアクセス

Worksheet_Changeイベントプロシージャ内では、「Target.Address」で値を変更したセルのアドレスを取得したり、「Taeget.Value」で変更後の値を取得したり、といった処理が作成できるわけですね。

また、ブックを閉じる際に発生するWorkbookオブジェクトのBeforeCloseイベントに対応する、Workbook_BeforeCloseイベントプロシージャ等では、引数Cancelが用意されています。

この引数Cancelは、VBAの仕組みの中でも変わり種の引数であり、「既定の動作をキャンセルするかどうか」を指定するスイッチ(フラグ)のような役割となります。

例えば、**セルB2に値を入力していない状態でブックを閉じようとした場合には、ブックを閉じずにメッセージを表示したい**、というような場合には、Workbook_BeforeCloseイベントプロシージャ内に、次のようにコードを記述します。

▼マクロ 6-3

```
Private Sub Workbook_BeforeClose(Cancel As Boolean)
    'セルB2に値が入力されていなければ既定動作をキャンセル
    If Range("B2").Value = "" Then
        MsgBox "セルB2に必要な値を入力してください"
```

```
        Cancel = True
    End If
End Sub
```

実行例　引数Cancelを使って既定の動作をキャンセル

注目していただきたいのは、「Cancel = True」としている箇所です。引数Cancelにはイベント発生時には「False」が入った状態で渡されてきます。イベントプロシージャの一連の処理のどこかで、この引数Cancelに「True」を代入すると、それは、**既定の動作をキャンセル「する」**というフラグとなります。

Closeイベント、つまりブックを閉じる操作の「既定の動作」は、「ブックを閉じる」ことです。この動作がキャンセルされ、結果として「ブックは閉じない」という動作となります。Closeイベントの他にも、引数Cancelを持つイベントプロシージャはいくつかありますが、どれも「既定の動作をキャンセルする」ためのフラグとして利用できます。

イベント発生時にVBA側が1枚の紙を渡され、「イベント終了後のいつもの処理をしなくていい場合は、そこにTrueと書いておいてくださいね」と言われているような状態ですね。VBAはイベントプロシージャのコードをすべて実行後、その紙を見てその後の動作を変更するのです。

まとめると、**イベント処理を利用すると、ユーザーの任意の操作に応じたタイミングでコードを実行できるようになります**。また、イベント処理を記述するイベントプロシージャでは、引数を介して、イベント発生時の情報を取得・利用したり、イベントに対応する既定の操作をキャンセルしたり、といった操作を行えます。

ユーザーの操作に合わせ、先回りしてその後の作業を自動実行したい場合に活用していきましょう。

column

イベントの種類を知るには

どのオブジェクトにどのようなイベントが用意されているかを知るには、リファレンスやオブジェクトブラウザーを利用するのが一番確実です。

リファレンスの場合は、該当するページを見ていただくとして、オブジェクトブラウザーを利用する場合は、イベントの種類を調べたいオブジェクトを左端の「クラス」欄から選択したとき、右側の「メンバー」欄に表示されているリストの中で、カミナリのようなアイコンが表示されているものがイベントになります。

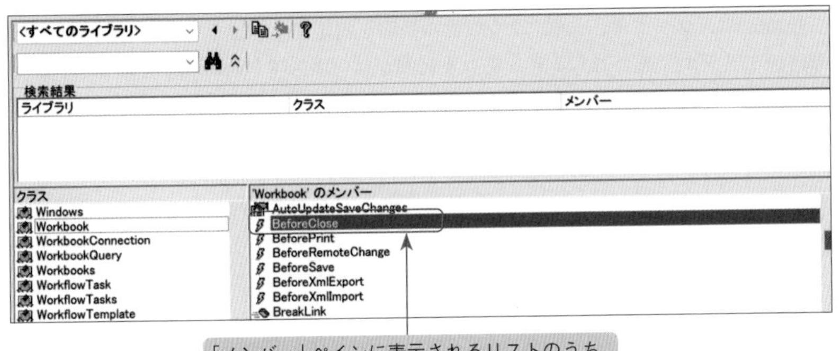

どんなイベントかを調べたい場合には、そのイベントを選択し、画面下に表示されるヒントを見たり、F1キーを押してリファレンスを参照してください。また、慣れないうちは、書籍やWebでざっとイベントの種類を眺めておくのも効果的でしょう。

なお、オブジェクトやイベント処理の中には、専用のオブジェクトモジュールが用意されておらず、「WithEventsキーワード」を利用して、特定のオブジェクトに対するイベント処理の利用を宣言してからでないと利用できないようなものもあります。興味のある方は「WithEvents VBA」等のキーワードで、書籍やWebを調べてみてください。

column

押さえておきたい定番処理「任意のセル範囲を扱っているか」の判定

「特定のセル範囲を操作したときだけ、任意の処理を実行したい」という場合はどうすればよいでしょうか。実は、定番の方式があります。それが、イベント処理とApplicationオブジェクトのIntersectメソッドを組み合わせた判定です。

▼任意のセル範囲を扱っているかを判定する（Application.Intersectメソッド）

```
Set Range型の変数 = Application.Intersect(セル範囲A, セル範囲B)
```

Intersectメソッドは、引数に2つのセル範囲を指定すると、その重なる範囲となるRangeオブジェクトを返します。重なる範囲がない場合は「Nothing」を返します。つまり、「戻り値がNothingかどうか」で「重なる範囲があるかどうか」をチェックできるというわけです。

この仕組みをシート上のセルの値を変更したときに発生するChangeイベントと組み合わせてみましょう。次のコードは、**セル範囲B2:D5内で値が変更された場合に、メッセージを表示**します。「Sheet1」等のモジュールに追加して、対応するシート上でお試しください。

▼マクロ 6-4

```
Private Sub Worksheet_Change(ByVal Target As Range)
    Dim checkRng As Range
    '引数Targetと、セル範囲B2:D5の「重なるセル範囲」を取得
    Set checkRng = _
        Application.Intersect(Target, Range("B2:D5"))
    '重なる範囲がある（Nothingではない）場合、処理を実行
    If Not checkRng Is Nothing Then
        MsgBox "B2:D5内のいずれかのセルを操作しました"
    End If
End Sub
```

実行例　特定セル範囲が変更されたかをチェックする

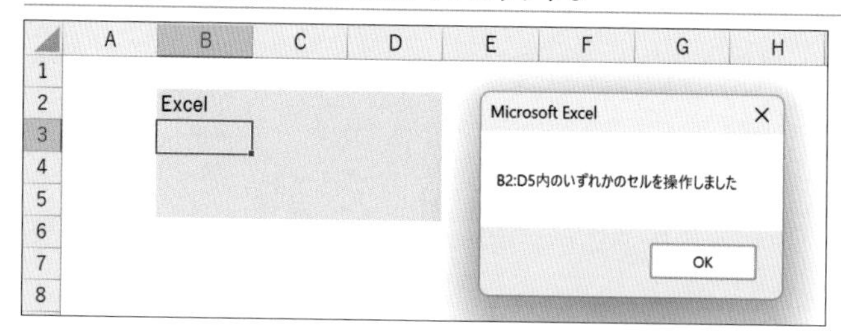

変更したセルへの参照が格納されている引数Targetと、任意のセル範囲（今回はB2:D5）の「重なる部分」を取得し、「Nothingではない場合」に、メッセージダイアログを表示しています。
これで、特定セル範囲内のセルを操作したときにのみ、任意の処理を実行できますね。

column

イベント処理を利用しているブックを再利用する際の注意点

既存のイベント処理を利用しているブックを再利用する際には、少し注意が必要です。マクロを流用する場合、通常は「標準モジュール」の内容をコピーして再利用することが多いかと思います。しかし、イベント処理を利用している場合には、各シートのオブジェクトモジュールの内容もコピーしてこないと、同じようには動きません。

特に、前任者や他の担当者が作成したマクロを含むブックをチェックする際には、標準モジュールだけをチェックするのではなく、オブジェクトモジュールも利用していないかどうかをチェックするクセをつけておきましょう。

また、このケースとは逆に、「シート上のデータを再利用するために、シートを丸ごと他のブックに移動/コピーしたら、通常のExcelブック形式で保存できなくなった」というケースに出くわすこともあります。

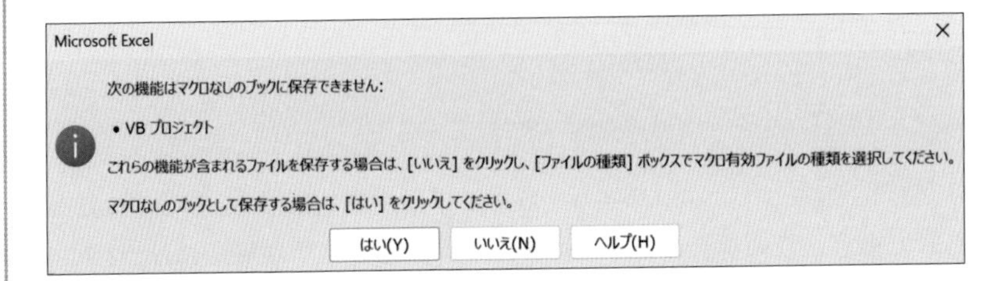

この原因は、コピーしたシートにイベントプロシージャを記述していたため、「マクロを含むブック」となってしまったためです。イベントプロシージャを作った本人であれば「ああ、そっか」ですみますが、知らない人にとっては、「何か自分がとんでもないことをしてしまったのでは」と恐怖を感じるケースでもあります。

特に、他でも扱うだろうデータを記録しているシートは、できるだけイベントプロシージャを記述しないようにしておいた方が「安全」です。どうしても該当シートでイベント処理を扱いたい場合は、シート丸ごとコピーするのではなく、新規シートを作成し、そこに必要なデータのみをコピーするマクロを別途用意する等の手段を用意しておくのもよいですね。

section 03 一定間隔で自動的に実行する

一定時間ごとに決められたファイルのデータをシート上に取り込んだり、Web上のデータを取り込んだり、はたまた制限時間付きのアンケートのようなものを作成したりと、マクロを今ではない一定の時間後に実行したいという場合があります。このようなケースでは、ApplicationオブジェクトのOnTimeメソッドが利用できます。

指定秒数後にマクロを実行する

OnTimeメソッドは、第1引数にマクロを実行したい「時間」を指定し、第2引数に実行するマクロ名を文字列の形で指定します。

▼指定時間後にマクロを実行する（Application.OnTimeメソッド）

```
Application.OnTime 実行時間, 実行マクロ
```

例えば、**「macro1」というマクロを「14:30」に実行**したい場合には、次のようにコードを記述します。

```
Application.OnTime TimeValue("14:30"), "macro1"
```

ただ、時間を指定してマクロを実行するよりは、「今から○○分、○○秒後に実行」という形で指定したい場合の方が多いでしょう。そのような場合には、「Now + 指定時間数」といった形でコードを記述します。次のコードでは、**「今から10秒後」にmacro1を実行**します。

```
Application.OnTime Now + TimeValue("00:00:10"), "macro1"
```

また、OnTimeメソッドで実行するマクロ内で、さらにOnTimeメソッドを実行すれば、一定時間ごとに処理を実行することも可能です。そのような場合には、マクロ内で再帰呼び出しの仕組みを用意します。

次のマクロ「タイマースタート」を実行すると、**1秒ごとにセルB2の値を「1」ずつカウントアップしていき、セルB2の値が「10」に達したらメッセージを表示して処**

理を終了します。

▼マクロ 6-5

```
Sub タイマースタート()
    'セルB2の値を「0」に初期化し、1秒後にCountUpをスタート
    Range("B2").Value = 0
    Application.OnTime Now + TimeValue("00:00:01"), "CountUp"
End Sub

Sub CountUp()
    'セルB2の値を「1」だけ加算し、「10」に達しない場合には再呼び出し
    Range("B2").Value = Range("B2").Value + 1
    If Range("B2").Value < 10 Then
        Application.OnTime Now + TimeValue("00:00:01"), "CountUp"
    Else
        MsgBox "カウントが10に達しました"
    End If
End Sub
```

実行例　一定間隔でマクロを実行

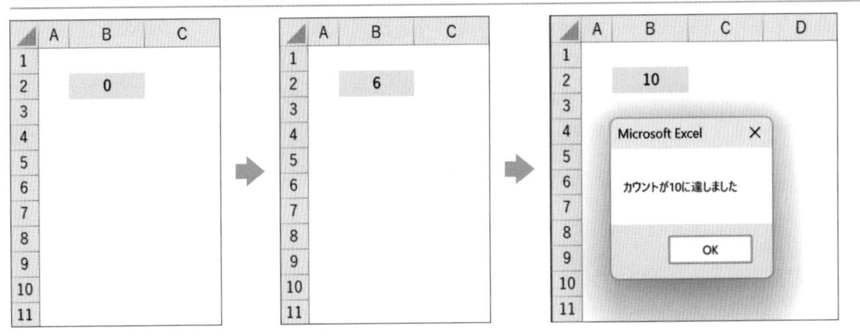

再帰的にマクロを呼び出す処理を作成する場合には、停止条件を判定するコードを用意しておかないと、無限ループになってしまいますのでご注意を。

ちょっとしたクイズ・コンテンツのようなお遊びのアプリケーションを作成する際にも応用できそうですね。

タイマー処理と注意点

OnTimeメソッドを利用したタイマー処理を行う際には注意点が2つあります。1つ目は、OnTimeメソッドで指定できる実行間隔の最小単位は「1秒」という点です。それ以下は指定不可能です。

2つ目は、OnTimeメソッドで指定したマクロは、「必ずその時間に実行する」というわけではない点です。PCの使用状況によっては遅れる場合もありますし、F2キーを押したり、数式バーを利用してセルの値を編集している最中等は実行されません(編集が終わった時点で実行されます)。あくまでも、「指定時間に実行できそうなら実行します」程度の約束なのです。厳密なタイミングが必要な処理や、必ず指定時間を知らせてほしいアラームのような処理にはあまり向いていない点に注意しましょう。

column

OnTimeメソッドの4つの引数

実はOnTimeメソッドには4つの引数が用意されています。3つ目の引数では、「この時間を過ぎたら実行自体を中止」する時間を指定します。セルの編集等の不測の事態で実行が遅れた場合に、実行自体をキャンセルする時間が指定できます。4つ目の引数は、明示的に実行予約をキャンセルしたい場合に利用します。より詳しい利用方法は、リファレンス(https://learn.microsoft.com/ja-JP/office/vba/api/Excel.Application.OnTime)を参照してください。

基礎編

Chapter 7

外部ライブラリで VBAの機能を拡張する

本章では、VBAから「外部ライブラリ」を利用する方法をご紹介します。外部ライブラリを利用すると、標準のVBAだけでは解決するのが難しい問題を、簡単に解決できるようになります。言わば、VBAの機能を拡張してくれる仕組みが外部ライブラリです。

本章の学習内容

❶外部ライブラリの仕組み
❷CreateObject関数と参照設定
❸よく使う外部ライブラリ

section 01 Excelにない機能も外部ライブラリで実現できる

VBAはExcelに用意されている多彩な機能をプログラムから扱えますが、逆に言うと、Excelの機能に用意されていないことは扱えません。しかし、外部ライブラリの仕組みを利用すれば、問題が解決する場合もあります。例えば、「正規表現」「連想配列(ハッシュテーブル)」「ファイル操作」等は、外部ライブラリを利用すれば、扱いが簡単になります。

ライブラリを利用する際の基本はCreateObject

VBAの機能を拡張できる仕組みである外部ライブラリは、実にさまざまなものが用意されています。

▼VBAから利用できるライブラリの例(抜粋)

ライブラリ(クラス文字列)	用途
Scripting.FileSystemObject	ファイル全般を扱うオブジェクト
Scripting.Dictionary	連想配列を扱うオブジェクト
VBScript.RegExp	正規表現を扱うオブジェクト
ADODB.Stream	さまざまな形式のテキスト・バイナリデータを扱う際に利用できるオブジェクト
Word.Application	Wordを扱うオブジェクト
PowerPoint.Application	PowerPointを扱うオブジェクト
WinHttp.WinHttpRequest	通信を扱うオブジェクト
MSXML2.DOMDocument	XML形式のデータを扱うオブジェクト
SAPI.SpVoice	音声合成を扱うオブジェクト

外部ライブラリは、VBAで扱いやすいようにオブジェクトの仕組みをベースに作成されています。そのため、外部ライブラリの機能を利用するには、まず、外部ライブラリを扱う窓口となるオブジェクトを作成し、そのオブジェクトを通じて操作を行うという形式を取ります。

この、窓口となるオブジェクトを作成する関数が、CreateObject関数です。

▼外部ライブラリを扱うオブジェクトを作成する(CreateObject関数)

```
CreateObject(ライブラリ.オブジェクトを指定するクラス文字列)
```

CreateObject関数は、引数に利用したいライブラリとオブジェクト(クラス)を指定する**クラス文字列**を指定して実行すると、そのオブジェクトを返す関数です。クラス文字列は、オブジェクトによって決まっています。

CreateObjectで作成したオブジェクトを操作する

CreateObject関数で作成したオブジェクトは、Object型の変数に格納し、以降はその変数を通じて用意されている機能を利用していくことになります。

例えば、次のコードでは、**音声合成エンジンである「SAPIライブラリのSpVoiceオブジェクト」を生成し、「ハロー Excel」と喋らせます**。

▼マクロ 7-1

```
'外部ライブラリのオブジェクトを受け取る変数を用意
Dim spVoiceObj As Object
'SAPIライブラリのSpVoiceオブジェクトを生成
Set spVoiceObj = CreateObject("SAPI.SpVoice")
'SpVoiceオブジェクトのSpeakメソッドを実行
spVoiceObj.Speak "ハロー Excel"
```

このように、

1. 外部ライブラリのオブジェクトを扱う変数を宣言
2. 外部ライブラリのオブジェクトを変数にセット
3. 変数経由で操作

という3手順が、外部ライブラリの機能を利用する典型的なパターンとなります。

column

どんな外部ライブラリが用意されているかを知る方法は？

「VBAから利用できる外部ライブラリにはどんなものが用意されているの？」「どうやって調べればいいの？」と聞かれることがありますが、この質問は非常に困ります。1つは、メチャクチャな数があるため、そのすべてを把握しきれないからです。もう1つは、WindowsのバージョンやOfficeのバージョンによってPCに組み込まれる外部ライブラリの内容は変化するうえに、ライブラリはユーザーが自由に作成することもできるため、決まった数のものだけが提供されているわけではないからです。

筆者が言えるのは、「CreateObject VBA 探している用途」というキーワードで検索してみると、探している機能に該当する外部ライブラリの情報にヒットしやすい、ということくらいです。例えば、「CreateObject VBA 正規表現」で検索すれば、ほぼ間違いなくRegExpオブジェクトの情報にたどり着けるでしょう。

column

ActiveXとは何？

外部ライブラリを調べていくと、ActiveXという言葉によくぶつかります。シート上に配置できるコントロールにもありましたよね。このActiveXとは、もともとは「Microsoft社のWebブラウザーであるInternet Explorerの機能を拡張する各種の仕組み」を指す言葉でした。Webブラウザー上でExcelを表示したいですとか、Word編集したいですとか、そういったことを行うための仕組みですね。その他さまざまな機能を持ったオブジェクトが用意され、それをIEから呼び出せるような仕組みが用意されました。このActiveXコントロールは独自のものを作成することも可能でした。

この仕組みで作成されたオブジェクトの中には、IEだけでなくOffice製品全般で使用できるものも多数あり、VBAからも利用できるというわけです。というか、実際は順番が逆で、OLE（Object Linking and Embedding）という「複数のアプリケーションから利用できるオブジェクトの規約」が先にあり、そのうちのWeb関連部分をピックアップしたのがActiveXです。ともあれ、VBAから利用するケースにおいては、「ActiveX」や「OLE」、それに「COM（Component Object Model）」等の単語を含むものを見かけたら、「ああ、いろいろなアプリケーションから利用できるオブジェクトやコントロールなんだな」くらいの感覚で接すればよいでしょう。

section 02 参照設定したライブラリの利用もできるけど…

さて、CreateObject関数経由で外部ライブラリのオブジェクトを利用する方法をご紹介しましたが、実は、この他にも外部ライブラリのオブジェクトを利用する方法が用意されています。それは、ライブラリを**参照設定**して利用する方法です。

参照設定でライブラリを認識させる

VBEのメニューバーで、**ツール→参照設定**を選択すると、「参照設定」ダイアログが表示されます。実は、このダイアログに表示される膨大な量のリストの1つひとつが、外部ライブラリなのです。

▼参照設定可能なライブラリ

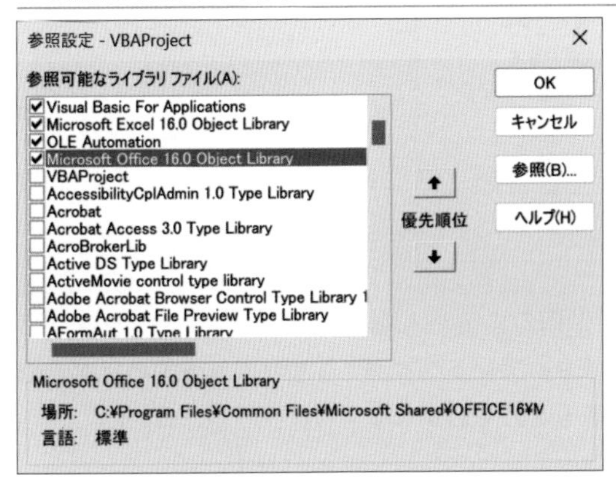

VBAでは、Excelの機能を扱うための基本的なライブラリ等、4つのライブラリを標準的に参照しています(ユーザーフォームを扱う場合はプラス1されます)。

その他に利用できる(かもしれない)ライブラリの候補がリスト表示され、利用したいライブラリにチェックを入れて、**OK**ボタンを押すと、そのライブラリのオブジェクトをVBEが認識できるようになります。

参照設定したライブラリの利用方法

VBEが外部ライブラリを認識できるようになると、外部ライブラリとの窓口となるオブジェクトを扱う変数も固有オブジェクト型で宣言できるようになります。この状態では、CreateObject関数を利用せずとも、New演算子で外部ライブラリ内のオブジェクトを生成できるようになります。また、外部ライブラリ内に登録されている情報を参照できるようになることから、標準のVBAのオブジェクトを利用するのと同様に、コードヒントが表示されるようになります。

例えば、正規表現を行うオブジェクトであるRegExpオブジェクトは、Microsoft VBScript Regular Expressions x.xライブラリ(xはバージョン番号)に用意されているオブジェクトですが、このライブラリを参照設定すると、次のような形で利用できます。

▼参照設定した場合

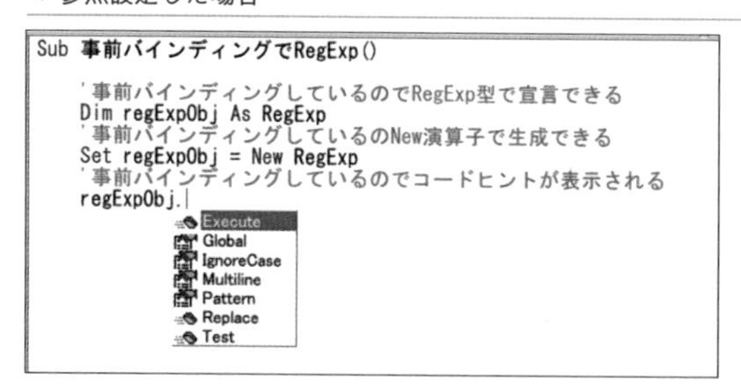

Sub 事前バインディングでRegExp()
'事前バインディングしているのでRegExp型で宣言できる
Dim regExpObj As RegExp
'事前バインディングしているのNew演算子で生成できる
Set regExpObj = New RegExp
'事前バインディングしているのでコードヒントが表示される
regExpObj.
Execute
Global
IgnoreCase
Multiline
Pattern
Replace
Test

また、参照設定を行ったライブラリ内のオブジェクトは、オブジェクトブラウザーで調査できるようになるため、用意されているプロパティやメソッド等の定義を調べることが可能となります。引数等もこれでわかりますね。

▼参照設定を行った場合はオブジェクトブラウザーにも表示される

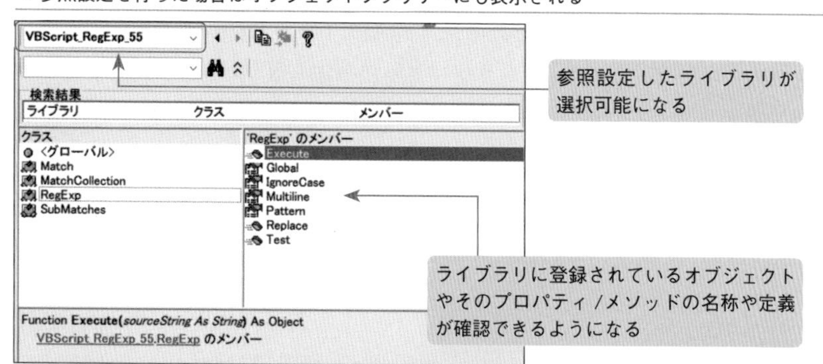

このように、参照設定を行ったうえで、外部ライブラリのオブジェクトを利用する方法を、事前バインディング(Early Binding)と呼び、CreateObject関数によって実行時に外部ライブラリのオブジェクトを生成する方法を、実行時バインディング(Dynamic Binding)や遅延バインディング(Late Binding)と呼びます。

「データ型が指定できてコードヒントも表示されるなんて、事前バインディングの方がいいじゃないか!」と思う方も多いかと思います。しかし、事前バインディングにはデメリットもあるのです。特に、異なる環境のPCへと事前バインディングを行ったブックを持ち込んだときに、問題が起きる可能性があります。

外部ライブラリは、1つのライブラリが1つのファイルの形で提供されていますが、その保存場所や、そもそも存在しているかどうかは、PCの環境によって異なります。一方、参照設定は「ライブラリファイルのあるパス情報」を元に行っているため、環境の異なるPCでは問答無用でエラーとなる可能性があります。つまり、「危ない」のです。

それに対して、CreateObject関数による生成は、クラス文字列を元にPC内の検索を行い、そのオブジェクトが存在すれば生成を行い、なければ実行時エラーを返す(つまりエラートラップできる)ため、PCの環境にあまり左右されません。

また、「該当ライブラリがメチャクチャ探しにくい」という問題もあります。「参照設定」ダイアログを見ると納得していただけると思うのですが、外部ライブラリの数が多すぎて、目的のライブラリがどれなのかが非常にわかりにくく、UI的にも1つひとつを目で見て探し、手作業でチェックするのが大変なうえにミスを起こしやすいのです。そのため、CreateObject関数で決め打ちしてしまった方が圧倒的に手軽で正確なのです。

しかし、実行時バインディングには、「VBEがオブジェクトを認識していないので、Object型変数ベースでの操作になるうえに、コードヒントが表示されない」というデメリットがあります。どちらを利用するかは悩ましいところです。

筆者の個人的なお勧めは、「初めて利用する外部ライブラリのオブジェクトは、ライブラリ名がわかっている場合には参照設定をしてみて、利用できるプロパティやメソッドを確認し、コードヒントを利用して作成する」「慣れてきた場合や、自分のPC以外の環境でも使うような場合は、実行時バインディングへと切り替える」という2段構えでの利用です。

何はともあれ、外部ライブラリを利用すれば、標準のVBAだけでは難しい処理も、簡単にできるようになる場合もあります。利用方法がいまいちわからなくても、今はWebで検索すれば、ある程度の情報にアクセスできる時代です。クラス文字列等を手がかりに検索し、用途に応じて積極的に利用していきましょう。

column

WindowsAPIを利用する方法も

本書では扱いませんが、VBAからWindows全般を操作するために用意されている関数群である「WindowsAPI」を扱う方法も用意されています。興味のある方は、「VBA WindowsAPI」等のキーワードで検索してみてください。

column

外部ライブラリはExcelとは異なる「寿命」がある

Excelだけでは実現が難しい機能を手軽に補間できる外部ライブラリですが、その使用には1つ注意点があります。それはExcelとは異なる「寿命」がある点です。

外部ライブラリはその名の通り、Excelとは独立した「外部」のライブラリです。そのため、Excelのバージョンに関わらずに廃止されることもあります。つまりは「以前は使えていたのにWindowsをアップデートしたら使えなくなった」「Excelのバージョンは同じなのに、自分のPCでは使えて別のPCでは使えない」といったギャップが生じやすい仕組みでもあります。

例えば、2022年12月現在、かつてWindowsの標準ブラウザーであったInternet Explorer (IE) は、アプリケーションとしてのサポートは終了しています。ただし、IEがインストールされている環境では、クラスID「InternetExplorer.Application」により、外部ライブラリとしては利用できる状態ではあります。「VBAからIEを操作する」ことも、もうしばらくは可能と言えば可能でしょう。

ただ、Microsoft社はEdgeを標準ブラウザーとして推進する方針のため、近い将来、IEは完全に利用できなくなるでしょう。そうなると、外部ライブラリとしての利用も不可能になる可能性が高いです。

このように、外部ライブラリはExcelのバージョン以外の環境の変化によって利用の可否が変化する仕組みです。異なる環境で利用したい場合や、OSのアップデートを行った場合には、「この環境でも利用可能なライブラリなのか」をチェックするよう注意しながら利用していきましょう。

基礎編

Chapter 8

マクロのパーツ化やユーザー定義関数

本章では、複数のマクロを連携する方法や、ユーザー定義の関数の作り方、そして、自作のオブジェクト（クラス）の作り方と決めておきたいルールをご紹介します。
大き目の処理を作成する場合には、マクロを分割して管理した方が見通しもよくなり、デバッグやテストを行いやすくなります。複数の仕組みを連携する仕組みを見ていきましょう。

本章の学習内容

❶プロシージャ間の連携
❷モジュール単位での整理整頓
❸クラスモジュールを利用した自作オブジェクト
❹バックアップの方法

section 01 マクロをパーツ化し、呼び出して利用する

VBAでは、1つのマクロを他のマクロから呼び出す仕組みも用意されています。いわゆるサブルーチン化の仕組みです。もともと、個別のマクロは「Sub」から書き始めることからもわかるように、個別の「マクロなサブルーチン」を扱うための言語ですが、複数のサブルーチンを組み合わせることで、比較的大きな処理を整理しながら作成できるようになります。

マクロを呼び出す

マクロ内から他のマクロを呼び出すには、Callステートメントを利用します。

▼他のマクロを呼び出す(Callステートメント)

```
Call マクロ名
```

次のコードは、**「macroA」から、「macroB」という名前のマクロを呼び出す**ものです。

▼マクロ 8-1

```
Sub macroA()
    Debug.Print "macroAを実行-1"
    'マクロBを呼び出す
    Call macroB
    Debug.Print "macroAを実行-2"
End Sub

Sub macroB()
    Debug.Print "macroBを実行"
End Sub
```

Callステートメントは実行された時点で引数に指定したマクロへと処理が移ります。そして、呼び出された側のマクロの処理が終わると、呼び出した側のマクロへと戻り、その後に続く処理を実行します。

上記のmacroAを実行した結果が次図です。出力された内容を確認すると、Callステートメントの箇所でmacroBが呼び出され、macroBの処理を終了し、macroAへと戻って以降の処理が実行されたことが確認できますね。

▼Callステートメントで他のマクロを呼び出す

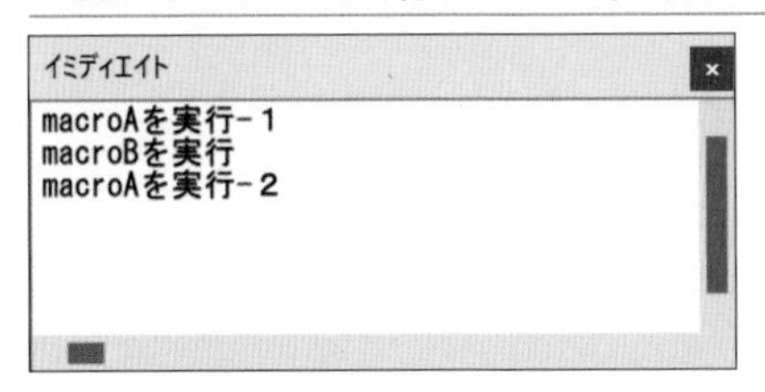

column

実はCallしなくても呼べてしまう

他のマクロを呼び出す場合、実はCallステートメントを利用せずとも、単にマクロ名を記述するだけでも呼び出せます。次のようにマクロ名を書くだけで、macroBを呼び出すことができます。

```
macroB
```

記述が簡単ですが、ちょっと唐突すぎるような気もしますね。

マクロに引数を設定する

マクロをパーツ化する際に便利な仕組みが引数です。マクロに引数を持たせるには、マクロ名の後ろの括弧の中に、引数とデータ型を指定します。

▼マクロに引数を持たせる

```
Sub マクロ名(引数 As データ型)
    引数を利用した処理
End Sub
```

例えば、次のコードは、**Range型の引数「rng」を用意し、rngに与えられたセルに「Hello!」と入力**します。

▼マクロ 8-2

```
Sub inputHelloToRange(rng As Range)
    '引数rngに与えられたセルに入力
    rng.Value = "Hello!"
End Sub
```

このマクロを利用するには、次のようにCallステートメントを記述します。

▼引数付きのマクロを呼び出す

```
Call マクロ名(引数)
```

引数を指定してCallステートメントを実行する場合には、マクロ名を指定後に、括弧内に引数を記述します。次のコードは、**それぞれセルB2とセル範囲B4:D5を引数に指定して、引数付きのマクロinputHelloToRangeを呼び出す**ものです。

▼マクロ 8-3

```
Call inputHelloToRange(Range("B2"))
Call inputHelloToRange(Range("B4:D5"))
```

実行例　引数付きのマクロの呼び出し

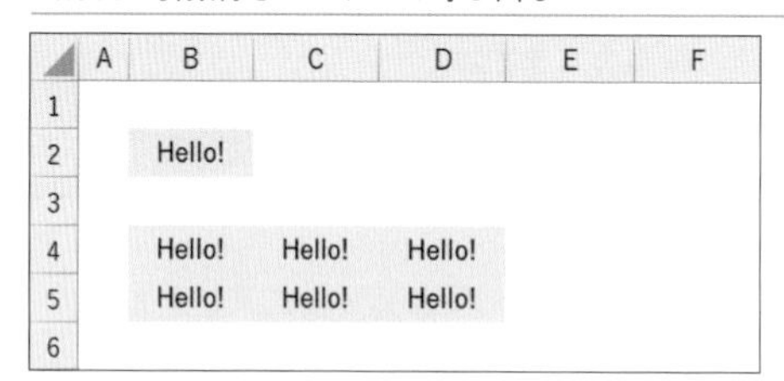

受け取った引数は、変数のようにマクロ内で扱えます。先のマクロ「inputHelloToRange」では、受け取ったRange型のセル範囲へと、引数を通じてアクセスして値を入力しています。

省略可能な引数を設定する

引数を設定したマクロを呼び出す際に、呼び出し側で引数の指定が不足しているとエラーになってしまいます。Optionalキーワードを利用することで呼び出し側で引数の指定を「省略可能」とすることができます。その際、値を扱う引数にデフォルト値を設定することも可能です。

▼マクロに省略可能な引数を持たせる

```
Sub マクロ名(Optional 引数 As データ型 = デフォルト値)
```

次のマクロ「multiply」は、「rng」と「num」の2つの引数を持ちますが、2つ目の「num」は省略可能な引数です。次のマクロは、**引数として渡されたセル範囲の値を、同じく引数で渡された値で乗算**します。

▼マクロ 8-4

```
Sub multiply(rng As Range, Optional num As Long = 2)
    'rngへとnumの値をかける
    rng.Value = rng.Value * num
End Sub
```

このマクロを2つの方法で呼び出してみましょう。1つ目は、**セルと乗算する値を指定**しています。2つ目は、**セルだけを指定して呼び出します**。

▼マクロ 8-5

```
'引数を2つ指定
Call multiply(Range("B2"),5)
'2つ目の引数を省略
Call multiply(Range("B4"))
```

実行例　マクロの呼び出し結果

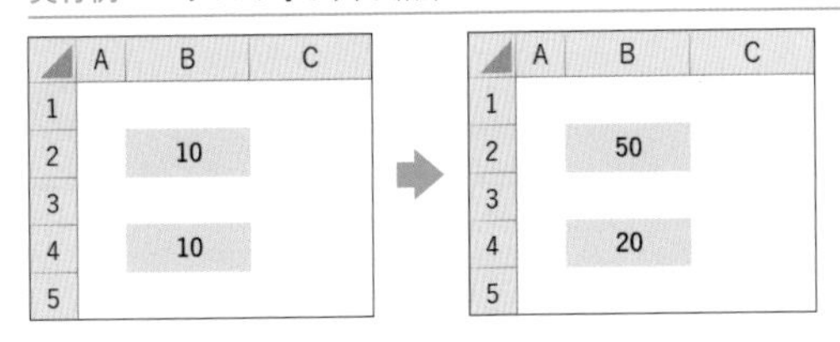

引数「num」を指定して呼び出した場合は、その値を利用した計算が行われ、指定しなかった場合は、「Optional 変数名 = デフォルト値」の形で指定したデフォルト値である「2」が利用されます。

Optionalキーワードは複数の引数に対して利用可能ですが、「1つの引数を省略可能にした場合には、以降の引数もすべて省略可能にしなくてはいけない」というルールがあります。

なお、オブジェクト型の引数には、Optionalキーワードを使ったデフォルト値の設定はできません。とりあえずOptionalキーワードを設定しておき、マクロ内で「引数がNothingかどうか」を判定してデフォルト値をセットする等の処理を用意して対応しましょう。

例えば、次のマクロは、**Range型の引数「rng」を用意し、呼び出し側で引数を省略した場合はアクティブセルを処理の対象として「VBA」と入力**します。

▼マクロ 8-6

```
Sub inputVBAToRange(Optional rng As Range)
    '引数の指定がない場合はアクティブセルをセット
    If rng Is Nothing Then Set rng = ActiveCell
    '引数rngに受け取ったセルに入力
    rng.Value = "VBA"
End Sub
```

セルB2を選択した状態で、次の2パターンの方法で上記のマクロを呼び出すと、図のような結果となります。**最初の呼び出しはセル範囲B4:D5を指定し、2つ目はセルの指定を省略して呼び出しています。**

▼マクロ 8-7

```
'引数を指定
Call inputVBAToRange(Range("B4:D5"))
'引数を省略
Call inputVBAToRange
```

実行例　マクロの呼び出し結果

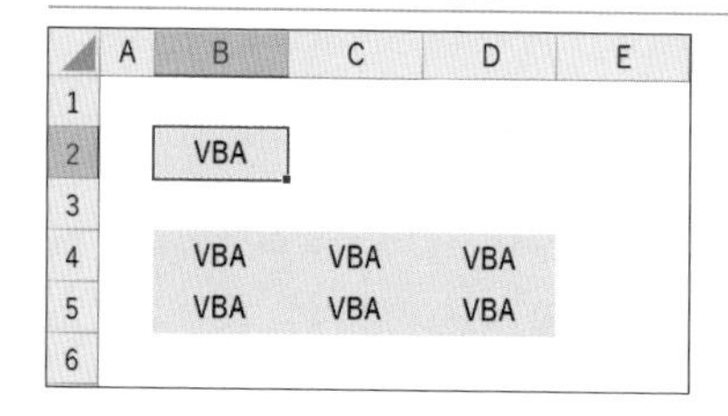

引数の「参照渡し」と「値渡し」

引数を用意する場合、参照渡しか値渡しかを、ByRefキーワードかByValキーワードを使って指定することが可能です。キーワードの指定を省略した場合は、参照渡しとなります。

参照渡しとは、その名の通り参照ごと引数を渡す形式です。それに対して値渡しは、引数を渡すときは値のコピーを渡す形式です。

ちょっとわかりにくいので、実際のコードで動作を確認してみましょう。次のように、ともに**引数「str」を持つ2つのマクロ**を作成します。違いは、引数の受け取り形式のみです。

▼マクロ 8-8

```
Sub 参照渡しのマクロ(ByRef str As String)
    str = "Callしたマクロ内で変更した値"
End Sub

Sub 値渡しのマクロ(ByVal str As String)
    str = "Callしたマクロ内で変更した値"
End Sub
```

この2つのマクロに、文字列型の変数を引数として渡してみましょう。それぞれ、**変数strの元の値と、引数として渡された値を表示**します。

▼マクロ 8-9

```
Dim str As String
'参照渡しのテスト
str = "元の値"
Debug.Print "呼び出し前の値：", str
Call 参照渡しのマクロ(str)
Debug.Print "呼び出し後の値：", str
Debug.Print "-----"
'値渡しのテスト
str = "元の値"
Debug.Print "呼び出し前の値：", str
Call 値渡しのマクロ(str)
Debug.Print "呼び出し後の値：", str
```

実行例 マクロの呼び出し結果

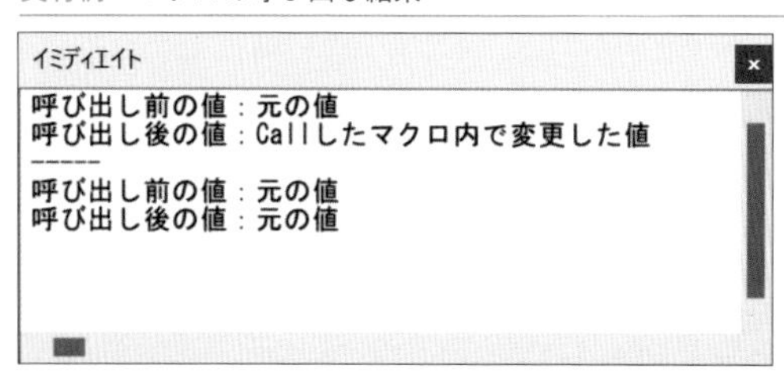

参照渡しで渡した変数は、Call先で値を変更されると、変更された値を「持ち帰る」ような動きとなります。一方、値渡しで渡した変数は、Call先で値を変更されても、もともと渡したのが「値のコピー」なので、元の変数の値には影響を与えません。

参照渡しと値渡しは、引数として受け取った値の扱いに、このような差異が産まれます。ちなみにVBAには、「明示的に値渡しで引数を渡したい」という場合に、**引数を括弧で囲む**という記述ルールも用意されています。つまり、次のように引数を括弧で囲むことで、参照渡し形式のマクロへと引数を渡す際に、値渡しのように値のコピーを渡してくれます。何と言うか、変なルールですね。

▼「値渡し」で引数を渡す

```
Call 参照渡しのマクロ((str))
```

特に設定を行わない際の既定の扱いが参照渡しですので、「自分以外のメンバーが作成した、内容が不明なサブルーチンを呼び出す際、渡す引数の内容を絶対に変更されないようにしたい」というようなケースでは、この記述ルールを使ってみましょう。

column

MsgBox関数で混乱しないための整理

VBAでは関数・プロパティ・メソッド問わず、基本的に引数を渡す際には「戻り値を受け取らないなら括弧で囲まず、受け取るのであれば括弧で囲む」という、他言語ではなかなか見かけないルールになっています。このルールに加え、「引数を強制値渡ししたい場合は個々の引数を括弧で囲むのもアリ」というルールがあるため、少々混乱する場面があります。おそらく、一番混乱するのがMsgBox関数でしょう。次のコードはともにMsgBox関数を使ってメッセージを表示します。

```
MsgBox "VBA"
MsgBox ("VBA")
```

上のコードがVBA標準の引数の渡し方で、下のコードは実は「第1引数を強制値渡しにしてMsgBox関数を呼び出し」という意味になります。そして次のコードはともに、MsgBox関数の戻り値(ユーザーが押したボタンに対応する定位数)を変数fooに代入します。

```
foo = MsgBox("ok?", vbYesNo)
foo = MsgBox(("ok?"), vbYesNo)
```

「戻り値がなくても括弧で囲んでいい場合もあるじゃん。なにこの言語?」という場面に遭遇して疑問を感じた場合には、このややこしい仕組みを思い出して整理してみてください。

column

不特定多数な引数を受け取りたい場合はパラメーター配列を利用

決まった数の引数ではなく、不特定多数の引数を受け取りたい場合には、ParamArrayキーワードを利用してVariant型の配列の形で引数を宣言します。次のマクロは、**受け取った引数をすべて加算した結果を出力するマクロ「calcSum」を定義**します。

```
'パラメーター配列型の引数を持つマクロ
Sub calcSum(ParamArray values() As Variant)
    Dim num As Variant, result As Long
    '配列の形で受け取った複数の引数をループ処理ですべて加算
    For Each num In values
        result = result + num
    Next
    Debug.Print "加算結果：", result
End Sub
```

引数「values」を、「ParamArray values() As Variant」としている点に注目してください。このマクロは、以下のように不特定多数の引数を渡して呼び出せます。

```
Call calcSum(1, 2)
Call calcSum(1, 2, 3, 4, 5, 6, 7, 8, 9)
```

実行例　パラメーター配列の仕組みで引数を定義

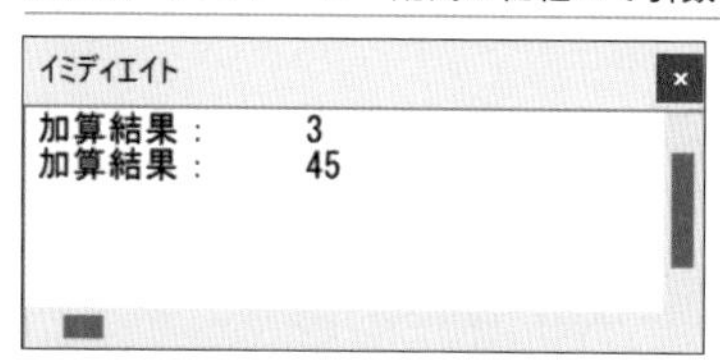

渡された不特定多数の値は、配列の形で引数に格納されます。あとはマクロ内で個々の値を取り出せば、すべての値をマクロ内で利用できます。上記コードでは、For Eachステートメントで引数valuesに格納された個々の値を取り出し、加算しています。

なお、このParamArrayキーワードを利用した引数に格納される配列を特にパラメーター配列と呼びます。

section

02 ユーザー定義関数の作り方

サブルーチンではなく、値やオブジェクトを返す関数を作成したい場合には、Functionプロシージャを利用します。

Functionプロシージャでユーザー定義関数を作成する

Functionプロシージャの基本的な構文は、次のようになります。

▼ユーザー定義関数を作成する（Functionプロシージャ）

```
Function 関数名(引数) As 戻り値のデータ型 任意の処理
    関数名 = 戻り値
End Function
```

マクロの本体であるSubプロシージャと大きく異なる点は、以下の3つです

- 「Function」で始まり、「End Function」で終わる
- 関数名を定義する際に戻り値のデータ型を指定できる
- 関数内で「関数名 = 値」の形で、関数名と同じ識別子に代入された値が戻り値となる

Functionプロシージャにおいて最もユニークな仕組みは、戻り値の指定方法です。戻り値は、関数内のどこかで「関数名 = 値」の形で指定します。関数の処理を終えたとき、この「関数名」に入っている値が戻り値となります。

例えば、次の関数「getHello」は、**戻り値として常に「Hello!」という文字列を返します**。

▼マクロ 8-10

```
Function getHello()As String
    getHello = "Hello!"
End Function
```

Functionプロシージャとして作成した関数（ユーザー定義関数）を利用するには、

通常の関数と同じように関数名を記述するだけでOKです。次のコードは、**ユーザー定義関数getHelloの戻り値を表示**します。

▼マクロ 8-11

```
Debug.Print getHello
```

実行例　戻り値の値を表示

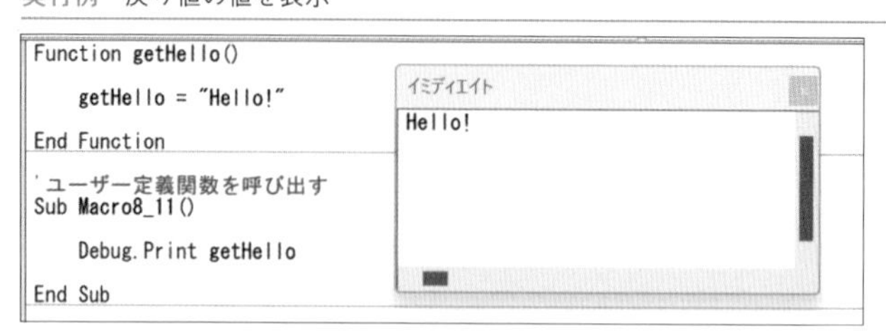

ユーザー定義関数には、Subプロシージャと同じように引数を設定可能です。次の関数「add2Values」は、**「value1」「value2」の2つの引数を受け取り、その2つを加算した値を戻り値として返します**。

▼マクロ 8-12

```
Function add2Values(value1 As Long, value2 As Long) As Long
    add2Values = value1 + value2
End Function
```

戻り値を返すユーザー定義関数は、イミディエイトウィンドウに「? 関数名(引数1,…)」と糖衣構文(48ページ)を使ってコードを記述することで、その場で実行して戻り値をチェックできます。手軽な確認方法ですので活用していきましょう。

▼ユーザー定義関数に引数を設定して確認

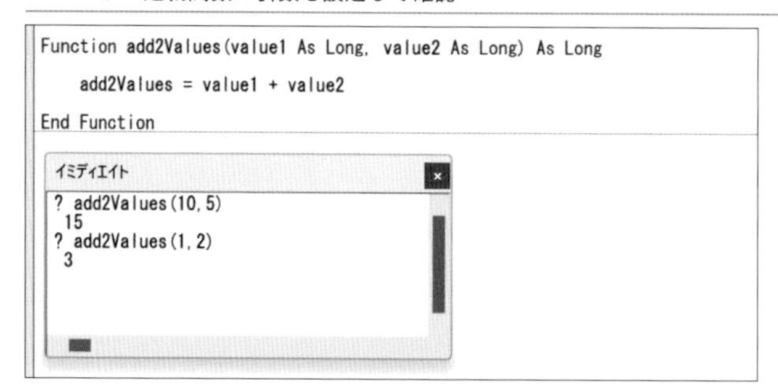

オブジェクト型の戻り値を返したい場合には、関数内で、「Set 関数名 = オブジェクト」の形で戻り値を指定します。

次の関数「getDataRange」は、**引数として受け取ったセル範囲のうち、見出しを除くセル範囲を戻り値として返します**。

▼マクロ 8-13

```
Function getDataRange(tableRng As Range) As Range
    '引数として受け取ったセル範囲の2行目以降を戻り値として返す
    Set getDataRange = tableRng.Rows("2:" & tableRng.Rows.Count)
End Function
```

この関数は、Rangeオブジェクト型の戻り値を返すので、そのまま戻り値を利用してセルを操作するような形で利用できます。次のコードは、**上記の関数にセル範囲B2:D6を渡し、そのまま戻り値に対してSelectメソッド(セルを選択)を実行**しています。

▼マクロ 8-14

```
getDataRange(Range("B2:D6")).Select
```

実行例　見出しを除く範囲を選択

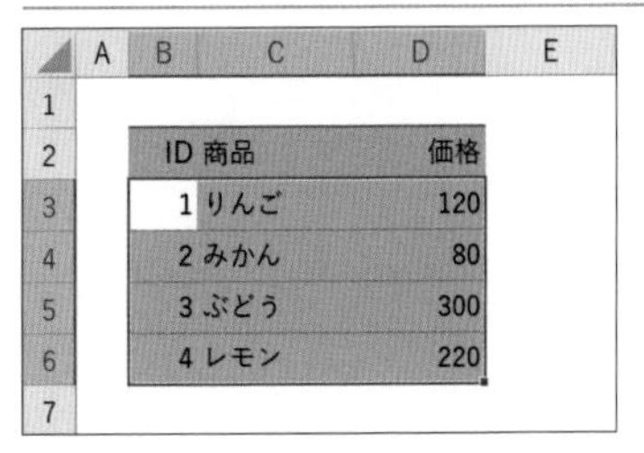

結果は、見出しを除くセル範囲である、セル範囲B3:D6が選択されていますね。オブジェクトを戻り値とする関数は、このような形で作成します。

なお、ユーザー定義の呼び出しは、サブルーチンと同様にCallステートメントを付けて「Call ユーザー定義関数」の形式で行うことも可能です。

ワークシートからも呼び出せてしまう点に注意

さて、ユーザー定義関数の作成・利用方法をご紹介してきましたが、実は、このユーザー定義関数はワークシート関数として呼び出せます。というか、呼び出せてしまいます。

例えば、**2つの引数を合計した値を返す「add2Values」関数（マクロ8-12）**をワークシート関数として呼び出すと、以下のようになります。

```
Function add2Values(value1 As Long, value2 As Long) As Long
    add2Values = value1 + value2
End Function
```

▼シート上からユーザー定義関数を利用できる

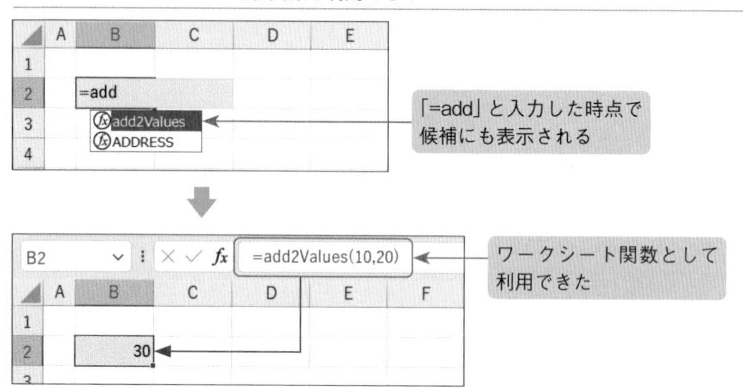

これはこれで便利な仕組みなのですが、VBAだけで利用したい（ワークシート関数としては利用したくない）関数もありますよね。そのような場合には、Private修飾子を「Function」の前に付加してユーザー定義関数を作成します。

```
Private Function add2Values(value1 As Long, value2 As Long) As Long
```

これでこのユーザー定義関数は「ワークシートからは見えなくなり、同一モジュール内からは利用できるが他のモジュールからは利用できない関数」となります。

column

明示的に公開するのであれば「Public修飾子」を利用

Private修飾子は、FunctionステートメントだけでなくSubステートメントにも付加できます。214ページで紹介したイベントプロシージャにも付加されていましたね。

Private修飾子は、そのプロシージャや関数が「どこから利用できるのか」という、いわゆるスコープを指定するアクセス修飾子の1つです。VBAにはもう1つPublic修飾子が用意されており、アクセス修飾子を省略した場合や、明示的にPublic修飾子を付加した場合は、「どこからでも呼び出せる」という状態になります。

section
03 カスタムオブジェクトを自作する

VBAでは独自のオブジェクトをカスタムオブジェクトとして作成できます。このオブジェクトを作成する場合の手順を見ていきましょう。カスタムオブジェクトを作成するには、オブジェクト1つひとつに対して、専用のモジュールであるクラスモジュールを用意し、そこに定義を作成していきます。

カスタムオブジェクトは「クラスモジュール」で作成

クラスモジュールを追加するには、VBEのメニューから**挿入→クラスモジュール**を選択します。すると、プロジェクトエクスプローラー内の「クラスモジュール」部分に、新規のクラスモジュールが追加されます。

まずはオブジェクト名を設定しましょう。「Class1」等の既定の名前が付けられているクラスモジュールを選択し、プロパティウィンドウ内の、**(オブジェクト名)**欄にオブジェクト名を入力します。以下の例では、カスタムオブジェクト名を「Goods」としています。

▼クラスモジュールを作成してオブジェクト名を決める

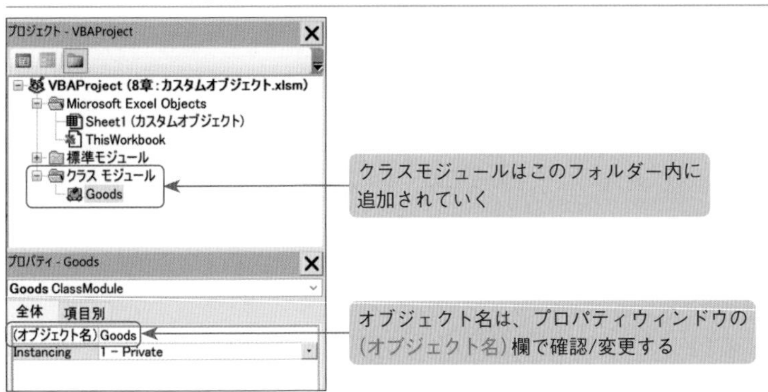

カスタムオブジェクトは自由に独自のプロパティやメソッドを追加できます。一連のデータをわかりやすいプロパティ名で整理したり、データを扱う処理をメソッドとしてまとめることで、扱いやすくできる便利な仕組みなのです。

プロパティ・メソッドの作成方法

カスタムオブジェクトにプロパティを用意するには、クラスモジュール内でPublicステートメントを利用して、変数を宣言するときと同じような形でプロパティ名を定義します。

▼独自のプロパティを定義する

```
Public プロパティ名 As データ型
```

次のコードは、**商品名を扱う「Name」プロパティと、価格を扱う「Price」プロパティを定義**するものです。

▼マクロ 8-15

```
'商品名を扱うプロパティを定義
Public Name As String
'価格を扱うプロパティを定義
Public Price As Currency
```

メソッドを作成するには、クラスモジュール内に、SubプロシージャやFunctionプロシージャで定義していきます。例えば、次のマクロは、**商品情報をメッセージボックスに表示するメソッド「ShowInfo」と、商品名と値を配列の値で返すメソッド「ToArray」を定義**します。

▼マクロ 8-16

```
'商品名と価格をダイアログ表示するメソッド
Public Sub ShowInfo()
    MsgBox "商品名：" & Name & vbCrLf & "価格：" & Price
End Sub

'商品名と値の配列を返すメソッド
Public Function ToArray() As Variant
    ToArray = Array(Name, Price)
End Function
```

プロパティ・メソッドを定義したクラスモジュールの全体は、次図のような状態となります。

なお、メソッドの中でプロパティ値を利用する場合には、メソッドを記述する前に(モジュールの上の部分で)プロパティを定義しておきましょう。

▼オブジェクトの定義

```
Option Explicit

'商品名を扱うプロパティを定義
Public Name As String
'価格を扱うプロパティを定義
Public Price As Currency

'商品名と価格をダイアログ表示するメソッド
Public Sub ShowInfo()

    MsgBox "商品名：" & Name & vbCrLf & "価格：" & Price

End Sub

'商品名と値の配列を返すメソッド
Public Function ToArray() As Variant

    ToArray = Array(Name, Price)

End Function
```

例として作成した「Goodsオブジェクト」は、以下の2つのプロパティとメソッドを持つオブジェクトとして定義できました。

▼Goodsオブジェクトのプロパティ/メソッド

プロパティ/メソッド	用途
Nameプロパティ	商品名を取得/設定
Priceプロパティ	価格を取得/設定
ShowInfoメソッド	商品名と価格をメッセージボックスに表示
ToArrayメソッド	商品名と価格の配列を返す

column

Meキーワードで「自分」を指定する

クラスモジュール内では、Meキーワードで「オブジェクト自身」へアクセスできます。例えば、「Me.Name」と記述すれば、「オブジェクト自身のNameプロパティ」へとアクセスできます。

既存のVBAのオブジェクトと同名のプロパティ名を設定したようなケースにおいて、明示的に、「自分のプロパティ/メソッドを利用しているんですよ」ということを強調したい場合等にも利用できる仕組みですね。

作成したカスタムオブジェクトの使い方

作成したカスタムオブジェクトは、通常のオブジェクトと同じように扱えます。少し異なるのは、新規のカスタムオブジェクトを利用する際には、New演算子を利用することです。

例として、先ほど作成したGoodsオブジェクトを利用してみましょう。まずは**カスタムオブジェクトに対応した固有データ型の変数を宣言し、続いてカスタムオブジェクトを生成し、最後に定義したプロパティとメソッドを利用**します。標準モジュールにマクロを追加して利用します。

▼マクロ8-17

```
'固有データ型の変数を宣言
Dim myGoods As Goods
'オブジェクトの生成
Set myGoods = New Goods
'プロパティの利用
myGoods.Name = "フルーツ詰め合わせ"
myGoods.Price = 1800
'メソッドの利用
myGoods.ShowInfo
Range("B3:C3").Value = myGoods.ToArray
```

実行例　カスタムオブジェクトの利用結果

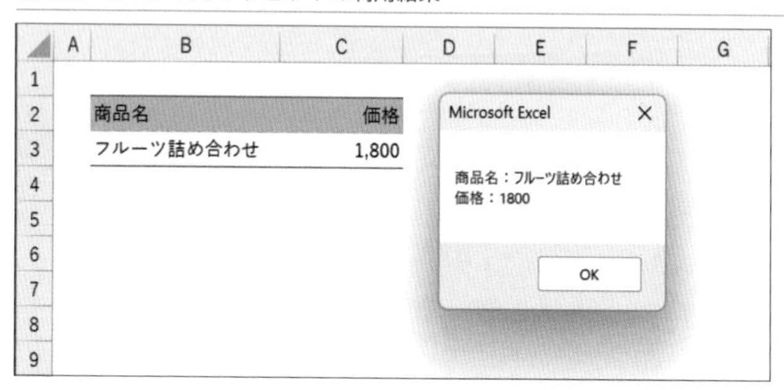

具体的に見てみると、「Goods」型の変数myGoodsを宣言し、New演算子でGoodsオブジェクトを生成・代入し、そのうえで、Goodsに用意したプロパティとメソッドを使用しています。

結果を確認してみると、定義した通りにプロパティに値を設定し、その値をメソッドから利用できていることがわかりますね。

なお、カスタムオブジェクトを利用してコードを記述していく最中には、きちんとコードヒントも表示されます。

▼コードヒントも表示される

```
Sub コードヒントの利用()
    'カスタムクラス型の変数を用意
    Dim myGoods As Goods

    Set myGoods = New Goods
    myGoods.
```


用途に合わせたオブジェクト名やプロパティ名・メソッド名を持つカスタムオブジェクトを作成することで、コードの内容がわかりやすく整理できますね。

コンストラクタ関数はありません

VBAのカスタムオブジェクトには、「インスタンスの生成時に、初期値となるパラメーターを与える仕組み」である、いわゆる「コンストラクタ関数」の仕組みは用意されていません。

そこで、「初期値を与えて初期化したい」という場合には、何らかの独自の方法を用意する必要があります。以下、3つほどの代替手段候補をご紹介します。

●Initializeイベントを利用する

まずは、Initializeイベントを利用する方法です。Initializeイベントは、新規オブジェクトが生成された時点で発生するイベントです。クラスモジュール上端のオブジェクトとプロシージャの2つのドロップダウンリストボックスから、それぞれ「Class」「Initialize」を選択すると、ひな型が入力されます。

▼Initializeイベント

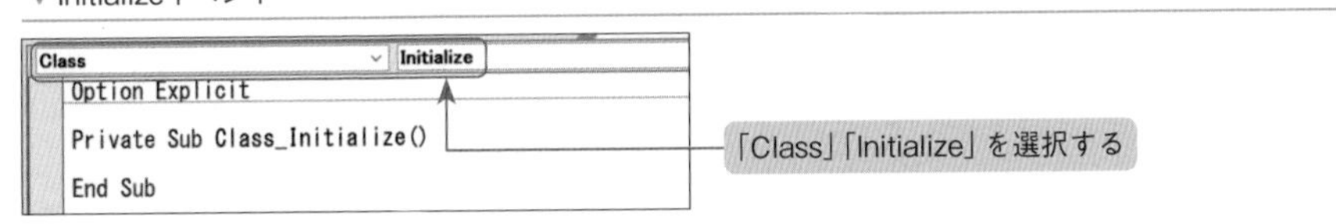
```
Option Explicit

Private Sub Class_Initialize()

End Sub
```

あとは、このひな型の中に、初期値を設定するコードを記述すればOKです。いわゆる「デフォルトの値」である固定の値を設定したい場合には、この方法で初期値を設定しましょう。次のマクロは、**クラスモジュール内で定義したNameとPriceプロパティに初期値を設定**します。

▼マクロ 8-18

```
Private Sub Class_Initialize()
    Me.Name = "名称未設定"
    Me.Price = 99999
End Sub
```

●初期化メソッドを用意する

続いては、オブジェクトに独自の初期化用メソッドを用意する方法です。独自の初期化メソッドを用意する場合には、どのオブジェクトでも同じ名前のメソッドを用意しておくのがよいでしょう。例えば、「Initメソッド」という名前で初期化を行うとします。次の例では、**InitメソッドでクラスモジュールInitメソッドでクラスモジュール内で定義したNameとPriceプロパティの初期値を設定**しています。

▼マクロ 8-19

```
Sub Init(pName As String, pPrice As Currency)
    Me.Name = pName
    Me.Price = pPrice
End Sub
```

このようなパターンで作成したカスタムオブジェクトを利用する際には、次のように「New」して「Init」というルールでオブジェクトを利用します。

▼マクロ 8-20

```
Dim myGoods As Goods
'オブジェクトの生成
Set myGoods = New Goods
'プロパティの初期化
myGoods.Init "フルーツ詰め合わせ", 1800
```

●関数を用意する

最後は、新規オブジェクトを作成する専用の関数を標準モジュールに用意する方法です。例えば、**「新規Goodsオブジェクトを生成する関数」**である**「createGoods関数」**を用意してみましょう。

▼マクロ 8-21

```
Private Function createGoods(pName As String, _
                             pPrice As Currency) As Goods
    Dim tmpGoods As Goods
    '新規Goodsオブジェクトを生成してプロパティに引数の値をセット
    Set tmpGoods = New Goods
    tmpGoods.Name = pName
    tmpGoods.Price = pPrice
    '戻り値として返す
    Set createGoods = tmpGoods
End Function
```

この場合、**新規のGoodsオブジェクトを生成**するコードは、以下のようになります。

▼マクロ 8-22

```
Dim myGoods As Goods
'オブジェクトの生成
Set myGoods = createGoods("フルーツ詰め合わせ", 1800)
```

3つの方法をご紹介しましたが、正直言ってどの方法も、「ないよりはマシだけど何か足りない」といった感じになってしまいますね。もどかしいところですが、コンストラクタ関数がないものは仕方ありません。自分なりの運用方法を決めて切り抜けましょう。

カプセル化するには

「オブジェクト内での処理に必要なプロパティや関数だけど、外部からはアクセスできないようにしたい」というカプセル化の仕組み、いわゆるプライベートなプロパティやメソッドを定義するには、Private修飾子を利用してプロパティやメソッドをクラスモジュール上に定義します。

▼プライベートプロパティを定義する

```
Private プロパティ名 As データ型
```

次のコードは、**「price_」という名前のプライベートプロパティを定義**します。

▼マクロ 8-23

```
Private price_ As Currency
```

なお、プライベートプロパティを用意する場合には、一定の名付けルールを決めておくのがお勧めです。他言語では、プロパティ名の頭に「_(アンダーバー)」を付加して、「_price」等のように名付けることも多くありますが、VBAではプロパティ名(変数名)の先頭にアンダーバーを使用することは禁じられています。「末尾にアンダーバーを付ける」「prvPriceのように接頭辞を付ける」等のルールを決めておくのがよいでしょう。

また、いわゆるGetterやSetter等を作成するには、Propertyプロシージャを利用します。例として、「Priceプロパティ」のGetter(プロパティを取得しようとした際に実行されるプロシージャ)と、Setter(プロパティに値を設定しようとした際に実行されるプロシージャ)を定義してみましょう。

まずは、PriceプロパティのGetterです。次の例は、**Priceプロパティを取得しようとした際、「price_」の値を返す**ように定義します。

▼マクロ 8-24

```
Public Property Get Price() As Currency
    'プライベートなプロパティ「price_」の値をそのまま返す
    Price = price_
End Property
```

「Public Property Get プロパティ名() As データ型」の形で記述を始め、「End Property」で終わります。値を扱うプロパティの場合は、「プロパティ名 = 値」を、オブジェクトを扱う場合は「Set プロパティ名 = 値」をプロシージャ内で設定し、ちょうどFunctionプロシージャの戻り値と同じ形でプロパティとして返したい値を設定します。

続いて、PriceプロパティのSetterです。次の例は、**Priceプロパティに新規に値を設定する場合、その値がマイナス値の場合はErr.Raiseメソッドで独自のエラー**

メッセージを表示し、マイナス値でない場合は、その値をプライベートなプロパティである「price_」に保存します。

▼マクロ 8-25

```
Public Property Let Price(newPrice As Currency)
    '新規に設定しようとしている値がマイナス値の場合はエラーを発生
    If newPrice < 0 Then
        Err.Raise vbObjectError + 513, _
                  Description:="価格にマイナス値を設定しようとしています"
    Else
    'マイナス値ではない場合は「price_」にその値を保存
        price_ = newPrice
    End If
End Property
```

「Public Property Let プロパティ名(引数)」の形で記述を始め、「End Property」で終わります。新規にプロパティへと代入しようとしている値は、引数に格納されています。引数の値をチェックすることで、プロパティの値として妥当かどうかのチェック等の処理を行えます。

このようなカプセル化を行ったプロパティは、下記のように利用できます。クラスモジュール名を「Goods」に設定したうえで実行してください。

▼マクロ 8-26

```
Dim myGoods As Goods
'オブジェクトの生成
Set myGoods = New Goods
'プロパティの利用
myGoods.Price = 100
Debug.Print "価格：", myGoods.Price
```

実行例　カプセル化したプロパティの利用

```
イミディエイト
価格：    100
```

通常のプロパティと同じように扱えますね。また、Priceプロパティにマイナス値を設定しようとしたときの動作は、次のようになります。

▼Setter内のチェックによりカスタムエラーを発生させたところ

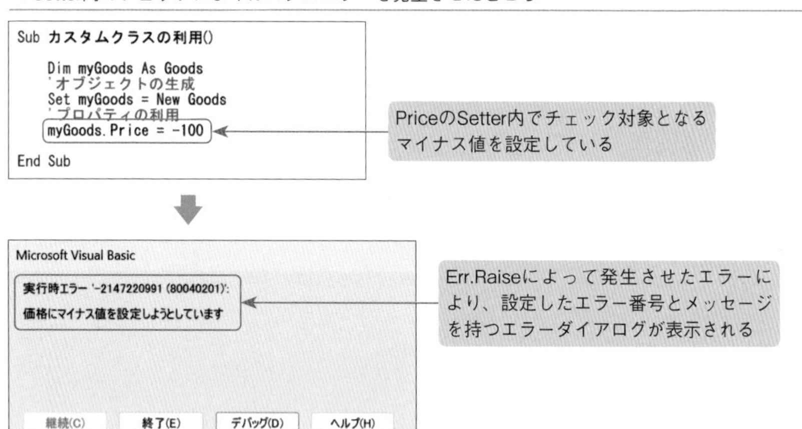
Sub カスタムクラスの利用()
Dim myGoods As Goods
'オブジェクトの生成
Set myGoods = New Goods
'プロパティの利用
myGoods.Price = -100
End Sub
PriceのSetter内でチェック対象となるマイナス値を設定している
Microsoft Visual Basic
実行時エラー '-2147220991 (80040201)':
価格にマイナス値を設定しようとしています
継続(C)
終了(E)
デバッグ(D)
ヘルプ(H)
Err.Raiseによって発生させたエラーにより、設定したエラー番号とメッセージを持つエラーダイアログが表示される

Setter内のErr.Raiseメソッドにより、カスタムエラーを発生させ、独自のエラー番号とエラーメッセージを持ったダイアログが表示されます。また、既存のオブジェクトを使ったコードの実行時エラー発生時と同様に、エラーが発生した箇所のコードがハイライトされ、実行待機状態となります。

カプセル化により、「固く」オブジェクトを定義しておくと、うっかりミスによって意図していない値がまぎれ込んでしまうようなケースを防げますね。

column

エラー番号の決め方

Err.Raiseによってカスタムエラーを発生させる場合には、どういうエラーなのかを判別できるよう、独自のエラー番号を付けておくのが便利です。エラー番号は0～65535の範囲が利用できますが、0～512まではシステム側の予約ずみ番号となっています。被らないようにするためには、513～65535を利用すればいいわけですね。

また、カスタムクラス内でエラーを発生させる場合には、定数vbObjectErrorにエラー番号を加算した値をエラー番号として利用することが推奨されています。

読み取り専用プロパティの作成

Getterの仕組みは、いわゆる読み取り専用プロパティの作成にも利用できます。例えば、**2つのプロパティを持つオブジェクト「Person」を作成**したいとします。

▼Personオブジェクトの2つのプロパティ

プロパティ	用途
BirthDay	誕生日を取得/設定
Age	現在の年齢を取得(読み取り専用プロパティ)

この場合、次のように定義します。クラスモジュール「Person」を追加して記述します。

▼マクロ 8-27

```
'生年月日を管理するプロパティ
Public BirthDay As Date

'年齢を返す読み取り専用プロパティ
Public Property Get Age() As Variant
    Age = DateDiff("yyyy", BirthDay, Date)
End Property
```

このPersonオブジェクトに誕生日を設定し、年齢を取得してみましょう。**新規オブジェクト生成後、BirthDayプロパティに値を設定し、読み取り専用プロパティAgeから年齢を取得**します。

▼マクロ 8-28

```
Dim myPerson As Person
Set myPerson = New Person
'プロパティの利用
myPerson.BirthDay = #6/5/2012#
Debug.Print "現在の年齢：", myPerson.Age
```

実行例　誕生日から年齢を取得

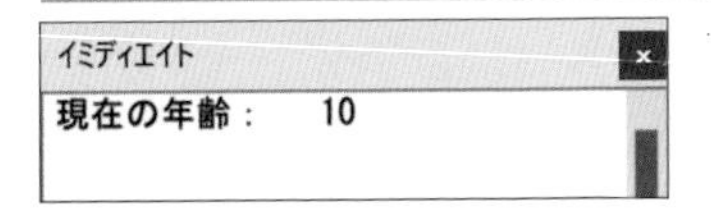

AgeプロパティはGetterのみを定義しているため、値の取得はできても設定はできない「読み取り専用プロパティ」となります。値を設定しようとした際には、実行時エラーが発生します。

オブジェクトの継承はできません

VBAのカスタムオブジェクトでは、いわゆる継承の仕組みは用意されていません。継承関連で用意されているのは、Implementsステートメントによる、「インターフェイスの継承」の仕組みくらいです。それも、ちょっと「うーん」と思うような非常に扱いにくい定義を行う必要があります。

例えば、以下のインターフェイス「IPerson」を継承する2つのオブジェクト「HelloBoy」と「GoodbyeGirl」を作成するとします。

▼作成するインターフェイスとオブジェクト

インターフェイス	プロパティ/メソッド	用途
IPerson	Nameプロパティ	名前を取得/設定
	Sayメソッド	オブジェクトに応じた文字列を出力

このとき、**IPersonの定義**は以下のようになります。クラスモジュール「IPerson」を追加して記述します。

▼マクロ 8-29

```
'プロパティの定義
Public Name As String

'メソッドの定義（中身の処理は書かない）
Public Function Say()

End Function
```

HelloBoyオブジェクトの定義は以下のようになります。クラスモジュール「HelloBoy」を追加して記述します。

▼マクロ 8-30

```
'IPersonインターフェイスを継承
Implements IPerson
'独自のプロパティの定義
Private name_ As String

'インターフェイスで定義されたプロパティをGetter/Setterで実装
Private Property Let IPerson_Name(ByVal pName As String)
```

```
    name_ = pName
End Property

Private Property Get IPerson_Name() As String
    IPerson_Name = name_
End Property

'インターフェイスで指定されたメソッドを実装
Public Function IPerson_Say()
    Debug.Print name_, "「Hello!」"
End Function
```

冒頭で、「Implements IPerson」として実装するインターフェイスを指定します。その後は、「インターフェイス名_プロパティ名/メソッド名」という形式で、インターフェイスで定義したプロパティ/メソッドを実装していきます(わかりにくいですね)。ちなみに、実装するコードのひな型は、Implementsステートメントを記述後であれば、イベントプロシージャのひな型を入力する際と同様に、コードウィンドウの上端のドロップダウンリストボックスから入力可能です。

同様に、**GoodbyeGirlオブジェクトの定義**は以下のようになります。クラスモジュール「GoodbyeGirl」を追加して記述します。

▼マクロ 8-31

```
'IPersonインターフェイスを継承
Implements IPerson
'独自のプロパティの定義
Private name_ As String

'インターフェイスで定義されたプロパティをGetter/Setterで実装
Private Property Let IPerson_Name(ByVal pName As String)
    name_ = pName
End Property

Private Property Get IPerson_Name() As String
    IPerson_Name = name_
End Property

'インターフェイスで指定されたメソッドを実装
```

```
Public Function IPerson_Say()
    Debug.Print name_, "「GoodBye!」"
End Function
```

この2つのオブジェクトは、**インターフェイスであるIPerson型の変数や配列へと代入して扱う**ことができるようになります。

▼マクロ 8-32

```
'IPerson型の配列とループ処理用の変数を用意
Dim personList(1) As IPerson, i As Long
'HelloBoyとGoodbyeGirlのオブジェクトを生成してNameプロパティを設定
Set personList(0) = New HelloBoy
personList(0).Name = "アラム"
Set personList(1) = New GoodbyeGirl
personList(1).Name = "ナージャ"
'ループ処理しながらSayメソッドを実行
For i = 0 To UBound(personList)
    personList(i).Say
Next
```

実行例　インターフェイスの利用

イミディエイト
アラム 「Hello!」
ナージャ 「GoodBye!」

いかがですか？ 正直、ちょっと複雑で面倒くさいですね。特に、プロパティの数だけGetter/Setterを定義しなくてはいけないのはクラクラきます。ただ、場面によっては、ふるまいの異なるオブジェクトをまとめて扱う際に、「固く」コードを記述できます。扱いにくい仕組みですが、覚えておくと役に立つ場面もあるでしょう。

column

データだけをわかりやすく扱いたいなら構造体という選択肢も

カスタムオブジェクトは、データ（プロパティ）と、それに関するふるまい（メソッド）をまとめる目的で利用しますが、「データのみをまとめて扱えるようにしたい」という目的であれば、構造体という仕組みも便利です。

構造体は、Typeステートメントを利用して作成します。例えば、**「Name」「Price」の**

2つのデータを「Goods」という名前の構造体としてまとめて扱うには、モジュールの冒頭に、次のようにコードを記述します。

▼マクロ 8-33

```
Type Goods
    Name As String
    Price As Currency
End Type
```

この構造体は、変数や配列のデータ型として扱えます。

▼マクロ 8-34

```
Dim goodsList(2) As Goods, i As Long
'構造体で定義した要素名を使って値を代入
goodsList(0).Name = "りんご"
goodsList(0).Price = 120
goodsList(1).Name = "みかん"
goodsList(1).Price = 90
goodsList(2).Name = "ぶどう"
goodsList(2).Price = 350
'値を取り出す
For i = 0 To UBound(goodsList)
    Debug.Print goodsList(i).Name, goodsList(i).Price
Next
```

実行例　構造体で関連する値をまとめて扱う

```
イミディエイト
りんご         120
みかん         90
ぶどう         350
```

わかりやすい要素名を付けておくことで、関連するデータを見やすくまとめられるうえ、コード作成時には、定義に応じたコードヒントも表示されるので、スペルミスも減ります。カスタムオブジェクトと異なり、標準モジュールの冒頭でTypeステートメントで定義するだけで使えるため、とても手軽なのも魅力ですね。

section 04
モジュールのエクスポートとインポート

マクロのパーツ化を進めていくと、「前に作成したあのマクロを流用したい」という場面が増えてきます。この場合、一番単純な方法はコピー&ペーストしてしまうことですが、もう1つの方法として、丸ごとエクスポートし、再利用したいブックでインポートする、という方法があります。

エクスポートとインポートの方法

プロジェクトエクスプローラーで該当モジュールを選択し、**ファイル→ファイルのエクスポート**を選択すると、モジュールを「モジュール名.bas」というファイル(中身はテキストデータ)として書き出せます。

▼「*.bas」ファイル

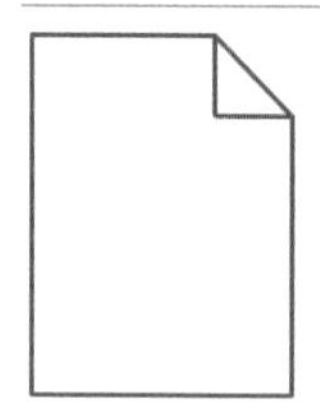

このモジュール内のコードを再利用したいブックでは、**ファイル→ファイルのインポート**を選択すると、モジュールをインポートできます。このとき、既に同名のモジュールがある場合には、自動的に名前の後ろに連番が付加されてインポートされます。

モジュールの削除方法

誤ってインポートしてしまったモジュールや、動作確認用の使い捨てのコードを記述したモジュール等、不要になったモジュールを削除するには、プロジェクトエクスプローラーで該当モジュールを選択し、**ファイル→(モジュール名)の解放**を選択します。

すると、該当モジュールを削除前にエクスポートするかどうかを確認するダイアログが表示されますので、**いいえ**を押せば、そのままモジュールが削除されます。

▼モジュールの解放

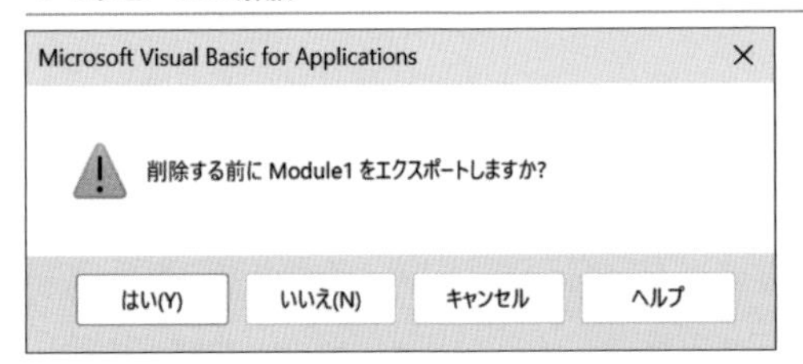

column

バージョン管理システムを利用する際の注意点

Git等のバージョン管理システムに親しんでいる方であれば、そちらを利用してバージョン管理を行いたいと考えるのが自然でしょう。なにせ、安心感が段違いです。

ただ、考えておきたい点が何点かあります。VBA、というかExcelは、プログラムを記述するモジュールがExcelのブックと一体化しているところがよいところでもあり、悪いところでもあります。率直なところ、この形態はバージョン管理システムとあまり相性がよいとは言えません。単純にバックアップを取ろうと思うと、「ブック丸ごと」となってしまい、コードの差分の確認等はできません。

そこで、「更新を行ったモジュールのみをエクスポートし、コミットする方式でいこう」とすると、該当モジュールを毎回エクスポートする必要があり、正直言って面倒くさいのです。

また、手軽にある時点の状態にロールバックできるかと言うとそうではありません。エクスポートした各種テキスト形式のファイルを、バージョン管理システム側でロールバック後、さらにもうひと手間、ブック側にインポートする作業が発生します。これもまた面倒なため、悩みどころとなります。

VBEの操作を自動化するマクロを活用すればある程度は軽減しますが、それでもひと手間かかります。そして、エクスポート＆インポートを介するということは、常にブック内の状態とバックアップとの状態の乖離が起きる危険性を保持してしまうということにもなります。

バージョン管理システムを利用する際には、「ブック丸ごとで行うのか、モジュール単位で行うのか」「モジュールのエクスポート/インポート方法はどうするのか」をあらかじめ考え、自分の環境・スタイル・労力と照らし合わせて活用していきましょう。自分で使用するお手軽マクロはブックごと手作業で複製保存し、大き目のプロジェクトの場合は関連ファイルと一緒にバージョンファイルシステムできっちり管理する等、作業によって使い分けるのも1つの方法です。

section 05

モジュール単位でマクロを整理整頓する

マクロのパーツ化を進めていくと、必然的にマクロ数が増加していきます。マクロ数が増加すると、その管理が煩雑になってきます。そこで活用していきたいのがモジュール単位での整理整頓の仕組みです。

なお、この項の内容は増加したマクロの整理や管理に悩んでいる方向けのものとなっています。特に悩んでいない方は読み飛ばしていただき、整理の問題に直面した際にあらためて読んでみてください。

モジュールごとに「役割」を割り当てるという考え方

マクロは標準モジュールに記述していきますが、この標準モジュール、複数のモジュールが追加できるうえに名前も変更可能です。そこで、個々のマクロの役割ごとにモジュールを分け、整理してしまいましょう。複数のワークシートを目的ごとに分けて整理するのと同じ考え方ですね。

▼複数のモジュールを使ってマクロを整理

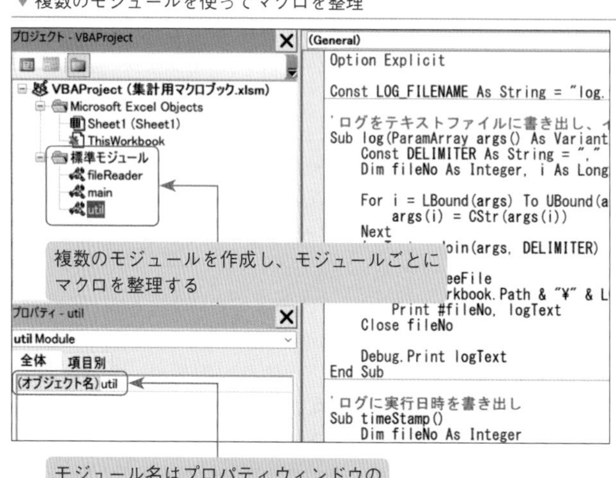

ここで重要になってくるのが各モジュールの名前です。モジュール名はプロパティウィンドウの**(オブジェクト名)**欄で変更可能ですが、理想としてはマクロの内容に見合った「グループ名」となるような名前を付けたいところです。

筆者の場合は、メインとなる流れを記述するモジュールは「main」、どのブックのマクロでも汎用的に使う便利な(ユーティリティーな)処理を集めたモジュールは「util」等の名前を付けることが多いです。このあたりは、好みの話にもなりますね。自分のわかりやすい名前を付けていきましょう。

ただ、1つ大きな問題があります。それは、**プロジェクトエクスプローラー内のモジュールの並び順は、モジュール名順に自動的に並べ替えられてしまう点です。**そのため、わかりやすく名前を付けたつもりが、関連する処理をまとめたモジュールが位置的に離れてしまって見にくくなったり、まっさきに確認したいメインの処理が後ろの方に行ってしまったり、ということも起きます。これを避けるには「M1_main」「M2_fileReader」等、連番風の接頭辞を付けるくらいしかありません。並び順が気になる方は、こちらの方法をお試しください。

column

モジュール名の先頭の文字は大文字か小文字か

モジュール名を付ける際に決めておくと便利なルールが1つあります。それは**モジュール名を小文字と大文字のどちらで始めるか**です。

VBAでは、既存のオブジェクト名やプロパティ・メソッド、さらには組み込みのモジュールは、基本的に「大文字始まりで以下は単語の区切りのみ大文字」という記法(いわゆるパスカル記法)で名付けられています。

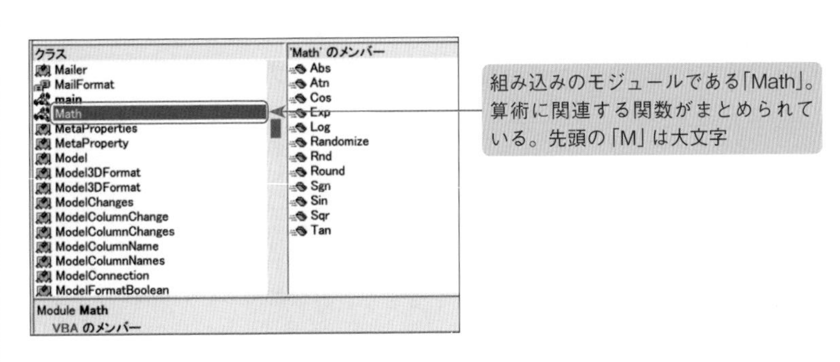

自作のモジュールもこれに準ずるか、それとも、あえて別のルールを使うかをあらかじめ決めておくと使い勝手がよくなります。

筆者の場合は、あとでコードを見返した際「あれ？ここで使ってる名前は既存のものだっけ？自分で作ったものだっけ？」と悩まずにすむよう、あえて既存ルールとは違う「小文字始まりで以下は単語の区切りのみ大文字」という記法（いわゆるキャメル記法）にしています。

モジュール名を含めて処理を呼び出す

モジュールごとにマクロを整理しておくと、マクロを呼び出す際に**モジュール名を含めてマクロを呼び出す**ことができるようになります。これがかなり便利なのです。

例えば、自作の「util」モジュールに、**引数として渡した値をテキストファイルとイミディエイトウィンドウに出力**するマクロ「log」を作成したとします。

```
'ログをテキストファイルに書き出し、イミディエイトウィンドウにも出力
Sub log(ParamArray values() As Variant)
    '処理は割愛
End Sub
```

このとき、マクロ「log」は、以下のように呼び出せます。

```
util.log "ログ出力"
```

注目していただきたいのは、「**モジュール名.マクロ名**」という記述ができる点です。VBEで記述を行う際には、「モジュール名.」と記述した段階で、そのモジュールに作成したマクロの一覧がコードヒント表示されます。また、表示されたマクロから「log」を選択して Tab キーを押せば、マクロ名まで入力され、引数のコードヒントが表示されます。

▼「モジュール名.」まで記述すればヒント表示される

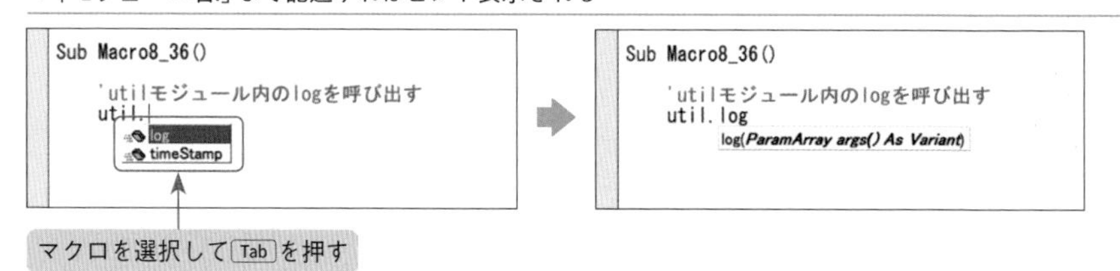
Sub Macro8_36()
'utilモジュール内のlogを呼び出す
util.
log
timeStamp
マクロを選択して Tab を押す
Sub Macro8_36()
'utilモジュール内のlogを呼び出す
util.log
log(ParamArray args() As Variant)

つまりは、モジュール名さえ覚えておけば、呼び出すマクロ名はリストの中から選択できるうえに、引数のヒントまで表示してくれるというわけです。かなり入力が簡単になり、また、作業スピードも格段にアップします。

さらに言うのであれば、わかりやすさを重視してマクロ名を付ける場合、どうしても長い名前になってしまい、結果、タイプするのが面倒なうえにスペルミスをしやすくなるという本末転倒な事態に陥る危険がありますが、この「タイプするのではなく選択する」入力方法をベースに進めれば、タイプミスは起きません。

これなら細かくマクロをパーツ化しても、モジュール名さえ覚えておけばなんとかなりますね。超お手軽です。この「なんとかなる」「お手軽」という安心感は、積極的に「わかりやすさ重視」でマクロ名や関数名を付ける動機づけに繋がります。すると、結果としてモジュール全体の各マクロや関数の役割が、名前を見ただけで明確に整理されやすくなるのです。大き目の処理を作成する場合に、とても大事な要素の1つとなります。積極的にモジュール名も含めてマクロをパーツ化していきましょう。

column

Callステートメントを使わなくても大丈夫

本文中のマクロ「log」を、Callステートメントを利用して呼び出すには、以下のようにコードを記述します。

```
Call util.log("ログ出力")
```

ちょっと冗長な感じもしますね。そもそも、Callステートメントを利用する最大の目的は「他のマクロを呼び出している」ことを明示できる点です。ですが、モジュール名を含めた呼び出しを行う場合には、モジュール名が書いてある時点で「あ、これは他のマクロを呼び出しているな」と判断しやすくなります。そのため、自作マクロを呼び出すときは、必ずモジュール名を含めて呼び出すとルールを決めておけば、Callステートメントを省いて利用しても問題ないでしょう。

```
util.log "ログ出力"
```

さらに言うと、マクロをたくさん作成していくようになると、自分で作成したものでさえ、後で読み直した際に「あれ？ここで使っている関数は自分で作成したものだっけ。既存の関数だっけ……」とわからなくなり、それを調べるために時間を使ってしまう、という事態に陥りがちです。

しかし、モジュールごとにパーツ化し、さらに「自作モジュール名は小文字始まり」

等の既存のものとは見分けがつくルールで運用しておけば、「util.log」等の小文字始まりでの呼び出しを見ただけで「あ、これは自作のutilモジュールに作ってあるlogというマクロだな」と見当がつきます。

マクロのパーツ化を進める際には、未来の自分のためにもモジュール名やマクロ名に気を使って整理していきましょう。筆者のような忘れっぽいタイプの方は特に。過去の自分に感謝する機会、本当に多いんです。

モジュール単位での再利用が手軽になる

モジュール単位でマクロを整理しておくと、ブック間でのマクロの再利用が手軽になります。あるブックの特定モジュールを他のブックにコピーしたい場合には、双方のブックを開き、プロジェクトエクスプローラーで該当モジュールをドラッグ&ドロップするだけです。

▼ブック間で特定モジュールをコピー

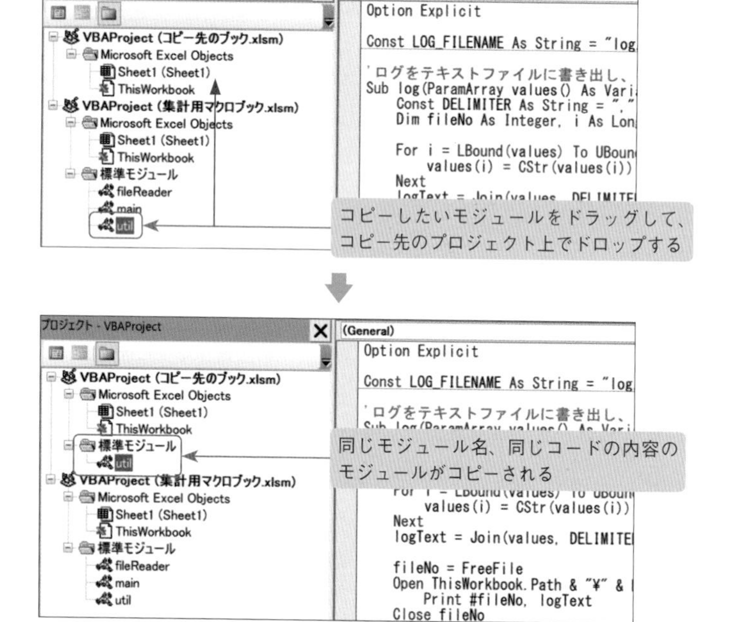

ブックを複数開いた場合は、プロジェクトエクスプローラー内に、ブックごとに「プロジェクト」として整理され、ツリー状態で表示されます。コピーしたいモジュールをドラッグし、コピー先のプロジェクトの上でドロップすれば、モジュール名を含めた内容を持つモジュールが、ドロップ先のプロジェクトに追加されます。元のモジュールはそのままです（「移動」ではなく「コピー」となります）。

もの凄く手軽ですよね。いろいろなブックで使いたい汎用的な処理は、積極的にモジュール単位で整理しておくと、モジュール単位での再利用が簡単になります。「いつもおなじみの頼れるマクロ」を、いろいろなブックで活用できるのは強力ですし、この仕組みがあることで、個々のマクロをよりブラッシュアップしていこうというモチベーションにも繋がりますね。

パーツ化が進んできたときに押さえておきたいショートカットキー

マクロのパーツ化が進んでくると、今編集しているマクロではない他のマクロへと移動したい場面が増えてきます。そんなときには、ショートカットキーとして Ctrl + ↑ ↓ キーが役に立ちます。

▼プロシージャ間を移動するショートカットキー

ショートカットキー	動作
Ctrl + ↓	「次」のプロシージャへ移動
Ctrl + ↑	「前」のプロシージャへ移動

▼モジュール間の移動

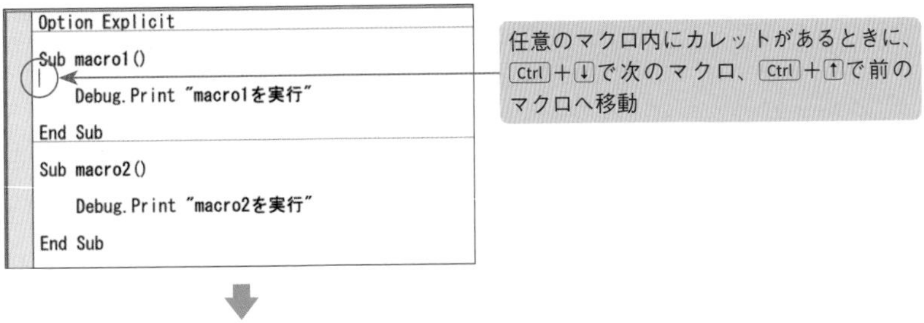

```
Option Explicit

Sub macro1()
|
    Debug.Print "macro1を実行"
End Sub

Sub macro2()
    Debug.Print "macro2を実行"
End Sub
```

任意のマクロ内にカレットがあるときに、Ctrl + ↓ で次のマクロ、Ctrl + ↑ で前のマクロへ移動

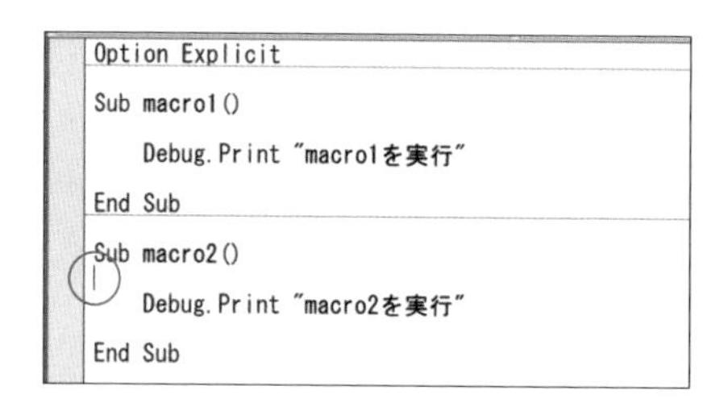
Option Explicit
Sub macro1()
Debug.Print "macro1を実行"
End Sub
Sub macro2()
Debug.Print "macro2を実行"
End Sub

Ctrl＋↓キーで次のマクロ(プロシージャ)、Ctrl＋↑キーで前のマクロへ移動します。

また、特定マクロへと決め打ちで移動したい場合には、コードウィンドウ右上の「プロシージャ」ドロップダウンリストボックスを開くとリスト表示されるマクロ一覧から該当マクロを選択します。

▼「プロシージャ」ドロップダウンリストボックスの利用

```
(General)                        macro2
                                 (Declarations)
                                 macro1
                                 macro2
Option Explicit

Sub macro1()
    Debug.Print "macro1を実行"
End Sub

Sub macro2()
```

また、コード中で他のマクロを呼び出している際には、マクロ名のどこかにカレットを移動して選択状態にし、ショートカットキーを使うことで該当マクロへとジャンプできます。

▼選択中のマクロ名のマクロ定義へと移動するショートカットキー

ショートカットキー	動作
Shift＋F2	該当マクロへジャンプ
Ctrl＋Shift＋F2	ジャンプ先から元の場所へ戻る

例えば、utilモジュール内で定義されているマクロ「log」を呼び出しているコードがあった場合、「log」を範囲選択してShift＋F2キーを押すと、utilモジュールのlog定義部分にジャンプします。その後、Ctrl＋Shift＋F2キーを押せば、元の場所へと表示が戻ります。

▼定義部分にジャンプ

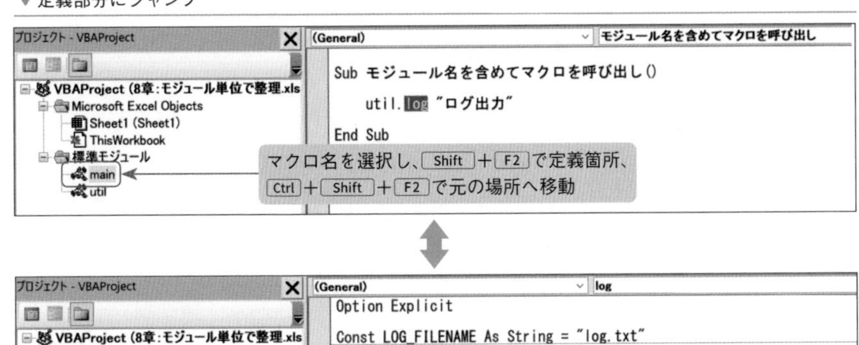

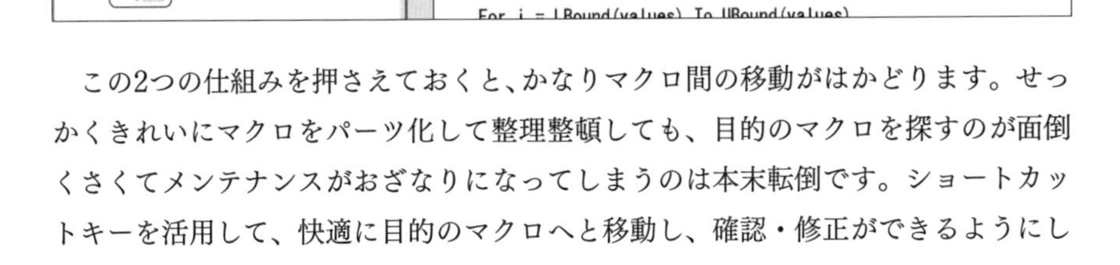

この2つの仕組みを押さえておくと、かなりマクロ間の移動がはかどります。せっかくきれいにマクロをパーツ化して整理整頓しても、目的のマクロを探すのが面倒くさくてメンテナンスがおざなりになってしまうのは本末転倒です。ショートカットキーを活用して、快適に目的のマクロへと移動し、確認・修正ができるようにしていきましょう。

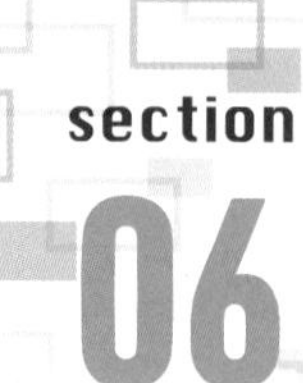

section 06 バージョン管理の方法を考えておこう

マクロのパーツ化の仕組みを進めていく際には、バージョン管理の方法をセットで考えておきましょう。「ある問題を解決するために行った修正が、別の問題の発生源になっている」「モジュールに新機能を付け加えたら、以前は動いていたマクロが動かなくなった」等、悲劇的な事態が起きた場合、以前のバージョンのマクロがあるかないかによって、復帰の可否や手間が大きく左右されます。

そこで、アナログな方法からバージョン管理用のアプリを活用する方法まで、いくつかのバージョン管理の方法をご紹介します。

お手軽で強力な別名保存

最も単純な方法は、「変更を行う前に保存しておく」というものです。本当に単純ですね。しかし、だからこそ強力です。

▼マクロ開発中は別名保存するスタイル

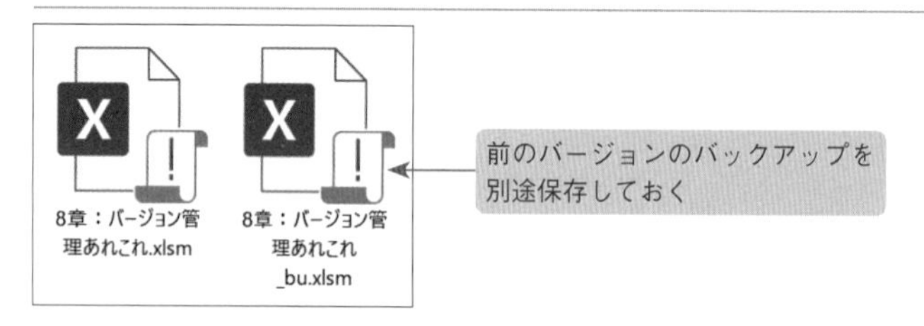

Excel標準機能の「保存されていないブックの回復」機能は、保存タイミングは完全にはコントロールできません。やはり、「この状態でいったん保存しておきたい」という場合には、別途、自前で保存するのが確実です。特に新しい仕組みや環境を用意することなく、自分のPCから出先のPCまで、場所を問わずに行えるのも強みです。

保存する際には、「直近に戻せるバックアップ」と「大きな変更を元に戻せる節目ごとのバックアップ」の2種類を用意しましょう。

▼直近バックアップと履歴バックアップの例

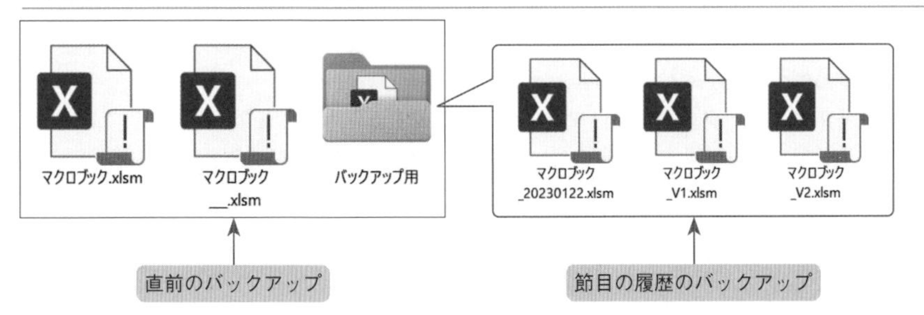

直前のバックアップの方には単純に末尾にアンダーバーを付加したり、「_bu」等を付加しておく等のルールを決め、同じ名前で保存するルールを決めておくと、バックアップを作成するときに名前に迷いません。

履歴を残す目的のバックアップの方は、ブック名の末尾にバックアップを取った日付を付加したり、マクロ変更の度合いによって独自のバージョン番号を考え、「_V1」等、バージョンを表す値を付加しておくと、後で復元する際の目安になります。

また、履歴の方は1つだけ保存しておくというよりは、**変更・修正の節目ごとに別途保存**しておいた方が「安全」です。その際には履歴管理用のブックをまとめて保管しておく専用のフォルダーを用意するのがよいでしょう。

このとき、「直前のバックアップはブックと同じフォルダー内、履歴の方はブックと同じフォルダー内に作成した『バックアップ用』フォルダー内に保存していく」のように、あらかじめルールを決めておくと、迷うことがありません。

バックアップのルールを決め、「この場所にバックアップする！」と心に決めて運用すれば、何かトラブルが起きた際の復元も楽ですし、いろんなバックアップがいろんな場所に散らばってしまい、どこでどう修正したのかわからなくなり結局最初から作り直すという事態も回避できます。きっちり決めておきましょう。

column

バックアップを考えるとデータとマクロは別ブックがベター

マクロの修正をブック単位でバックアップ管理する際のデメリットは、Excelはワークシートとモジュールをまとめて1つのブックとして管理しているため、コードのみを修正した場合でも、シート側まで含めて保存しなくてはならない点です。

この問題は、シート側にいろいろな場面で利用するデータが入力されている場合、特に「危険」です。個々のブックのシート側のデータが同一のものという保証はありません。よって、どのバックアップのデータが正確なデータなのか、バックアップの数だけ個別にチェックする作業が発生してしまうことになってしまうわけですね。そこにマクロ側の修正が絡んでくると、さらにやっかいになります。
　シート側のデータを持たないマクロのみを記述する専用のブックを用意し、できるだけそこでマクロを集中管理するというスタイルを心がけるのがベターでしょう。

マクロでバックアップの補助をする

バックアップを行う作業を、VBAを使って補助してみましょう。

●SaveCopyAsメソッドを活用する

まず覚えておきたいのがSaveCopyAsメソッドです。SaveCopyAsメソッドはブックのコピーを保存します。

▼ブックのコピーを保存する(SaveCopyAsメソッド)

```
対象ブック.SaveCopyAs ブックのパス
```

次のコードは、**アクティブなブックの複製を「C:¥excel」フォルダー内に「backup.xlsm」という名前で保存**します。

```
ActiveWorkbook.SaveCopyAs "C:¥excel¥backup.xlsm"
```

一般的に、ブックを「別名保存」するにはSaveAsメソッドを利用しますが、SaveCopyAsメソッドはSaveAsメソッドと異なり、複製を保存します。2つのメソッドの大きな違いは実行後のブックが「オリジナルのブックか、新たに保存したブックか」という点です。

▼SaveAsメソッドとSaveCopyAsメソッドの実行後のブックの違い

メソッド	実行後のブック
SaveAs	別名で保存したブック。オリジナルのブックは閉じられた扱いとなる
SaveCopyAs	オリジナルのブックのまま。複製保存したブックはそもそも開かない

SaveAsメソッドでは別名保存した方のブックがExcel上で開いている状態となり、オリジナルのブックの方はメソッド実行時点で「閉じられた」ような扱いとな

ります。

それに対し、SaveCopyAsメソッドは、Excel上で開いているオリジナルのブックはそのままです。それとは別に、メソッド実行時点での複製が保存されます。「ブックを開いたままコピーを作る」ような動きとなります。

つまりは「元のブックの作業を継続できる状態のまま、複製を取れる」というわけです。バックアップにうってつけですね。しかもこのSaveCopyAsメソッド、保存時に既に同名のブックが存在する場合には、確認なしに上書き保存するという仕組みとなっています。この仕組みが「決まった名前で決まった場所に保存する」というバックアップの考え方と非常に相性がよいのです。

次のコードは、**アクティブなブックを、同じフォルダー内にブック名の末尾に「_bu」という接尾辞を付けた名前で複製保存**します。

▼マクロ 8-35

```
Dim backupPath As String
'アクティブなブックと同じフォルダー内にバックアップ作成
backupPath = ActiveWorkbook.FullName
'ブック名の末尾に「_bu」を付けてコピーを保存
backupPath = Replace(backupPath, ".xls", "_bu.xls")
ActiveWorkbook.SaveCopyAs backupPath
```

ブックの保存場所を含むブック名をFullNameプロパティで取得し、「C:¥excel¥マクロ用ブック.xlsm」等のフルパス文字列を取得し、そのパス文字列をReplace関数により、「.xls」部分を「_bu.xls」に置換したうえで、複製保存しています。

このマクロを用意し、任意のショートカットキーに割り当てておけば、手軽にバックアップを取りながら作業ができますね。

直前の状態のバックアップを取るスタイルで作業を行う際には、手軽に実行できる手段を用意するのが効果的です。バックアップの操作が煩雑であれば、時間を取られるうえに思考が一時中断されてしまい、結果としてバックアップを取りながら作業を行おうという意識が低下してしまいますものね。マクロの助けを借りながら、マクロを開発していきましょう。

●決まった接尾辞を付けたブック名を作成する関数を用意する

バックアップを行う際の決められた名前を作成するには、あらかじめ関数を用意しておくのが便利です。いくつかのパターンに分けて用意してみましょう。

次のマクロは、**引数として渡されたブックの名前の末尾に「_bu」と接尾辞を付けたブック名を返す関数「getSuffixName」を定義**します。

▼マクロ 8-36

```
Function getSuffixName(book As Workbook) As String
    Dim baseName As String, suffix As String, extension As String
    '末尾に付ける文字列を指定
    suffix = "_bu"
    'ベースのブック名取得
    baseName = Split(book.Name, ".")(0)
    'マクロの有無に応じて拡張子を調整
    extension = IIf(book.HasVBProject, ".xlsm", ".xlsx")
    'ブック名を作成して返す
    getSuffixName = baseName & suffix & extension
End Function
```

引数として渡されたブックのブック名部分をSplit関数で取り出し、拡張子の方はHasVBProjectプロパティでマクロの有無を判断して「.xlsm」もしくは「.xlsx」を選んでいます。そして、あらかじめ決めておいた接尾辞と組み合わせれば、バックアップ用のブック名の完成です。

結果を確認してみましょう。次のコードは、**getSuffixName関数を呼び出してバックアップを行い、ファイル名を出力**します。「マクロ用ブック.xlsm」がアクティブな状態で実行します。

▼マクロ 8-37

```
Debug.Print "      ブック名：", ActiveWorkbook.Name
Debug.Print "バックアップ名：", getSuffixName(ActiveWorkbook)
```

実行例　固定の接尾辞を付けたブック名を作成

```
イミディエイト
      ブック名 : マクロ用ブック.xlsm
バックアップ名 : マクロ用ブック_bu.xlsm
```

きちんと接尾辞「_bu」が付加されていますね。

続いては、日付をブック名の末尾に付けるタイプのブック名を生成する関数です。次のコードは、**ブック名の末尾に日付を表す接尾辞を付加した名前を返す関数「getDatedName」を定義**します。

▼マクロ 8-38

```
Function getDatedName(book As Workbook) As String
    Dim baseName As String, suffix As String, extension As String
    'ベースのブック名取得
    baseName = Split(book.Name, ".")(0)
    'ブック名の末尾に付ける日付の文字列を作成
    suffix = Format(Date, "_yyyymmdd")
    'マクロの有無に応じて拡張子を調整
    extension = IIf(book.HasVBProject, ".xlsm", ".xlsx")
    'ブック名を作成して返す
    getDatedName = baseName & suffix & extension
End Function
```

仕組みとしては前述の「getSuffixName」関数と同じですね。今回は接尾辞をDate関数で得た実行時の日付を元に、Format関数で8文字の日付に応じた文字列に変換し、接尾辞としています。

結果を確認してみましょう。次のコードは、**getDatedName関数を呼び出してバックアップを行い、ファイル名を出力**します。「マクロ用ブック.xlsm」がアクティブな状態で実行します。

▼マクロ 8-39

```
Debug.Print "      ブック名：", ActiveWorkbook.Name
Debug.Print "バックアップ名：", getDatedName(ActiveWorkbook)
```

実行例　日付から作成した接尾辞を付けたブック名を作成

```
イミディエイト
      ブック名：マクロ用ブック.xlsm
バックアップ名：マクロ用ブック_20221120.xlsm
```

これで日ごとのバックアップが楽になりますね。また、1日のうちに何回か個別にバックアップを取りたいという場合には、日付を元に接尾辞を作成している部分を、時刻を元に作成するように修正すればよいでしょう。

```
'時刻を用いる場合はNow関数から作成
suffix = Format(Now, "_hhnn")
```

実行時の時刻まで取りたい場合には、Date関数ではなくNow関数で時刻を含むシリアル値を取得し、Format関数で加工すればOKです。

●フォルダーの有無を確認して作成する

履歴を残すためのバックアップは、決められたフォルダー内にまとめて保存することが多いでしょう。そこで、ブックと同じフォルダー内の決められた名前のフォルダーの有無を確認・作成するマクロを作成してみましょう。

次のマクロ「makeFolder」は、**引数として渡したパスのフォルダーを確認のうえで作成**します。

▼マクロ 8-40

```
Sub makeFolder(path As String)
    'FileSystenObjectを利用してパス確認&フォルダー作成
    Dim fso As Object
    Set fso = CreateObject("Scripting.FileSystemObject")
    'フォルダーがない場合は作成
    If Not fso.FolderExists(path) Then
        fso.CreateFolder path
    End If
End Sub
```

ファイルやフォルダーを扱うための外部ライブラリのFileSistemObjectオブジェクトを利用し、FolderExistsメソッドで指定フォルダーの有無を確認し、ない場合にはCreateFolderメソッドで作成します。既に存在する場合には、何もしません。

実際に使ってみましょう。次のコードは、**makeFolderを利用し、アクティブなブックと同じフォルダー内に日付に応じた名前のサブフォルダーを作成**します。

▼マクロ 8-41

```
Dim path As String
'日付に対応したサブフォルダーのパス作成
path = ActiveWorkbook.path & "¥" & Format(Date, "yyyymmdd")
'makeFolderに作成したパスを渡して実行
makeFolder path
```

実行例　日付に応じたサブフォルダーを作成

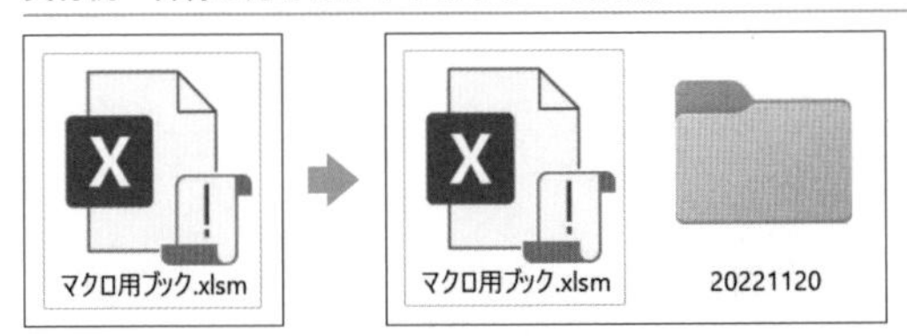

これでバックアップを取るためのサブフォルダーの作成が自動化できますね。あとは、作成したパスを使ってバックアップ用のブックをそこに保存すればOKです。

また、日付を元にしたサブフォルダーを作成した場合には、その中に実行時の時刻を元にした接尾辞を付加したバックアップを保存する仕組みを作成すれば、1日のうちに何回かバックアップするタイプの作業にも対応できます。

次のコードは、**時刻を元に接尾辞を付けたブック名を返す関数「getNameWithTimeStamp」を定義**します。

▼マクロ 8-42

```
Function getNameWithTimeStamp(book As Workbook) As String
    Dim baseName As String, suffix As String, extension As String
    baseName = Split(book.Name, ".")(0)
    '時刻を元にした接尾辞作成
    suffix = Format(Now, "_hhnn")
    extension = IIf(book.HasVBProject, ".xlsm", ".xlsx")
    'ブック名を作成して返す
    getNameWithTimeStamp = baseName & suffix & extension
End Function
```

次のコードは、**実行時の日付に応じたサブフォルダーに、時刻に応じた名前のブックを複製保存**します。

▼マクロ 8-43

```
Dim book As Workbook, path As String
'対象ブックをセット。ここではアクティブなブック
Set book = ActiveWorkbook
'日付に対応したサブフォルダーのパスを作成
path = book.path & "¥" & Format(Date, "yyyymmdd")
'サブフォルダーを確認&作成
makeFolder path
```

```
'時刻に応じた複製名を作成
path = path & "¥" & getNameWithTimeStamp(book)
'複製を保存
book.SaveCopyAs path
```

実行例　日付に応じたフォルダー内にバックアップを保存

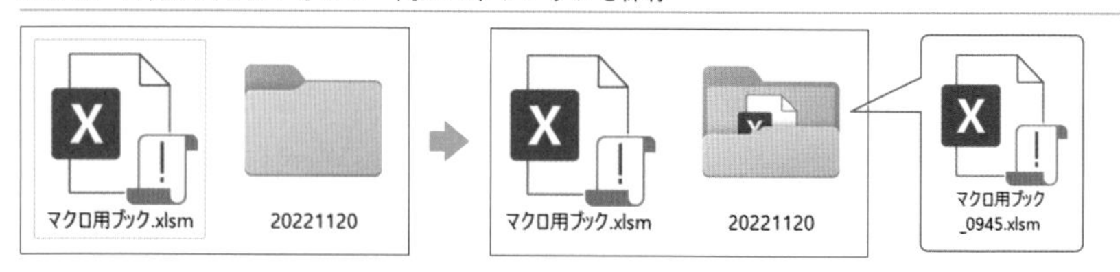

これで不発弾処理のような何が起きるかわからないブックの確認や修正作業も、きめ細かなバックアップを取りながら進められますね。「安全」が確認できて不要になったバックアップは、その日の作業の最後にまとめて削除するようにすれば、結果として「安全」なブックの履歴を残しながら日々の作業が継続できるでしょう。

また、本項でご紹介したようなバックアップを取るためのマクロは、まとめて1つのモジュールに集めておくと、使い勝手がよくなります。筆者の場合は「backup」という名前のモジュールを作成し、開発のお供としていろいろなブックへとインポートして活用しています。一通り開発が終わったら、モジュールを削除してしまえばバックアップ関係の処理が残らなくなるのもお手軽です。

column

SaveCopyAsメソッドは「上書き保存」していない点に注意

本文中ではSaveCopyAsメソッドを軸にしてブック単位のバックアップを手軽に取れる方法をご紹介しましたが、1つ注意したい点があります。それは、SaveCopyAsメソッドを実行しても、オリジナルのブックは変更を保存されて「いない」点です。

バックアップの方は実行時点での最新の状態を反映しますが、オリジナルの方は最後に保存した状態のままというわけですね。バックアップを取るとついつい、オリジナルの方も最新の状態で保存できていると勘違いしてしまいますが、そうではない点に注意しましょう。

新しく追加したマクロを実行する前にバックアップを保存し、マクロを実行・確認。問題がなければその時点であらためて「上書き保存」を実行する、という流れで作業を進めていきましょう。

もし、問題があったのであれば、オリジナルのブックを「変更を保存せずに」閉じ、変更前の状態で開き直して作業を再開していきましょう。

VBEを自動化してエクスポート・インポートをしやすくする

ブック丸ごとではなく、モジュール単位でバックアップを取る場合には、修正を行ったモジュールを特定のフォルダー内にエクスポートして管理することも可能です。エクスポートしたモジュールは、インポートも可能です。

ただ、手作業でこの操作を行うのはなかなかに大変です。そこで、エクスポートやインポートを自動化する方法をご紹介します。ただし、**Excel全体のセキュリティ制限を変更する必要がある点にご注意ください。**

まずは、VBAでモジュール等を操作できるよう、Excelのセキュリティ設定自体を変更します。リボンの「開発」タブの**マクロのセキュリティ**を選択し「トラストセンター」ダイアログを表示します。さらに、**マクロの設定欄**の**VBAプロジェクトオブジェクトモデルへのアクセスを信頼する**にチェックを入れます。

▼モジュールをマクロから操作できるようにセキュリティ設定を変更

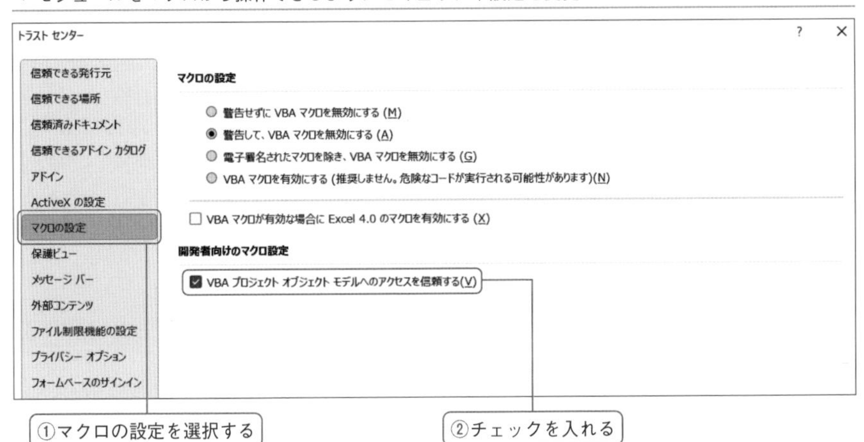

続いて、VBE側でモジュール等のプロジェクトのメンバーを扱う機能が集められた外部ライブラリ、通称「VBIDE」へと参照設定を行います。

VBE画面の**ツール**→**参照設定**メニューから「Microsoft Visual Basic for Applications Extensibility x.x」(x.xはバージョン番号)ライブラリを参照設定します。

▼VBIDEの参照設定

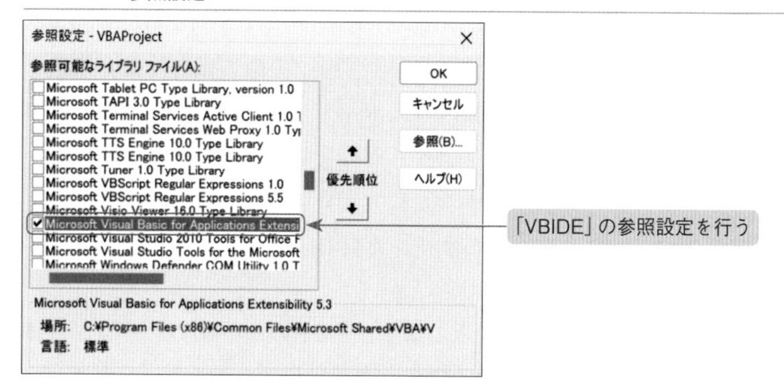

VBIDE内には、モジュール等を扱うための各種オブジェクトが用意されています。これらを利用してエクスポート作業を自動化していきます。

▼プロジェクト内の要素と対応するオブジェクト(抜粋)

要素	オブジェクトと取得方法
プロジェクト	VBProjectオブジェクト 対象ブック.VBProjectでアクセス
プロジェクト内のモジュール全体	VBComponentsコレクション VBProject.VBComponentsでアクセス
個々のモジュール	VBComponentオブジェクト VBComponents(インデックス番号/名前)でアクセス
モジュールのコード部分	CodeModuleオブジェクト VBComponentオブジェクトのCodeModuleプロパティからアクセス

モジュールを扱うModuleオブジェクトには以下のようなプロパティが用意されています。

▼Moduleオブジェクトのプロパティ/メソッド(抜粋)

プロパティ/メソッド	用途
Nameプロパティ	モジュール名
Savedプロパティ	変更保存ずみフラグ。Trueで保存ずみ
Typeプロパティ	モジュールの種類を表す定数 標準モジュール:vbext_ct_StdModule クラスモジュール:vbext_ct_ClassModule ユーザーフォーム:vbext_ct_MSForm ThisWorkbookやSheet1等:vbext_ct_Document
CodeModuleプロパティ	モジュールに対応するCodeModuleにアクセス。ここからコードのテキストを取得/編集する
Exportメソッド	指定パスにエクスポート

これらを利用しながらモジュールを操作していきます。さて、セキュリティレベルの変更と参照設定の準備ができたところで、実際にコードを作成してきましょう。

●モジュールのエクスポートを自動化する

モジュールをエクスポートする作業を自動化してみましょう。次の例は、**引数で受け取ったブック内の各モジュールを指定フォルダー内にエクスポートするマクロ「exportModules」を定義**します。

▼マクロ 8-44

```
Sub exportModules(book As Workbook)
    Dim module As VBComponent, folderPath As String
    'エクスポート先のパス作成
    folderPath = book.path & "¥modules¥"
    'モジュールの種類に応じて拡張子を指定してエクスポート
    For Each module In ThisWorkbook.VBProject.VBComponents
        Select Case module.Type
            '標準モジュールとクラスモジュールはそのままExport
            Case vbext_ct_StdModule
                module.Export folderPath & module.Name & ".bas"
            Case vbext_ct_ClassModule
                module.Export folderPath & module.Name & ".cls"
            'ThisWorkbookやワークシートはコードのみ保存する処理へ
            Case vbext_ct_Document
```

```
                exportCodeText module, folderPath
        End Select
    Next
End Sub
```

モジュールを扱うVBProjectオブジェクトはExportメソッドで任意のパスへとエクスポートします。既に同名のファイルがある場合には、上書きします。

では、実際に利用してみましょう。次のコードは、**アクティブなブックのモジュールを「exportModules」で一括エクスポート**します。

▼マクロ8-45

```
'モジュールを一括エクスポート
exportModules ActiveWorkbook
```

実行例　モジュールを一括エクスポート

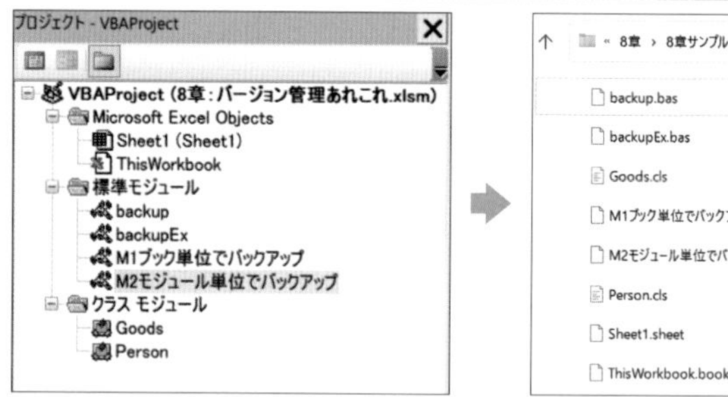

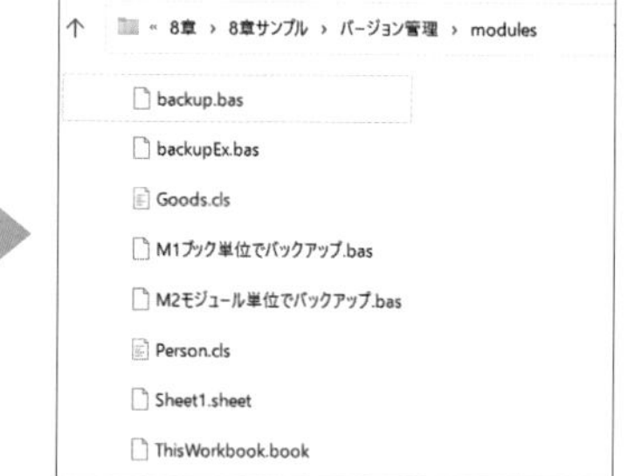

バックアップ用フォルダーとして用意した「modules」フォルダーを開いてみると、各モジュールがエクスポートされているのが確認できます。

なお、エクスポートする際には、標準モジュールは拡張子「.bas」、クラスモジュールは拡張子「.cls」で書き出します。そして、ThisWorkbookと各シートのモジュールですが、こちらはそのままエクスポートすると、インポートを行うときに少し面倒な処理になってしまいます(理由は後述)。そのため、次の関数「exportCodeText」を作成し、それぞれ「.book」「.sheet」と便宜的な拡張子を付け、コードのテキストのみをテキスト形式で書き出すようにしています。

▼マクロ8-46

```
Sub exportCodeText(module As VBComponent, folderPath As String)
    Dim extension As String, code As String
```

```
    Dim fso As Object, textStream As Object
    'シートかブックかによって拡張子を変更
    extension = IIf(module.Name = "ThisWorkbook", ".book", ".sheet")
    '何もコードが記述されていない場合は処理を抜ける
    If Not module.CodeModule.CountOfLines > 0 Then
        Exit Sub
    End If
    'コード部分を取得
    code = module.CodeModule.Lines(1, module.CodeModule.CountOfLines)
    'コード部分をテキスト形式で書き出して保存
    Set fso = CreateObject("Scripting.FileSystemObject")
    Set textStream = fso.CreateTextFile( _
        folderPath & "¥" & module.Name & extension, _
        True _
    )
    textStream.WriteLine code
    textStream.Close
    Set fso = Nothing
End Sub
```


ともあれ、これでモジュールの内容を一括書き出しする仕組みの完成です。あとは、このフォルダーをバージョン管理システムのリポジトリとして登録すれば、モジュール単位でのバージョン管理が楽になりますね。

また、今回はすべてのモジュールを一括エクスポートしましたが、同じような仕組みで個々のモジュールのみのエクスポートも可能です。「毎回すべてのモジュールをエクスポートして更新するのはちょっと」という方は、適宜エクスポートするモジュールを指定・選択できる仕組みを付け加えてみてください。

●モジュールのインポートを自動化する

モジュールのインポートを自動化するには、VBComponentsコレクションのImportメソッドを利用します。

▼モジュールをインポートする（VBComponents.Importメソッド）

```
VBComponents.Import エクスポートしたファイルのパス
```

この際、既にプロジェクト内に同名のモジュールが存在する場合には、エラーとならず、重複しない名前にリネームされてインポートされます。つまり、既存のモジュールのバックアップをインポートしようとすると、必ずリネームされた状態のモジュールが1つ増えることになります。少々やっかいですね。

モジュールのインポートを行う機会は、直前のマクロの修正がうまくいかなかった場合等の、「やりなおしたいとき」が多いでしょう。その際も「モジュールの自動リネーム」に遭遇すると、バグの出所が1つ増えかねません。

そこで、自動リネーム問題を避けるには、既存モジュールと同名のモジュールをインポートする際、VBComponentsコレクションのRemoveメソッドで既存のモジュールを解放(削除)し、あらためて目的のモジュールを保存しておいたバックアップからインポートする、という処理を作成します。

ただし、実行中の処理を記述しているモジュールと、その関連モジュールは即時削除するわけにいかず、遅延して削除されます。そこで、Removeメソッドを記述しているモジュールだけは処理から除外し、手動でインポートする、等の対策を取りましょう。

次のコードは、**引数で指定したブックへと、指定フォルダー内にバックアップしておいたモジュールの内容をインポートするマクロ「importFromFolder」を定義**します。

▼マクロ 8-47

```
Sub importFromFolder(book As Workbook)
    Dim fso As Object, file As Object
    Dim moduleName As String, moduleType As String
    Dim components As VBComponents, module As VBComponent
    Dim folderPath As String
    '処理のあるモジュールは対象外とするためのモジュール名の定数
    Const THIS_MODULE_NAME As String = "backupEx"
    '対象のVBComponentsをセット
     Set components = book.VBProject.VBComponents
    '指定フォルダー内のファイルすべてについて走査
    Set fso = CreateObject("Scripting.FileSystemObject")
    folderPath = book.path & "¥modules¥"
    For Each file In fso.GetFolder(folderPath).Files
        '対象モジュールと情報を取得
        moduleName = fso.GetBaseName(file)
        moduleType = fso.GetExtensionName(file)
```

```
        Set module = components(moduleName)
        '処理を記述しているモジュールは削除できないので対象外に
        If module.Name = THIS_MODULE_NAME Then
            Debug.Print THIS_MODULE_NAME & "は手動インポートして下さい"
        Else
            '拡張子によって処理を振り分け
            Select Case moduleType
            Case "bas", "cls"
                '既存モジュール削除&インポート
                components.Remove module
                components.Import file.path
            Case "sheet", "book"
                'コードの置き換え処理
                With module.CodeModule
                    '既存コードを削除してバックアップから書き込み
                    .DeleteLines 1, .CountOfLines
                    .AddFromFile file.path
                End With
            End Select
        End If
    Next
End Sub
```

エクスポートしたバックアップの形式は、281ページで作成したマクロ「exportModules」で書き出した形式である必要があります。

ちなみに、処理の除外対象となるモジュールは、定数THIS_MODULE_NAMEで宣言しています。サンプルではbackupExモジュール上で定義しているため、「backupEx」としています。exportModulesを利用するには、定義してあるモジュール内から呼び出せばOKです。次のコードは、**アクティブなブックにバックアップしておいたモジュールをインポート**します。

▼マクロ 8-48

```
importFromFolder ActiveWorkbook
```

このような形でインポート処理も自動化可能です。少々クセがありますが、それを踏まえたうえで活用してみてください。

column

シートやモジュールに履歴を残すスタイル

トラブルが起きたときや久しぶりにマクロの確認・修正を行う際に役に立つのが、そのブックやモジュールの修正履歴です。いわゆるアップデート情報ですね。

バージョン管理システムを利用する場合、このアップデート情報をコミットの度にコメントとして残す機能が標準で搭載されていることが多いですが、手作業の場合は自分で残すしかありません。

そこでお勧めしたいのが、開発中は「1枚目のシートにどこを修正したのかの履歴を記述する」『履歴』モジュールを用意し、コメント機能を使って各モジュールの修正履歴のメモを残す」等のルールを決め、1日の作業の終わりに履歴を残すスタイルです。

アナログな手段ですが、これが非常に助かるのです。履歴を別ファイルに保存する手段もありますが、ことExcelの場合、「1つのプロジェクトの構成物は、フォルダー単位で管理する」ような文化ではないため、1つのブック内にまとめておかないとあっという間に散逸します。ちょっと不格好ではありますが、同じブック内に履歴を残しておいた方が安全です。なんといっても手軽なので、すぐに実行できるのが魅力です。お試しを。

基礎編

Chapter 9

プログラムにつきものな、エラー処理とデバッグ

本章では、エラーが出た場合の動作と対処方法、エラーを見越した処理の作成方法をご紹介します。
プログラムの作成にエラーはつきものです。毛嫌いするのではなく、「うまくいっていない箇所を突き止めるための味方として活用しよう」くらいの気持ちで対処していきましょう。

本章の学習内容

❶エラーの種類と発生時の挙動
❷ステップ実行を軸とした動作のチェック方法
❸エラートラップの作成
❹コードをテストするコードの利用

section 01 エラーが出るとどうなる？

本章では、エラーに出会ったときの例と、その対処方法をご紹介します。特にエラーに悩んでいないのであれば、本章は読み飛ばしていただいて構いません。また、エラーに遭遇してから、必要なところをパラ見していただいても構いません。

3種類のエラーと発生タイミングと基本的な手当て

VBAで開発を行っていくうちに、おそらく誰もがさまざまなエラーに遭遇することになるでしょう。VBEはエラーが発生した際に、その旨をダイアログ表示して伝えてくれますが、その表示タイミングは、大きく3つに分けられます。

▼3種類のエラー

種類	概要
コンパイルエラー	コード記述時に表示されるエラー。主にスペルミス、括弧の閉じ忘れ、文法ミス等
実行時エラー	マクロを実行してはじめて表示されるエラー。主に対象オブジェクト指定ミスや、プロパティ・メソッドの利用方法のミス等
論理エラー	エラー表示されないエラー。プログラム的にはエラーなく実行できるものの、意図と違う動作となってしまう現象。厳密にはエラーと言うよりは、何かを勘違いしたまま、「間違った」コードを記述してしまっている状態

●コンパイルエラー

コンパイルエラーは、主にコードの記述中に出会うエラーです。単純なスペルミスや、文字列や引数を指定する際のダブルクォーテーションや括弧の閉じ忘れ、うっかりステートメントの途中で Enter キーを押してしまって改行が挟まってしまった場合等、さまざまな場面で遭遇します。

例えば、VBAでは変数名には「数字から始めてはいけない」というルールがありますが、このルールをうっかり忘れて変数を宣言した場合には、その時点で図のようなエラーメッセージダイアログが表示されます。

▼コンパイルエラーの例

エラーが発生した場合には、VBEがエラー発生行(ステートメント)を赤字で強調表示し、さらに、原因と思わしき場所がある場合にはその部分をハイライト表示します。

同時に表示されるダイアログには、エラー修正の手がかりとなるエラーメッセージが表示されます。ただ、このメッセージは、慣れるまでは、いえ、慣れてもあまり頼りにはなりません。ヒントの1つくらいに考えましょう。OKボタンを押してダイアログを閉じ、該当箇所を修正しましょう。正しく修正すれば、赤字の強調表示も解除されます。

また、コードを入力してすぐにエラー表示されるのではなく、「実行できるかどうかを確認するタイミング」でコンパイルエラーが発見される場合もあります。VBAでは、「Sub/ユーザーフォームの実行」ボタンを押す等の操作でマクロの実行を命令すると、まずはコンパイルという作業を行い、全体的な文法のチェック等をざっと行います(他言語で言うところの「コンパイル」とは少し動作が違います)。その時点で問題なければ、マクロの実行を開始しますが、問題が見つかった場合には、次図のようにコンパイルエラーを表示します。

この図では、「Option Explicitで変数の宣言強制モードにしているのに、変数を宣言せずに代入をしているコードがある」ためにエラーとなっています。このケースでは、VBEがエラー発生箇所と判断した部分がハイライトされ、エラーメッセージが表示されます。

▼コンパイル時にエラーが見つかった場合

そして、**OK**ボタンを押してエラーメッセージを消去すると、次図のように、マクロ名の部分が黄色くハイライトされ、左のインジケーターバーに黄色い矢印が表示された状態になります。この状態は、**実行待機状態**となっており、「矢印の部分でマクロの実行を一時停止していますよ」ということを示しています。

▼実行待機状態になったところ

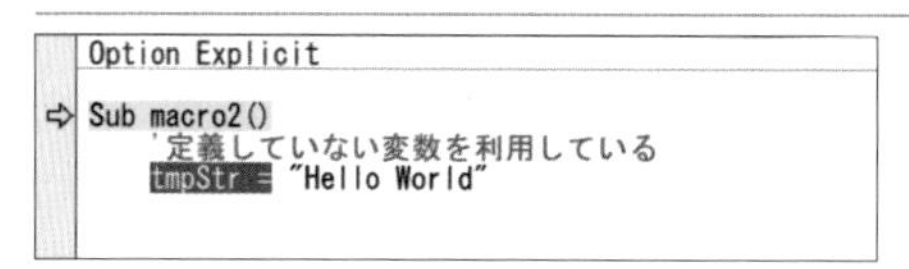

まずは、ツールバーのリセットボタンを押して実行待機状態を解除します。それからゆっくりミスのある箇所を修正しましょう。

なお、このコンパイルは、VBEのツールバーから、**デバッグ→VBAProjectのコンパイル**を選択しても実行できます。メニューから明示的にコンパイルを選択した場合には、エラー発見後に、実行待機状態になることはありません。

コンパイルによって、通常作業でコードを追加していった際には気づかなかったエラーを発見してくれることも間々ありますので、特に、大きめの処理を作成しているときには、定期的なタイミングで、また、保存前にコンパイルしてチェックしてみるクセをつけておくとよいでしょう。

●実行時エラー

コンパイルエラーと違い、マクロを実行してはじめて発見されるのが、**実行時エラー**です。典型的なエラーの例としては、「3枚目のシートが存在しない状態で『Worksheets(3).Select』と記述する」等、文法的には問題ない(コンパイル時のチェックには引っかからない)コードを記述した場合です。

このように、「実は対象ブックには1枚しかシートがなかったので、3枚目のシートは扱えない」というような、**実際に試してみたら駄目だったコード**を発見した場合に表示されるのが実行時エラーです。実行時エラー発生時には、次図のようなダイアログが表示されます。

▼実行時エラーの例

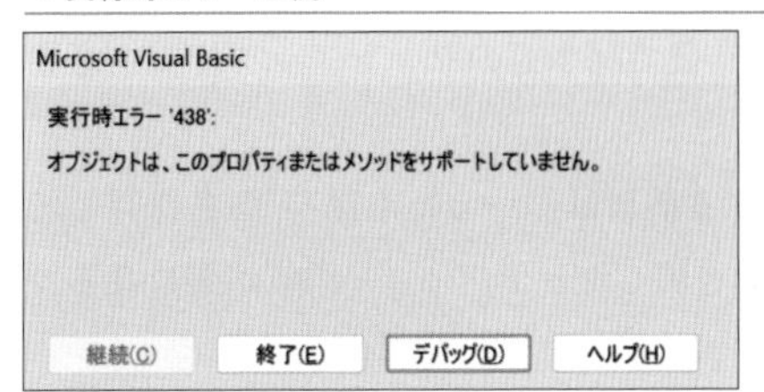

終了ボタンを押すと、その時点でマクロの実行を終了します。**デバッグ**ボタンを押すと、下図のように、エラーの発生したステートメントがハイライトされた、実行待機状態となります。

▼実行待機状態

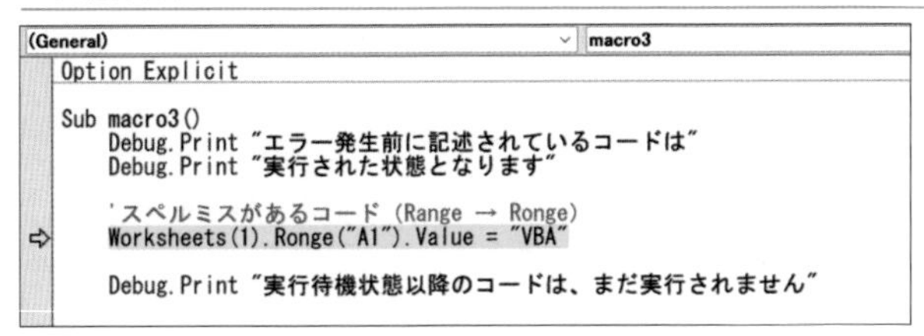

図の例では、「Range("A1")」と記述するところを、「Ronge("A1")」とスペルミスしています(これはコンパイル時に見つけてほしいミスなのですが、見つからない記述なのです)。実行待機状態の場合には、そのままミスを修正し、ツールバーの**継続**ボタンを押せば、その時点からマクロを再開します(なお、ツールバーの「継続」ボタンは、「Sub/ユーザーフォームの実行」と同じボタンです。同じボタンでも、

表示される名前は実行時の状態によって適宜変わります)。

ここで1つ注意をしてほしいのは、実行時エラーが発生した場合には、エラーが発生したステートメントより上の行にあるステートメントは、既に実行されている点です。図の例でも、2行に渡って文字列を出力するコードが記述してありますが、このコードは実行時エラー発生時には既に実行されています。

▼エラー発生箇所以前のコードは実行されている

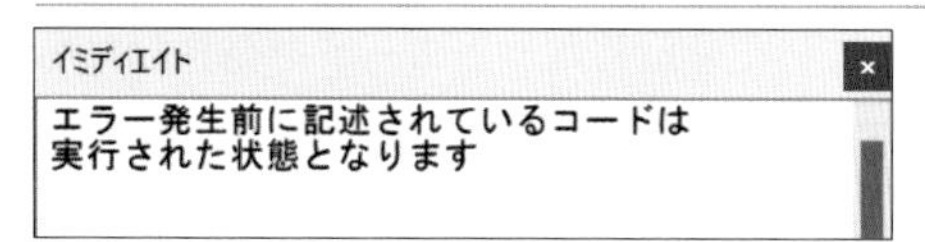

つまり、実行時エラーを修正して、さあ、もう一度作業をやり直そうと思っても、既に実行されているコード分の作業は、手作業で戻す等のセットアップ作業が必要になる場合が出てくる、ということです。

「バグの残っていそうなマクロをテストする前には、いったん保存/別名保存しておく」というクセをつけておくと、この「巻き戻しセットアップ」作業が楽になるでしょう。

column

なぜコンパイル時にエラーとならないのか？

実行時エラーの例として、「Range」と書くべきところを「Ronge」と書いてしまったケースを紹介しました。これは、あきらかにスペルミスなのですが、なぜコンパイル時にエラーとならなかったのでしょうか？

VBAでは、開発者が独自の関数やオブジェクトを作成してマクロ内で使用することができます。そのため、あきらかなスペルミスであっても、「もしかしたらRonge関数やRongeオブジェクトが存在するかも？」と判断されて、コンパイルの段階ではエラーとならないのです。オブジェクト名の間違いはよくあるケースですので、注意していきましょう。

●論理エラー

「エラーが発生することなく終了するけど、結果が意図したものと違う」。そんな最悪な状態が論理エラーです。例えば、次のコードと結果の図を見てください。これは、**セル範囲「C4:E4」に配列の値を入力**するものです。

▼マクロ 9-1

```
Range("C4:E4").Value = Array("りんご", 120, 18)
```

実行例　コードの実行結果

	A	B	C	D	E	F
1						
2		商品	価格	数量		
3						
4			りんご	120	18	
5						

たしかにコードの記述通りに実行されているのですが、これはどう考えても、本来意図していた場所に値が入力されている状態ではありません。あきらかに「間違い」なのですが、VBEの判断としては、書いてある通りに実行できているので「エラー」ではありません。このような状態が論理エラーです。

論理エラーは、発生してしまうと非常に発見が難しいやっかいなエラーです。短いコードであればまだしも、長いマクロで発生してしまうと、いったいどこが問題の部分なのかを突き止めるのが非常に難しくなります。以降のトピックでご紹介するようなVBEの機能を駆使して、何とか見つけ出して修正していきましょう。

column

基本は「止めて修正」だけれども、止める前に状態チェックを

エラーが発生したときの基本の手順は、「ダイアログを閉じる」→「実行待機状態であれば停止する」→「修正する」という流れになりますが、実は、実行待機状態のときに有効な仕組みやツールが用意されています。

実行停止状態では、各種のプロパティの値や変数の値等は、エラー発生時の値を「保持したまま」の状態を保ちます。そこで、実行待機状態のときに、イミディエイトウィンドウに「? 変数名」等と入力して、Enterキーを押してみましょう。

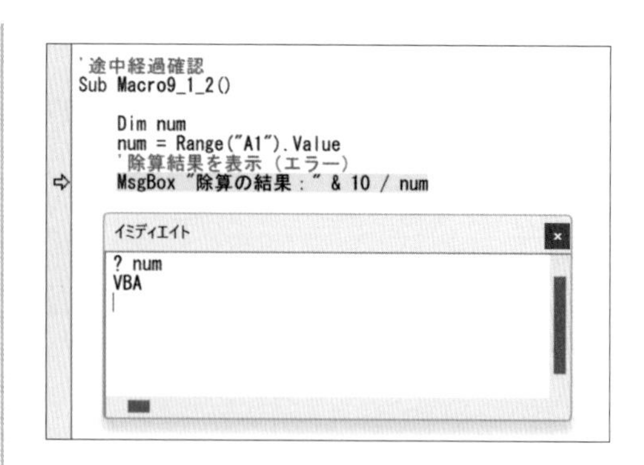

すると、その時点での変数の値がチェックできます。上記の例では、数値を扱うはずであった変数numの値をエラー発生時にチェックしたところ、「VBA」という文字列が代入されていることがわかります。この情報を元に、どこで意図していない値が代入されてしまったのかをたどって修正していくわけですね。

このように、エラー発生時の実行待機状態では、その時点での変数やシートの状態を確認できる仕組みとなっています。エラー発生に慣れてきたら、この仕組みを利用して、きちんと意図していた値が入力されているのかどうか、チェックを行いながら修正作業を進めていきましょう。

ちなみに、実行待機中に「num = 5」等、代入を行うコードをイミディエイトウィンドウに記述すると、その時点で変数に便宜的な値を代入できます。その後、実行を再開すれば、便宜的な値を利用して以降のコードを実行することも可能です。

section

02 エラーを追い詰めるための頼もしい武器

Excelには、エラーの発生箇所を突き止める際に有効な機能が用意されています。本トピックでは、そうした機能をご紹介していきます。

1つひとつの動きを「ステップ実行」で確認する

まずは、ステップ実行機能です。これは、「1行ずつコードを実行し、その結果を確かめられる機能」です。

ステップ実行を行いたいマクロ内の任意の位置をクリックし、メニューより、**デバッグ→ステップイン**を選択するか、F8キーを押します。すると、マクロ名の部分が黄色くハイライトされ、インジケーターが表示された状態で、実行待機状態に入ります。

▼ステップ実行開始状態

```
⇨ Sub ステップ実行で確認()

    '商品・価格・数量を入力
    Range("B3").Value = "りんご"
    Range("C3").Value = 120
    Range("D4").Value = 18

  End Sub
```

この状態から、再びF8キーを押すと、インジケーターが1ステートメント分だけ進みます。このとき、インジケーターが進んだ部分のコードは実行され、再び実行待機状態になります。つまり、F8キーを押すたびに1つずつステートメントが実行されます。

ステップ実行を行っている間は、マクロは実行待機状態を保つため、都度、Excel画面に戻って実行結果を確認していけば、コードと実行結果の因果関係がはっきりとつかめます。

▼Excel画面に切り替えて確認

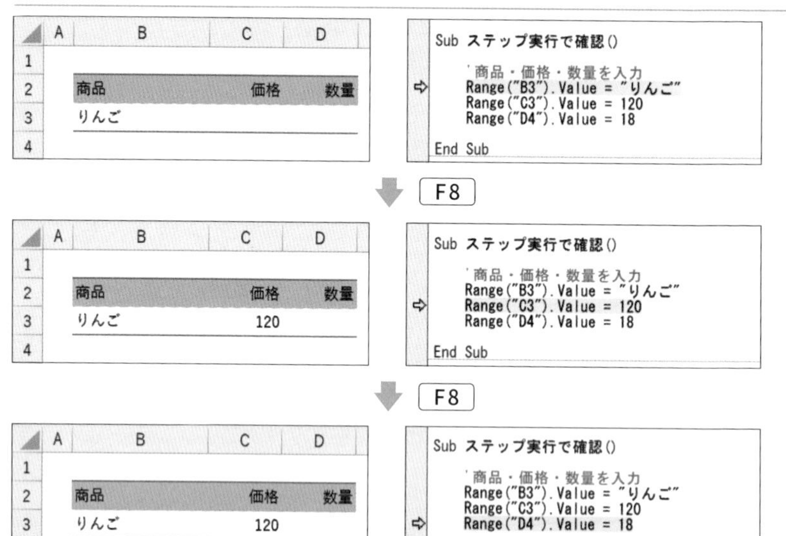

上記の図のサンプルでは、3行のコードのうち、3つ目を実行後に値が意図したセルとはズレて入力されているので、問題は3行目のコードであることが突き止められますね。

また、ステップ実行中でも、**継続**ボタンを押せば、残りの部分のコードを一気に実行できますし、**リセット**ボタンを押せば、その時点でマクロを中断できます。

column

超オススメ！ Excel画面とVBE画面を並べて確認

ステップ実行を行う際にお勧めの画面構成が、「Excel画面とVBE画面を横に並べて実行する」スタイルです。手作業でそれぞれの画面の大きさを調整して並べてもよいのですが、Windows 11あるいは10であれば、Excel画面を表示して、[Windows]+[←]キーで左半分サイズにExcel画面を表示し、VBE画面で、[Windows]+[→]キーで右半分サイズにVBE画面を表示してしまいましょう。この状態で[F8]キーを押してステップ実行をしていけば、コードと実行画面を、同時に見ながら結果を確認していくことができます。

「マクロの記録」機能で記録したコードの内容を調べる際にも有効な、筆者のお気に入りの開発スタイルです。是非一度お試しを。なお、元に戻す場合には、[Windows]+逆向きの矢印キーを押しましょう。

ブレークポイントを設定してあやしい箇所を絞り込む

コードウィンドウの左端部分のインジケーターバーは、クリックするとマークが付き、その行のコードが強調表示されます。このマークはブレークポイントと言い、マクロを実行してブレークポイントまで達すると、その時点で実行待機状態になります。

▼ブレークポイントを設定

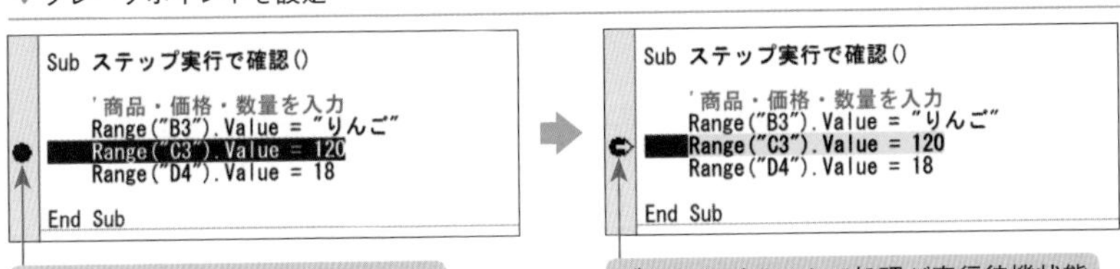

ステップ実行をしたいけど、詳しく調査したい場所がマクロの先頭部分から遠い、というようなケースでは、ブレークポイントを指定しておくと、ピンポイントでその部分を狙い撃ちできますね。実行待機状態になったら、そこから F8 キーを押せば、ステップ実行へと移行できます。

なお、ブレークポイントを解除するには、もう一度インジケーターバーをクリックします。

StopとAssertで確認ポイントを設定する

ブレークポイントの設定は、いったんExcelを終了するとクリアされます。そこで、毎回同じ箇所をブレークポイントに設定したい場合には、Stopステートメントが利用できます。

Stopステートメントを含むマクロを実行すると、Stopステートメントの部分で実行待機状態となります。「書くブレークポイント」として機能する仕組みと言えます。

▼Stopステートメントで一時停止

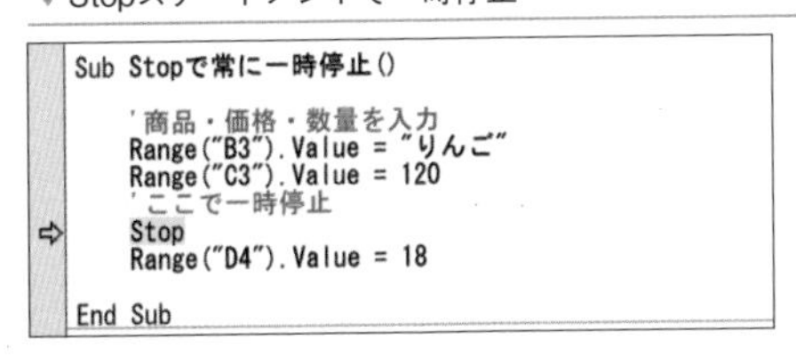

また、Stopステートメントは問答無用で実行待機状態となりますが、指定した条件式を満たさない場合にのみ実行待機状態となる仕組みも用意されています。それが、Debugオブジェクトの**Assert**メソッドです。Debug.Assertメソッドは、引数に指定した条件式が「True」の場合は何ごともなく素通りし、「False」の場合は実行待機状態となります。

▼条件を満たさない場合は処理を止める（Debug.Assertメソッド）

```
Debug.Assert 機能を停止する条件
```

次の図の例では、priceの値が0より大きい場合は実行待機状態となります。

▼Debug.Assertメソッドで一時停止

```
Sub Assertで異常検出()

    Dim price As Long
    price = -100
    '「変数Priceが0より上」という式を満たさない場合は一時停止
    Debug.Assert price > 0
    Debug.Print "価格：", price

End Sub
```

どちらも、開発途中に気になる部分に挟み込んで利用できる便利な仕組みですね。ただし、開発完了時にうっかり残したままにしておくと、ユーザーがマクロを実行したら、突然「謎の画面（VBEのこと）」が表示されてパニックになって問い合わせの電話がかかってくる、なんて事態を招くかもしれません。利用する際には、「最後に検索して取り除く作業を行う」クセをつけるようにしましょう。

ローカルウィンドウとウォッチウィンドウで途中経過を一覧表示

実行待機状態中に、**表示→ローカルウィンドウ**を選択してローカルウィンドウを表示すると、その時点で利用している変数と格納されている値を一覧することができます。例えば、**2つの変数「price」と「nameList」を利用するマクロ**を実行したとします。

▼マクロ 9-2

```
Dim price As Long, nameList() As Variant
'変数に初期値を代入
price = 100
nameList = Array("りんご", "みかん", "ぶどう")
```

```
'一時停止して確認
Stop
```

末尾のStopステートメントにより実行待機状態になったときにローカルウィンドウを表示すると、次のような状態となります。

▼ローカルウィンドウを表示

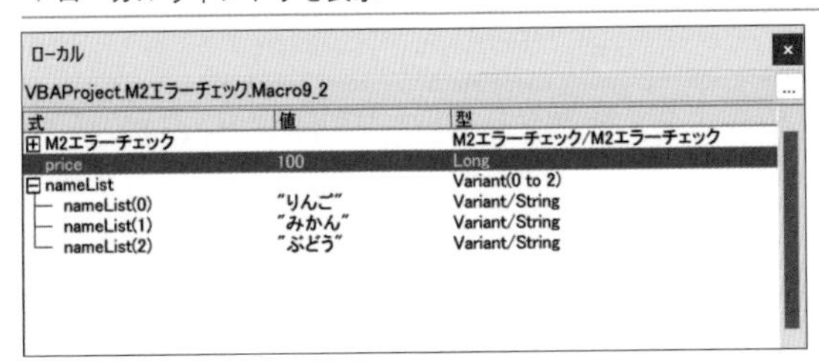

変数名・値・データ型等が一覧表示されます。配列の場合には、各要素の値まで確認できます。

また、**表示→ウォッチウィンドウ**で表示されるウォッチウィンドウでは、注目したい変数や式を登録しておくと、その値をピックアップして監視することが可能となります。

ウォッチウィンドウを表示し、表内の任意の箇所を右クリックして**ウォッチ式の追加**を選択すると、次図のダイアログが表示されます。**式**欄に、注目したい変数名等を入力して、**OK**ボタンを押せば登録完了です。

▼ウォッチウィンドウに監視したい式を登録

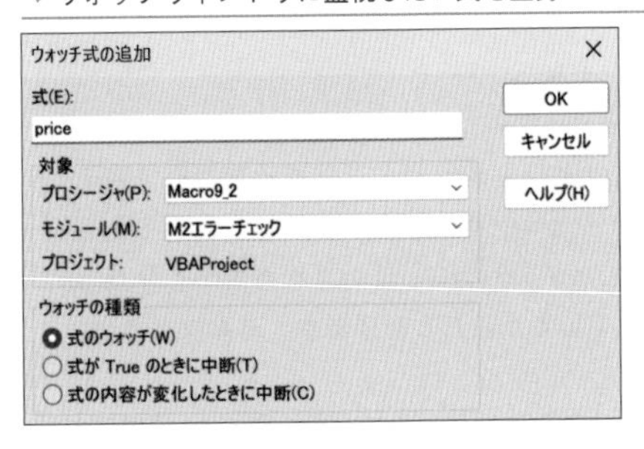

あとは、実行待機状態になったときにウォッチウィンドウを表示すれば、登録したウォッチ式の内容がチェックできます。

▼ウォッチウィンドウで確認

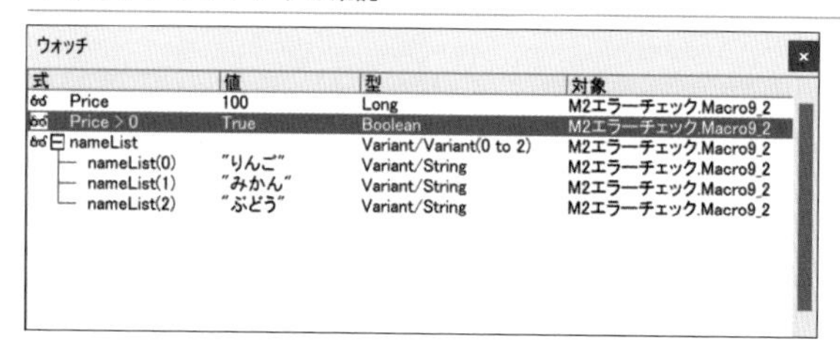

ウォッチ式は、単に変数名を指定することもできれば、「price > 0」といった条件式から、「Range("A1")」といったオブジェクトやプロパティ値の指定等、さまざまな「式」を追加できます。マクロ実行中に気になるパラメーターのみをピックアップして一覧確認できるので、非常に便利です。

また、ウォッチ式を追加する際に、**ウォッチの種類**欄で、「式の内容が変化したときに中断」等のオプションを指定しておくことにより、任意の変数やプロパティの値が変化したときに実行待機状態に移行させることも可能です。「任意の変数やセルの値が意図していない値になってしまう」等のケースでは、原因となる箇所を見つけ出すツールとして、このオプションが非常に役に立ちます。Debug.Assertメソッドと同じチェックを、コードを記述せずに設定できるわけですね。

なお、ウォッチ式に登録する際には、VBE上で登録したい変数名や式をドラッグして選択しておき、右クリックして表示されるメニューから**ウォッチ式の追加**を選択してもOKです。

column

エラー発生時のダイアログ表示を止める

VBEでは通常、コンパイルエラー発見時にはエラーメッセージをダイアログで表示します。しかし、単純なスペルミスやうっかり Enter キーを途中で押してしまったとき等にもいちいちダイアログが表示され、「わかってるのに！」「いまなおすつもりだったのに！」と、作業が中断されてリズムが狂ってしまうこともあります。そんなときは、エラーダイアログの表示を止めてしまいましょう。

ツール→オプションメニューを選択して、「オプション」ダイアログを表示し、「編集」タブの**自動構文チェック**のチェックを外します。

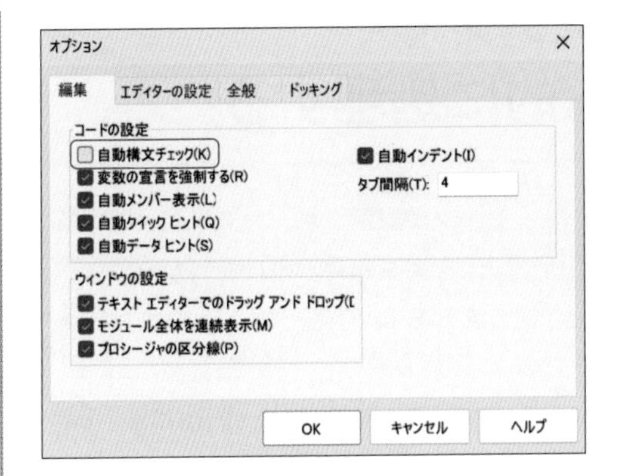

これで、スペルミスや括弧の閉じ忘れ等の「文字が赤くなる系のエラー」発生時には、ダイアログ表示はされなくなります。この状態でも、VBE側でミスを発生したときには、コードが赤くなって知らせてくれますので、ミスをしたこと自体はわかるようになっています。

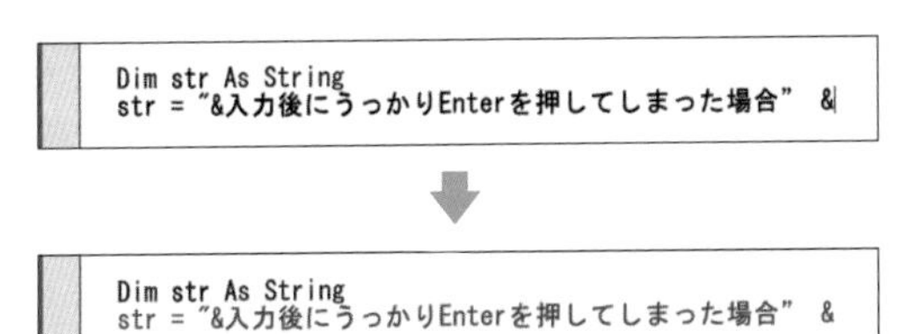

いちいちダイアログを消すのが面倒だと感じていた方には、特にお勧めの設定です。

section 03 エラートラップでプログラム的に処理する

実行時エラー発生時には、エラーメッセージが表示され、マクロが一時中断されます。これはこれでエラーの発生箇所や原因を突き止めるのに便利なのですが、いきなりVBE画面が表示されるのは、仕組みを知らないユーザーにとっては、かなりの恐怖を伴います。

こういったケースのためだけというわけではありませんが、VBAにも、「エラーが発生した場合、マクロを中断せずに、専用の処理を実行する」、いわゆるエラー処理の仕組みが用意されています。

エラー発生時に特定のラベルへジャンプする

VBAでエラー発生時に専用の処理を実行する仕組みを、エラートラップと言います。エラートラップを作成するには、On Errorステートメントを利用します。On Errorステートメントの基本的な構成は以下のようになります。

▼エラートラップを作成する(On Errorステートメント)

```
On Error GoTo ラベル名
エラーの発生する可能性のあるコード
Exit Sub

ラベル:
エラー発生時に実行するコード
```

実際のコードは次のような形になります。基本的には、「集計」シートのセルA1に値を入力するものです。しかし、実行時に「集計」シートが存在しない場合にはエラーとなります。そこで、**エラー発生時には、エラーの種類をチェックし、「インデックスが有効範囲にありません」というエラーの場合には、「集計」シートをマクロから追加し、元の処理へと戻す**ようにしています。

▼マクロ 9-3

```
'エラー発生時はラベル「ErrorHandler」にジャンプ
On Error GoTo ErrorHandler
'「集計」シートに値を入力
Worksheets("集計").Activate
Worksheets("集計").Range("A1").Value = 1000
'処理を終了
Exit Sub

'以下、エラー処理
ErrorHandler:
'エラーの種類が「インデックスが有効範囲にありません」かをチェック
If Err.Number = 9 Then
    '「集計」シートを追加し元の処理へ戻る
    Worksheets.Add.Name = "集計"
    Resume
Else
    'メッセージを表示して処理を終了
    MsgBox "予期せぬエラーが発生しました。下記の番号をお知らせください" & _
           vbCrLf & "エラー番号：" & Err.Number, vbExclamation
End If
```

▼「集計」シートに値を入力

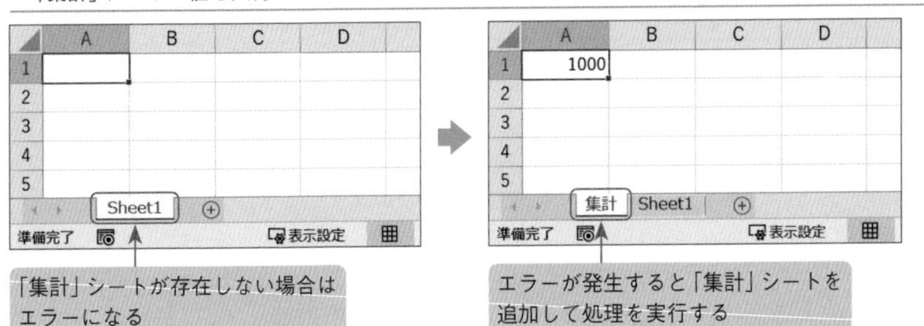

エラーのトラップを開始したい箇所で「On Error GoTo ラベル名」と記述すると、以降の箇所でエラーが発生した場合には、「ラベル」の部分へとジャンプします。

ラベルを作成するには、「ラベル名:」と、任意の名前（識別子）の後ろに「：（コロン）」を付けて Enter キーを押します。上記の例では、「ErrorHandler」という名前のラベルを作成しています。エラートラップ用のラベルは、エラーが発生しなかった場合の通常処理を書き終えた後の行に配置するのがよいでしょう。このとき、ラベルの前に、Exit Subステートメントをセットで記述し、通常処理を実行後、エラー処理部分まで実行されずにマクロを終了するようにしておきます。2つセットで、ここまでは通常処理、これ以降はエラー処理という区切りとなります。

エラー処理内では、Errオブジェクトを通じて、発生したエラーに関する情報を得られます。よく利用するのは、エラー番号をチェックできるNumberプロパティと、エラーメッセージをチェックできるDescriptionプロパティでしょう。

▼Errオブジェクトの2つのプロパティ

プロパティ	内容
Number	エラーの種類に応じたエラー番号
Description	エラー発生時に表示されるメッセージ

先のサンプルでは、Numberプロパティの値をチェックし、「9」の場合（インデックスが有効範囲にない場合のエラー番号）には、「集計」シートがないと判断し、マクロで「集計」シートを作成します。そして、実行した時点でエラーの発生した部分へと復帰して処理を続行するResumeステートメントでエラーの発生したコードへ戻り、もう一度エラーの発生したステートメントを実行し、処理を続行します。

column

Resumeステートメント

Resumeステートメントは、エラー処理内で利用すると、エラーの発生した箇所をもう一度実行するステートメントです。エラー処理内で、エラー発生の原因を解決した後に復帰する際に利用します。

「Resume Next」とすると、エラー発生箇所の「次のステートメント」から再開することもできます。

独自のエラーメッセージを表示する

また、先のマクロでは、エラー番号が「9」ではない場合は、MsgBox関数を利用してユーザーにエラーの発生を知らせる独自のメッセージを表示しています。通常のエラー発生時は、VBE画面に移動したうえでエラーダイアログを表示しますが、こうすることで、VBE画面に移動することなくExcelの画面のままエラーの発生を穏便に伝えられます。これならマクロに慣れていないユーザーも、それほどびっくりしないでしょう。例えば、次のダイアログは、「集計」シートは存在するけど、シートに保護がかかっていた場合に表示されるメッセージです。

▼エラートラップにより独自のメッセージを表示

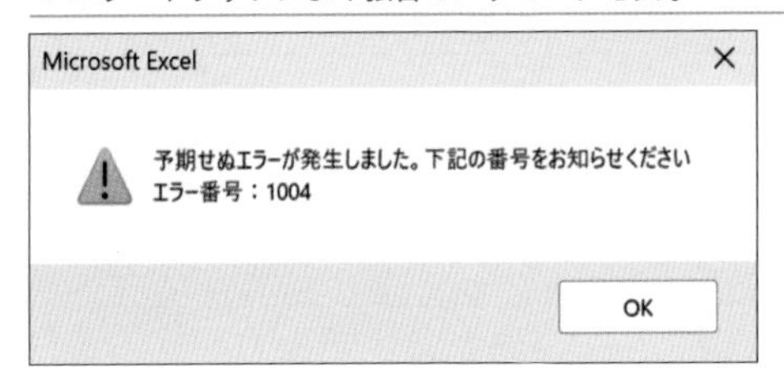

独自のメッセージには、「エラーへの対処方法や連絡先、連絡がきた場合に手がかりとなるエラー番号」等を添えて表示しておくのがお勧めです。さらに詳しい情報もほしい場合には、エラー処理内でエラー発生時の状況をシートやテキストファイルに書き出しておく仕組みを用意するのもよいですね。そのファイルを送ってもらい、コードのブラッシュアップを行うのです。

ともあれ、エラートラップの基本は、「On Error GoTo ラベルでトラップ開始」「Exit Subまでは通常処理、ラベル以降はエラー処理」「エラーの情報はErrオブジェクト経由でチェック」というルールとなります。

エラートラップを解除する

エラーのトラップを途中で解除するには、On Error GoTo 0ステートメントを利用します。

▼エラートラップを解除する（On Error GoTo 0ステートメント）

```
On Error GoTo ラベル名
エラーの発生する可能性のあるコード
On Error GoTo 0
以降はトラップを行わないコード
```

マクロ内の一部の箇所でエラートラップを利用したい場合には、上記のように該当箇所のみを挟み込むような形でコードを記述しましょう。

エラーを無視する

次のような形でOn Error Resume Nextステートメントを利用すると、エラーをトラップするのではなく、エラーが出たコードは無視して次のステートメントからマクロを続行してしまうこともできます。

▼エラーを無視する（On Error Resume Nextステートメント）

```
On Error Resume Next
エラーの発生する可能性のあるコード
On Error GoTo 0
以下は通常のコード
```

少々強引なように思えますが、以下のように記述します。次のコードは、**既存の「集計」シートを削除し、新規に作り直した「集計」シートに値を入力**する という意図のものです。

▼マクロ 9-4

```
'エラーを無視して処理を続行
On Error Resume Next
'既存の「集計」シートを削除
Application.DisplayAlerts = False
Worksheets("集計").Delete
Application.DisplayAlerts = True
On Error GoTo 0
'「集計」シートを追加し値を入力
Worksheets.Add.Name = "集計"
Worksheets("集計").Range("A1").Value = 1000
```

「Worksheets("集計").Delete」というコードは、「集計」シートを削除するものですが、「集計」シートが存在しない場合に実行するとエラーとなります。そこで、On Error Resume Nextステートメントを利用し、エラーが発生した場合は無視して次の行から処理を続行し、「新規『集計』シート追加→値を入力」という処理を続行します。

これならば、「集計」シートが存在する場合も存在しない場合も、同じコードでまかなえます。ややイレギュラーな対応になりますが、場面によってはとてもシンプルなコードを作成できる仕組みとなります。

section

04 フリーズ？ 最終手段は Excelの強制終了

非常に処理の重いマクロを実行しているときや、うっかり無限ループを行うマクロ（永久に処理の終わらないマクロ）を作成してしまった場合等には、Excelが止まったまま動かなくなる状態となる場合があります。そんなときの2つの対処方法を見ていきましょう。

Escキーで中断する

実行してはみたものの、なかなか終わらない処理を強制的に中断したい場合には、しばらくEscキーを押し続けましょう。手遅れでなければ、コードの実行を中断できます。

▼手遅れでなければEscキーで中断できる

Microsoft Visual Basic

コードの実行が中断されました。

継続(C)　終了(E)　デバッグ(D)　ヘルプ(H)

Escキーで中断すると、上の図のようなダイアログが表示されます。実行を停止したい場合には**終了**を押し、実行待機状態にして各種の調査を行いたい場合には**デバッグ**を押しましょう。

最終的には「タスクマネージャー」に頼ろう

Escキーを押しても中断しない。フリーズしたままという場合には、残念ですが手遅れです。Excel自体を強制終了するしかありません。Ctrl＋Alt＋Deleteキーを押して、タスクマネージャーを表示し、おそらくは「応答なし」状態になっているExcelを選択し、**タスクを終了する**ボタンを押します。

▼タスクマネージャーで強制終了

①Excelを選択する

②タスクを終了するを押す

これでフリーズ状態のExcelを強制的に閉じることができます。ただし、この方法では保存していないデータ等は失われますし、Excelブックが壊れてしまう危険性もあります。あくまでも、緊急手段ですので、できるだけフリーズに陥らないコードを作成するように心がけたいものですね。

column

タスクマネージャーの見た目はWindowsのバージョンによって異なる

本文中で表示しているタスクマネージャーはWindows 11のものです。OSのバージョンによっては異なる見た目(UI)の場合があります。また、タスクマネージャーの表示はカスタマイズできるため、同じバージョンでも表示状態が異なる場合があります。

その場合でも「、タスクマネージャーを表示→Excelを選択→タスクの終了」という流れは同じです。ご自分の環境に合わせて利用してください。

section

05 エラーを見越した手作り自己防衛手段

さて、ここで、筆者が過去に実際に利用していた、「エラー発見用の防衛手段」をいくつかご紹介します。筆者がVBAを始めた頃はエラートラップの知識はなく、プログラミングの知識はなく、ブレークポイントやウォッチ式は何か敷居が高く、怖くて使えない。そんな状態でした。言わば苦肉の策として利用していた方法の数々です。

正直言って紹介するのは恥ずかしいレベルの単純な仕組みですが、VBAに触れ始めたばかりの方にとっては、当時の筆者と同様に、非常に助かるルールになる場合もあるかと思い、公開させていただきます。

開発中は要所要所でログを書き出しておく

まずはじめは、要所要所にDebug.Printメソッドを仕込んで、「いったい、どこまでマクロが実行されたのか」の簡易ログを書き出す仕組みです。

▼簡易ログを出力する

```
コードA
Debug.Print "ブロックAまで無事に通過"
コードB
Debug.Print "ブロックBまで無事に通過"
コードC
Debug.Print "最後まで正常終了！"
```

▼簡易ログの例

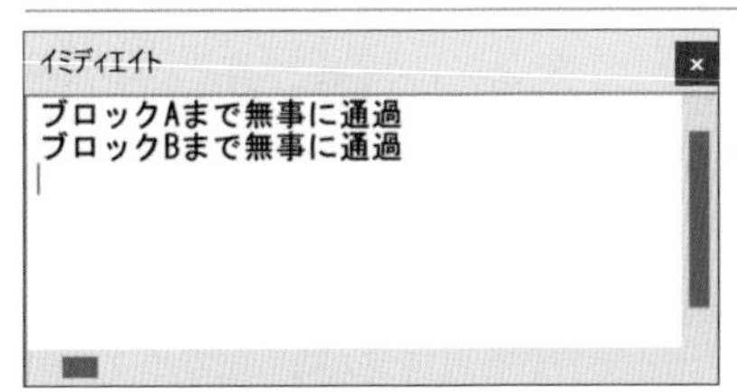

こうしておけば、エラー発生時に、「いったいどこまで意図通りに進んだのか」

を確認できます。特に、マクロが長くなってきたり、いくつかのマクロを連携する仕組みを作成したとき等には、処理の流れが意図していた順番通りかどうかを知る手がかりにもなります。

長めの処理を実行中に、リアルタイムでイミディエイトウィンドウに出力されるログを見守り、最後のメッセージが無事表示されたときには、思わずガッツポーズが出る仕組みでもあります。

さらに一歩進めてマクロ名や気になる値の出力を行っておく

Debug.Printメソッドを利用した出力を行う場合には、マクロ名や気になる変数、セルの値等をチェックする記述をまとめておくのも効果的です。

例えば次の図のコードは、For Eachステートメントによるループ処理で、セルの値を元に計算を行うものですが、ループの途中でエラーが発生しています。

▼エラーの出るコード

```
Sub 確認用コードで出力()

    Dim rng As Range
    Const SELLING_RATE As Double = 1.2
    '原価を元に仮の販売価格を算出
    For Each rng In Range("C3:C7")
        '## チェック用ログ
        Debug.Print "対象セル:" & rng.Address, "値:" & rng.Value
        '##
        rng.Next.Value = Int(rng * SELLING_RATE)
    Next

End Sub
```

このマクロは、セル範囲C3:C7に入力された値に対して順番に「1.2」を乗算した値を計算・入力していくものなのですが、対象のセル内の1つに「調査中」等の文字列が入ってしまっていると図のようなエラーが発生した状態となります。文字列に対して数値を乗算しようとしてエラーとなっているわけですね。

このような、シート上の値を利用する処理の場合、コードだけを見てもエラーの原因がわかりにくいケースがあります。また、ループ処理内でエラーが発生した場合には、いったい、何回目の何を対象としたループ処理の最中にエラーが発生したのかもすぐにはわかりません。

▼エラー発生時のシート側の状態

	A	B	C	D	E
1					
2		商品	原価	販売価格(仮)	
3		BTD-001	450	540	
4		BTD-002	380	456	
5		BTD-003	調査中		
6		SRY-001	800		
7		SRY-002	850		
8					

数値が入力されている想定のセルに文字列が入力されているためエラーとなっている

そこで、あらかじめループ処理内で、ループ処理の対象や値を出力するコードを書いておくと、エラー発生時にそのログを見ることで、エラーの発生原因がわかりやすくなるのです。

▼出力されたログ

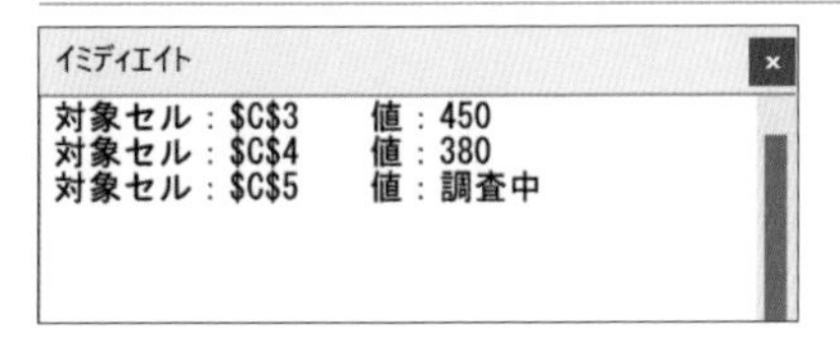
イミディエイト
対象セル：$C$3　値：450
対象セル：$C$4　値：380
対象セル：$C$5　値：調査中

この例では、ループ処理内に以下のログを書き出すコードを配置し、セル番地と値を出力しています。

```
Debug.Print "対象セル：" & rng.Address, "値：" & rng.Value
```

エラーで止まった際にログを見れば、「セルC5の値が『調査中』」であるループの場合に止まってしまったことがわかります。これを見れば、「よし、じゃあ値のデータ型をチェックする処理を付け加えよう」と、次の手を考える材料になりますね。

修正オペレーションのための目印を用意する

作成したマクロを自分で使うのではなく、マクロの作成を請け負って他の人に利用してもらうような場合には、エラーが起きた場合に、教えてほしい情報をまとめたメッセージを表示する仕組みを作っておくのが有効です。

例えば、エラートラップの仕組みを利用して、以下のようなコードの基本形を決めておきます。

▼マクロ 9-5

```
Const MACRO_ID As String = "MC001"
On Error GoTo ErrorHandler
'ここに実行したいコードを記述
Exit Sub
ErrorHandler:
MsgBox "エラーが発生しました。以下の番号をご連絡ください" & vbCrLf & _
       "ID：" & MACRO_ID, vbExclamation
```

上記の例では、マクロの冒頭で「MACRO_ID」という定数に「どのマクロか判別できるそれっぽい値」を定義してあります。この状態でエラートラップを行い、エラー処理内では、メッセージとともに先ほど用意しておいた定数を表示しています。この仕組みをマクロごとにIDを変えながら作成していけば、「エラーが発生した場合には、VBE画面にいかずに、IDが表示される」という仕組みのマクロブックが作成できます。

複数のマクロにこの仕組みを仕込んでおく場合には、ひな型をコピーする形から作成を始め、マクロ名とIDを変更してからマクロの中身を作成するスタイルで作業を進めるのがよいでしょう。

▼ユニークIDを持たせて表示する

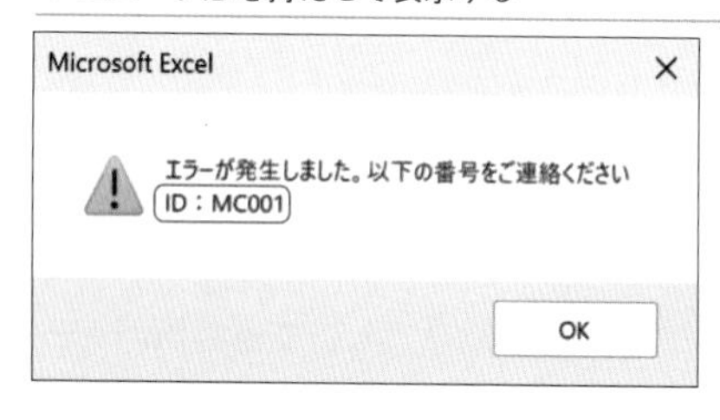

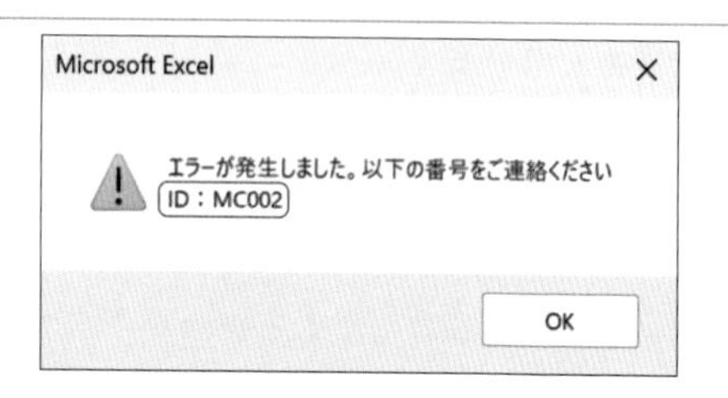

こうしておけば、エラー発生時にユーザーさんはIDを元に開発者に連絡を行うことができ、開発者は、IDを元にエラーの出たマクロを絞り込んでチェックができます。その他、「どこまで進んだか」の情報を示す「進行ID」を用意して表示したり、変数やセルの情報等も表示しておけば、それだけ、修正の際に知りたい情報を的確に伝えてもらいやすくなります。

本来であれば、こんな仕組みを用意せずに、エラーの出ない万全のマクロを作成できるのがベストです。しかし、それはなかなかに難しいタスクです。実際は、「現場のデータで試さないと何とも言えないけど、現場のデータに触らせてもらえない」

ようなケースもあります。そういった場合には、このような仕組みが非常に役に立ってくれるでしょう。

また、チェックしたい情報が結構な量になる場合には、エラー発生時にテキストファイルにログを書き出し、それを送ってもらう等の方法も有効です。

column

デバッグ用のコードを一括消去するには

デバッグ用の出力部分のコードは、正式リリースする際には不要になる場合もあるでしょう。一括消去してしまいたい場合には、「置換」機能(**編集**→**置換**)を利用しましょう。

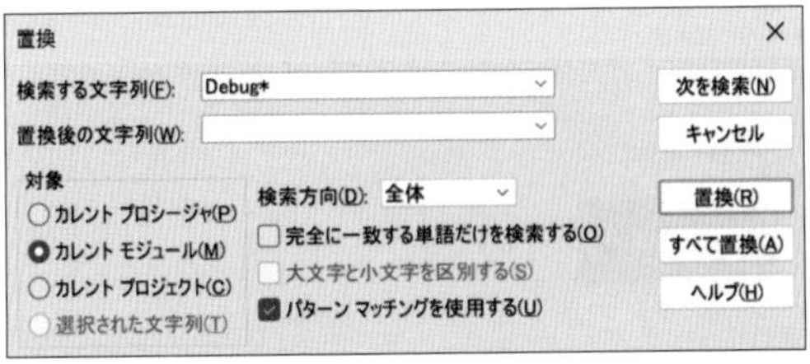

置換
検索する文字列(F): Debug*
置換後の文字列(W):
対象
カレント プロシージャ(P)
カレント モジュール(M)
カレント プロジェクト(C)
選択された文字列(T)
検索方向(D): 全体
完全に一致する単語だけを検索する(O)
大文字と小文字を区別する(S)
パターン マッチングを使用する(U)
次を検索(N)
キャンセル
置換(R)
すべて置換(A)
ヘルプ(H)

検索文字列を「Debug*」、置換後の文字列を「""(空白文字列)」に設定し、さらに、「パターンマッチングを使用する」にチェックを入れて置換すれば、「Debug」で始まる文字列部分を、一気に消去できます。

また、消去ではなく、一時的にコメント化したい場合には、「Debug」を「'Debug」と、コメントを開始するシングルクォーテーション付きの文字列に置換するのもよいでしょう。元に戻すには逆に「'Debug」を「Debug」にしてあげればOKです。

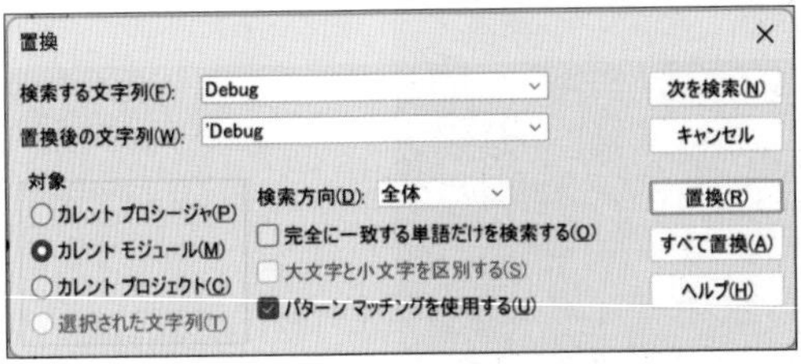

置換
検索する文字列(F): Debug
置換後の文字列(W): 'Debug
対象
カレント プロシージャ(P)
カレント モジュール(M)
カレント プロジェクト(C)
選択された文字列(T)
検索方向(D): 全体
完全に一致する単語だけを検索する(O)
大文字と小文字を区別する(S)
パターン マッチングを使用する(U)
次を検索(N)
キャンセル
置換(R)
すべて置換(A)
ヘルプ(H)

一部の範囲のコードのみを置換処理の対象にしたい場合は、その範囲のみをドラッグする等の操作で選択してから置換すればOKです。

ちなみに「置換」ダイアログは、Ctrl + Hキーでも表示できます。よく使うので覚えてしまいましょう。

column

VBEの表示色をカスタマイズする

VBEのエディターの表示色は、基本「白地に黒文字」ですが、この表示設定は変更可能です。**ツール→オプション**で表示される「Excelのオプション」ダイアログ内の「エディターの設定」タブで、**コードの表示色**欄の「標準コード」「コメント」「キーワード」「識別子」の4つに関して、それぞれ「背景」(背景色)と、「前景」(文字色)を選択すると、その色は反映されます。

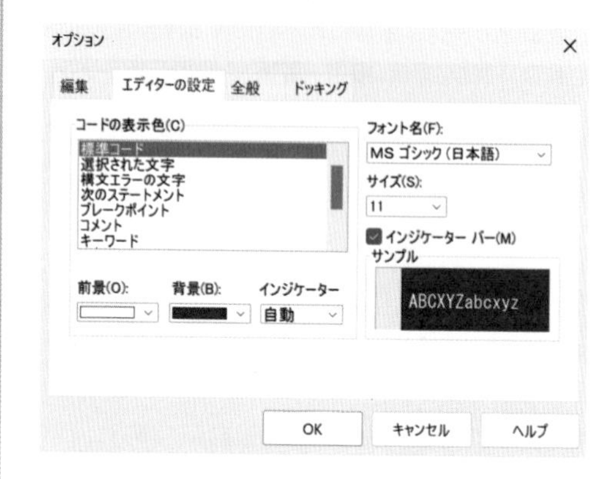

また、フォントの種類やサイズの指定も可能です。好みの配色や、使い慣れた配色がある場合には、ここで設定しておきましょう。

```
Sub 確認用コードで出力()

    Dim rng As Range
    Const SELLING_RATE As Double = 1.2
    '原価を元に仮の販売価格を算出
    For Each rng In Range("C3:C7")
        '## チェック用ログ
        Debug.Print "対象セル：" & rng.Address, "値：" & rng.Value
        '##
        rng.Next.Value = Int(rng * SELLING_RATE)
    Next

End Sub


'Macro9_5の仕組み
Sub MacroA()

    Const MACRO_ID As String = "MC001"
    On Error GoTo ErrorHandler
    'ここに実行したいコードを記述
```

なお、色が設定できるのは、コードウィンドウとイミディエイトウィンドウのみです。プロジェクトエクスプローラーや、プロパティウィンドウは変更できません。

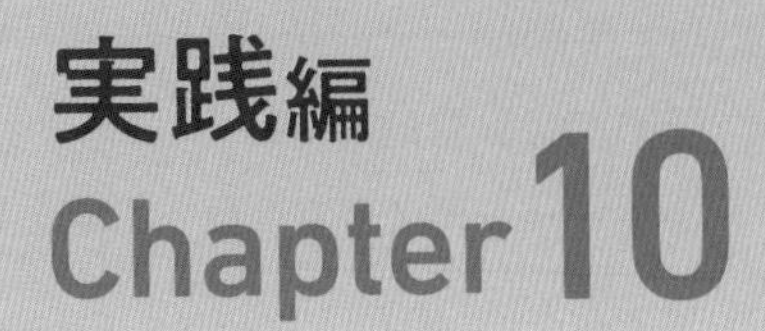

目的のセルへ アクセスする

本章からは、VBAの仕組みではなく、「実際に使いそうなコード」にテーマを絞ってご紹介させていただきます。
まずは何と言ってもVBAによって操作する機会ナンバーワンである「セル」へのアクセス方法です。あの手この手で目的のセルへとたどり着く方法をご紹介します。

本章の学習内容

❶セル番地や行・列番号を元にアクセスする
❷階層構造の仕組みからアクセスする
❸セルの値や特徴に着目してアクセスする
❹表形式/テーブルのセルの各部分にアクセスする

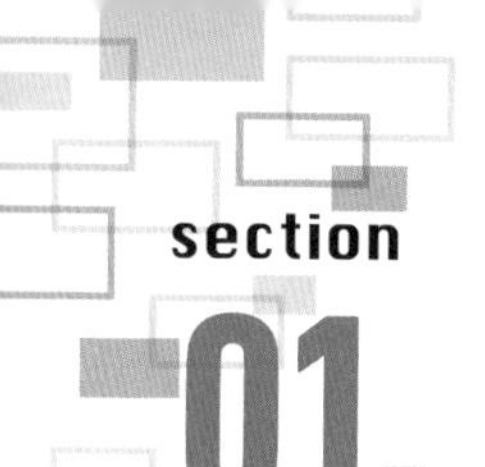

section 01 目的のセルを取得する方法

それでは、目的の「セル」へとアクセスする方法を見ていきましょう。ここまでにもセルへのアクセスは行ってきましたが、あらためて方法を確認していきます。

Rangeでセル番地を指定する

Excelを利用している方が慣れ親しんでいるであろう「A1形式(列番号をAから始まるアルファベット、行番号を1から始まる数値で指定する方式)」の文字列で対象セルを指定するのが、Rangeプロパティです。Rangeプロパティを通じて、Rangeオブジェクト(セル)へアクセスします。セル番地文字列は、「"(ダブルクォーテーション)」で囲って指定します。

▼セルへアクセスする(Rangeプロパティ)

```
Range(セル番地文字列)
```

Rangeプロパティは、既に何回も利用していますね。次のコードは、**セルB2へと値を入力**します。

▼マクロ 10-1

```
Range("B2").Value = "VBA"
```

実行例　A1形式のセル番地を使ってアクセス

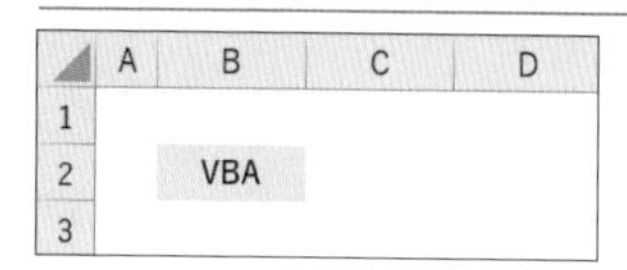

Cellsで行番号と列番号を指定する

A1形式ではなく、行番号と列番号をそれぞれ指定してアクセスするには、Cellsプロパティを利用します。行番号と列番号は、それぞれ数値で指定します。

▼行番号と列番号でセルにアクセスする（Cellsプロパティ）

```
Cells(行番号, 列番号)
```

こちらも既に何回か利用していますね。なお、列番号を指定する際には、シート上の列見出しと同様に、列に対応したアルファベット文字列での指定も可能です。

次のコードは、**「2行目・4列目（セルD2）」と、「2行目・F列目（セルF2）」へと値を入力**します。

▼マクロ 10-2

```
Cells(2, 4).Value = "Excel"
Cells(2, "F").Value = "Hello!"
```

実行例　行番号と列番号を指定してセルに値を入力

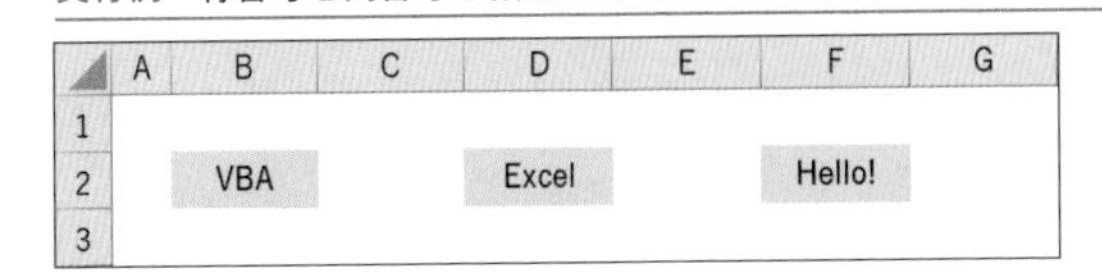

	A	B	C	D	E	F	G
1							
2		VBA		Excel		Hello!	
3							

2つのセルを囲む範囲にアクセスする

Rangeプロパティには、引数に2つのセル（Rangeオブジェクト）を指定し、「2つのセルを囲むセル範囲」を指定する記述方法も用意されています。

▼セル範囲を指定する（Rangeプロパティ）

```
Range(Range(セル1), Range(セル2))
```

セル1に左上のセル、セル2に右下のセルを指定します。次のコードは、**セルB2とセルE4を囲むセル範囲（セル範囲B2:E4）に値を入力**します。

▼マクロ 10-3

```
Range(Range("B2"), Range("E4")).Value = "VBA"
```

実行例　セル範囲に値を入力

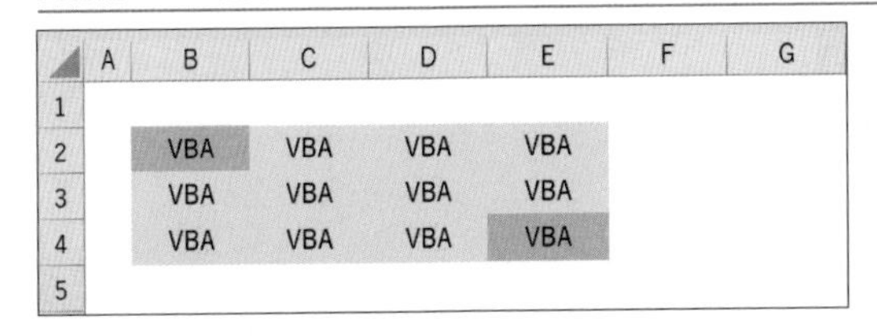

	A	B	C	D	E	F	G
1							
2		VBA	VBA	VBA	VBA		
3		VBA	VBA	VBA	VBA		
4		VBA	VBA	VBA	VBA		
5							

同じセル範囲は単純に「Range("B2:E4")」と、セル範囲を指定するA1形式の引数を1つだけ指定してもアクセスできますが、引数として2つのRangeオブジェクトを指定する仕組みを覚えておくと、範囲の先頭セルは決まっているけど、終端のセルは調べてみないとわからないようなケースで便利です。

例えば、上記と同じセル範囲は次のコードで取得することができます。これは、**セルB2と「E列の先頭セル(E2)から下方向への終端セル」を範囲に指定して値を入力**するものです。

▼マクロ 10-4

```
Range(Range("B2"), Range("E2").End(xlDown)).Value = "VBA"
```

このように、第2引数に指定するRangeオブジェクトにEndプロパティを記述しておくことで、その時点でのE列の終端セルを取得できます(335ページ)。つまりは、「日々データを追加入力することにより可変するデータ範囲でも、同じコードで可変するセル範囲へアクセス可能」なコードとなります。

「現在選択しているセル」へのアクセス

「現在選択しているセル範囲」を操作対象にするには、Selectionプロパティ、もしくはActiveCellプロパティを利用します。Selectionは「選択セル範囲全体」、ActiveCellは「選択セル範囲内のアクティブな1セル」へとアクセスします。

次のコードは、**選択中のセル範囲全体に「Excel」と入力し、アクティブセルに「VBA」を入力**します。シート上でセル範囲を選択したうえで、実行してみてください。

▼マクロ 10-5

```
Selection.Value = "Excel"
ActiveCell.Value = "VBA"
```

実行例　選択範囲に文字列を入力

	A	B	C	D	E	F
1						
2		VBA	Excel	Excel	Excel	
3		Excel	Excel	Excel	Excel	
4		Excel	Excel	Excel	Excel	
5						

column

異なるシートのセル範囲を指定する際の注意点

Rangeプロパティに2つのセルを引数として指定する場合、他のシートのセル範囲を指定するには注意が必要です。例えば、次のコードは、**「2枚目のシート」のセル範囲B2:E4に値を入力**することを意図して記述したものです。

```
Worksheets(2).Range(Range("B2"), Range("E4")).Value = "VBA"
```

しかし、このコードは2枚目のシート以外から実行するとエラーとなります。正しくは、次のようになります。

```
With Worksheets(2)
    .Range(.Range("B2"), .Range("E4")).Value = "VBA"
End With
```

Rangeプロパティに渡す2つの引数にセルを指定する際、単に「Range("B2")」のように記述すると、それは「アクティブシート上のセルB2」となってしまうのです。

そのため、引数として利用する2つのRangeプロパティでの指定の際にも、「2枚目のシートのセルB2」「2枚目のシートのセルE4」と、それぞれに目的のシート上のセルを扱うよう階層構造を指定する必要があります。異なるシート上のセルを扱う際には、注意しましょう。

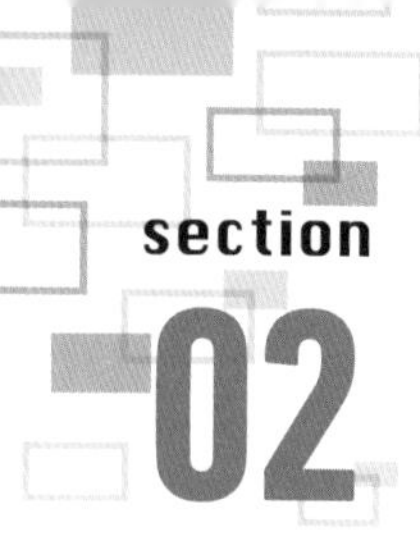

section 02 行全体または列全体へのアクセス

次は、行全体または列全体へまとめてアクセスする方法をご紹介します。

任意の行・列へアクセスする

任意の行全体へアクセスするにはRowsプロパティ、列全体へアクセスするにはColumnsプロパティを利用します。Rowsプロパティは、アクセスする行を行番号で指定します。Columnsプロパティは、アクセスする列の列番号あるいは列を示すアルファベット文字列で指定します。

▼行全体へアクセスする（Rowsプロパティ）

```
Rows(行番号)
```

▼列全体へアクセスする（Columnsプロパティ）

```
Columns(列番号/列を表すアルファベット文字列)
```

次のコードは、**「2行目全体」「3列目（C列）全体」「E列全体」へそれぞれ値を入力**します。

▼マクロ 10-6

```
Rows(2).Value = "Hello"
Columns(3).Value = "Excel"
Columns("E").Value = "VBA"
```

実行例　行・列全体へのアクセス

	A	B	C	D	E	F	G	H	I
1			Excel		VBA				
2	Hello	Hello	Excel	Hello	VBA	Hello	Hello	Hello	Hello
3			Excel		VBA				
4			Excel		VBA				
5			Excel		VBA				
6			Excel		VBA				
7			Excel		VBA				
8			Excel		VBA				
9			Excel		VBA				

複数の行・列へアクセスする

連続する行・列の範囲であれば、次のように行・列番号と「:(セミコロン)」を組み合わせた文字列を指定することでアクセス可能です。次のコードは、**「2～4行目」と、「B～C列目」に値を入力**します。

▼マクロ 10-7

```
Rows("2:4").Value = "行"
Columns("B:C").Value = "列"
```

実行例　複数の行・列にアクセス

	A	B	C	D	E	F	G	H	I
1		列	列						
2	行	列	列	行	行	行	行	行	行
3	行	列	列	行	行	行	行	行	行
4	行	列	列	行	行	行	行	行	行
5		列	列						
6		列	列						
7		列	列						

列範囲を指定する際には、「Columns("2:3")」のように列番号で指定することも可能です。

任意のセルを基準とした行・列へアクセスする

特定のセル/セル範囲を元に、そのセルを含む行全体・列全体へアクセスするには、EntireRowプロパティとEntireColumnプロパティを利用します。次のコードは、**セルB2を基準とした行全体と、セルC5を基準とした列全体へ値を入力**します。

▼マクロ 10-8

```
Range("B2").EntireRow.Value = "行"
Range("C5").EntireColumn.Value = "列"
```

実行例　任意のセルを含む行・列にアクセス

	A	B	C	D	E	F	G	H	I
1			列						
2	行	行	列	行	行	行	行	行	行
3			列						
4			列						
5			列						
6			列						
7			列						

EntireRowプロパティは、特定のセルを含む行全体にアクセスできます。同様に、EntireColumnプロパティは、特定のセルを含むセル全体にアクセスできます。上記のマクロは、セルB2を含む行全体(2行目)と、セルC5を含む列全体(C列)にアクセスし、それぞれのValueプロパティに値を設定しています。

column

最大行数や列数はいくつ？

Excelで扱える最大の行数と列数はいくつになるでしょうか。2023年現在では、行数は1,048,576行、列数は16,384列です。このようなExcelの制限値を知りたい場合には、Microsoftサポートページ中の「Excelの仕様と制限」ページが役に立ちます(https://support.microsoft.com/ja-jp/office/1672b34d-7043-467e-8e27-269d656771c3)。

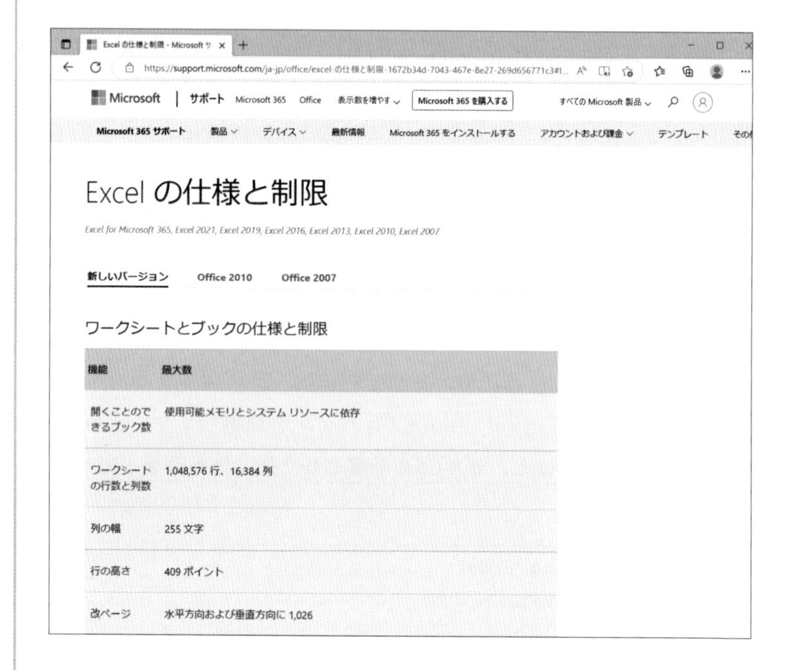

最大行数や列数を始め、セルに入力できる文字数や最大シート数等、ざまざまなExcelの限界値が一覧表示されています。

なお、見にいく際にはURLを直接入力するよりも「Excelの仕様と制限」をキーワードに検索した方が簡単です。

section 03 相対的なセル範囲という指定方法

任意のセル範囲を扱うRangeオブジェクトに対して、さらに各種のプロパティでセル範囲を指定すると、相対的なセル範囲へとアクセス可能です。

ここではセル範囲B2:E6を元に、さまざまな相対的なセル範囲へとアクセスしてみましょう。

セル範囲の中のセル範囲にアクセスする

セル範囲に対してCellsプロパティを利用すると、相対的な「行・列」の位置にあるセルへとアクセスできます。次のコードは、**セル範囲B2:E6の中での「2行目・3列目」のセルの背景色を設定**します。

▼マクロ 10-9

```
Range("B2:E6").Cells(2, 3).Interior.Color = RGB(255, 0, 0)
```

実行例　相対的なセル範囲へのアクセス

	A	B	C	D	E	F
1						
2		1, 1	1, 2	1, 3	1, 4	
3		2, 1	2, 2	2, 3	2, 4	
4		3, 1	3, 2	3, 3	3, 4	
5		4, 1	4, 2	4, 3	4, 4	
6		5, 1	5, 2	5, 3	5, 4	
7						

Excelでは、表形式にデータを入力するケースが多いため、このセルの指定方法を知っていると、「表内の相対的な位置にあるセル」を指定しやすくなります。

column

Colorプロパティで「色」を設定する

マクロ10-9では、セルの背景色をInteriorオブジェクトのColorプロパティを使って変更しています。背景色はColorプロパティ指定したRGB値となります。また、ColorIndexプロパティでも同様に背景色を設定することができます。こちらは、カラーパレットのインデックス番号で指定します。

```
Range("B2:E6").Cells(2, 3).Interior.ColorIndex = 3
```

この他、テーマカラーを利用して指定する方法も用意されています。Excelでは色の設定に関して、大きく分けて3パターンの設定方法が用意されています。詳しくは386ページを参照してください。

セル範囲の中の行・列へアクセスする

セル範囲に対してRowsプロパティ、Columnsプロパティを利用すると、相対的な「行全体」「列全体」へとアクセスできます。次のコードは、**セル範囲B2:E6の中での「3行目」に値を入力し、「最終列（4列目）」の背景色を設定**します。

▼マクロ 10-10

```
'3行目に値を入力
Range("B2:E6").Rows(3).Value = Array("Hello", "Excel", "VBA", "!!")
'4列目の背景色を変更
Range("B2:E6").Columns(4).Interior.Color = RGB(255, 0, 0)
```

実行例　相対的な行・列全体へアクセス

	A	B	C	D	E	F
1						
2		1, 1	1, 2	1, 3	1, 4	
3		2, 1	2, 2	2, 3	2, 4	
4		Hello	Excel	VBA	!!	
5		4, 1	4, 2	4, 3	4, 4	
6		5, 1	5, 2	5, 3	5, 4	
7						

セル範囲の行数・列数・セル数を数える

任意のセル範囲内のセルの個数は、Countプロパティで取得します。また、行数と列数は、それぞれRowsプロパティとColumnsプロパティで得られる「行/列単位でアクセスできる特殊なセル範囲」のCountプロパティで取得します。

次のコードは、**セル範囲B2:E6の行数・列数・セル数をカウントしてメッセージボックスに表示**します。

▼マクロ 10-11

```
MsgBox _
    "行数：" & Range("B2:E6").Rows.Count & vbCrLf & _
    "列数：" & Range("B2:E6").Columns.Count & vbCrLf & _
    "セル数：" & Range("B2:E6").Cells.Count
```

実行例　行数・列数・セル数のカウント

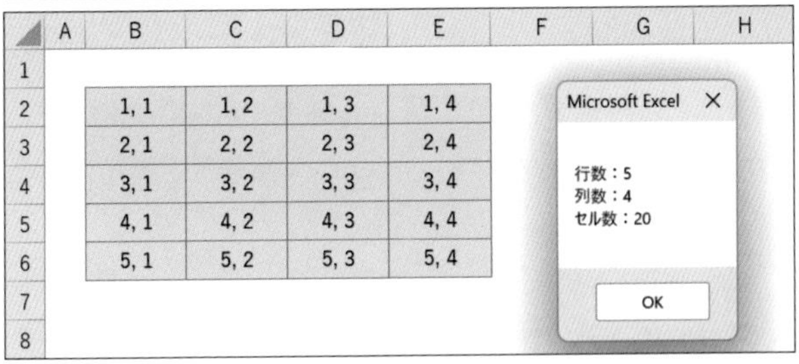

	A	B	C	D	E	F	G	H
1								
2		1, 1	1, 2	1, 3	1, 4			
3		2, 1	2, 2	2, 3	2, 4			
4		3, 1	3, 2	3, 3	3, 4			
5		4, 1	4, 2	4, 3	4, 4			
6		5, 1	5, 2	5, 3	5, 4			
7								
8								

Microsoft Excel
行数：5
列数：4
セル数：20
OK

セル範囲の中のインデックス番号でアクセスする

セル範囲に対してCellsプロパティを利用する際、引数としてインデックス番号となる数値を1つだけ指定すると、相対的な位置にあるセルへとアクセスできます。

インデックス番号は、左上のセルを「1」として始まり、列方向へと「2」「3」と増加していきます。先頭行の終端列まで達したら、次の行の先頭列へと進みます。

次のコードは、**セル範囲B2:E6の中での「先頭セル」、「10番目のセル」、「終端セル（右下のセル）」の背景色を変更**します。

▼マクロ 10-12

```
With Range("B2:E6")
    .Cells(1).Interior.Color = RGB(255, 0, 0)            '先頭
    .Cells(10).Interior.Color = RGB(255, 0, 0)           '10番目
    .Cells(.Cells.Count).Interior.Color = RGB(255, 0, 0) '終端
End With
```

実行例　相対的な位置のセルへアクセス

	A	B	C	D	E	F
1						
2		1	2	3	4	
3		5	6	7	8	
4		9	10	11	12	
5		13	14	15	16	
6		17	18	19	20	
7						

特に注目したいのは「終端セル」の指定方法です。「セル範囲.Cells.Count」でセル範囲中のセルの個数をカウントし、その個数をインデックス番号へと流用することで、終端セルへとアクセスしています。

「離れた位置にあるセル」へアクセスする

Excelでは、Ctrlキーを押しながら複数範囲のセルを選択することにより、離れた位置にあるセルを選択することも可能です。

この場合、それぞれのセル範囲はAreasプロパティ経由で個別にアクセス可能となります。また、Areasプロパティで得られるRangeオブジェクトに対してCountプロパティを利用すると、エリア数が取得できます。次のコードは、**2つのエリア（セル範囲B2:C4とE2:F4）内にあるセルを相対的に選択し、背景色を設定するとともにエリア数を取得**しています。

▼マクロ 10-13

```
With Range("B2:C4,E2:F4")
    '1つ目のエリアの3つ目のセルの背景色を設定
    .Areas(1).Cells(3).Interior.Color = RGB(255, 0, 0)
    '2つ目のエリアの1列目の背景色を設定
    .Areas(2).Columns(1).Interior.Color = RGB(255, 0, 0)
    'エリア数を表示
    MsgBox "エリア数：" & .Areas.Count
End With
```

実行例　離れた位置にあるセルへアクセス

	A	B	C	D	E	F	G	H	I
1									
2		1	2		1	2			
3		3	4		3	4			
4		5	6		5	6			
5									
6									
7									

Microsoft Excel

エリア数：2

OK

指定セル範囲を元にサイズを拡張する

「任意のセルを元に、そこから数列分だけ拡張したセル範囲へとアクセスしたい」というような場合には、Resizeプロパティを利用します。

▼拡張したセル範囲へアクセスする（Resizeプロパティ）

```
基準セル範囲.Resize(行数, 列数)
```

次のコードは、**セルB3を基準に「1行・4列分」だけ拡張したセル範囲を選択**します。

▼マクロ 10-14

```
Range("B3").Resize(1, 4).Select
```

実行例　基準セルを元に指定セル範囲を拡張

	A	B	C	D	E	F
1						
2		1, 1	1, 2	1, 3	1, 4	
3		基準	2, 2	2, 3	2, 4	
4		3, 1	3, 2	3, 3	3, 4	
5		4, 1	4, 2	4, 3	4, 4	
6		5, 1	5, 2	5, 3	5, 4	
7						

マクロを実行すると、セルB3を基準にした1行・4列分のセル範囲、すなわちセル範囲B3:E3が選択されます。

次のコードは、**セル範囲B3:E3を基準に、4行分だけ拡張したセル範囲を選択**します。

▼マクロ 10-15

```
Range("B3:E3").Resize(4).Select
```

実行例　セル範囲を元に指定セル範囲を拡張

	A	B	C	D	E	F
1						
2		1, 1	1, 2	1, 3	1, 4	
3		基準	基準	基準	基準	
4		3, 1	3, 2	3, 3	3, 4	
5		4, 1	4, 2	4, 3	4, 4	
6		5, 1	5, 2	5, 3	5, 4	
7						

基準セルが単一セルではなくセル範囲の場合、Resizeプロパティの引数へ行数もしくは列数のみを指定すると、指定されなかった側の行数・列数は、基準セルの範囲を保ったまま拡張します。

表の1行や1列を基準にして、そこから複数行・列をまとめて選択したい場合に便利ですね。

指定セル範囲から相対的にセル範囲を取得する

「任意のセルを元に、そこから1つ下のセルへアクセスしたい」という場合には、Offsetプロパティを利用します。行オフセット数に指定した値の分だけ下の行のセルにアクセスします。負の値を指定した場合は、上の行のセルにアクセスします。列オフセット数も同様で、指定した値分だけ右の列のセルにアクセスします。負の値を指定すると左の列のセルにアクセスします。引数の指定を省略すると、既定値として「0」が指定されたことになります。

▼相対的な位置にあるセルにアクセスする（Offsetプロパティ）

```
基準セル.Offset(行オフセット数, 列オフセット数)
```

次のコードは、**セルB3を基準に、「1行・2列」分離れた位置のセルを選択**します。

▼マクロ 10-16

```
Range("B3").Offset(1, 2).Select
```

実行例　任意のセルから相対的な位置にあるセルにアクセス①

	A	B	C	D	E	F
1						
2		1, 1	1, 2	1, 3	1, 4	
3		基準	2, 2	2, 3	2, 4	
4		3, 1	3, 2	3, 3	3, 4	
5		4, 1	4, 2	4, 3	4, 4	
6		5, 1	5, 2	5, 3	5, 4	
7						

次のコードは、**セル範囲B2:E2を基準に、「3行」分離れた位置のセルを選択**します。

▼マクロ 10-17

```
Range("B2:E2").Offset(3).Select
```

実行例　任意のセルから相対的な位置にあるセルにアクセス②

	A	B	C	D	E	F
1						
2		基準	基準	基準	基準	
3		2, 1	2, 2	2, 3	2, 4	
4		3, 1	3, 2	3, 3	3, 4	
5		4, 1	4, 2	4, 3	4, 4	
6		5, 1	5, 2	5, 3	5, 4	
7						

「表の見出しから、3行分離れた位置のデータ」、つまり「3個目のデータ」というような形でセル範囲へとアクセスしたい場合に便利ですね。

section 04 表形式のセル範囲の扱い方

日々、Excelに入力されるデータは表形式の場合がほとんどでしょう。そこで、「表形式のデータ」を扱う際に知っておくと便利なセル範囲の指定方法を見ていきましょう。

「アクティブセル領域」という概念

Excelで表形式のデータを扱う際に基本となるのが、アクティブセル領域という概念です。アクティブセル領域とは、「あるセルを基準として、上下左右の方向に何らかのデータが入力されているセル範囲」とでも定義できるセル範囲です。

例えば、下図のような表があるとき、表の中の任意のセルを選択し、Ctrl＋Aキーを1回押す、もしくはCtrl＋Shift＋*キーを押したときに選択されるセル範囲が、アクティブセル領域となります。図は、セルB2を選択後、Ctrl＋Aキーを1回押した状態となっています。

▼アクティブセル領域

	A	B	C	D	E	F	G
1							
2		ID	商品	価格	数量	小計	
3		1	りんご	120	6	720	
4		2	みかん	80	26	2,080	
5		3	ぶどう	350	27	9,450	
6		4	りんご	120	20	2,400	
7		5	レモン	220	8	1,760	
8							

このアクティブセル領域をVBAから取得するには、CurrentRegionプロパティを利用します。次のコードは、**セルB2を基準としたアクティブセル領域を取得し、そのアドレスをメッセージボックスに表示**します。

▼マクロ 10-18

```
MsgBox Range("B2").CurrentRegion.Address
```

実行例　アクティブセル領域を表示

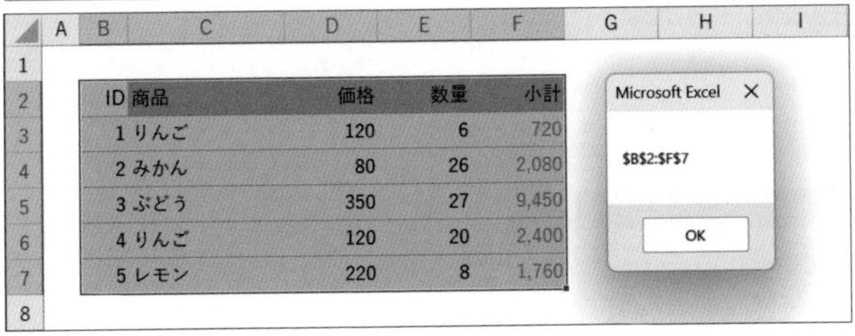

ID	商品	価格	数量	小計
1	りんご	120	6	720
2	みかん	80	26	2,080
3	ぶどう	350	27	9,450
4	りんご	120	20	2,400
5	レモン	220	8	1,760

Microsoft Excel
$B$2:$F$7
OK

つまり、表形式でデータの入力されているセル範囲は、基準セルさえわかっていれば、あとは行数や列数が増減してもCurrentRegionプロパティを使えば一発で取得できるということです。非常に手軽で便利な仕組みですね。

column

表タイトルがある場合や周囲に空白がない表は要注意

CurrentRegionプロパティで取得するアクティブセル領域は、「基準セルの周囲で、値が入力されているセル範囲」です。そのため、見出しの行の上にタイトルが入力されているタイプの表や、罫線で隣の表と区切っているだけで、データ的には連続したセルに入力されている表の場合は、その部分も含めて取得してしまいます。

また、この「値が入力されているセル範囲」は、数式によって空白文字列を表示しているセルも含みます。見かけ上は空白だけれども、実は数式が入力されている場合にもアクティブセル領域として認識される点に注意しましょう。

CurrentRegionプロパティベースでデータを扱いたい場合は、「表の周りは最低でも1行・1列空けておく」という入力ルールを徹底するように気をつけましょう。

表形式のセル範囲の各部分の取得方法

CurrentRegionプロパティ等で表形式のセル範囲が取得できたところで、その表のいろいろな部分を取得するコードをご紹介します。

●見出し範囲を取得する

次のコードは、**セルB2を基準としたアクティブセル領域の1行目全体を取得することで見出し範囲を選択**します。

▼マクロ 10-19

```
Range("B2").CurrentRegion.Rows(1).Select
```

実行例　見出し範囲を取得

	A	B	C	D	E	F	G
1							
2		ID	商品	価格	数量	小計	
3		1	りんご	120	6	720	
4		2	みかん	80	26	2,080	
5		3	ぶどう	350	27	9,450	
6		4	りんご	120	20	2,400	
7		5	レモン	220	8	1,760	
8							

●見出し以外のデータ範囲を取得する

次のコードは、**セルB2を基準としたアクティブセル領域の2行目～最終行を取得することで見出しを除いたデータ範囲を選択**します。

▼マクロ 10-20

```
With Range("B2").CurrentRegion
    .Rows("2:" & .Rows.Count).Select
End With
```

実行例　見出し以外のデータ範囲を取得

	A	B	C	D	E	F	G
1							
2		ID	商品	価格	数量	小計	
3		1	りんご	120	6	720	
4		2	みかん	80	26	2,080	
5		3	ぶどう	350	27	9,450	
6		4	りんご	120	20	2,400	
7		5	レモン	220	8	1,760	
8							

●任意のレコードを選択する

次のコードは、**セルB2を基準としたアクティブセル領域の任意の行（3行目）全体を選択することで、2つ目のレコードとなるセル範囲を選択**します。

▼マクロ 10-21

```
Range("B2").CurrentRegion.Rows(3).Select
```

実行例　任意のレコードを選択

ID	商品	価格	数量	小計
1	りんご	120	6	720
2	みかん	80	26	2,080
3	ぶどう	350	27	9,450
4	りんご	120	20	2,400
5	レモン	220	8	1,760

レコード単位で選択するコードは、Offsetプロパティを利用した方法も考えられます。次のコードは、**見出しセル範囲であるセル範囲B2:F2を基準に、2行オフセットしたレコードを選択**します。Offsetへの引数の値が「○レコード目」という考え方と合うため、こちらの方が意図したセル範囲へアクセスしやすいかもしれません。

▼マクロ 10-22

```
Range("B2:F2").Offset(2).Select
```

●最終レコードを選択する

次のコードは、**セルB2を基準としたアクティブセル領域の行数をカウントし、その数を利用して最終行を選択**します。

▼マクロ 10-23

```
With Range("B2").CurrentRegion
    .Rows(.Rows.Count).Select
End With
```

実行例　最終レコードを選択

ID	商品	価格	数量	小計
1	りんご	120	6	720
2	みかん	80	26	2,080
3	ぶどう	350	27	9,450
4	りんご	120	20	2,400
5	レモン	220	8	1,760

●任意のフィールドを選択する

次のコードは、**セルB2を基準としたアクティブセル領域の任意の列(2列目)全体を選択することで、任意のフィールド全体を選択**します。

▼マクロ 10-24

```
Range("B2").CurrentRegion.Columns(2).Select
```

実行例　任意のフィールドを選択

	A	B	C	D	E	F	G
1							
2		ID	商品	価格	数量	小計	
3		1	りんご	120	6	720	
4		2	みかん	80	26	2,080	
5		3	ぶどう	350	27	9,450	
6		4	りんご	120	20	2,400	
7		5	レモン	220	8	1,760	
8							

●任意のフィールドのデータだけを選択する

次のコードは、**セルB2を基準としたアクティブセル領域の任意の列(2列目)の2行目～最終行を取得することで、任意のフィールドのデータ範囲を選択**します。

▼マクロ 10-25

```
With Range("B2").CurrentRegion.Columns(2)
    .Rows("2:" & .Rows.Count).Select
End With
```

実行例　任意のフィールドのデータだけを選択

	A	B	C	D	E	F	G
1							
2		ID	商品	価格	数量	小計	
3		1	りんご	120	6	720	
4		2	みかん	80	26	2,080	
5		3	ぶどう	350	27	9,450	
6		4	りんご	120	20	2,400	
7		5	レモン	220	8	1,760	
8							

以上、表形式のセル範囲のデータへとアクセスする各種方法をご紹介しました。相対的なセル範囲の仕組みをうまく利用すると、目的のセル範囲へのアクセスが簡単になりますね。もちろん、これ以外の方法でも取得できますので、自分なりのパターンをいろいろ探してみてください。

「次のデータの入力位置」を取得する

表形式のデータを扱う際に悩むのが、次のデータの入力位置です。いろいろな取得方法が考えられますが、3通りの方法をご紹介させていただきます。

●Endプロパティを利用した取得方法

1つ目はEndプロパティを利用した方法です。基準となるセルに対してEndプロパティを利用すると、引数に応じた方向の終端セルが取得できます。終端セルとは、任意のセルを選択し、Ctrl＋矢印キーを押したときに選択される、「その方向に連続してデータが入力されている/いない終端のセル」を指します。

Endプロパティには、以下に示す方向を指定するXlDirection列挙の定数のいずれかを指定します。

▼XlDirection列挙の定数

定数	値	方向
xlDown	-4121	下
xlToLeft	-4159	左
xlToRight	-4161	右
xlUp	-4162	上

この仕組みを利用し、「表の先頭のセルを基準として、下方向の終端セルを取得し、その1個下のセルを次のデータの入力位置とする」という考え方でコードを記述します。次のコードは、**セルB2を基準として下方向の終端セルを取得し、その1つ下のセルを選択**しています。

▼マクロ 10-26

```
Range("B2").End(xlDown).Offset(1).Select
```

実行例 次の入力位置を取得

	A	B	C	D	E	F	G
1							
2		ID	商品	価格	数量	小計	
3		1	りんご	120	6	720	
4		2	みかん	80	26	2,080	
5		3	ぶどう	350	27	9,450	
6							
7							
8							

あとは、取得したセルであるセルB6から新規のデータを入力していけばOKです。

ただし、この方式には1つ弱点があります。それは、途中に空白セルが挟まっていると、終端セルが意図した場所とならないという点です。上図で言うと、セルB4が空白だった場合には、Endプロパティ経由で取得するセルは、セルB4になってしまいます。

このような場合には、「基準とした列の最終行から『上方向』の終端セルを取得し、その1つ下のセルを新規データ入力セルとする」という考え方でコードを記述してみましょう。例えば、「B列の新規データ入力位置」であれば、次のようにコードを記述します。**B列全体の最終セルを取得し、そこから上方向への終端セルを取得し、1つ下のセルを選択**しています。

▼マクロ 10-27

```
Columns("B").Cells(Rows.Count).End(xlUp).Offset(1).Select
```

選択されるセルは同じく、セルB6となります。

●表全体の行数を数えてオフセットする

2つ目はOffsetプロパティを利用した方法です。「表全体の行数を数え、その数の分だけ見出し行からオフセットした場所から新規データの入力位置を取得する」という考え方でコードを記述します。次のコードは、**セル範囲B2:F2の表の行数を数え、その行数分だけオフセットして新規データ入力セルを選択**しています。

▼マクロ 10-28

```
With Range("B2:F2")
    .Offset(.CurrentRegion.Rows.Count).Select
End With
```

実行例　オフセットして入力セルを取得

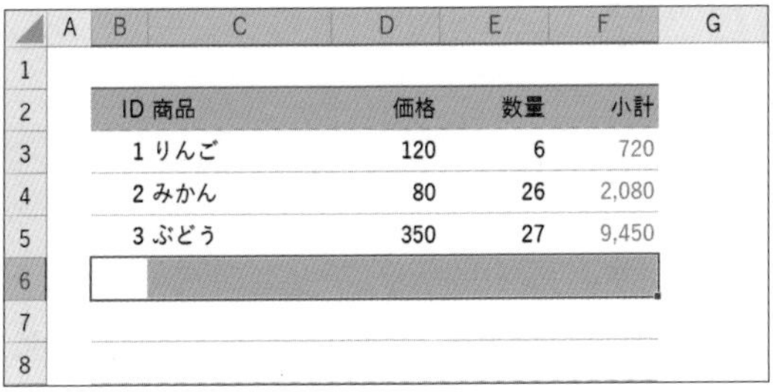

	A	B	C	D	E	F	G
1							
2		ID	商品	価格	数量	小計	
3		1	りんご	120	6	720	
4		2	みかん	80	26	2,080	
5		3	ぶどう	350	27	9,450	
6							
7							
8							

この方式のメリットは、新規レコード入力位置を、行単位（レコード単位）でまとめて取得できるところです。

新規レコード入力位置を取得したら、その後は新規レコードのデータを入力する処理が続くことが多いかと思いますが、その場合にも、取得したセル範囲に、そのままArray関数でまとめて値を入力することも可能です。

●Findで検索した位置を元に取得

最後に、Findメソッドを利用した方法です。実は、Endプロパティを利用した方法も、「CurrentRegion.Rows」で取得したセル範囲のCountプロパティを利用する方法も、1つ「Excelならでは」の弱点があります。それは、下図のような見かけ上は空白だけど、実は数式が入っているセルの存在です。

▼見かけ上空白のセル

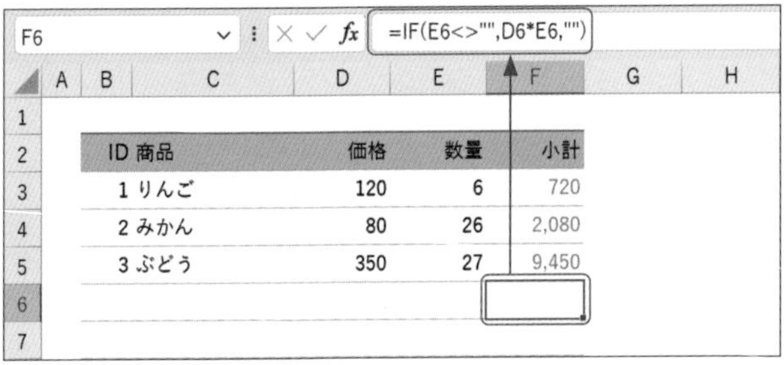

F6　`=IF(E6<>"",D6*E6,"")`

	A	B	C	D	E	F	G	H
1								
2		ID	商品	価格	数量	小計		
3		1	りんご	120	6	720		
4		2	みかん	80	26	2,080		
5		3	ぶどう	350	27	9,450		
6								
7								

この場合、前述の2つの方法では、どちらも数式が入力されているセルを含めて「連続したデータ範囲」と見なしてしまうのです。このような表の場合、何とかして「見かけ上空白ではない最後のセル」を取得する方法が必要となってきます。

そこで、「検索」機能をVBAから実行する、Findメソッドを利用します。以下に

Findメソッドで検索する際の記述例を示します。

▼見かけ上空白でない最後のセルを検索する（Findメソッド）

```
セル範囲.Find "*", After:=特定列の先頭セル, _
                LookIn:=xlValues, SearchDirection:=xlPrevious
```

第1引数の検索値は「何かしらの値」を表すワイルドカードである「*（アスタリスク）」を指定します。引数Afterに検索を開始するセル、引数LookInには検索対象、引数SearchDirectionは検索方向を指定します。また、利用している定数xlValuesは「値」、定数xlPreviewは「逆順」を意味します。

Findメソッドで「次の位置」を取得するには、基準とする列のデータのうち、「見かけ上値が入っているセルのうちの末尾のセル」を検索できたら、その1つ下のセルを新規データ入力位置として取得します。

この考え方をコードにすると、以下のようになります。**セルF2を基準にしてF列のセルを取得し、その中で見かけ上値が入っているセルの「次のセル」を選択**します。

▼マクロ 10-29

```
Dim lastRng As Range, targetField As Range
'指定列の数式を含むセル範囲を取得
Set targetField = Range(Range("F2"), Range("F2").End(xlDown))
'取得したセル範囲のうち、見かけ上値の入力されている末尾のセルを取得
Set lastRng = Columns("F").Find( _
    "*", After:=targetField(1), LookIn:=xlValues,  _
    SearchDirection:=xlPrevious)
'その1つ下のセルを選択
lastRng.Offset(1).Select
```

実行例　見かけ上値が入っているセルの末尾から取得

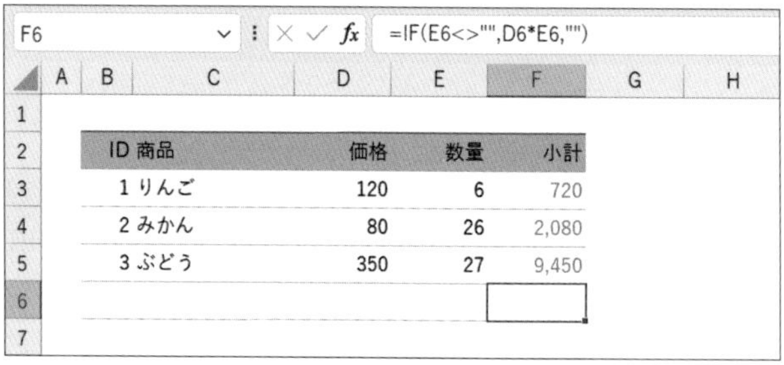

F6　=IF(E6<>"",D6*E6,"")

	A	B	C	D	E	F	G	H
1								
2		ID	商品	価格	数量	小計		
3		1	りんご	120	6	720		
4		2	みかん	80	26	2,080		
5		3	ぶどう	350	27	9,450		
6								
7								

少々ややこしいですが、見かけ上の値で判断するならFindメソッドを利用と覚えておくと、Excelならではの「見かけ上空白問題」に対処できるでしょう。

column

フィルターが適用されているときの「次のセル」の取得は要注意

「次の入力位置」を取得しようとしている際に1つ注意点があります。それは、「対象範囲にフィルターがかけられている場合は、EndプロパティやFindメソッドを利用した方法は機能しないことがある」点です。

例えば、次図のような表形式のセル範囲に対して、「商品名が『蜜柑』」という抽出条件でフィルターをかけてあるとします。

	A	B	C	D	E
1					
2		ID	商品	数量	
3		1	りんご	6	
4		2	蜜柑	26	
5		3	りんご	27	
6		4	蜜柑	20	
7		5	りんご	8	
8					

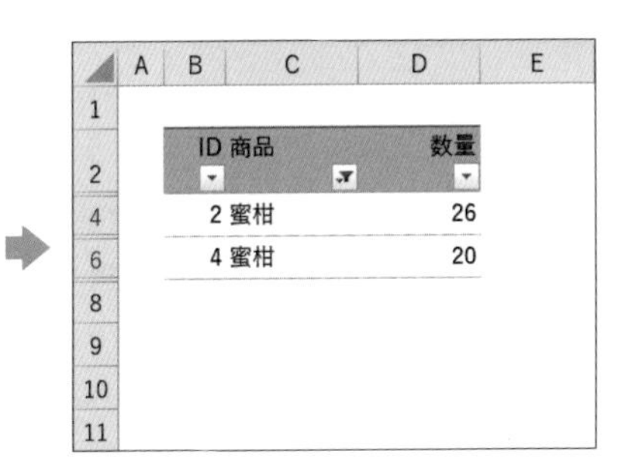

この表の場合、「次の入力位置」として得たいセルは「セルB8」ですよね。しかし、EndプロパティやFindメソッドは非表示のセルを対象としないため、表の最終行が非表示になっている状態であると、意図した結果が得られないことがあるのです。

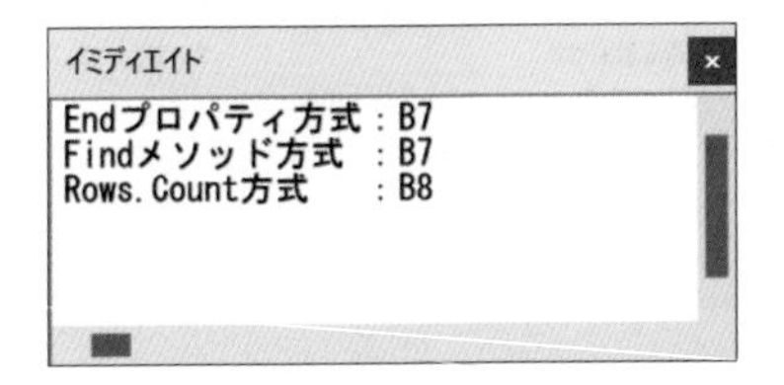

この仕組みを考慮した場合、考えられる回避方法は「必ずフィルターを解除してから『次のセル』を取得する」コードとするか、「非表示セルも含んで処理を行うCurrentRegionベースで表全体の行数を数える方法を利用する」コードとするのがよいでしょう。もしくは、事項でご紹介するテーブル機能ベースの運用に採用するのもお勧めです。

ともあれ、「フィルターがかかっているかどうか」には注意が必要だということを頭の隅に入れておきましょう。

section 05 テーブル機能で表形式のデータを扱う

さて、前項では表形式のデータを扱う際の「工夫」をいろいろとご紹介してきましたが、実はテーブル機能を利用すれば、こんな工夫は不要だったりします。ただ、悲しいかなテーブル機能はなかなか利用してもらえません。しかし、Excelで一連のデータ扱う際には、使わないのは惜しいほど便利な機能なのです。

以下、その仕組みと便利な活用方法を見ていきましょう。

表形式のセル範囲を「テーブル」へと変換する

まずは一般機能によってセル範囲をテーブルへと変換する方法です。

表形式でデータが入力されているセル範囲を用意し、選択します。続いて、リボンの「挿入」タブ内から**テーブル**を選択し、表示される「テーブルの作成」ダイアログの**OK**ボタンを押します。すると、セル範囲がテーブルとして認識されるようになり、デフォルトの書式やオートフィルター矢印が表示されます。

▼セル範囲をテーブル化する

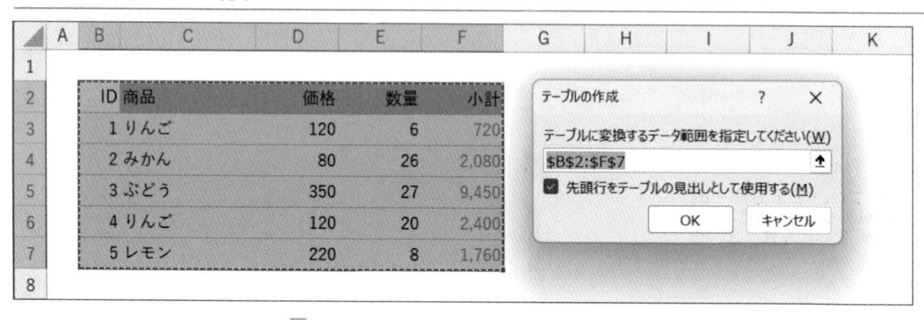

ID	商品	価格	数量	小計
1	りんご	120	6	720
2	みかん	80	26	2,080
3	ぶどう	350	27	9,450
4	りんご	120	20	2,400
5	レモン	220	8	1,760

ID	商品	価格	数量	小計
1	りんご	120	6	720
2	みかん	80	26	2,080
3	ぶどう	350	27	9,450
4	りんご	120	20	2,400
5	レモン	220	8	1,760

このとき、言ってみれば「勝手に」書式が設定されるため「あれ？」と思う方も多いでしょう（おそらく、このお節介がテーブル機能の人気のなさに一役買っています）。が、ご安心を。もともとの書式に戻したい場合には、テーブル内の任意のセルを選択し、リボンの「テーブルデザイン」タブ右端の**テーブルスタイル**から**クリア**を選択しましょう。また、オートフィルター矢印もクリアしたい場合には、「テーブルデザイン」タブ内の**フィルターボタン**のチェックを外します。

▼適用されているスタイルの書式をクリアする

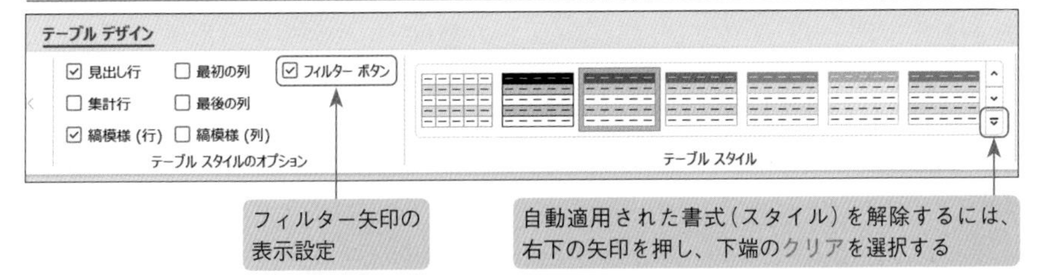

これで書式は元に戻りますが、セル範囲は依然として「テーブル」として扱えます。テーブル範囲内のセルを選択するとリボンに表示される「テーブルのデザイン」タブの左端にある**テーブル**名欄では、このテーブルを扱う際の基本の名前となるテーブル名が指定できます。

▼テーブル範囲は「テーブル名」を決められる

ファイル ホーム 挿入 描画 ページ レイアウト 数式 データ 校閲 表示

テーブル名: 商品 / テーブルのサイズ変更 / プロパティ / ピボットテーブルで集計 / 重複の削除 / 範囲に変換 / ツール / スライサーの挿入 / エクスポート / 更新 / 外部のテーブ

B2 fx ID

ID	商品	価格	数量	小計
1	りんご	120	6	720
2	みかん	80	26	2,080
3	ぶどう	350	27	9,450
4	りんご	120	20	2,400
5	レモン	220	8	1,760

テーブル範囲は、「シート上の特定のセル範囲」という扱いよりは、「決められた名前を付けた『テーブル』」として扱えるようになるさまざまな機能が用意されています。さらにVBA側にも、テーブルを扱う専用のオブジェクトも用意されています。

テーブル範囲はListObjectオブジェクトで扱う

VBAからテーブル範囲を操作する際には、ListObjectオブジェクトを利用します。個別のListObjectはシートごとにListObjectsコレクションにより一括管理されます。

▼テーブル範囲を操作するための基本オブジェクトとコレクション

オブジェクト/コレクション	用途
ListObjectオブジェクト	個別のテーブル範囲を扱うオブジェクト
ListObjectsコレクション	個々のListObjectをまとめて扱うためのコレクションオブジェクト 各シートのListObjectsプロパティからアクセスする

新規のListObjectを作成する(新規のテーブル範囲を作成する)には、ListObjectsコレクションのAddメソッドを利用します。

▼新規のテーブル範囲を作成する(ListObjects.Addメソッド)

```
ListObjects.Add Source:=セル範囲
```

最もシンプルな形では、Addメソッドの引数Sourceにテーブル範囲としたいセル範囲を指定します。なお、Addメソッドは戻り値として新規に追加したListObjectを返します。新規追加したListObjectには各種設定を加えること多いため、あらかじめListObject型の変数を用意しておき、Addメソッドの戻り値を受け取って操作できるようにするとよいでしょう。

次のコードは、**アクティブなシートのセル範囲B2:F7を新規のテーブル範囲とし、テーブル名を「売上テーブル」としたうえで、書式とフィルター矢印をクリア**します。

▼マクロ 10-30

```
Dim newTable As ListObject
'アクティブシートに新規テーブルを作成
Set newTable = ActiveSheet.ListObjects.Add(Source:=Range("B2:F7"))
'後で扱いやすいように名前を設定
```

```
newTable.Name = "売上テーブル"
'書式をクリア
newTable.TableStyle = ""
'フィルター矢印をクリア
newTable.ShowAutoFilterDropDown = False
```

実行例　既存セル範囲をテーブルに変換

ファイル　ホーム　挿入　描画　ページ レイアウト　数式　データ　校閲　表示

テーブル名: 売上テーブル　テーブルのサイズ変更　プロパティ
ピボットテーブルで集計　重複の削除　範囲に変換　スライサーの挿入　ツール
エクスポート　更新　外部のテーブル データ

B2　fx　ID

ID	商品	価格	数量	小計
1	りんご	120	6	720
2	みかん	80	26	2,080
3	ぶどう	350	27	9,450
4	りんご	120	20	2,400
5	レモン	220	8	1,760

先ほど手作業で行った手順を自動化したわけですね。テーブルは一度作成すれば何度も作成し直すようなものではないので、作成自体は手作業で行い、その後の操作の自動化のみをVBAで行う形で構いません。

column

テーブル範囲を解除するには

テーブル範囲を解除し、通常のセル範囲に戻したい場合には、テーブル範囲内のセルを選択し、リボンの「テーブルデザイン」タブ内の**範囲に変換**ボタンを押します。

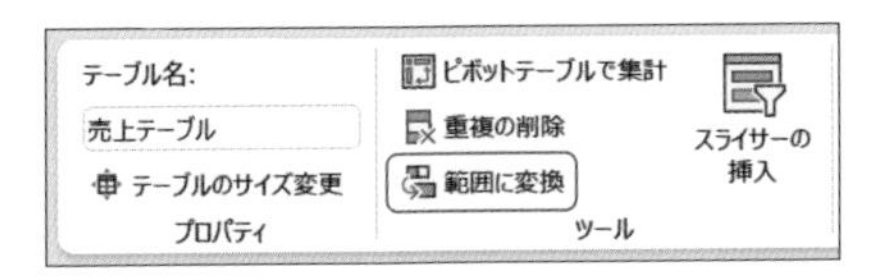

ただし、1つ注意点があります。それは、テーブル固有のスタイル(書式)が適用された状態で解除すると、スタイルは残ったままテーブル範囲の状態のみが解除されます。つまり、シマシマ模様等が残りっぱなしになるわけですね。

それでOKという場合はよいのですが、スタイルは不要という場合には、まず、テーブル範囲の状態のままいったんスタイルをクリアし、それから範囲に変換しましょう。

一連の流れをコードから実行するには、次のように記述します。次のコードは、**テーブル名「売上テーブル」のスタイルを解除し、範囲に変換**します。

▼マクロ 10-31

```
'テーブル「売上テーブル」を解除
With ActiveSheet.ListObjects("売上テーブル")
    .TableStyle = ""    'スタイルをクリア
    .Unlist             '範囲に変換
End With
```

テーブルの各部分にアクセスする

任意のテーブル範囲を扱うListObjectにアクセスするには、テーブル範囲が作成されているシート経由でアクセスする方法と、テーブル内の任意のセル経由でアクセスします。

シート経由のアクセスにはListObjectsコレクションを利用し、テーブル名を指定します。

▼シート経由で作成ずみのテーブルにアクセスする

```
シート.ListObjects("テーブル名")
```

次のコードは、**アクティブなシートの「売上テーブル」のセル範囲を表示**します。

▼マクロ 10-32

```
'シート経由で取得
Dim table As ListObject
Set table = ActiveSheet.ListObjects("売上テーブル")
'扱っているセル範囲のアドレス表示
MsgBox table.Range.Address
```

実行例 「売上テーブル」にアクセスする

	A	B	C	D	E	F	G	H	I
1									
2		ID	商品	価格	数量	小計			
3		1	りんご	120	6	720			
4		2	みかん	80	26	2,080			
5		3	ぶどう	350	27	9,450			
6		4	りんご	120	20	2,400			
7		5	レモン	220	8	1,760			
8									

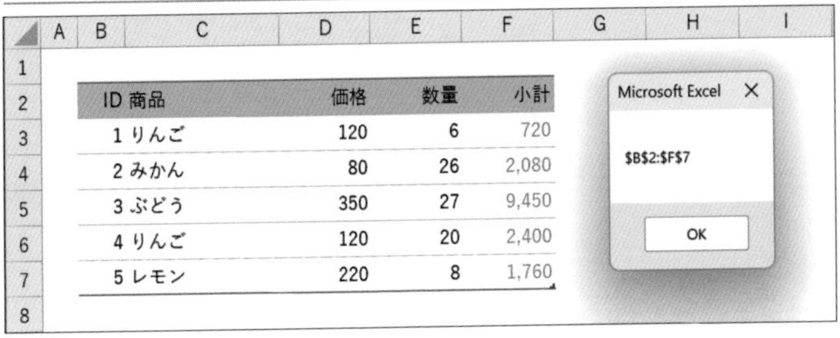

Microsoft Excel

$B$2:$F$7

OK

セル経由では、テーブル範囲内のセルを指定し、ListObjectプロパティを利用します。

▼セル経由で作成ずみのテーブルにアクセスする

```
テーブル内のセル.ListObject
```

次のコードは、**セルB2を含むテーブルのセル範囲を表示**します。

▼マクロ 10-33

```
'セル経由で取得
Dim table As ListObject
Set table = Range("B2").ListObject
'扱っているセル範囲のアドレス表示
MsgBox table.Range.Address
```

実行結果は、「売上テーブル」にアクセスする場合と同様です。

ListObjectsコレクション経由の方は、シートを指定するときのようにテーブル名を使ってアクセスできるため、どのテーブルを操作するのかが明確なのがいいですね。ただ、シートから指定しなくてはいけないため、少々長くなります。

セルのListObjectプロパティ経由の方は、シンプルなコードとなるのが魅力ですが、どのテーブルを対象にするかがちょっとわかりづらいところがあります。

ともあれ、これで作成ずみのテーブルにアクセスができるようになりました。それでは、テーブルで管理されているセル範囲にアクセスする方法を見ていきましょう。

●テーブル全体を選択する

テーブル全体のセル範囲は、ListObjectオブジェクトのRangeプロパティからアクセスします。

▼テーブル全体へアクセスする(ListObject.Rangeプロパティ)

```
ListObject.Range
```

次のコードは、**「売上テーブル」のセル範囲全体を選択**します。

▼マクロ 10-34

```
'テーブル取得
Dim table As ListObject
Set table = ActiveSheet.ListObjects("売上テーブル")
'セル範囲選択
table.Range.Select
```

実行例　テーブルのセル範囲全体を選択

	A	B	C	D	E	F	G
1							
2		ID	商品	価格	数量	小計	
3		1	りんご	120	6	720	
4		2	みかん	80	26	2,080	
5		3	ぶどう	350	27	9,450	
6		4	りんご	120	20	2,400	
7		5	レモン	220	8	1,760	
8							

テーブル(ListObject)を指定し、Rangeプロパティで扱っているセル範囲を取得します。とてもシンプルですね！「Range("B2:F2")」や「Range("B2").CurrentRegion」よりもテーブル単位で処理を考えて、そのテーブルのセル全体を扱ってるんだなということが、コードを読むだけで自然と読み取れます。ListObjectを利用したコードの最大の魅力は、このコードを読んだときのわかりやすさ、可読性です。

●フィールド見出しのセル範囲を選択する

テーブルのフィールド見出し(列見出し)部分のセル範囲は、ListObjectオブジェクトのHeaderRowRangeプロパティからアクセスします。

▼フィールド見出しへアクセスする(ListObject.HeaderRowRangeプロパティ)

```
ListObject.HeaderRowRange
```

次のコードは、**「売上テーブル」のフィールド見出しのセル範囲を選択**します。

▼マクロ 10-35

```
'テーブル取得
Dim table As ListObject
Set table = ActiveSheet.ListObjects("売上テーブル")
'セル範囲選択
table.HeaderRowRange.Select
```

実行例　フィールド見出しを選択

	A	B	C	D	E	F	G
1							
2		ID	商品	価格	数量	小計	
3		1	りんご	120	6	720	
4		2	みかん	80	26	2,080	
5		3	ぶどう	350	27	9,450	
6		4	りんご	120	20	2,400	
7		5	レモン	220	8	1,760	
8							

これまたシンプルでいいですね。テーブルのフィールド数(列数)が増減しようと、HeaderRowRangeで確実にアクセス可能です。見た目にも「見出し(Header)を処理対象としたいんだな」とわかりやすくなりますね。

●データ範囲を選択する

テーブルのデータ範囲(見出しを除いた範囲)には、ListObjectオブジェクトのDateBodyRangeプロパティからアクセスします。

▼データ範囲にアクセスする(ListObject.DateBodyRangeプロパティ)

```
ListObject.DateBodyRowRange
```

次のコードは、**「売上テーブル」のデータ範囲を選択**します。

▼マクロ 10-36

```
'テーブル取得
Dim table As ListObject
Set table = ActiveSheet.ListObjects("売上テーブル")
'セル範囲選択
table.DataBodyRange.Select
```

実行例　データ範囲にアクセス

	A	B	C	D	E	F	G
1							
2		ID	商品	価格	数量	小計	
3		1	りんご	120	6	720	
4		2	みかん	80	26	2,080	
5		3	ぶどう	350	27	9,450	
6		4	りんご	120	20	2,400	
7		5	レモン	220	8	1,760	
8							

複数のテーブルのデータを1つにまとめたい場合、「見出し以外のデータ範囲だけをコピーしたい」ということがよくありますが、このようにDataBodyRangeを使えば一発です。

●任意のフィールドを選択する

テーブルの任意のフィールドは個々のフィールドごとにListColumnオブジェクトとして管理されています。個別のフィールドにアクセスするには、ListObjectオブジェクトのListColumnsプロパティでListColumnsコレクションへアクセスし、フィールド番号、もしくは、フィールド名を指定します。

▼個別のフィールドへアクセスする（ListObject.ListColumnsプロパティ）

```
ListObject.ListColumns(フィールド番号/フィールド名)
```

このときに指定する「フィールド名」とは、フィールドの見出しとなるセルに入力されている値です。さらに、個別のフィールドの扱うセル範囲にアクセスするには、ListColumnオブジェクトのRangeプロパティ（セル全体）や、DataBodyRangeプロパティ（データ範囲のみ）を利用します。

次のコードは、**「売上テーブル」内の「商品」フィールドを取得し、その全体のセル範囲と見出しを除いたデータ範囲のアドレスを表示**します。

▼マクロ 10-37

```
'テーブル取得
Dim table As ListObject
Set table = ActiveSheet.ListObjects("売上テーブル")
'フィールド取得
Dim tmpField As ListColumn
Set tmpField = table.ListColumns("商品")
'セル範囲取得
MsgBox "フィールド全体：" & tmpField.Range.Address & vbCrLf & _
        "データ範囲：" & tmpField.DataBodyRange.Address
```

実行例　特定フィールドにアクセス

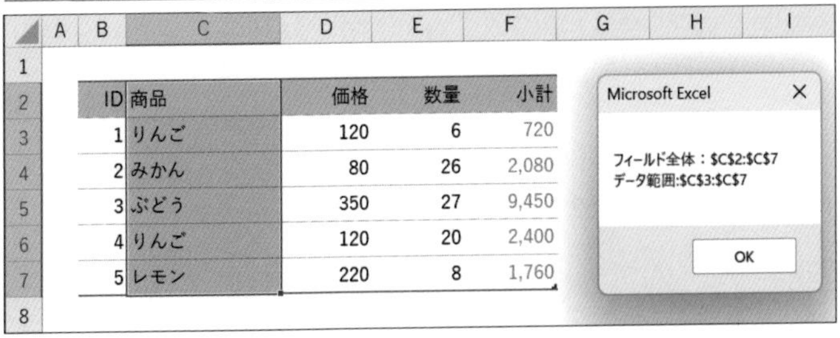

	A	B	C	D	E	F
1						
2		ID	商品	価格	数量	小計
3		1	りんご	120	6	720
4		2	みかん	80	26	2,080
5		3	ぶどう	350	27	9,450
6		4	りんご	120	20	2,400
7		5	レモン	220	8	1,760
8						

Microsoft Excel
フィールド全体：$C$2:$C$7
データ範囲:$C$3:$C$7
OK

「テーブル→フィールド→フィールドの扱うセル範囲」と、段階を追って指定する流れとなりますが、対象フィールドを「フィールド名」で指定できるため、「ああ、『商品』フィールドのデータで何かしたいんだな」とひと目でわかりますね。

大きなテーブルから、必要なフィールドのみをいくつかピックアップして計算したり、転記したい場合、この「フィールド名を指定できる」という仕組みは、コードの可読性を格段にアップしてくれます。

●個別のレコードを選択する

テーブルの個別のレコード（行ごとのデータ）は、ListRowオブジェクトとして管理されています。個別のListRowにアクセスするには、ListObjectオブジェクトのListRowsプロパティでListRowsコレクションへアクセスし、インデックス番号を指定してアクセスします。

▼個別のレコードへアクセスする（ListObject.ListRowsプロパティ）

```
ListObject.ListRows(インデックス番号)
```

さらに、個別のレコードの扱うセル範囲にアクセスするには、ListRowオブジェクトのRangeプロパティを利用します。

次のコードは、**「売上テーブル」内の先頭レコードのセル範囲と、終端レコードのセル範囲を表示**します。

▼マクロ 10-38

```
'テーブル取得
Dim table As ListObject
Set table = ActiveSheet.ListObjects("売上テーブル")
'レコード取得
Dim firstRec As ListRow, lastRec As ListRow
Set firstRec = table.ListRows(1)                        '先頭
Set lastRec = table.ListRows(table.ListRows.Count)      '末尾
'セル範囲取得
MsgBox "先頭：" & firstRec.Range.Address & vbCrLf & _
       "末尾：" & lastRec.Range.Address
```

実行例　特定レコードにアクセス

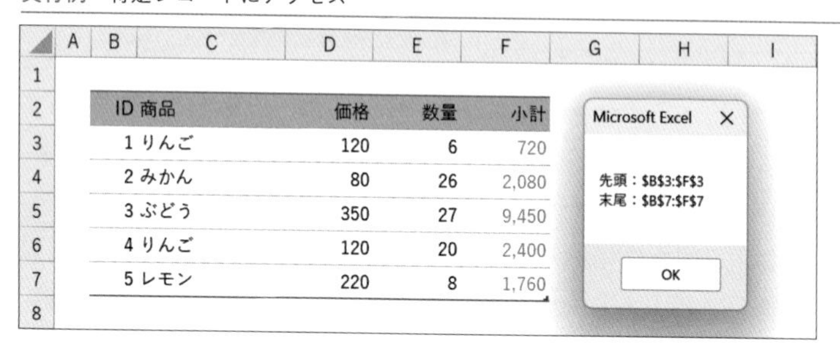

ID	商品	価格	数量	小計
1	りんご	120	6	720
2	みかん	80	26	2,080
3	ぶどう	350	27	9,450
4	りんご	120	20	2,400
5	レモン	220	8	1,760

先頭レコードは「1」番目のレコードですので、次のように取得します。

```
テーブル.ListRows(1)
```

末尾のレコードは、ListRowsコレクションのCountプロパティで「総レコード数」を取得し、その値を利用して取得します。

```
テーブル.ListRows(テーブル.ListRows.Count)
```

ListObjectで管理されているテーブル範囲の各部分には、以上のようにアクセスします。アクセスに使用しているプロパティ名自体が、テーブルの各部分を表しているため、Endプロパティ等を駆使して取得するよりも、はるかに可読性が高いコードとなりますね。この可読性が、コード作成やメンテナンスの際に強い味方になるのです。

構造化参照を利用してテーブル名やフィールド名でアクセス

テーブルの登録を行うと、自動的にテーブルのデータ範囲が、テーブル名と同じ名前の名前付きセル範囲として登録されます。

▼テーブルは名前付きセル範囲として登録される

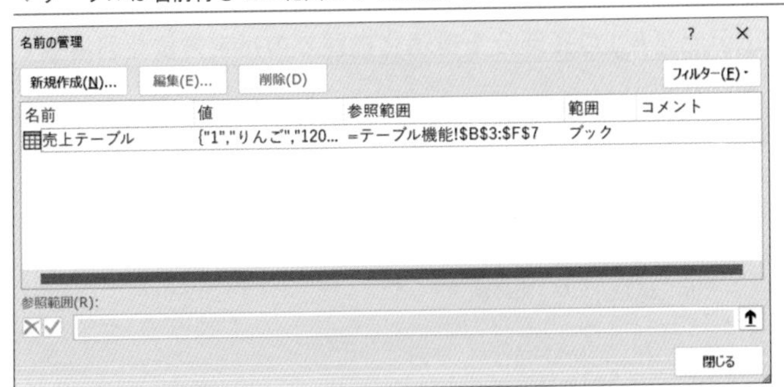

例えば、「売上テーブル」というテーブル名のテーブルを作成すれば、「売上テーブル」という「名前」で、テーブルの見出しを除くデータ範囲を参照できるようになります。

▼「売上テーブル」という名前でテーブルのデータ範囲を参照

売上テーブル ｜ fx 1

	A	B	C	D	E	F	G
1							
2		ID	商品	価格	数量	小計	
3		1	りんご	120	6	720	
4		2	みかん	80	26	2,080	
5		3	ぶどう	350	27	9,450	
6		4	りんご	120	20	2,400	
7		5	レモン	220	8	1,760	
8							

この「名前」はワークシート上の関数式で利用できる他、VBAでのRangeプロパティの引数としても利用可能です。さらに、テーブルで扱うセル範囲は構造化参照という、テーブルの各部分を参照するための特殊な式でも参照可能となります。

▼テーブルの各部分を参照する構造化参照式（抜粋）

式	参照箇所
Range("テーブル名[#All]")	テーブル範囲全体
Range("テーブル名[#Headers]")	フィールド見出し範囲
Range("デーブル名")	データ範囲
Range("テーブル名[#Data]")	データ範囲
Range("テーブル名[フィールド名]")	特定フィールドのデータ範囲

次のコードは、**「売上テーブル」の各部分を構造化参照での指定方法を利用して選択**します。

▼マクロ 10-39

```
'全体
Range("売上テーブル[#All]").Select
MsgBox "Range(""売上テーブル[#All]"").Select"
'見出し
Range("売上テーブル[#Headers]").Select
MsgBox "Range(""売上テーブル[#Headers]"").Select"
'データ範囲
Range("売上テーブル[#Data]").Select
MsgBox "Range(""売上テーブル[#Data]"").Select"
'フィールド
Range("売上テーブル[商品]").Select
MsgBox "Range(""売上テーブル[商品]"").Select"
```

実行例　構造化参照で選択

全体

ID	商品	価格	数量	小計
1	りんご	120	6	720
2	みかん	80	26	2,080
3	ぶどう	350	27	9,450
4	りんご	120	20	2,400
5	レモン	220	8	1,760

Microsoft Excel
Range("売上テーブル[#All]").Select
OK

見出し

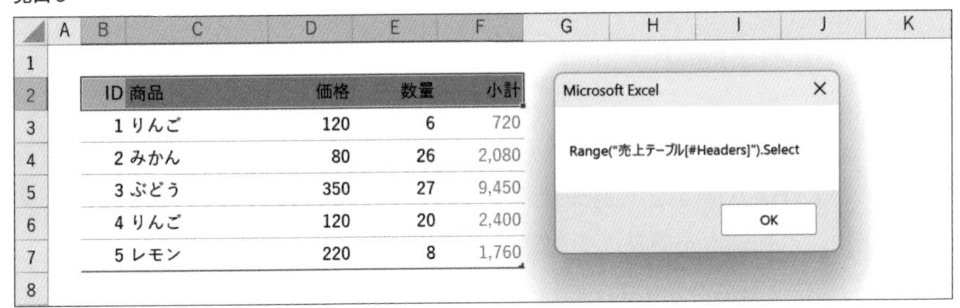

データ範囲

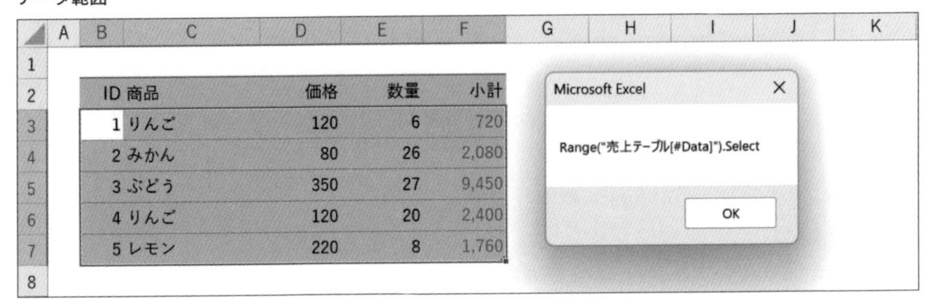

フィールドのデータ範囲

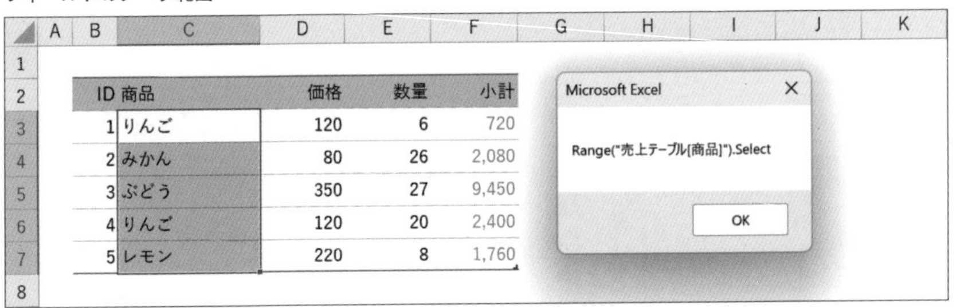

Rangeプロパティの引数として構造化参照式を指定することで、テーブルの任意の部分のセル範囲に、わかりやすく、シンプルにアクセスできるようになりますね。

処理速度的には遅くなるため、ループ処理内等で利用するのは避けた方が無難ですが、コードの冒頭で「このセル範囲を扱います」と、わかりやすく示したい場合等には、とても手軽で効果的なスタイルになるでしょう。

レコードを追加・削除する

テーブル範囲に新規レコードを追加するには、ListRowsコレクションのAddメソッドを実行します。

▼テーブル配意へレコードを追加する（ListRows.Addメソッド）

```
ListRows.Add [追加位置]
```

Addメソッドは戻り値として追加した位置のレコードを扱うListRowオブジェクトを返します。追加位置を省略した場合は、末尾に追加されます。

次のコードは、**「商品」テーブルに新規レコードを追加し、値を入力**します。

▼マクロ 10-40

```
Dim table As ListObject, newRec As ListRow
'テーブル取得
Set table = ActiveSheet.ListObjects("商品")
'新規のレコード追加
Set newRec = table.ListRows.Add
'レコードの値を入力
newRec.Range.Value = Array(4, "檸檬")
'レコード追加後のセル範囲を確認
MsgBox table.Range.Address
```

実行例　新規レコード追加

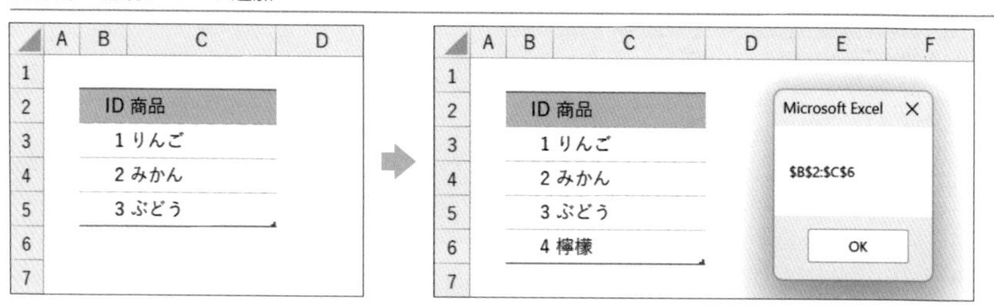

引数なしでAddメソッドを実行すると、末尾に新規レコードを追加し、対応するテーブルのセル範囲を拡張します。さらに、戻り値として受け取ったListRowオブジェクトのRangeプロパティ経由で、新規レコードに対応するセル範囲へとアクセスし、Array関数を利用してまとめて新規レコードの値を入力します。

とてもシンプルですね！前項でEndプロパティ等を駆使して「次に入力する場所」を何とか探り当てようとあれやこれや工夫をしていたのがウソのように簡単です。

しかも、新規レコードを追加後、テーブルに対応するセル範囲は自動的に拡張され、書式が設定されている場合には書式も引き継いでくれます。至れり尽くせりです。自動でここまで行ってくれるため、対応セル範囲を更新し忘れて実際のデータが入力されている範囲とズレるという危険もありません。この手軽さが、テーブル範囲/ListObjectの利用をお勧めする大きな理由です。

日々データを追加していくスタイルで表形式のセル範囲を扱うのに苦労されている方には、特にお勧めです。

column

先頭に新規レコードを追加する

末尾ではなく先頭に新規レコードを追加するにはAddメソッドの引数に「1」を指定します。次のコードは、**「商品」テーブルの先頭に新規レコードを追加し、値を設定**します。

▼マクロ 10-41

```
Dim table As ListObject, newRec As ListRow
'テーブル取得
Set table = ActiveSheet.ListObjects("商品")
'新規のレコードを先頭に追加して値を設定
Set newRec = table.ListRows.Add(1)
newRec.Range.Value = Array(0, "キウイ")
```

先入れ後出しのいわゆるスタック形式でデータを管理したいような場合にも簡単に対応できますね。先頭にレコードを追加した場合には、見出し行の書式を引き継いでしまうことがある点にはご注意を。

●まとめてデータを追加する

1つのレコードを追加するのではなく、既存のセルに入力されているデータをまとめて追加するには、Addメソッドで追加したレコードのセル範囲に対して、転記したいデータをコピーしてしまうのがお手軽です。

次のコードは、**「商品」テーブルに、セル範囲E3:F5に入力されているデータをまとめて追加**します。

▼マクロ 10-42

```
Dim table As ListObject, newRec As ListRow
'テーブル取得
Set table = ActiveSheet.ListObjects("商品")
'新規のレコードを入力するセル範囲を拡張
Set newRec = table.ListRows.Add
'追加したい内容をまとめてコピー
Range("E3:F5").Copy
newRec.Range.PasteSpecial xlPasteValues
```

実行例　まとめてレコードを追加

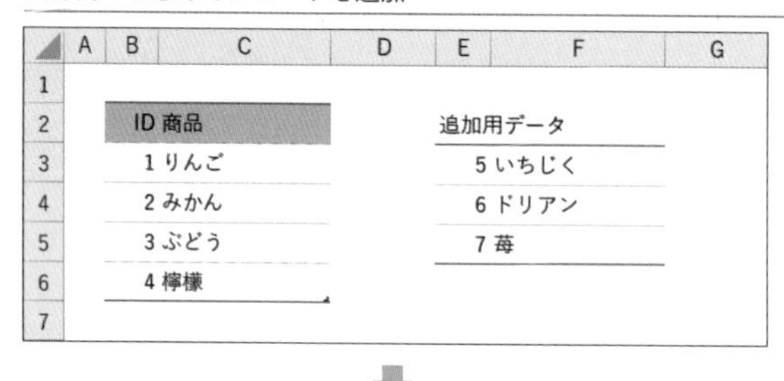

	A	B	C	D	E	F	G
1							
2		ID	商品		追加用データ		
3		1	りんご		5	いちじく	
4		2	みかん		6	ドリアン	
5		3	ぶどう		7	苺	
6		4	檸檬				
7							

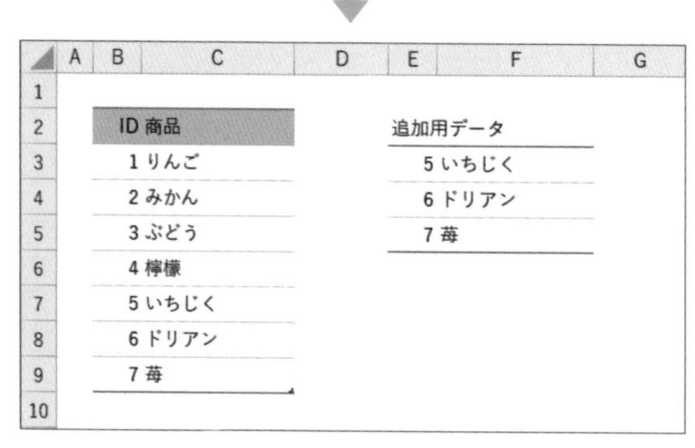

	A	B	C	D	E	F	G
1							
2		ID	商品		追加用データ		
3		1	りんご		5	いちじく	
4		2	みかん		6	ドリアン	
5		3	ぶどう		7	苺	
6		4	檸檬				
7		5	いちじく				
8		6	ドリアン				
9		7	苺				
10							

結果を見ると、まとめて貼り付けた3レコード分のデータが、きちんと転記され、「商品」テーブルのセル範囲も3レコード分更新されているのが確認できますね。

コピー処理にはPasteSpecialメソッド(399ページ)を利用して、「値のみ貼り付け」しています。追加を行うテーブル側は、セル番地をまったく指定することなく、単純に「Addして戻り値のRangeの位置に貼り付け」という考え方で追加できるのが大変便利です。

●レコードを削除する

特定のレコードを削除するには、ListRowオブジェクトのDeleteメソッドを実行します。

▼レコードを削除する(ListRow.Deleteメソッド)

```
ListRow.Delete
```

削除するレコードを指定する場合には、レコード番号で指定する場合が多いでしょう。そういったケースでは、ListRowsプロパティの引数にレコード番号(インデックス番号)を指定して対象のListRowオブジェクトを取得し、Deleteメソッドを実行すればOKです。

次のコードは、**「商品」テーブルの末尾のレコードを削除**します。

▼マクロ 10-43

```
Dim table As ListObject
'テーブル取得
Set table = ActiveSheet.ListObjects("商品")
'末尾のレコードを削除
table.ListRows(table.ListRows.Count).Delete
```

実行例　末尾のレコードを削除

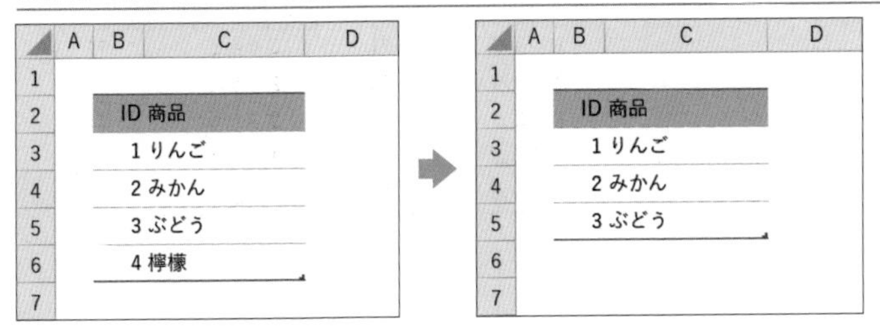

指定したListRowオブジェクトをDeleteすると、対応するセル範囲の内容もクリアされ、さらに、テーブルの範囲も1レコード分小さくなります。これもまた、お手軽ですね。

テーブル範囲を扱う際の注意点

テーブル機能は大変便利な機能なのですが、注意しておいた方がよい点もあります。以下、3つに分けてその注意点をご紹介します。

●コピーする際の挙動に注意

テーブル範囲のセル全体をコピーすると、それは「セルの内容をコピーする操作」ではなく、「テーブルをコピーする操作」と判断され、結果として新しいテーブルが1つ増えた状態になります。

下図左のようなセル範囲B2:D7に作成された「出荷」テーブルを例に見てみましょう。次のコードは、**Copyメソッドを使って、セル範囲B2:D7をセルF2を起点とした場所へコピー**します。

▼マクロ 10-44

```
Range("B2:D7").Copy Destination:=Range("F2")
```

実行例　テーブル全体をコピー

結果を見ると、新規のテーブル「出荷_2」が作成されていますね。フィルター矢印やセル範囲右下のテーブル範囲更新用のハンドルが表示されていることからも、テーブルとして丸ごとコピーされたことがわかります。

新規テーブルを作るつもりはなくて内容のみを転記したい場合に、思わぬテーブルを増やしてしまう結果となる点に注意しましょう。

また、テーブルとして複製するつもりでコピーを行った際には、「出荷_2」等、特に警告なしにテーブル名が修正される点に注意が必要です。VBAでテーブルを操作するには、テーブル名を軸に処理を作成することが多いのですが、その肝心のテーブル名がいつの間にか変更されている、という事態が起きます。

特にブックをまたいでコピーを行った際に注意が必要で、「商品」「社員」等のよく使う名前のテーブルを流用しようとコピーを行った際、既存のテーブル名と重複するために自動リネームされ、それに気づかずに一緒に持ち込んだマクロが動作しなかったり、意図していたのとは異なるテーブルを操作してしまっていた、というミスに繋がります。注意しましょう。

なお、テーブルとしてコピーするのではなく、内容のみをコピーしたい場合には、テーブルのHeaderRowRangeとDataBodyRangeに分けてコピーする等、各部分ごとに分割してコピーすればOKです。

次のコードは、**「出荷」テーブルの内容のみを、セルF2を起点とした範囲にコピー**します。

▼マクロ 10-45

```
Dim table As ListObject
'テーブル取得
Set table = ActiveSheet.ListObjects("出荷")
'パーツに分けてコピー
table.HeaderRowRange.Copy Destination:=Range("F2")
table.DataBodyRange.Copy Destination:=Range("F3")
```

実行例　テーブルとしてではなく内容のみをコピー

	A	B	C	D	E	F	G	H	I
1									
2		ID	商品	出荷数		ID	商品	出荷数	
3		1	りんご	71		1	りんご	71	
4		2	みかん	31		2	みかん	31	
5		3	ぶどう	31		3	ぶどう	31	
6		4	りんご	99		4	りんご	99	
7		5	みかん	52		5	みかん	52	
8									

●Endプロパティの挙動の違いに注意

テーブル範囲においてEndプロパティを利用して終端セルを取得する場合、その判定対象はテーブル範囲のみのセルとなります。次の図ではセル範囲B2:D7を「出荷」テーブルとして定義し、隣のE列にメモ書きの列を追記しています。E列はテーブルに含まれていない状態です。

▼「出荷」テーブルの定義

	A	B	C	D	E
1					
2		ID	商品	出荷数	メモ
3		1	りんご	71	小玉
4		2	みかん	31	斉藤さんへ
5		3	ぶどう	31	
6		4	りんご	99	大玉
7		5	みかん	52	ジャム用
8					

次のコードは、**セルB2を起点として右方向の終端セルを選択し、アドレスを表示します。**

▼マクロ 10-46

```
Dim endRng As Range, crRng As Range
'セルB2を起点とした終端セルとアクティブセル領域を取得
Set endRng = Range("B2").End(xlToRight)
Set crRng = Range("B2").CurrentRegion
'終端セルを選択してアドレス表示
endRng.Select
```

```
Debug.Print "終端セル："; endRng.Address
Debug.Print "アクティブセル領域:"; crRng.Address
```

実行例　Endプロパティの終端はテーブル範囲内での終端となる

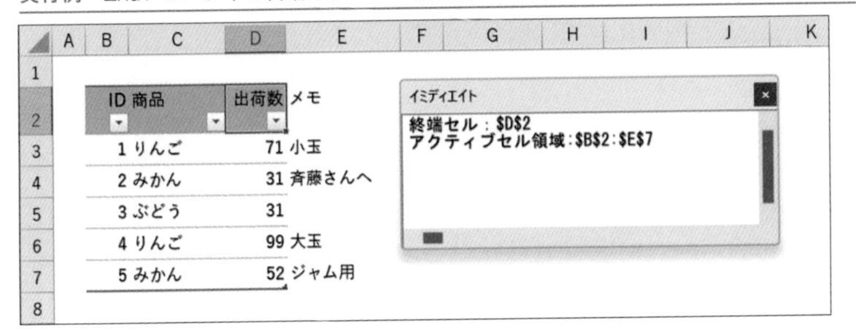

結果を見てみると、終端セルをテーブルの右端のセルであるセルD2と認識していますね。このように、Endプロパティを利用してセルやセル範囲を取得しようとする場合、テーブルでは挙動が異なる点に注意が必要です。

なお、CurrentRegionプロパティによるアクティブセル領域の方は、テーブルに隣接するテーブル定義外のセル範囲も含んで取得します。EndとCurrentRegionは組み合わせて利用することも多いプロパティですが、テーブルを利用している場合には、この差異にも注意しましょう。

●フィルター時の転記操作に注意

最後はちょっと不可解な仕組みというか挙動です。テーブルに対してフィルターをかけた状態の際、データをコピーしようとすると、アクティブなセルがテーブル内にあるときと、そうでないときは一部のプロパティ/メソッドの挙動が異なります。

これは実際に見ていただいた方がわかりやすいでしょう。次のコードは、**「出荷」テーブルにフィルターをかけ、そのデータ範囲を、「テーブル内がアクティブな状態でコピー」「テーブル外がアクティブな状態でコピー」「テーブル外がアクティブな状態で可視セルのみコピー」の3パターンでコピー**します。

▼マクロ 10-47

```
Dim table As ListObject
'テーブルを取得しフィルターをかける
Set table = ActiveSheet.ListObjects("出荷")
table.Range.AutoFilter 2, "=りんご"
'テーブル内がアクティブなときにコピー
```

```
Range("B2").Select
table.DataBodyRange.Copy
Range("B10").PasteSpecial xlPasteValues
'テーブル外がアクティブなときにコピー
Range("A1").Select
table.DataBodyRange.Copy
Range("F10").PasteSpecial xlPasteValues
'テーブル外がアクティブなときに可視セルのみコピー
Range("A1").Select
table.DataBodyRange.SpecialCells(xlCellTypeVisible).Copy
Range("J10").PasteSpecial xlPasteValues
```

実行例　アクティブセルがテーブル内かテーブル外かで挙動が異なる例

	A	B	C	D	E	F	G	H	I	J	K	L	M
1													
2		ID	商品	出荷数									
3		1	りんご	71									
6		4	りんご	99									
8													
9		■テーブル内からCopy				■テーブル外からCopy				■テーブル外から可視セルCopy			
10		1	りんご	71		1	りんご	71		1	りんご	71	
11		4	りんご	99		2	みかん	31		4	りんご	99	
12						3	ぶどう	31					
13						4	りんご	99					
14						5	みかん	52					
15													

最初の2パターンの結果を見ると、同じくCopyメソッド後にPasteSpecialメソッドを実行しても、その時点のアクティブセルがテーブル内かテーブル外かでコピーされる内容が異なっていますね。テーブル内の場合はフィルターで抽出されたデータのみがコピーされ、テーブル外の場合はフィルターを無視してすべてのデータ範囲をコピーしています。これは、アクティブではないシートのテーブルに対して実行したときでも同様です。そのシートをアクティブにした際のアクティブなセルの場所によって挙動が変わります。どうにも不可解なのですが、現実としてこういう動作になります。この挙動の違いを回避するには、3パターン目のようにデータ範囲のセルに対してSpecialCellsメソッド(364ページ)を適用し、「可視セル」のみを取得してコピーすればOKです。

テーブルを利用し、「どうもいつもと勝手が違う。実行するたびに挙動が違う」

と感じる場合、このアクティブセルがテーブル内かどうかという観点で挙動をチェックしてみると、その原因がわかるかもしれません。頭の隅に入れておきましょう。

column

AutoFilterModeプロパティの違いにも注意

通常、シート上のデータにフィルターが適用されているかどうかは、WorksheetオブジェクトのAutoFilterModeプロパティの値で判定可能です。しかし、この判定はテーブル内のフィルターには適用されません。テーブルのフィルターの状態は、別途、個々のListObjectのAutoFilterのFilterModeプロパティで確認する必要があります。

次のコードは、**「出荷」テーブルにフィルターをかけ、WorksheetのAutoFilterModeとListObjectのAutoFilterのFilterModeを出力**します。

▼マクロ 10-48

```
Dim table As ListObject
'テーブルを取得しフィルターをかける
Set table = ActiveSheet.ListObjects("出荷")
table.Range.AutoFilter 2, "=りんご"
'シートとテーブルのフィルター状態の表示
Debug.Print "シートの状態："; ActiveSheet.AutoFilterMode
Debug.Print "テーブルの状態："; table.AutoFilter.FilterMode
```

実行例　フィルターの状態を個別に確認

イミディエイト
シートの状態：False
テーブルの状態：True

シートは「False」テーブルは「True」と異なっていますね。見た目は「シート内にフィルターがかかっている箇所がある」という状態なのですが、Worksheetのプロパティでは判定できないという点に注意しましょう。

section 06 空白・数式・可視セル等のみを選択する方法

目的のセルを選択する際に覚えておくと役に立つのが、条件を選択してジャンプ機能です(リボンの「ホーム」タブから**検索と選択**→**条件を選択してジャンプ**を選択)。

▼「条件を選択してジャンプ」機能

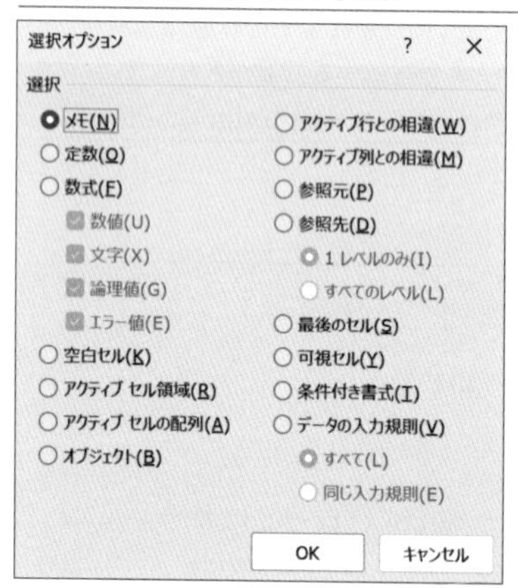

表示されるダイアログを見るだけで、多彩な条件でセルを選択できることがわかりますね。この機能をVBAから利用するのが、SpecialCellsメソッドです。

SpecialCellsメソッドという強力な機能

SpecialCellsメソッドは、調査を行いたいセル範囲のうちの、引数に指定した種類のセルを含むRangeオブジェクトを返すメソッドです。

▼条件を指定してセルを選択する(SpecialCellsメソッド)

```
セル範囲.SpecialsCells(セルのタイプ[, オプション])
```

引数に指定できる定数と、セルのタイプには次のものが用意されています。第1引数にはXlCellType列挙の定数を、第2引数(オプション)にはXlSpecialCellsValue列挙の定数を指定します。

▼XlCellType列挙の定数

定数	値	対象
xlCellTypeAllFormatConditions	-4172	表示形式が設定されているセル
xlCellTypeAllValidation	-4174	条件付書式が設定が含まれているセル
xlCellTypeBlanks	4	空白セル
xlCellTypeComments	-4144	コメントが含まれているセル
xlCellTypeConstants	2	定数（数式でない値）が含まれているセル
xlCellTypeFormulas	-4123	数式が含まれているセル
xlCellTypeLastCell	11	最終セル
xlCellTypeSameFormatConditions	-4173	同じ表示形式が設定されているセル
xlCellTypeSameValidation	-4175	同じ条件付書式が設定されているセル
xlCellTypeVisible	12	可視セル

▼XlSpecialCellsValue列挙

定数	値	対象
xlErrors	16	エラー値
xlLogical	4	論理値
xlNumbers	1	数値
xlTextValues	2	文字列

次のコードは、**セル範囲B2:F7のうち、「空白セル」を選択**します。

▼マクロ 10-49

```
Range("B2:F7").SpecialCells(xlCellTypeBlanks).Select
```

実行例　空白セルの選択

	A	B	C	D	E	F	G
1							
2		ID	商品	価格	数量	小計	
3		1	りんご	120	6	720	
4		2	みかん			0	
5		3		350	27	9,450	
6		4	りんご	120	20	2,400	
7		5	レモン	220	8	1,760	
8							

次のコードは、**セル範囲B2:F7のうち、「数式の入力されているセル」を選択**します。

▼マクロ 10-50

```
Range("B2:F7").SpecialCells(xlCellTypeFormulas).Select
```

実行例　数式の入力されているセルの選択

ID	商品	価格	数量	小計
1	りんご	120	6	720
2	みかん			0
3		350	27	9,450
4	りんご	120	20	2,400
5	レモン	220	8	1,760

次のコードは、**セル範囲B2:F7の定数(数式ではない値)が入力されているセルのうち、「数値が入力されているセルのみ」を選択**します。

▼マクロ 10-51

```
Range("B2:F7").SpecialCells(xlCellTypeConstants, xlNumbers).Select
```

実行例　定数のうち数値のみ選択

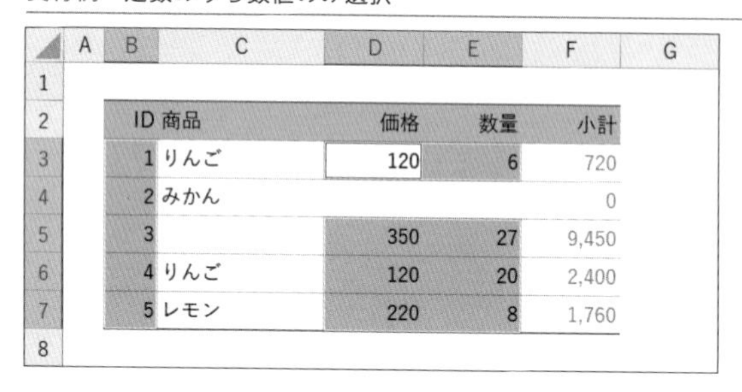

ID	商品	価格	数量	小計
1	りんご	120	6	720
2	みかん			0
3		350	27	9,450
4	りんご	120	20	2,400
5	レモン	220	8	1,760

次のコードは、**セル範囲B3:F6のうち、可視セルのみを対象にコピーし、セルH3を起点として貼り付けます**。

▼マクロ 10-52

```
Range("B3:F6").SpecialCells(xlCellTypeVisible).Copy
Range("H3").PasteSpecial
```

実行例　可視セルのみコピー

	A	B	F	G	H	I	J
1							
2		月別出荷数			転記先		
3		月	総計		月	総計	
4		4	6,125		4	6,129	
5		5	8,870		5	8,875	
6		6	8,669		6	8,675	
7							

C、D、E列はグループ化により非表示になっている

グループ化機能により、C～E列は畳まれて非表示になっています。この状態で可視セルのみを指定してコピーを行うと、可視セルのみ、つまり、見えている箇所のみをコピーし、非表示だった箇所は詰めるような形で転記してくれます。

グループ化やフィルター、そして行・列の非表示機能で非表示になっているセルを対象外として処理を行いたいときに便利ですね。

このように、SpecialCellsメソッドを利用すると、とても手軽に、入力漏れのあるセル(空白セル)へアクセスしたり、数式であるはずのセルがきちんと選択されているかをチェックできたりと、さまざまな場面で利用できます。

column

UsedRangeで使用しているセル範囲のみを取得

マクロで扱うセル範囲を指定する際、「シートのセル全体」を指定するには、引数なしでCellsプロパティを利用します。次のコードは、**シート全体のセルをクリア**します。

```
Cells.Clear
```

また、シート内のセルのうち「使用しているセル範囲」のみを取得するには、WorksheetオブジェクトのUsedRangeプロパティを利用します。次のコードは、**アクティブなシートの使用しているセル範囲を選択**します。

```
ActiveSheet.UsedRange.Select
```

「シート全体に対して○○したい」「使用している範囲全体に○○したい」というようなケースで利用できますね。

column

できるけど使わない方がいいセルへのアクセス記法

実は任意のセルのアクセスは、角括弧を使った糖衣構文でも「できてしまいます」。次の例では、4パターンの記述方法でセルへと値を入力しています。

```
'角括弧を使ったセルの指定ができてしまう
[A1].Value = "これでもセル指定が"
Application.Evaluate("A2").Value = "できてしまいます"
'Valueを省略した値や配列の入力もできてしまう
[A3] = "値の設定もできてしまいます"
[A4:C4] = [{"りんご","蜜柑","レモン"}]
```

	A	B	C	D
1	これでもセル指定が			
2	できてしまいます			
3	値の設定もできてしまいます			
4	りんご	蜜柑	レモン	
5				

角括弧は、「ワークシート上の関数式内等、Excel画面側で使用する名前や記法で、値やセル等を取得できるメソッド」であるApplication.Evaluateメソッドの糖衣構文です。そのため、「[A1]」で、セルA1が取得「できてしまいます」。非常に手軽に記述できますが、知らない方にとっては「なんだこれ？」となりますよね。

この角括弧を使った指定方法と、Rangeプロパティを利用したセルの指定方法が混在しているコードになると、読むだけでも一苦労です。セル指定のたびに「ああ、記法が違うんだな」と、いったん思考がストップされてしまいます。

同じく、セルに値を設定する際には、Valueプロパティを書かずにいきなり値を代入する記法も「できてしまいます」。手軽ではありますが、これもコードの理解の妨げになる要因となります。

というわけで、これらの省略記法は、まったくお勧めできません。使うのは、この記法でないと回りくどい記述になってしまうため、やむを得ず使用せざるを得ない場合か、デバッグ時等にイミディエイトウィンドウ上でパッと指定したい場合に留めるようにしましょう。

セルの値と見た目の変更

本章では、セルへと値や数式を入力する方法と、書式を設定する方法をご紹介します。
普通に値を入力する方法から、Excelならではの相対的な参照式を入力する方法、さらに、データの見やすさに直結するフォントや罫線、書式の設定方法をご紹介します。

本章の学習内容

❶セルへ値や数式を入力
❷相対参照式やスピル式の入力
❸セルの見た目の変更
❹既存の値や書式をコピーして入力

section

01 値と式の入力・消去

Excelのセルは「値の保持」と「保持した値を指定した書式で表示する」という2段階の仕組みで値を表示しています。例えば「1000」という「値」を入力・保持したセルは、そのセルに3桁区切りの「書式」が設定されていれば、「1,000」と3桁区切りで表示します。

そこで、まずは値を保持させる方法、つまりは値を入力する方法から見ていきましょう。

セルに値と数式を入力する

セルへ値を入力するには、RangeオブジェクトのValueプロパティへと入力する値を代入します。数値等の各種の値から、数式を表す文字列でさえも入力可能です。

▼セルに値を入力する（Valueプロパティ）

```
対象セル.Value = 値
```

次のコードは、**セルにさまざまな値を入力**しています。

▼マクロ 11-1

```
Range("C2").Value = "VBA"
Range("C3").Value = 1800
Range("C4").Value = #6/5/2023#
Range("C5").Value = "=10*5" 'ValueでもよいがFormula推奨
```

実行例　セルに値を入力

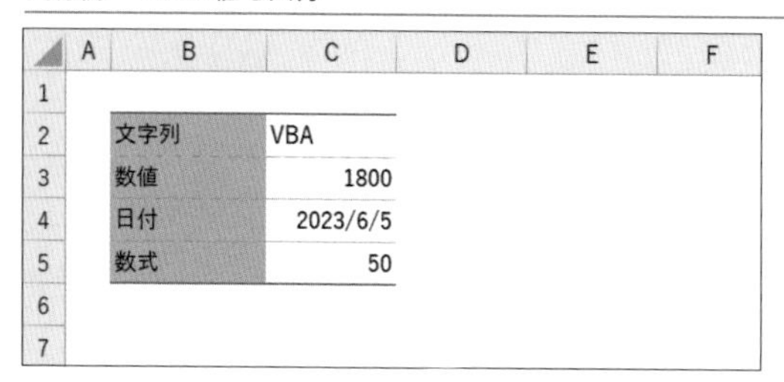
	A	B	C	D	E	F
1						
2		文字列	VBA			
3		数値	1800			
4		日付	2023/6/5			
5		数式	50			
6						
7						

数式もValueプロパティで入力可能ですが、厳密にコードを記述するのであれば、数式を入力するために用意されているFormulaプロパティを利用しましょう。「Value(値)」よりも「Formula(数式)」の方が、「数式を入力しようとしているんだな」という意図がコードから伝わりやすくなります。

▼セルに数式を入力する（Formulaプロパティ）

```
対象セル.Formula = 数式
```

次のコードは、**セルC5に数式（=10*5）を入力**します。

▼マクロ 11-2

```
Range("C5").Formula = "=10*5"
```

実行結果は、Valueプロパティに数式を入れた場合と同様です。

式を入力する場合、きちんとFormulaプロパティを使っていれば、間違って式の入力するはずのセルに単なる値を設定しようとしている際、「あれ？これ式じゃないけど大丈夫か？」とコードの記述時点で気づくこともできますね。

また、セル範囲を指定し、Valueプロパティに対して配列形式の値を代入すると、いっぺんに値を入力することも可能です。次のマクロは、**セル範囲C7:E7に1次元配列の値を、セル範囲C9:E10に2次元配列の値を一括入力**します。

▼マクロ 11-3

```
'セル範囲にまとめて入力
Range("C7:E7").Value = Array(1, 2, 3)
'複数セル範囲にまとめて入力
Range("C9:E10").Value = [{4,5,6;7,8,9}] '※2次元配列の簡易表記
```

実行例　配列の値を一括入力

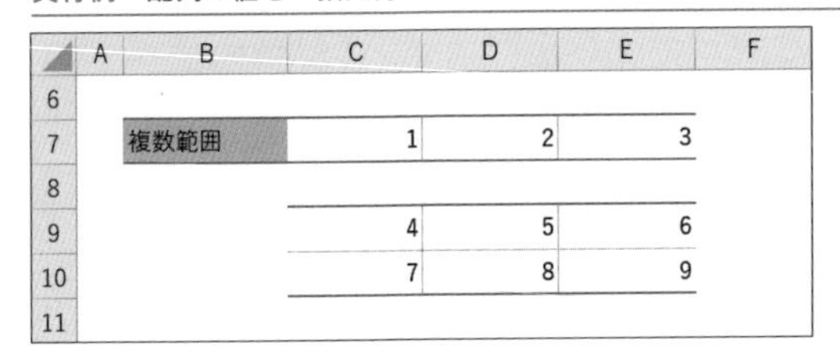

	A	B	C	D	E	F
6						
7		複数範囲	1	2	3	
8						
9			4	5	6	
10			7	8	9	
11						

配列の値を一括入力したいときは、配列の次元数やメンバー数に合わせたセル範囲を用意しましょう。

column

日本語版独自の値や関数は「Local系」プロパティで

数式の入力にはFormulaプロパティを利用しますが、日本語版Excel等、ローカライズ環境独自の関数を利用する場合には、FormulaLocalプロパティを利用する必要があります。

例えば、「数値を円表記にするYENワークシート関数」は、日本語版独自の関数なため、Formulaプロパティで入力すると「#Name?」エラーとなります。次のようにFormulaLocalプロパティを利用すれば、きちんと入力・計算されます。次のコードは、**セルD2に、セルB2の値を参照して円表記で表示する式を入力**します。

▼マクロ 11-4

```
Range("D2").FormulaLocal = "=YEN(B2)"
```

実行例　円表記で値を表示

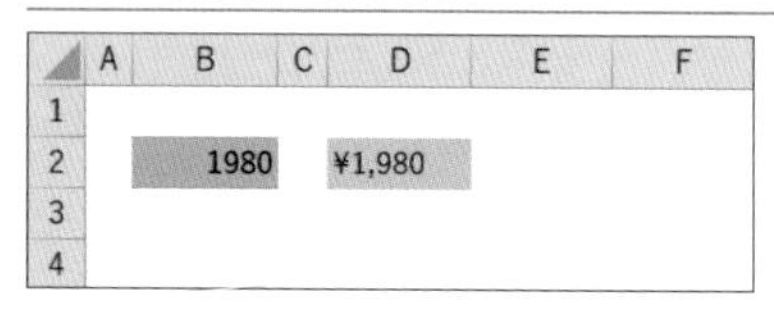

	A	B	C	D	E	F
1						
2		1980		¥1,980		
3						
4						

どれがローカライズ環境特有の関数かわからない場合は、とりあえずすべてFormulaLocalプロパティを利用して入力してしまってもOKです。なお、相対的な数式を入力する場合には、FormulaR1C1Localプロパティを利用します。

相対参照形式はFormulaR1C1

相対的な数式を入力する際には、FormulaR1C1プロパティを利用します。

▼セルに相対的な数式を入力する（FormulaR1C1プロパティ）

```
対象セル.FormulaR1C1 = 数式
```

次のコードは、D列のセルに、2つ左のセル（B列）と1つ左のセル（C列）を乗算する数式を入力します。

▼マクロ 11-5

```
Range("D3:D6").FormulaR1C1 = "=R[0]C[-2]*R[0]C[-1]"
```

実行例　相対参照形式の数式を入力

D3　=B3*C3

	A	B	C	D	E
1					
2		単価	数量	小計	
3		100	5	500	
4		200	10	2,000	
5		300	15	4,500	
6		400	20	8,000	
7					

数式内では、相対的なセル位置を「**R[行オフセット数]C[列オフセット数]**」で表します。「R[1]C[2]」は、「1つ下で、2つ右」となり、「R[-1]C[-2]」は、「1つ上で、2つ左」となります。

セルに入力された式はExcelの表示設定に従い、自動的にA1形式での参照式に変換されて表示されます。

また、固定したセルを扱いたい場合は、「**R行番号C列番号**」のように、角括弧を使わずにセルを指定します。「R1C2」は「1行2列目」、つまり「セルB1」となります。次のコードは、**D列のセルに、セルB9（R9C2）の値に1つ左のセル（C列）を乗算する数式を入力**します。

▼マクロ 11-6

```
Range("D9:D12").FormulaR1C1 = "=R9C2*R[0]C[-1]"
```

実行例　固定セルに対する参照

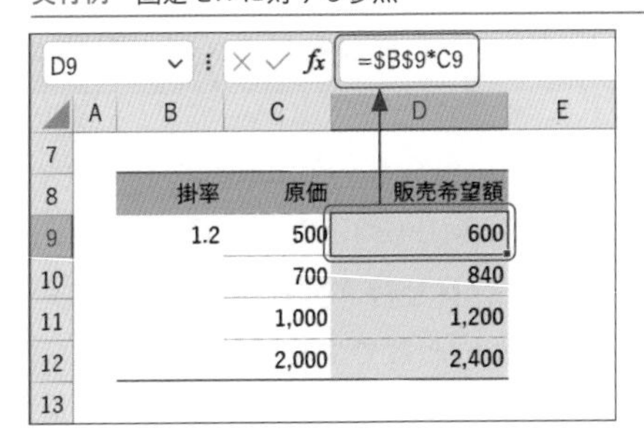

D9　=$B$9*C9

	A	B	C	D	E
7					
8		掛率	原価	販売希望額	
9		1.2	500	600	
10			700	840	
11			1,000	1,200	
12			2,000	2,400	
13					

スピル形式での数式の入力

いわゆるスピルの仕組みが利用できるバージョンのExcelでは、Formula2プロパティを利用することで、スピル形式の数式を入力できます。

▼セルにスピル形式の数式を入力する（Formula2プロパティ）

```
対象セル.Formula2 = 数式
```

次のコードは、**セルE3に、C列とD列を乗算した結果をスピル表示する数式を入力**します。

▼マクロ 11-7

```
'C列とD列の乗算結果をセルE3からスピル表示
Range("E3").Formula2 = "=C3:C7*D3:D7"
```

実行例　スピル形式の数式を入力

E3 =C3:C7*D3:D7

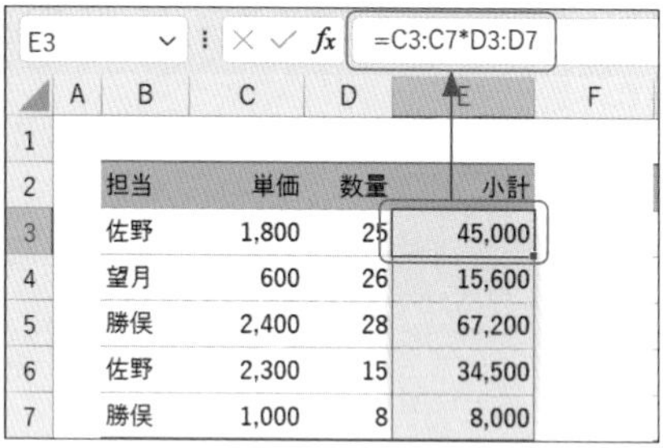

	A	B	C	D	E	F
1						
2		担当	単価	数量	小計	
3		佐野	1,800	25	45,000	
4		望月	600	26	15,600	
5		勝俣	2,400	28	67,200	
6		佐野	2,300	15	34,500	
7		勝俣	1,000	8	8,000	

セルE3に数式を入力することで、配列として返された計算結果がスピル機能によって下のセルへと「あふれて」表示されます。

また、配列をスピル形式で表示する式を入力したい場合も、Formula2プロパティを利用します。例えば、次の例ではセルH3に「=SUMIF(B3:B7,G3#,C3:C7)」と、セルG3に入力された配列を利用し、スピル形式で計算を行う数式が入力されています。セルG3に入力した配列の数だけ小計を行いたいわけですね。

▼ワークシート側のスピル範囲演算子を利用した数式

	A	B	C	D	E	F	G	H	I	J
1							スポット集計用			
2		担当	単価	数量	小計		担当	小計		
3		佐野	1,800	25	45,000			=SUMIF(B3:B7,G3#,C3:C7)		
4		望月	600	26	15,600					
5		勝俣	2,400	28	67,200					
6		佐野	2,300	15	34,500					
7		勝俣	1,000	8	8,000					
8										

このとき、**セルG3に「佐野」「望月」の2つの値のリストを行方向（縦方向）にスピル表示する配列式を入力**するには、次のようにコードを記述します。

▼マクロ 11-8

```
'セルG3に配列式を入力
Range("G3").Formula2 = "={""佐野"";""望月""}"
```

実行例　配列式を入力

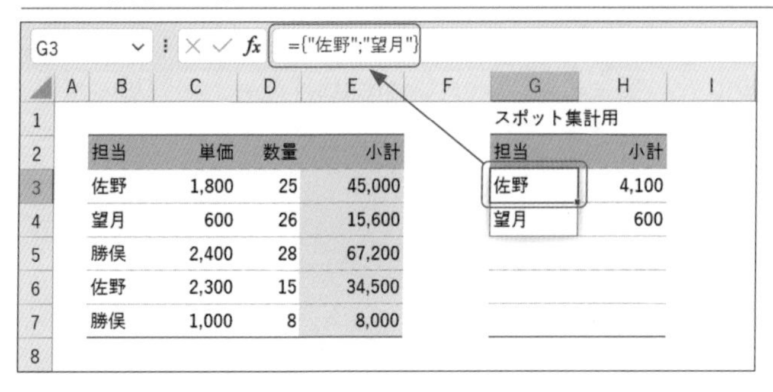
G3 　 ={"佐野";"望月"}

	A	B	C	D	E	F	G	H	I
1							スポット集計用		
2		担当	単価	数量	小計		担当	小計	
3		佐野	1,800	25	45,000		佐野	4,100	
4		望月	600	26	15,600		望月	600	
5		勝俣	2,400	28	67,200				
6		佐野	2,300	15	34,500				
7		勝俣	1,000	8	8,000				
8									

結果を見ると、きちんと配列形式の式が入力され、スピル表示されていますね。隣のH列もきちんとスピルされた値に対応した数だけ計算が行われています。

column

ワークシート側の配列式のルール

ワークシートの数式で配列形式の式を入力するときのルールは以下のようになります。

配列全体	{}(波括弧)で囲む
1次元目の区切り	,(カンマ)で区切る。横方向
2次元目の区切り	;(セミコロン)で区切る。縦方向

「1, 2, 3」の3つの要素を持つ1次元配列は「{1,2,3}」と記述し、「1, 2, 3」「4, 5, 6」の6つの要素を持つ2次元配列は「{1,2,3;4,5,6}」と記述します。

セルへのスピルを念頭に置くのであれば「カンマで横、セミコロンで縦に伸びる」と覚えればよいでしょう。

値のみの消去はClearContentsで行う

セルの値のみを消去したい場合には、ClearContentsメソッドを利用します。Deleteキーを押して値を消去したときと同じように、書式等は保たれます。

▼セルの値のみを消去する(ClearContentsメソッド)

```
対象セル.ClearContents
```

次のコードは、**セルB2の値のみを消去**します。

▼マクロ 11-9

```
Range("B2").ClearContents
```

ClearContentsメソッドは、セル範囲に対して実行することもできます。その場合は、指定した範囲内のセルの値がすべて消去されます。また、結合セルに対して実行することもできます。次のコードは、**結合されたセル範囲セルB4:C5の値のみを消去**します。

▼マクロ 11-10

```
Range("B4:C5").ClearContents
```

実行例　セルの値のみを消去

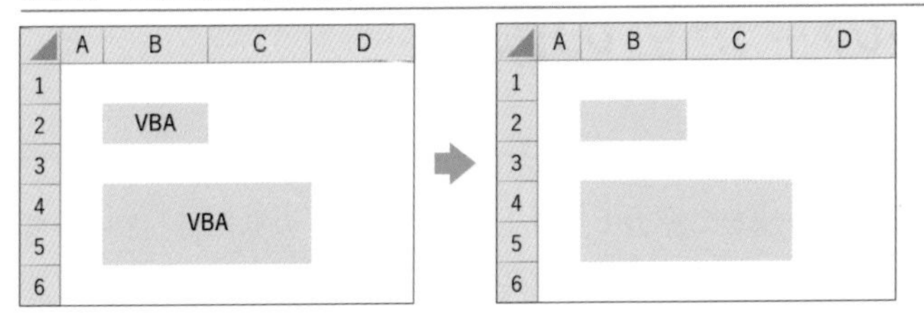

ClearContentsメソッドを結合セルに対して利用する際には、**結合セルのすべてのセルを含む範囲**に対して実行する必要があります。単に左上のセルに対してClearContentsメソッドを実行してもエラーとなります。やっかいですね。

この場合には、「結合セル内の左上のセルのValueプロパティに空白文字列を入力する」ことで、見かけ上値を消去するという小技が利用できます。次のコードは、**セルB4に空白文字列を入力**します。

▼マクロ 11-11

```
Range("B4").Value = ""
```

ちょっと「消去してる感」が薄まる書き方ですが、結合セルだらけのシートに悩んでいる方は採用を検討してみるのもよいでしょう。

また、「結合しているセル範囲」を返すMergeAreaプロパティを利用して、次のように記述する方法もあります。次のコードは、**セルB4を含む結合セル範囲の値を消去**します。

▼マクロ 11-12

```
Range("B4").MergeArea.ClearContents
```

指定セルが結合していない場合もあるケースでは冗長な記述となってしまいますが、こちらは「消去している感」のあるコードとなりますね。また、明示的に記述しておくことで、後から見返したときに、「そうだ、この案件は結合セルに悩まされる案件だ！」と思い出しやすくなるというメリット(?)も生じます。

section 02 セルの見た目の設定

セルの見た目を設定する方法をご紹介します。一言で「セルの見た目」といっても、フォント・表示形式・罫線・背景色・幅や高さ等、さまざまな要素が調整可能となっています。

レポートや報告書では、「見た目」がそのデータの理解しやすさや、信頼性にまで関係してきます。手作業で見た目を整えるのは手間がかかりますが、マクロにしてしまえば、一気に目的の「見た目」までたどり着けるでしょう。

フォントを設定する

フォントの設定を行うには、RangeオブジェクトのFontプロパティからアクセスできる、そのセル範囲のフォント関連情報を扱うFontオブジェクトの各種プロパティを利用します。

▼セルのフォントを設定する(Fontプロパティ)

```
対象セル.Font.プロパティ = 設定値
```

▼Fontオブジェクトのプロパティ(抜粋)

プロパティ	用途
Name	フォント名の設定
Size	フォントサイズの設定
Bold	太字の設定
Italic	イタリック文字の設定
Color	RGB形式でのカラー設定
ColorIndex	パレット形式でのカラー設定
ThemeColor	テーマカラー形式でのカラー設定(色)
TintAndShade	テーマカラー形式でのカラー設定(明度)

次のコードは、**セル範囲B2:F6のフォントを「メイリオ」に、サイズを「12」ポイントに設定**します。

▼マクロ 11-13

```
With Range("B2:F6").Font
    .Name = "メイリオ"
    .Size = 12
End With
```

実行例　フォントを設定

	A	B	C	D	E	F	G
1							
2		ID	商品名	価格	数量	小計	
3		VBA-001	スキンケアジェル(小)	300	40	12,000	
4		VBA-002	スキンケアジェル(大)	500	35	17,500	
5		Ex-04W	ボックスティッシュ	250	80	20,000	
6		Ex-04E	ポケットティッシュ	50	200	10,000	
7							

	A	B	C	D	E	F	G
1							
2		ID	商品名	価格	数量	小計	
3		VBA-001	スキンケアジェル(小)	300	40	12,000	
4		VBA-002	スキンケアジェル(大)	500	35	17,500	
5		Ex-04W	ボックスティッシュ	250	80	20,000	
6		Ex-04E	ポケットティッシュ	50	200	10,000	
7							

また、フォントには日本語対応フォントと、欧文フォント（日本語非対応フォント）がありますが、任意のセル範囲に対して、「日本語対応フォント適用→欧文フォント適用」という順番で設定を行うと、「日本語のフォントは最初に指定したフォント、英数字は後から指定したフォントで表示」という設定が行えます。

次のコードは、**セル範囲B2:F6のフォントを、日本語は「MS Pゴシック」、英数字は「Arial」というルールで設定**します。

▼マクロ 11-14

```
With Range("B2:F6").Font
    .Name = "MS Pゴシック"
    .Name = "Arial"
End With
```

実行例　日本語と英数字でフォントを変える

	A	B	C	D	E	F	G
1							
2		ID	商品名	価格	数量	小計	
3		VBA-001	スキンケアジェル(小)	300	40	12,000	
4		VBA-002	スキンケアジェル(大)	500	35	17,500	
5		Ex-04W	ボックスティッシュ	250	80	20,000	
6		Ex-04E	ポケットティッシュ	50	200	10,000	
7							

フォントは、セルの幅や高さの基準にもなります。書式を整える際には、「まず、フォントを設定するところから始める」のがよいでしょう。

column

Excelのデフォルトフォントの変遷

日本語版Excelのデフォルトのフォントは、「MS Pゴシック→メイリオ→游ゴシック」と変遷してきました。そのため、Excelを使い始めたタイミングにより「見慣れたいつも使っているフォント」が異なります。代々受け継がれているExcelブックでは「MS Pゴシック」のものが多いのはそのためです。

「見やすい」フォントを決める場合には、そのブックを利用する人の顔を思い浮かべ、「見慣れている」フォントを選ぶのも1つの効果的な方法となります。

ちなみに、マクロ実行時の環境でのデフォルトのフォントの種類を取得するにはApplicationオブジェクトのStandardFontプロパティを、フォントサイズを取得するにはStandardFontSizeプロパティを利用します。次のコードは、**実行した環境でのデフォルトのフォントの種類とサイズを表示**します。

▼マクロ 11-15

```
Debug.Print "フォント："; Application.StandardFont
Debug.Print "サイズ　："; Application.StandardFontSize
```

実行例　デフォルトのフォント設定を確認

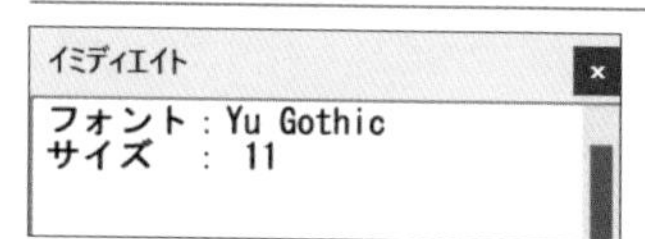
イミディエイト
フォント : Yu Gothic
サイズ : 11

特定の環境下で「どうも文字が見にくい」「どうも文字がはみ出してしまう」場合には、この設定を確認してみましょう。想定と違う設定となっているかもしれません。

section 03 表示形式を設定する

セルに保持された値は、セルに設定された書式に準じて表示されます。同じ「1234」という値でも、書式次第で「1,234」「001234」「1234.00」等、さまざまな表示が可能です。この表示形式をVBAから設定していきましょう。

セルの書式を設定する

セルの書式は、基本的にNunberFormatLocalプロパティで設定します。

▼セルの書式を設定する（NumberFormatLocalプロパティ）

```
対象セル.NumberFormatLocal = 書式設定文字列
```

次のコードは、**セルB2の書式設定を「桁区切り」に設定**します。

▼マクロ 11-16

```
Range("B2").NumberFormatLocal = "#,###"
```

実行例　セルの書式設定

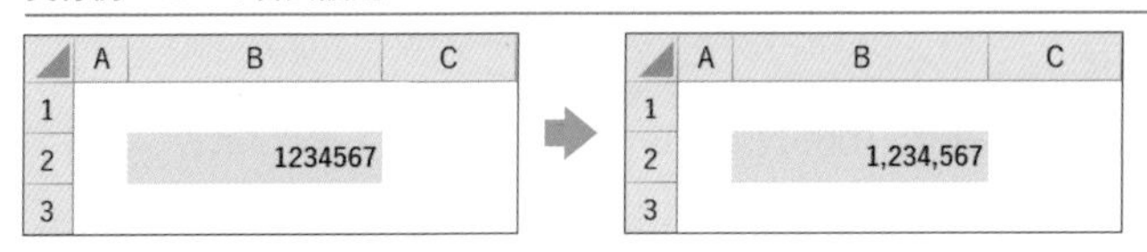

NumberFormatLocalプロパティに設定できる表示形式を表す文字列は、Excelの一般機能で、リボンの「ホーム」タブの**書式→セルの書式設定**で表示される、「セルの書式設定」ダイアログにおいて、「表示形式」タブ内の**分類**から、「ユーザー定義」を選択したときに表示される書式で確認できます。

Excelの書式は、プレースホルダーを利用した文字列を使って指定します。「@（セルに入力された文字列）」や「#（セルに入力された数値）」等の、あらかじめ定められたプレースホルダーの部分は、セルの入力値に沿った値が表示され、その他の部分はそのまま表示されます。

▼「セルの書式設定」ダイアログ

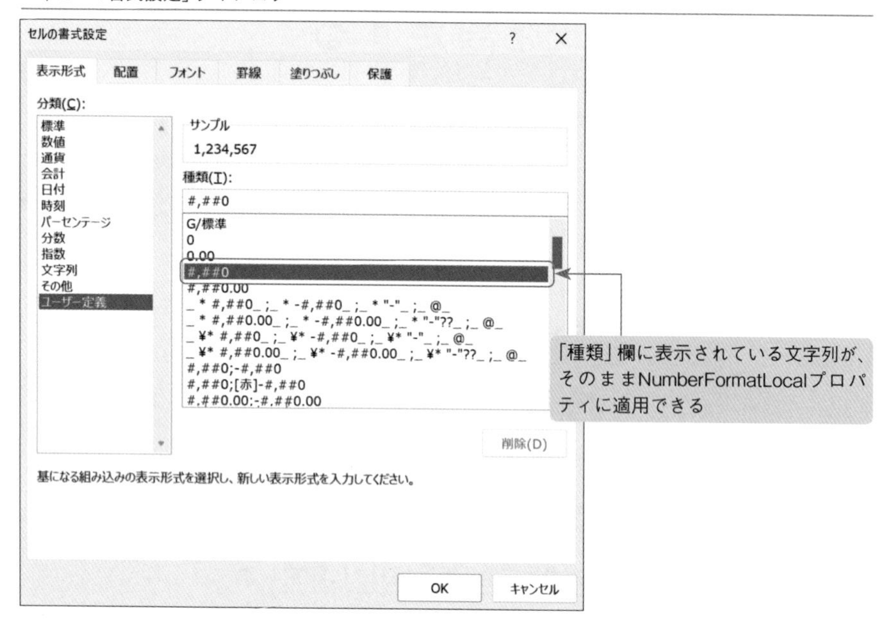

▼よく使うプレースホルダー(抜粋)

プレースホルダー	意味
@	文字列
#	数値
0	数値の桁を表す。「000」という場合は「1」が「001」と表示される
#,###	桁区切り
00.00	等幅フォント時の小数点の位置揃え
yyyy, mm, dd	それぞれ、年・月・日
h, m, s	それぞれ、時・分・秒。「m」は文脈により「分」ではなく「月」を表すこともある
aaa, aaaa	「月」「月曜日」等の曜日
ge, gge, ggge	「R3」「令30」「令和3」等の元号

その他のプレースホルダーの情報は、NumberFormatLocalプロパティのリファレンス(https://learn.microsoft.com/ja-jp/office/vba/api/excel.range.numberformatlocal)等をご覧ください。

例えば「@ 様」という書式文字列は、「セルに入力した文字列の後ろに『 様』を付加した書式」となります。次のコードは、**セル範囲B2:B4に入力された名前の後ろに「様」を付けるように書式を設定**しています。

▼マクロ 11-17

```
Range("B2:B4").NumberFormatLocal = "@ 様"
```

実行例 「様」を付けるように書式を設定

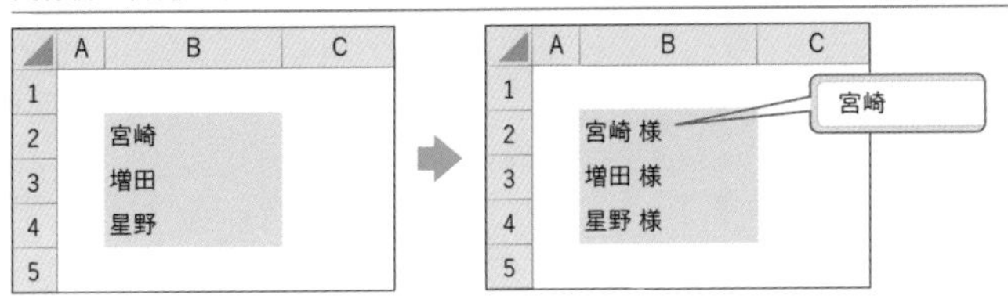

あくまでも書式で「 様」という表示にしてあるだけなので、実際の値は元のままです。このように、プレースホルダーと、表示に利用する値を組み合わせた形で表示書式を設定していきます。

また、このプレースホルダーを利用した書式の指定は、ほぼ同じ形でFormat関数(136ページ)の書式設定にも利用可能です。

column

NumberFormatプロパティ

NumberFormatLocalプロパティと非常によく似た名前と用途のプロパティとして、NumberFormatプロパティが用意されています。こちらは、「多言語対応する前に利用していたプロパティ」とでも言うようなプロパティであり、一部の日本語表現を利用した書式の設定等に対応していません。数式を入力するときのFormulaプロパティとFormulaLocalプロパティと同じような関係性ですね。

書式に関しては特有の書式を利用することが多いため、日本語版のExcelを利用している環境においては、書式の設定はNumberFormatLocalプロパティで行うと考えておくのがよいでしょう。

罫線を引くには

罫線を引くには、「罫線を引く場所を指定してBorderオブジェクトを取得」「Borderオブジェクトの各種プロパティで罫線の種類や色を指定」という2段階の考え方で設定を行っていきます。

罫線を引く場所(セルの上なのか右なのか等の位置)を指定してBorderオブジェクトを取得するには、Bordersプロパティを利用します。

▼セルに罫線を設定する(Bordersプロパティ)

```
セル範囲.Borders(場所を指定する定数).罫線の設定
```

罫線を引く場所の指定は、XlBordersIndex列挙の定数で行います。

▼XlBordersIndex列挙の定数

定数	値	位置
xlEdgeTop	8	上端
xlEdgeBottom	9	下端
xlEdgeLeft	7	左端
xlEdgeRight	10	右端
xlInsideHorizontal	12	内側の横罫線
xlInsideVertical	11	内側の縦罫線
xlDiagonalUp	6	斜め罫線(右上がり)
xlDiagonalDown	5	斜め罫線(左上がり)

指定した場所の罫線は、以下のBorderオブジェクトの各種プロパティで設定を行います。

▼Borderオブジェクトのプロパティ(抜粋)

プロパティ	用途
LineStyle	線の種類をXlLineStyle列挙で指定
Weight	線の太さ
Color	RGB形式でのカラー設定
ColorIndex	パレット形式でのカラー設定
ThemeColor	テーマカラー形式でのカラー設定(色)
TintAndShade	テーマカラー形式でのカラー設定(明度)

各プロパティに設定する定数等は、一度実際に罫線を引く操作を「マクロの記録」機能で記録し、記録された値を参考に設定してください。

次のコードは、**セル範囲B2:D6の「上端」「下端」「内側の横方向」の3つの位置の罫線を設定**します。

▼マクロ 11-18

```
With Range("B2:D6")
    '上側の罫線を設定
    With .Borders(xlEdgeTop)
        .LineStyle = xlContinuous
        .Weight = xlMedium
        .ThemeColor = msoThemeColorAccent6
    End With
    '下側の罫線を設定
    With .Borders(xlEdgeBottom)
        .LineStyle = xlContinuous
        .Weight = xlMedium
        .ThemeColor = msoThemeColorAccent6
    End With
    '中間のうち、横方向の罫線を設定
    With .Borders(xlInsideHorizontal)
        .LineStyle = xlContinuous
        .Weight = xlHairline
        .ThemeColor = msoThemeColorAccent6
    End With
End With
```

実行例　罫線の設定

	A	B	C	D	E
1					
2		商品名	価格	数量	
3		スキンケアジェル(小)	300	40	
4		スキンケアジェル(大)	500	35	
5		ボックスティッシュ	250	80	
6		ポケットティッシュ	50	200	
7					

	A	B	C	D	E
1					
2		商品名	価格	数量	
3		スキンケアジェル(小)	300	40	
4		スキンケアジェル(大)	500	35	
5		ボックスティッシュ	250	80	
6		ポケットティッシュ	50	200	
7					

また、位置を指定して罫線を設定するのではなく、指定セル範囲全体にざっくり罫線を設定する場合には、Bordersコレクションにそのまま設定を行っていきます。次のコードは、**セル範囲B2:D6にまとめて格子状の罫線を設定**します。

▼マクロ 11-19

```
With Range("B2:D6").Borders
    .LineStyle = xlContinuous
    .Weight = xlThin
    .ThemeColor = msoThemeColorAccent6
End With
```

実行例　格子状の罫線を設定

	A	B	C	D	E
1					
2		商品名	価格	数量	
3		スキンケアジェル(小)	300	40	
4		スキンケアジェル(大)	500	35	
5		ボックスティッシュ	250	80	
6		ポケットティッシュ	50	200	
7					

罫線を消去するには、LineStyleプロパティに定数xlNoneを設定します。次のコードは、**セル範囲B2:D6の罫線を一括で消去**します。

▼マクロ 11-20

```
Range("B2:D6").Borders.LineStyle = xlNone
```

背景色の設定とExcelでの色管理方法

セルの背景色を指定するには、Interiorプロパティ経由でアクセスできるInteriorオブジェクトに用意されている、色を管理する4つのプロパティを利用します。

▼セルの背景色を設定する（Interiorプロパティ）

```
対象セル.Interior.管理形式 = 色
```

▼色を管理する4つのプロパティ

管理形式	プロパティ	用途
RGB形式	Color	RGB形式でのカラー設定
パレット方式	ColorIndex	パレット形式でのカラー設定
テーマ方式	ThemeColor	テーマカラー形式でのカラー設定（色）
	TintAndShade	テーマカラー形式でのカラー設定（明度）

このプロパティは、色を設定できるオブジェクトのほとんどに用意されています。実はExcelには、3つの方式で「色」を指定する仕組みが用意されています。以下にその方式とプロパティの利用方法をご紹介します。

●RGB値で色を指定

「赤・緑・青」の光の三原色の割合で色を表現する、いわゆるRGB値で色を指定するには、Colorプロパティを利用します。

▼RGB値で色を指定する（Colorプロパティ）

```
対象セル.Interior.Color = RGB関数で作成したRGB値
```

次のコードは、**セルB2の背景色をRGB値「255,0,0」（赤）に設定**します。

▼マクロ 11-21

```
Range("B2").Interior.Color = RGB(255, 0, 0)
```

実行例　セルの背景色を設定

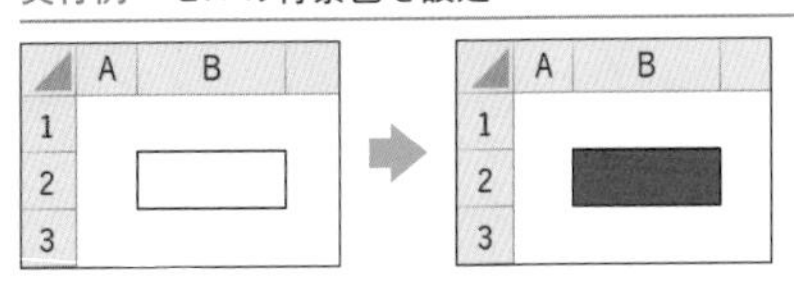

RGB値を指定するには、RGB関数の引数に、「赤, 緑, 青」の順番で、「0～255」の範囲の値を設定します。

▼RGB値を指定する（RGB関数）

```
RGB(Rの値, Gの値, Bの値)
```

●パレット番号で色を指定

Excelにはブックごとに56色のカラーパレットが記録されています。そのパレット番号を利用して色を設定するには、ColorIndexプロパティを利用します。

▼パレット番号で色を指定する(ColorIndexプロパティ)

```
対象セル.Interior.ColorIndex = パレット番号
```

次のコードは、**セルB2の背景色をパレット番号6番(筆者の環境では黄色)に設定**します。

▼マクロ 11-22

```
Range("B2").Interior.ColorIndex = 6
```

用意されているパレットの色を確認するには、WorkbookオブジェクトのColorsプロパティを利用します(サンプルファイル「11章:値の入力消去.xlsm」を参照してください。サンプルファイルは、本書のサポートページ(https://isbn2.sbcr.jp/17714/)からダウンロード可能です)。

●テーマカラーで色を指定

Excelの既定の色の設定方式は、テーマカラーを利用する方式です。この方式は、ブックに設定された「テーマ」ごとに基本となる12色を決めておき、その基本色の「明るさ」を変更することで、さまざまな色を統一感を持って扱おうという方式です。

セルの背景色等を手作業で設定する際に表示される「テーマの色」を例に取ると、先頭行に表示されている色が基本色となり、その下の行の色は、それぞれの基本色の明るさを変更したバリエーションとなります。

▼テーマカラー方式

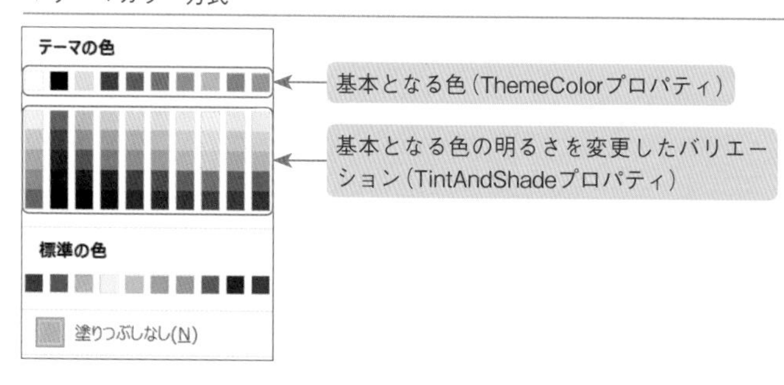

VBAでこの基本色を扱うのがThemeColorプロパティ、明るさを扱うのがTintAndShadeプロパティです。ThemeColorプロパティには、12色の基本色を表すMsoThemeColorSchemeIndex列挙の定数を指定します。

▼テーマカラーで基本色を指定する（ThemeColorプロパティ）

```
対象セル.Interior.ThemeColor = 基本色
```

▼MsoThemeColorSchemeIndex列挙の定数

定数	値	基本色
msoThemeAccent1	5	アクセント 1
msoThemeAccent2	6	アクセント 2
msoThemeAccent3	7	アクセント 3
msoThemeAccent4	8	アクセント 4
msoThemeAccent5	9	アクセント 5
msoThemeAccent6	10	アクセント 6
msoThemeDark1	1	濃色 1
msoThemeDark2	3	濃色 2
msoThemeFollowedHyperlink	12	クリックされたハイパーリンク
msoThemeHyperlink	11	ハイパーリンク
msoThemeLight1	2	淡色 1
msoThemeLight2	4	淡色 2

TintAndShadeプロパティには、「-1（最も暗い）～1（最も明るい）」の値を設定します。

▼テーマカラーで明るさを指定する（TintAndShaderプロパティ）

```
対象セル.Interior.TintAndShader = 明るさ
```

ブックに設定されている基本色は、リボンの「ページレイアウト」タブの**配色→色のカスタマイズ**で表示される「テーマの新しい配色パターンを作成」ダイアログで確認可能です。

▼「テーマの新しい配色パターンを作成」ダイアログ

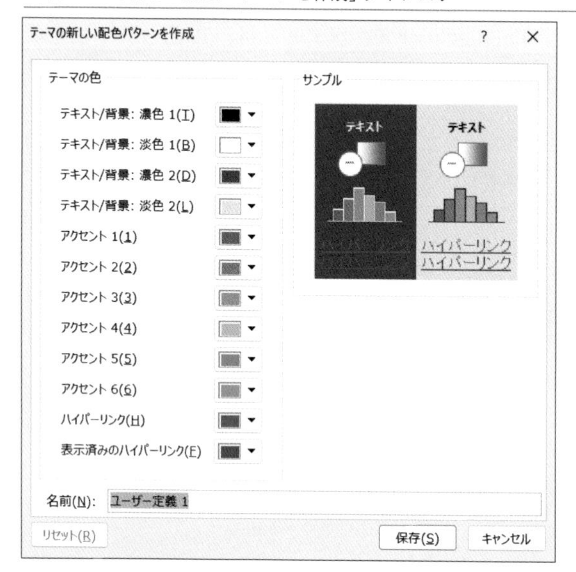

さて、前置きが長くなりましたが、この方式は、基本色をThemeColorで指定し、その明るさをTintAndShadeで決めてくださいというものです。次のコードは、**セルB2の背景色を、「アクセント1の基本色」「明るさ0.5」に設定**します。

▼マクロ 11-23

```
With Range("B2").Interior
    .ThemeColor = msoThemeAccent1
    .TintAndShade = 0.5
End With
```

実行例　テーマカラーで背景色を設定

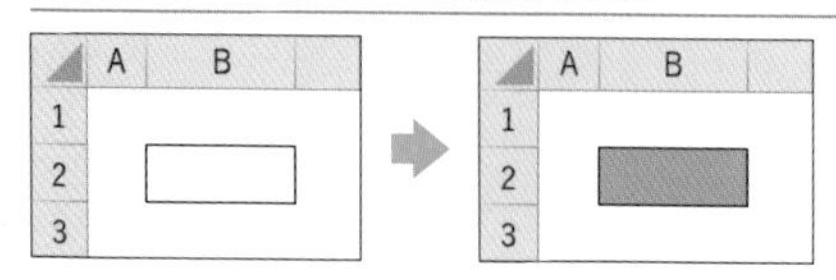

実行する環境のテーマカラーに応じて、設定される背景色は異なります。

なお、セルに設定した背景色をクリアするには、Patternプロパティに、定数xlNoneを指定します。次のコードは、**セルB2の背景色をクリア**します。

▼マクロ 11-24

```
Range("B2").Interior.Pattern = xlNone
```


セル幅と高さの設定と単位

セルの幅と高さを指定するには、ColumnWidthプロパティとRowHeightプロパティを利用します。

ColumnWidthプロパティは、セル幅を「標準のフォントで『0』が何文字入るか」を示す数値で指定します。

▼セルの幅を設定する（ColumnWidthプロパティ）

```
対象セル.ColumnWidth = 幅
```

RowHeightプロパティは、セルの高さをポイント単位で指定します。

▼セルの高さを設定する（RowHeightプロパティ）

```
対象セル.RowHeight = 高さ
```

次のコードは、**セルB2の幅を「10」、高さを「40」に設定**します。

▼マクロ 11-25

```
With Range("B2")
    .ColumnWidth = 10
    .RowHeight = 40
End With
```

実行例　セルの幅と高さの設定

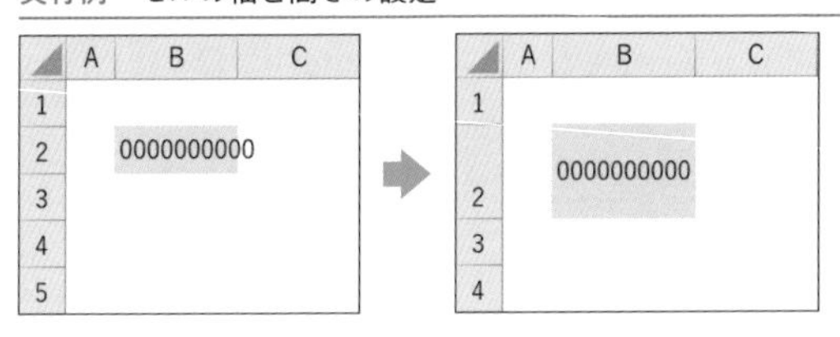

セルB2には、既定のフォントで数字の「0」が10個入っています。セル幅は標準フォントの「0」が何個入るかという単位（単位：M）で設定しますが、「10」を設定したところ、ちょうど10文字ぴったりの幅になっていることが確認できますね。こ

のようにセル幅の設定は、同じ値を設定しても、標準フォントが異なれば可変する単位だということに注意しましょう。

また、EntireColumnプロパティやEntireRowプロパティと、AutoFitメソッドを組み合わせると、現在セルに入力されている値に応じて、自動的にセル幅や高さを調整してくれます。次のコードは、**セル範囲B3:D6の列幅と行の高さを、セル内の値に応じて自動調整**します。

▼マクロ 11-26

```
Range("B3:D6").EntireColumn.AutoFit
Range("B3:D6").EntireRow.AutoFit
```

実行例　セル幅を自動調整

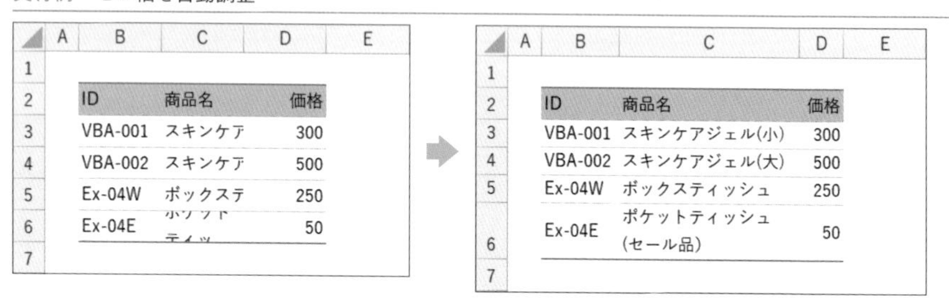

他のシートやWebからデータをコピーしてきた場合に、素早く見やすいセル幅に調整するときに重宝する仕組みですね。

column

AutoFitから「もうちょっと拡張」したい場合には

AutoFitメソッドによるセル幅や高さの自動調整は便利ですが、「もうちょっと余白に余裕がほしい」という場合もあるでしょう。そんなときには、AutoFitで調整後に、ループ処理でさらにセル幅や高さを調整しましょう。

次のコードは、**セルB2を起点としたセル範囲を、「もうちょっと余白に余裕を持って」広げます**。

▼マクロ 11-27

```
Dim rng As Range
With Range("B2").CurrentRegion
    '列幅設定
    .EntireColumn.AutoFit
```

```
    For Each rng In .Columns
        rng.ColumnWidth = rng.ColumnWidth + 2
    Next
    '行の高さ設定
    .EntireRow.AutoFit
    For Each rng In .Rows
       rng.RowHeight = rng.RowHeight + 10
    Next
End With
```

実行例　少し余裕を持って幅と高さを調整

	A	B	C	D	E
1					
2		ID	商品名	価格	
3		VBA-001	スキンケアジェル(小)	300	
4		VBA-002	スキンケアジェル(大)	500	
5		Ex-04W	ボックスティッシュ	250	
6		Ex-04E	ポケットティッシュ(セール品)	50	
7					

「フォントによってはAutoFitだけだと印刷時にはみ出る」等のトラブルに悩まされている場合でも、この「余裕を持って設定」する方法を覚えておくと、活用できるでしょう。

表示位置と折り返し表示の設定

セル内での値の表示位置は、水平方向(横方向)はHorizontalAlignmentプロパティを、垂直方向(縦方向)はVerticalAlignmentプロパティに対応する定数を指定します。

▼水平方向の表示位置を設定する(HorizontalAlignmentプロパティ)

```
対象セル.HorizontalAlignment = 水平位置
```

▼垂直方向の表示位置を設定する(VerticalAlignmentプロパティ)

```
対象セル.VerticalAlignment = 垂直位置
```

次のコードは、**セル内の値の水平方向の表示位置を設定**します。

▼マクロ 11-28

```
Range("B2").HorizontalAlignment = xlLeft     '左
Range("B4").HorizontalAlignment = xlCenter   '中央
Range("B6").HorizontalAlignment = xlRight    '右
```

次のコードは、**セル内の値の垂直方向の表示位置を設定**します。

▼マクロ 11-29

```
Range("D2").VerticalAlignment = xlTop        '上端
Range("D4").VerticalAlignment = xlCenter     '中央
Range("D6").VerticalAlignment = xlBottom     '下端
```

実行例　表示位置を設定

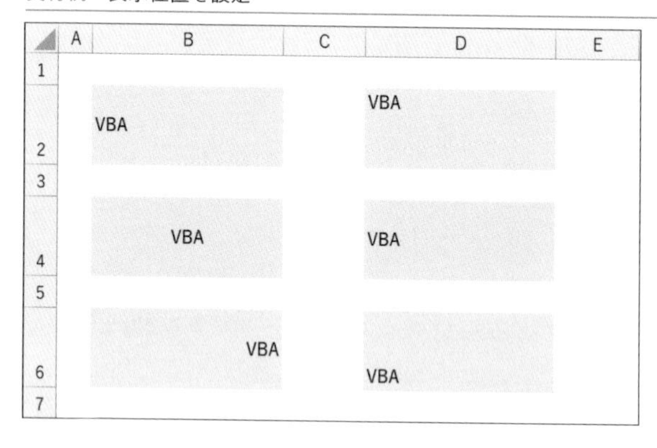

また、セル幅よりも長い文字列が入力されている場合に、折り返して表示設定を行うには、WrapTextプロパティに「True」を指定します。

▼文字を折り返して表示する（WrapTextプロパティ）

```
対象セル.WrapText = True
```

次のコードは、**セルB8に「折り返して表示」を設定**します。

▼マクロ 11-30

```
Range("B8").WrapText = True
```

セルの大きさに収まるように縮小して表示設定を行うには、ShrinkToFitプロパティに「True」を指定します。

▼セルに合わせて縮小して表示する(ShrinkToFitプロパティ)

```
対象セル.ShrinkToFit = True
```

次のコードは、**セルB10に「縮小して表示」を設定**します。

▼マクロ 11-31

```
Range("B10").ShrinkToFit = True
```

実行例　折り返しや縮小設定

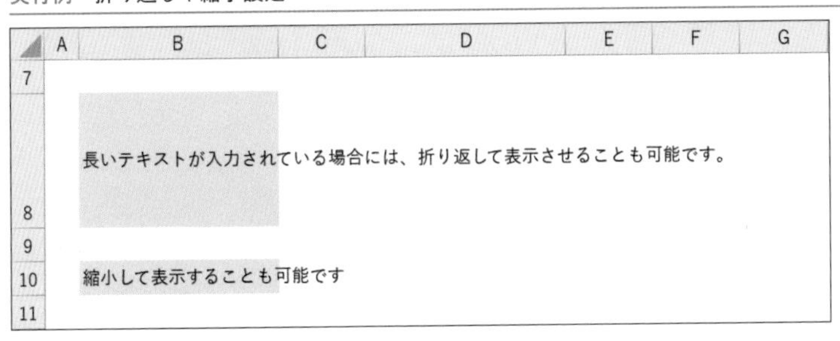

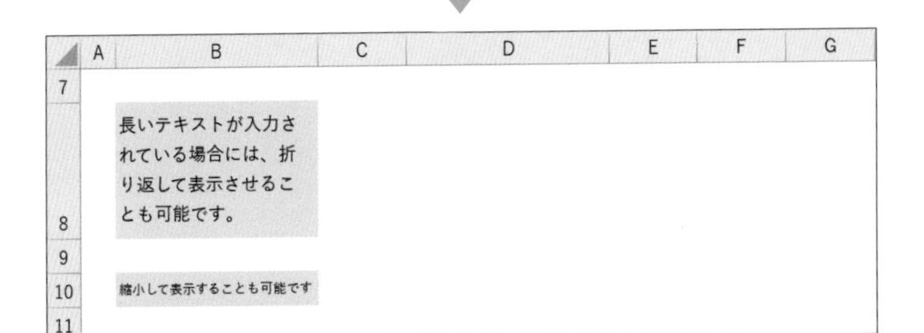

column

シートの拡大/縮小で見た目をコントロール

Excelでは、シートを操作時にウィンドウ右下に表示されている「ズーム」バーやボタンを操作することで、シート上の内容を拡大/縮小表示することができます。

特に、ノートPCとデスクトップPCを併用している場合等、モニタの解像度が極端に異なる環境で同じブックを表示した場合には、ブックの内容が「大きすぎ」「小さすぎ」と感じることがありますが、この機能を利用すれば、ある程度は「いつもの見た目」で作業を進めることが可能となります。

この拡大率の設定をVBAから操作するには、WindowオブジェクトのZoomプロパティを利用します。次のコードは、**アクティブなウィンドウの拡大率を150%に設定**します。

```
ActiveWindow.Zoom = 150
```

また、**特定のセル範囲がウィンドウ内に収まるように表示したい**という場合には、Zoomプロパティに「True」を代入します。

```
ActiveWindow.Zoom = True
```

すると、現在選択しているセル範囲がウィンドウ内に収まるように拡大率を自動調整してくれます。特定範囲を選択するコードやイベント処理と組み合わせれば、シートを選択した際に、ウィンドウサイズに合わせて拡大率を自動調整するような処理も作成できますね。

section 04 既存の値や書式をコピーして利用する

値や書式をゼロから入力・設定するのではなく、既存の値や書式を「コピー」して入力する方法を見ていきましょう。一口にコピーと言ってもセルにはさまざまな情報が含まれているので、それに応じたさまざまな方法が用意されています。

基本となるCopyメソッドは「丸ごとコピー」

コピー処理を行う際の基本となるメソッドは、Copyメソッドです。Copyメソッドはコピー元となるセル範囲に対して実行し、引数Destinationに転記先の起点となるセルを指定します。

▼セルをコピーして利用する(Copyメソッド)

```
コピー元セル範囲.Copy Destination:=転記先の起点セル
```

次のコードは、**セルB2をセルB7に転記し、セル範囲D2:E5をセルD7を起点としたセル範囲に転記**します。

▼マクロ 11-32

```
'単一セルのコピー
Range("B2").Copy Destination:=Range("B7")
'セル範囲のコピー
Range("D2:E5").Copy Destination:=Range("D7")
```

実行例　セルの内容を丸ごとコピー

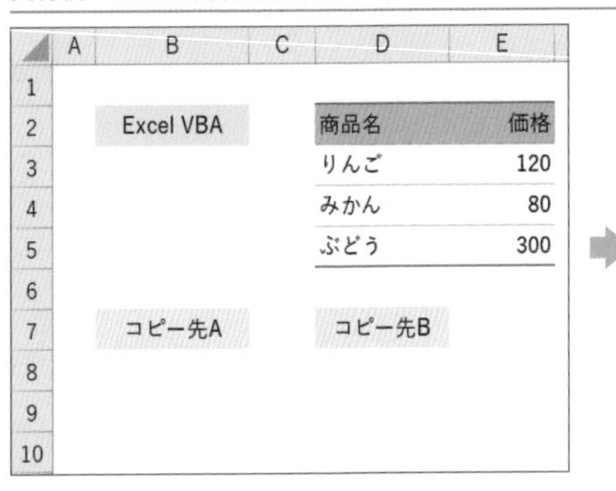

	A	B	C	D	E
1					
2		Excel VBA		商品名	価格
3				りんご	120
4				みかん	80
5				ぶどう	300
6					
7		コピー先A		コピー先B	
8					
9					
10					

	A	B	C	D	E
1					
2		Excel VBA		商品名	価格
3				りんご	120
4				みかん	80
5				ぶどう	300
6					
7		Excel VBA		商品名	価格
8				りんご	120
9				みかん	80
10				ぶどう	300

コピーは値だけでなく、書式も含めてコピーされます。転記先に既に値や書式が設定されている場合は、上書きされます。複数セル範囲を対象にコピーをした場合、転記先として指定したセルを起点として、コピー元のセル範囲の内容が丸ごとコピーされます。ただし、セル幅のみはコピーされません。

column

引数Destinationは省略可能

Copyメソッドで転記を行う場合、引数DestinationはCopyメソッドの1番目の引数であるため、名前付き引数を省略可能です。次のコードでもセルB2をセルB7へと転記可能です。

```
Range("B2").Copy Range("B7")
```

非常に簡単に記述できるのですが、慣れないとちょっと可読性が高いとは言えない書き方でもあります。どちらで記述していくかは、好みです。

また、引数Destinationの指定そのものを省略することも可能です。省略した場合は、クリップボードへコピーされます。

Valueプロパティを利用して値のみを転記する

値のみを転記したい場合には、Valueプロパティが利用できます。転記先のValueプロパティに、転記元となるセルやセル範囲のValueプロパティの値を代入すれば転記の完了です。

▼値のみを転記する

```
転記元のセル.Value = 転記先のセル.Value
```

次のコードは、**セルB7にセルB2の値を転記し、セル範囲D7:E10にセル範囲D2:E5の値のみを転記**します。

▼マクロ 11-33

```
'単一セルの値の転記
Range("B7").Value = Range("B2").Value
'セル範囲の転記
Range("D7:E10").Value = Range("D2:E5").Value
```

実行例　値のみを転記

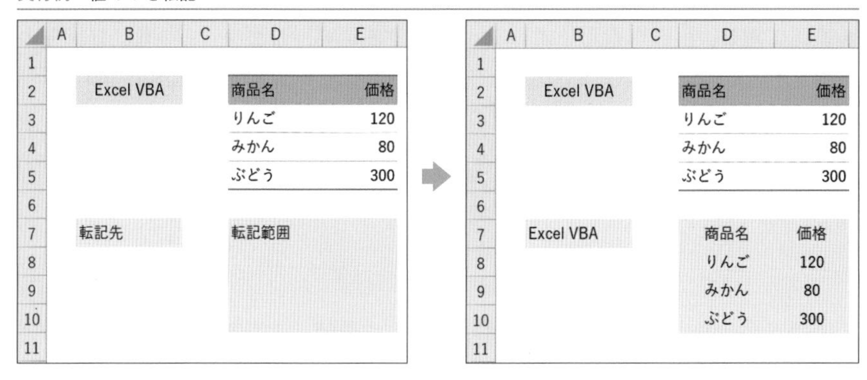

Value同士の値を代入する形での転記は、値のみが転記され、元の書式等には影響を与えません。また、セル範囲を指定して転記する場合には、転記元と転記先のセル範囲は、同じ大きさのセル範囲として指定する必要があります。

PasteSpecialメソッドで転記する項目を細かく指定

「特定の要素のみをペーストしたい」という場合に利用できるのがPasteSpecialメソッドです。PasteSpecialメソッドは、一般機能で言うところの、形式を選択して貼り付け機能に当たります。

▼「形式を選択して貼り付け」ダイアログ

形式を選択して貼り付け　?　×
貼り付け
すべて(A)　コピー元のテーマを使用してすべて貼り付け(H)
数式(F)　罫線を除くすべて(X)
値(V)　列幅(W)
書式(T)　数式と数値の書式(R)
コメントとメモ(C)　値と数値の書式(U)
入力規則(N)　すべての結合されている条件付き書式(G)
演算
なし(O)　乗算(M)
加算(D)　除算(I)
減算(S)
空白セルを無視する(B)　行/列の入れ替え(E)
連結貼り付け(L)　OK　キャンセル

PasteSpecialメソッドは、2ステップの操作を行います。まず、コピーしたいセル範囲に対し、引数を指定せずにCopyメソッドを実行します。その後、転記先の基準とするセルに対して、貼り付けたい要素を引数に指定してPasteSpecialメソッドを実行します。

▼形式を選択して貼り付けを行う（PasteSpecialメソッド）

```
転記元セル.Copy
転記先セル.PasteSpecial 形式
```

PasteSpecialメソッドに指定する形式は、定数を使って指定します。指定する定数については、次ページを参照してください。

次のコードは、**セル範囲B2:D5の内容をコピーし、セルF2を起点とする位置に値のみを貼り付けます**。

▼マクロ 11-34

```
'引数を指定せずにコピー
Range("B2:D5").Copy
'指定要素のみをコピー（ここでは「値のみ」）
Range("F2").PasteSpecial xlPasteValues
```

実行例　PasteSpecialメソッドで値のみを貼り付け

	A	B	C	D	E	F	G	H	I
1									
2		ID	商品名	価格		転記先			
3		1	りんご	120					
4		2	みかん	80					
5		3	ぶどう	300					
6									

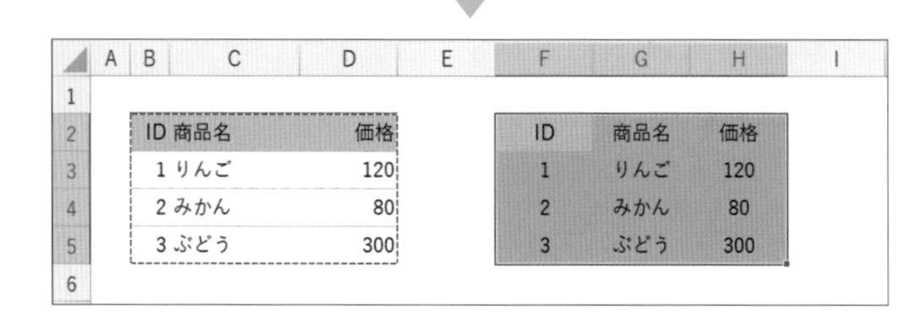

結果を見ると、値のみが転記(貼り付け)されていますね。さらに注目していただきたい点は、通常操作時と同じように、転記元のセル範囲は点線で囲まれコピー待機状態となり、転記先のセル範囲が選択された状態になっている点です。この動きも「形式を選択して貼り付け」機能と同じですね。

コピー待機状態になっているため、マクロ実行後にEnterキーを押すと、その位置に連続で貼り付け操作が実行されてしまいます(Excelのバージョンにより動作が異なります)。これは大変不便なので、コピー待機状態を解除しましょう。

VBAからコピー待機状態を解除するには、ApplicationオブジェクトのCutCopyModeプロパティに「False」を指定します。以下のコードをPasteSpecialメソッドの後ろに加えれば、コピー後にコピー待機状態を解除できます。

```
Application.CutCopyMode = False
```

●コピーしたい項目の指定方法

PasteSpecialメソッドでは、貼り付けたい形式をXlPasteType列挙の定数を利用して指定します。定数と形式は次表のように関連付けられています。

▼XlPasteType列挙の定数

定数	貼り付け方式
xlPasteAll	すべて(セル幅を除く)
xlPasteValues	値のみ貼り付け。定数はそのまま、数式・関数式は結果の値のみ貼り付け
xlPasteFormulas	数式ベースでの貼り付け。定数はそのまま、数式・関数式は式として貼り付け
xlPasteColumnWidths	列幅
xlPasteAllExceptBorders	罫線を除くすべて
xlPasteFormats	表示形式や書式
xlPasteValuesAndNumberFormats	値と数値の書式
xlPasteFormulasAndNumberFormats	数式と数値の書式
xlPasteComments	コメント
xlPasteValidation	入力規則
xlPasteAllUsingSourceTheme	テーマを使用して貼り付け
xlPasteAllMergingConditionalFormats	すべての結合されている条件付き書式

PasteSpecialメソッドは、実にいろいろな場面で利用できる、とても便利なメソッドです。以下、よく使う例を挙げてみましょう。

●数式の結果だけをコピー

数式の入力されているセルの値を、数式ではなく、結果のみに変換したい場合には、数式の入力セル範囲をコピーして値のみ貼り付けします。

次のコードは、**セル範囲D3:D5に入力されている関数式を、式ではなく、計算結果の値が入力されるよう貼り付けます**。

▼マクロ 11-35

```
With Range("D3:D5")
    .Copy
    .PasteSpecial xlPasteValues
End With
```

実行例　結果の値のみを貼り付け

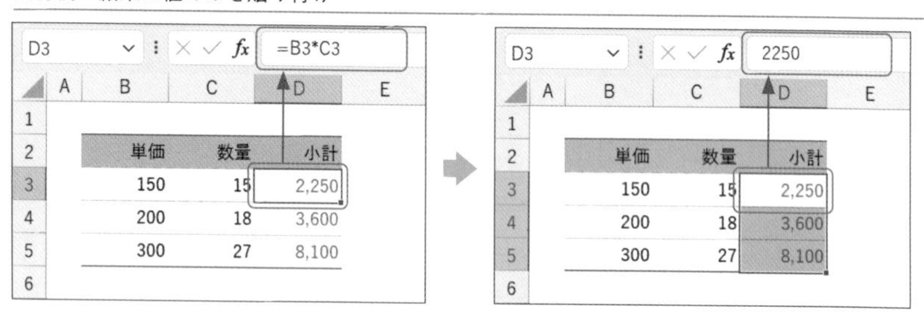

関数式による計算結果を「確定」させ、以降は自動計算されないようにしたい場合に便利ですね。各種帳票等で関数式を利用している場合によく利用します。

●列幅を保ったまま転記

表形式で入力された内容を転記する際に便利なのが、セル幅の貼り付けです。既存の表をコピーして流用する際には、元の表で設定したセル幅をそのまま転記先にも適用できると、素早く見やすい表が準備できます。

次のコードは、**セル範囲B2:E6を、セルG2を起点とした位置に列幅を保ったまま転記**します。

▼マクロ 11-36

```
Range("B2:E6").Copy
'セル幅をペーストしたうえで、あらためて「すべて」ペースト
With Range("G2")
    .PasteSpecial xlPasteColumnWidths
    .PasteSpecial xlPasteAll
End With
```

実行例　列幅を保ったまま転記

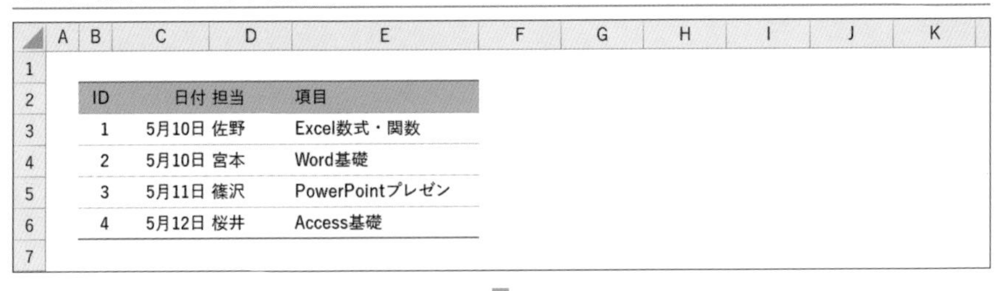

ID	日付	担当	項目
1	5月10日	佐野	Excel数式・関数
2	5月10日	宮本	Word基礎
3	5月11日	篠沢	PowerPointプレゼン
4	5月12日	桜井	Access基礎

↓

ID	日付	担当	項目		ID	日付	担当	項目
1	5月10日	佐野	Excel数式・関数		1	5月10日	佐野	Excel数式・関数
2	5月10日	宮本	Word基礎		2	5月10日	宮本	Word基礎
3	5月11日	篠沢	PowerPointプレゼン		3	5月11日	篠沢	PowerPointプレゼン
4	5月12日	桜井	Access基礎		4	5月12日	桜井	Access基礎

●書式を崩さずに数式を転記

数式を利用して作成している表を転記する際、「転記先で設定ずみの書式は転記したくないけれど、値と数式は転記したい」場合には、数式形式での貼り付けが便利です。

次のコードは、**セル範囲B2:E4の内容を、セルG5を起点とする範囲に「数式」形式で貼り付けます**。

▼マクロ 11-37

```
Range("B2:E4").Copy
'数式のみコピー
Range("G5").PasteSpecial xlPasteFormulas
```

実行例　書式を保ったまま値と式を転記

	A	B	C	D	E	F	G	H	I	J	K
1											
2		ぶどう	300	24	7,200		商品	単価	数量	小計	
3		りんご	120	17	2,040		りんご	120	18	2,160	
4		みかん	80	4	320		みかん	80	50	4,000	
5											
6											
7											
8											

↓

	A	B	C	D	E	F	G	H	I	J	K
1											
2		ぶどう	300	24	7,200		商品	単価	数量	小計	
3		りんご	120	17	2,040		りんご	120	18	2,160	
4		みかん	80	4	320		みかん	80	50	4,000	
5							ぶどう	300	24	7,200	
6							りんご	120	17	2,040	
7							みかん	80	4	320	
8											

「数式」形式と聞くと、数式が入力されているセルの内容のみしか貼り付けられないように思いますが、実際は文字列や数値等の値はその値として転記し、数式は数式として転記するという結果となります。また、書式の情報は含まずに転記してくれますので、結果として、転記先の書式を崩さず、転記元の数式も崩さずに転記が行えます。

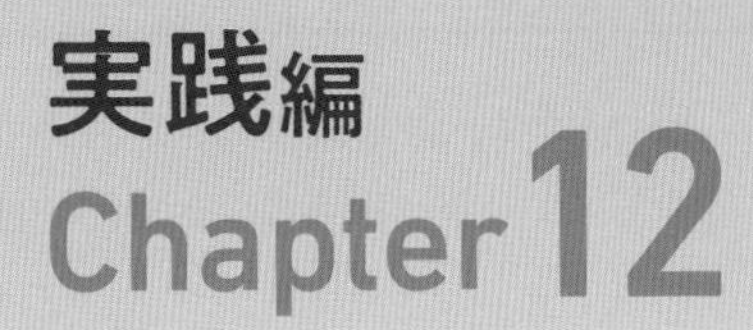

VBAでのデータ処理

本章では、「並べ替え(ソート)」と「抽出(フィルター)」という、データを扱う際の基本、かつ、最も使用頻度の高い処理に加え、個々のデータに注目した検索方法をご紹介します。
VBAでは、そしてExcelでは、この2つの処理をどのような形で実行するのか、どういった注意点があるのかを見ていきましょう。

本章の学習内容

❶ソート方法と注意点
❷フィルター方法と注意点
❸抽出データの転記
❹データの整え方

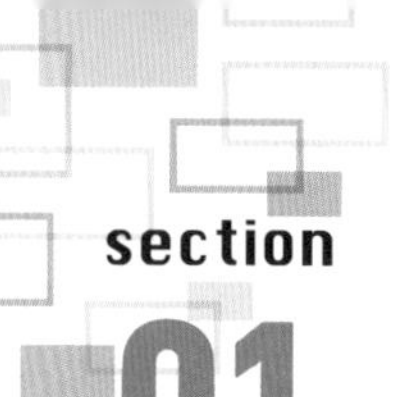

section 01 データを並べ替える

Excelでは、表形式のデータであれば簡単に並べ替えや抽出が行えます。一般機能としては、並べ替えは、その名の通り並べ替え機能（データ→並べ替え）を利用し、抽出はフィルター機能（データ→フィルター）を利用します。この2つの機能をVBAから利用する方法を見ていきましょう。

並べ替えは実は2種類ある

VBAから並べ替えを行うには、2種類の方法が用意されています。

1つは、RangeオブジェクトのSortメソッドを利用した方法です。昔から存在するメソッドであり、手軽に利用できる半面、すべての設定を引数で指定するため、ややゴチャつき、エラー発生時には原因が特定しにくい、という特徴があります。

もう1つは、Sortオブジェクトを利用した方法です。Sortオブジェクトは、Excel 2007の時点で追加されたオブジェクトです。Sortメソッドのゴチャつきの反省からか、ソートに関する各種項目を整理整頓し、対応したプロパティで設定できるようになっています。ソート設定を整理して考えやすいという特徴がある半面、コードの分量としては長くなります。

▼2種類のソート方法

方式	特徴
Sortメソッド方式	RangeオブジェクトのSortメソッドでソート。昔からある伝統的なメソッド。手軽であるが、Sortオブジェクトに比べるとややゴチャついている
Sortオブジェクト方式	Sortオブジェクトの各種設定を利用してソート。比較的新しいオブジェクト。ソート専用のオブジェクトなので設定がわかりやすい

Sortメソッド方式でソートする

Sortメソッドでのソートは、ソートを行いたいセル範囲に対して、各種引数を設定して実行します。

▼データを並べ替える（Sortメソッド）

```
データ入力セル範囲.Sort 各種引数:=値
```

▼Sortメソッドの引数（抜粋）

引数	用途
Header	先頭行が見出しかどうかをxlNo（見出しではない：既定）、xlYes（見出し）、xlGuess（自動判定）で指定
Key1	対象フィールドのフィールド名、もしくはセル範囲
Order1	Key1で指定したフィールドのソート順。xlAscending（昇順：既定）かxlDescending（降順）で指定
Key2	2番目の対象フィールドのフィールド名、もしくはセル範囲
Order2	Key2で指定したフィールドのソート順
Key3	3番目の対象フィールドのフィールド名、もしくはセル範囲
Order3	Key3で指定したフィールドのソート順
MatchCase	大文字と小文字を区別する場合はTrue、しない場合はFalse
Orientation	ソートの単位をxlSortColumns（行単位：既定）、xlSortRows（列単位）で指定
SortMethod	値のみを対象（xlStroke）か、フリガナを対象（xlPinYin：既定値）かを設定

実は上記の10個の引数はすべてではありません。この他にも特殊なソートに対応するための引数が5つ用意されています。ゴチャついてますね。とりあえずは上記の10個を利用すれば、ほとんどの場面に対応できるでしょう。

なお、引数Orientationを指定する場合、ソート単位を指定するxlSortColumnsとxlSortRowsの定数の値は、どうやら逆に設定されてしまっているらしく、既定値のはずで「行単位」を思わせるxlSortRowsを指定すると、なぜか列単位でのソート設定になります。注意しましょう。

それでは実際に利用してみましょう。次のコードは、**セル範囲B2:F7に対して、「出荷数」列（フィールド）を「降順」でソート**します。なお、キーとなる見出し（この場合は「出荷数」）が存在しない場合はエラーになるので、注意してください。

▼マクロ 12-1

```
Range("B2:F7").Sort Header:=xlYes, Key1:="出荷数", Order1:=xlDescending
```

実行例 Sortメソッドでソート

	A	B	C	D	E	F	G
1							
2		ID	担当	商品	日付	出荷数	
3		1	増田	りんご	4月18日	50	
4		2	宮崎	みかん	4月18日	30	
5		3	星野	みかん	4月19日	50	
6		4	宮崎	りんご	4月19日	20	
7		5	増田	りんご	4月20日	80	
8							

	A	B	C	D	E	F	G
1							
2		ID	担当	商品	日付	出荷数	
3		5	増田	りんご	4月20日	80	
4		1	増田	りんご	4月18日	50	
5		3	星野	みかん	4月19日	50	
6		2	宮崎	みかん	4月18日	30	
7		4	宮崎	りんご	4月19日	20	
8							

ソートの対象列を指定する際には、引数Key1へセル範囲を指定することも可能です。次のコードは、**セル範囲を指定する形で、セル範囲B2:F7に対して、「出荷数」列（フィールド）を「降順」でソート**を行います。

▼マクロ 12-2

```
Range("B2:F7").Sort _
    Header:=xlYes, Key1:=Range("F2:F7"), Order1:=xlDescending
```

ただ、この方法はフィールド名（引数HeaderをxlYesに設定したときの、キー列の先頭セルの値）で指定するコードよりも、可読性が低いですね。「で、何を基準にソートしているの？」となります。使いどころとしては、対象セル範囲に見出しがない場合（1行目も含んでソートしたい場合）に利用するのがよいでしょう。

●複数条件を指定してソート

Sortメソッドで複数フィールドをキーにソートを行うには、3つまでを対応する引数で指定可能です。次のコードは、**セル範囲B2:F7に対して、「担当」「商品」「日付」列（フィールド）をキーにソート**します。

▼マクロ 12-3

```
Range("B2:F7").Sort Header:=xlYes, _
                    Key1:="担当", Order1:=xlAscending, _
                    Key2:="商品", Order2:=xlAscending, _
                    Key3:="日付", Order3:=xlDescending
```

実行例　複数の条件を指定してソート

	A	B	C	D	E	F	G
1							
2		ID	担当	商品	日付	出荷数	
3		1	増田	りんご	4月18日	50	
4		2	宮崎	みかん	4月18日	30	
5		3	星野	みかん	4月19日	50	
6		4	宮崎	りんご	4月19日	20	
7		5	増田	りんご	4月20日	80	
8							

↓

	A	B	C	D	E	F	G
1							
2		ID	担当	商品	日付	出荷数	
3		2	宮崎	みかん	4月18日	30	
4		4	宮崎	りんご	4月19日	20	
5		3	星野	みかん	4月19日	50	
6		5	増田	りんご	4月20日	80	
7		1	増田	りんご	4月18日	50	
8							

複数条件でソートを行う際には、「Key1＞Key2＞Key3」の順で優先順位が設定されます。1ステートメントでかなりの数の引数を指定することになるので、各キーの設定ごとに「 _(スペース・アンダーバー)」による改行を挟むと、コードを整理整頓しながら記述できるでしょう。

また、4つ以上の列をキーにソートを行いたい場合は一度のSortメソッドでは行えませんので、複数回に分けてSortメソッドを実行しましょう。

column

ソートやフィルターは表形式のデータが前提

ソートやフィルター機能を利用する際には、対象セル範囲のデータが表形式になっていることが前提になっています。1行目が見出しで、その下方向に「1行ごとに1かたまりのデータ」というルールで入力された形式ですね。

セルの結合がされているような場合には、ソートやフィルターはうまく機能しません。そのような場合、まずはデータを表形式に成形する作業が必要になります。ソートやフィルターだけでなく、Excelでデータをまとめて扱うような機能は、ほぼデータが表形式であることが前提になっています。

Sortオブジェクト方式でソートする

Sortオブジェクトを利用してソートを行ってみましょう。Sortオブジェクトでは、ヘッダーの設定等のソート全般の設定を各プロパティで管理し、各フィールドに関するソートの設定は、SortFieldオブジェクトで別途管理します。

▼Sortオブジェクトでのソートに利用するオブジェクト/コレクション

オブジェクト	用途
Sortオブジェクト	ソートの基本設定を管理し、ソートを実行する。WorksheetオブジェクトのSortプロパティからアクセス
SortFieldオブジェクト	フィールドごとのソート方法の管理
SortFieldsコレクション	SortFieldオブジェクトのコレクション。SortFieldオブジェクトのSortFieldsプロパティからアクセス

ソートの流れとしては、下記のようになります。

1. ソートしたいセル範囲を持つシートのSortオブジェクトを取得
2. 対象セル範囲等の基本設定を行う
3. フィールドごとのソート方法をSortFieldコレクションで作成
4. ソート実行

まずは実際のコードを見てみましょう。次のコードは、**セル範囲B2:F7の、5フィールド目をキーとして降順でソート**します。

▼マクロ 12-4

```
With ActiveSheet.Sort
    '既存のソート設定をクリア
    .SortFields.Clear
    '対象範囲とヘッダーの設定
    .SetRange Range("B2:F7")
    .Header = xlYes
    'ソート条件を追加
    .SortFields.Add Key:=.Rng.Columns(5), Order:=xlDescending
    'ソート実行
    .Apply
End With
```

実行例　Sortオブジェクトでソート

	A	B	C	D	E	F	G
1							
2		ID	担当	商品	日付	出荷数	
3		1	増田	りんご	4月18日	50	
4		2	宮崎	みかん	4月18日	30	
5		3	星野	みかん	4月19日	50	
6		4	宮崎	りんご	4月19日	20	
7		5	増田	りんご	4月20日	80	
8							

↓

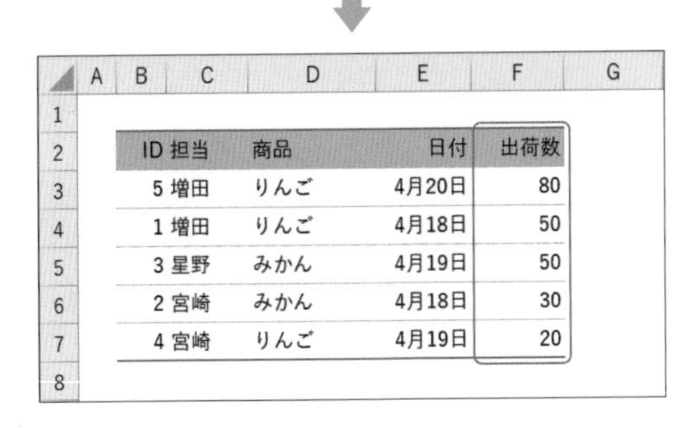

	A	B	C	D	E	F	G
1							
2		ID	担当	商品	日付	出荷数	
3		5	増田	りんご	4月20日	80	
4		1	増田	りんご	4月18日	50	
5		3	星野	みかん	4月19日	50	
6		2	宮崎	みかん	4月18日	30	
7		4	宮崎	りんご	4月19日	20	
8							

前述のSortメソッドと同じ内容でソートしています。こちらの方がコードの分量としては長くなりますが、順を追ってはっきりと用途がわかる名前のプロパティ/メソッドで設定していくため、どんなソートを行っているのかがわかりやすいコードになりますね。

なお、コードの冒頭で「.SortFields.Clear」としているのは、既存のソート設定をクリアしています。これは、Sortオブジェクトで行うソートは、一般機能の「並べ替え」機能に相当し、前回のソート設定が残るためです。

▼「並べ替え」ダイアログに保存されているソート設定

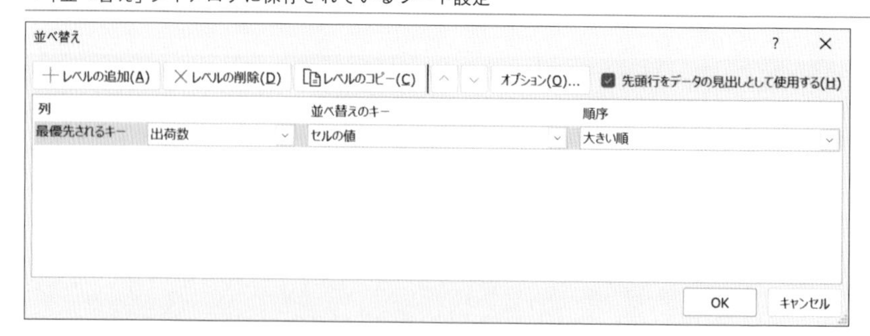

流れが確認できたところで、細かな設定方法を見ていきましょう。Sortオブジェクトには、次のようなプロパティ/メソッドが用意されています。

▼Sortオブジェクトのプロパティ/メソッド(抜粋)

名前	用途
SetRangeメソッド	ソート範囲をセット
Headerプロパティ	先頭行の見出し設定。見出しとして扱う場合はxlYes、扱わない場合はxlNo、Excelの判断に任せる場合はxlGuess
Orientationプロパティ	ソートの方向。xlTopToBottom(行方向・既定値)、xlLeftToRight(列方向)で設定
MatchCaseプロパティ	大文字・小文字の区別設定。区別する場合はTrue、しない場合はFalseで設定
SortMethodプロパティ	フリガナを扱うかどうかの設定。フリガナでソートする場合はxlPinYin(既定値)、セルの値でソートするにはxlStroke
Rngプロパティ	SetRangeメソッドでセットしたソート範囲のRangeオブジェクトを返す
Applyメソッド	ソートを実行
SortFieldsプロパティ	SortFieldsコレクションへアクセス

なお、ソートの方向を設定するOrientationプロパティですが、リファレンスを見ると定数「xlSortColumns」「xlSortRows」で設定するよう記載されていますが、「行」と「列」の値が逆になっているため、表で示した2つの定数「xlTopToBottom」「xlLeftToRight」で指定した方が混乱しにくいと思われます(「マクロの記録」でも

こちらで記録されます）。

個別のフィールドに対するソートの設定は、SortFieldオブジェクトで行います。新規のSortオブジェクトの作成は、SortFieldsコレクションのAddメソッドに必要な情報を渡して実行します。WorksheetsとWorksheetの関係と同じですね。

▼新規にSortオブジェクトを作成する（SortFields.Addメソッド）

```
SortFields.Add 各種引数:=値
```

▼SortFields.Addメソッドの引数（抜粋）

引数	用途
Key	対象フィールドとなるセル範囲を指定。必ず指定する必要あり
Order	昇順（xlAscending）、降順（xlDescending）を指定
SortOn	「並べ替えのキー」を指定。値（SortOnValues：既定値）、フォントの色（SortOnFontColor）、セルの色（SortOnCellColor）、アイコン（SortOnIcon）から指定
SortOnValue	「並べ替えのキー」において、色や表示アイコンでのソートを指定した場合のオプションを指定

なお、引数Keyにはフィールド全体のセル範囲を指定する必要があります。Sortメソッドのように見出し名での指定はできません。ちょっと残念ですね。

この箇所の指定は、SortオブジェクトのRngプロパティから取得できる、対象ソート範囲を使って次のように記述してみましょう。

▼対象フィールドの指定（SortオブジェクトのRngプロパティ）

```
Sortオブジェクト.Rng.Columns(列番号)
```

これなら、「何列目を対象にするのか」がわかりやすくなりますね。

●複数条件を指定してソート

複数条件でソートする場合には、条件の数だけSortFields.Addメソッドで列ごとの条件を追加していきます。その際、ソートの優先順位は、先に追加した条件が優先されます。次のコードは、**アクティブシートのセル範囲B2:F7に対して、「担当」「商品」「日付」列をキーにソート**します。

▼マクロ 12-5

```
With ActiveSheet.Sort
    '既存のソート設定をクリア
    .SortFields.Clear
    '対象範囲とヘッダーの設定
    .SetRange Range("B2:F7")
    .Header = xlYes
    'ソート条件を追加　上から順に「担当」「商品」「日付」列
    .SortFields.Add Key:= .Rng.Columns(2), Order:=xlAscending
    .SortFields.Add Key:= .Rng.Columns(3), Order:=xlAscending
    .SortFields.Add Key:= .Rng.Columns(4), Order:=xlDescending
    'ソート実行
    .Apply
End With
```

実行例　Sortオブジェクトを使って複数条件ソート

	A	B	C	D	E	F	G
1							
2		ID	担当	商品	日付	出荷数	
3		1	増田	りんご	4月18日	50	
4		2	宮崎	みかん	4月18日	30	
5		3	星野	みかん	4月19日	50	
6		4	宮崎	りんご	4月19日	20	
7		5	増田	りんご	4月20日	80	
8							

	A	B	C	D	E	F	G
1							
2		ID	担当	商品	日付	出荷数	
3		2	宮崎	みかん	4月18日	30	
4		4	宮崎	りんご	4月19日	20	
5		3	星野	みかん	4月19日	50	
6		5	増田	りんご	4月20日	80	
7		1	増田	りんご	4月18日	50	
8							

ソート実行後、その設定は「並べ替え」ダイアログに残るので、設定を確認したり、さらに追加したりといった操作の継続も可能です。

▼マクロで行った並べ替え設定は「並べ替え」ダイアログに残る

並べ替え

＋レベルの追加(A)　×レベルの削除(D)　レベルのコピー(C)　オプション(O)...　先頭行をデータの見出しとして使用する(H)

列		並べ替えのキー	順序
最優先されるキー	担当	セルの値	昇順
次に優先されるキー	商品	セルの値	昇順
次に優先されるキー	日付	セルの値	新しい順

OK　キャンセル

column

フリガナには要注意

Excelには、セルに値を入力した際のフリガナを保持する仕組みがあります。それだけならまだよいのですが、実はソート時のデフォルト設定は、「フリガナを基準にソートする」となっています。

このため、見かけ上は同じ値でも、フリガナが異なったり、コピーしてきた値のためにそもそもフリガナが存在していなかったりするデータは、異なるものとして扱われてしまいます。ソート結果が意図した順番と違う場合には、まず、ここを疑ってみましょう。

なお、フリガナを無視してソートを行う場合には、Sortメソッドでは、引数SortMethodに定数xlStrokeを指定して実行し、Sortオブジェクトの場合には、SortMethodプロパティに定数xlStrokeを指定してからApplyします。

テーブル機能と組み合わせたソート

テーブル機能(340ページ)を利用している場合、テーブルごとのソート設定は、ListObjectのSortプロパティから取得できるSortオブジェクトで管理されています。次のコードは、**「出荷」テーブルを「出荷数」フィールドでソート**します。

▼マクロ 12-6

```
Dim table As ListObject
Set table = ActiveSheet.ListObjects("出荷")
With table.Sort
    '既存のソート設定をクリア
```

```
    .SortFields.Clear
    'ソート条件を追加
    .SortFields.Add Key:=table.ListColumns("出荷数").Range
    'ソート実行
    .Apply
End With
```

実行例　テーブル範囲をソート

	A	B	C	D	E
9					
10		ID	商品	出荷数	
11		2	みかん	31	
12		3	ぶどう	31	
13		5	みかん	52	
14		1	りんご	71	
15		4	りんご	99	
16					

「出荷」テーブル

テーブル範囲に関連付けられているSortオブジェクトは、あらかじめ対象セルは定まっており、ヘッダーがあることも前提ですので設定は不要です。シンプルに列ごとの条件を指定してApplyするだけでOKです。手軽でいいですね。

さらに、対象列を指定する際にも、ListColumnsプロパティの引数にフィールド名を指定できるため、どのフィールドに対いて設定しているのかがわかりやすく、書きやすくなります。テーブル機能ベースでデータを管理している場合には、こちらの仕組みを利用していきましょう。

column

テーブル機能のフィルター矢印ボタンにソート状態が表示される

テーブル範囲に関連付けられているSortオブジェクトでソートを行うと、該当フィールドのフィルター矢印ボタンの脇に、小さくソート状態が表示されます。この矢印は、リボンの「テーブルデザイン」タブ内の**並べ替えとフィルター→クリア**で消去（解除）できます。

section

02 データを抽出する

表形式のデータから、抽出条件に合うデータのみを抽出するフィルター機能をVBAから実行する方法を見ていきましょう。

セル範囲を指定してAutoFilterメソッドで抽出する

フィルターをかけるには、抽出を行いたいセル範囲に対してAutoFilterメソッドを実行します。

▼データにフィルターをかける(AutoFilterメソッド)

```
データ入力セル範囲.AutoFilter 各種引数:=値
```

フィルターの抽出条件の設定は、以下の引数で指定します。

▼AutoFilterメソッドの引数

引数	用途
Field	フィルターの対象となるフィールド番号。必須
Criteria1	抽出条件
Operator	フィルターの種類をXlAutoFilterOperator列挙の定数で指定
Criteria2	追加の抽出条件
VisibleDropDown	オートフィルター矢印の表示をTrue/Falseで指定

次のコードは、**セル範囲B2:F50に対して、「3」列目の値が「カレー」のデータを抽出**します。

▼マクロ 12-7

```
Range("B2:F50").AutoFilter Field:=3, Criteria1:="=カレー"
```

実行例　指定セル範囲にフィルターをかける

	A	B	C	D	E	F
1						
2		ID	担当	商品	単価	数量
3		1	増田 宏樹	ビール	1,820	100
4		2	宮崎 陽平	乾燥ナシ	3,900	10
5		3	星野 啓太	チャイ	2,340	15

	A	B	C	D	E	F
1						
2		ID	担当	商品	単価	数量
13		11	山田 有美	カレー	5,200	17
27		25	星野 啓太	カレー	5,200	25
46		44	松井 典子	カレー	5,200	20
51						

マクロからフィルターをかけた場合にも、通常の操作と同様に見出し範囲にフィルター矢印が表示されます。このフィルター矢印は引数VisibleDropDownをFalseに指定してAutoFilterメソッドを実行すれば非表示にできます。

次のコードは、**セル範囲B2:F50に対して、「3列目の値が『カレー』」という条件でフィルターをかけ、フィルター矢印を非表示**にします。

▼マクロ 12-8

```
Dim fieldIndex As Long, rng As Range
Set rng = Range("B2:F50")
'フィルター矢印を非表示に
For fieldIndex = 1 To rng.Columns.Count
    rng.AutoFilter fieldIndex, VisibleDropDown:=False
Next
'フィルターをかける
rng.AutoFilter Field:=3, Criteria1:="=カレー"
```

実行例　フィルター矢印を隠して抽出

	A	B	C	D	E	F
1						
2		ID	担当	商品	単価	数量
13		11	山田 有美	カレー	5,200	17
27		25	星野 啓太	カレー	5,200	25
46		44	松井 典子	カレー	5,200	20
51						

「フィルター結果は見せたいけど矢印が邪魔」という場合に便利ですね。

●適用したフィルターの解除とフィルター設定自体の解除

フィルターが適用されている場合、特定フィールドの抽出条件をクリアしたい場合には、対象フィールドに対して、抽出条件を何も指定せずにAutoFilterメソッドを実行します。次のコードは、**セルB2:F50に対して、3フィールド目に設定された抽出条件をクリア**します。

▼マクロ 12-9

```
Range("B2:F50").AutoFilter Field:=3
```

フィルター自体をクリアしたい場合には、引数を何も指定せずにAutoFilterメソッドを実行します。次のコードは、**セル範囲B2:F50に対して、設定されたフィルターをクリア**します。

▼マクロ 12-10

```
'フィルターがかかっている場合、フィルター設定そのものをクリア
Range("B2:F50").AutoFilter
```

もしくは、シートのAutoFilterModeプロパティにFalseを設定します。次のコードは、**アクティブシートのフィルターをクリア**します。

▼マクロ 12-11

```
ActiveSheet.AutoFilterMode = False
```

●抽出条件の指定方法

AutoFilterメソッドは、引数OperatorにXlAutoFilterOperator列挙の定数を指定することで、さまざまな方法でフィルターをかけることができます。

▼XlAutoFilterOperator列挙の定数

定数	値	用途
xlAnd	1	Criteria1とCriteria2のAnd条件で抽出
xlOr	2	Criteria1とCriteria2のOr条件で抽出
xlTop10Items	3	上位から指定数の値を抽出
xlBottom10Items	4	下位から指定数の値を抽出
xlTop10Percent	5	上位から指定パーセントの値を抽出

xlBottom10Percent	6	下位から指定パーセントの値を抽出
xlFilterValues	7	1次元配列の値によって抽出。複数の候補のいずれかによって抽出したい場合に利用
xlFilterCellColor	8	セルの色で抽出
xlFilterFontColor	9	フォントの色で抽出
xlFilterIcon	10	アイコンの種類で抽出
xlFilterDynamic	11	「今月」「来月」等の実行時によってダイナミックに変化する日付や期間で抽出

以下、ダイジェストでいくつかのフィルター設定をご紹介します。

次のコードは、**2列目が「増田 宏樹」もしくは「宮崎 陽平」のレコードを抽出**します。

▼マクロ 12-12

```
Range("B2:F50").AutoFilter Field:=2, _
    Criteria1:="=増田 宏樹", Operator:=xlOr, Criteria2:="=宮崎 陽平"
```

次のコードは、**4列目が「1000以上」かつ「2000より下」(4列目が1000～1999)のレコードを抽出し**ます。

▼マクロ 12-13

```
Range("B2:F50").AutoFilter Field:=4, _
    Criteria1:=">=1000", Operator:=xlAnd, Criteria2:="<2000"
```

次のコードは、**3列目の色が「赤(RGBが255,0,0)」のレコードを抽出**します。

▼マクロ 12-14

```
Range("B2:F50").AutoFilter Field:=3, _
    Criteria1:=RGB(255, 0, 0), Operator:=xlFilterCellColor
```

次のコードは、**3列目の値が「ビール・チャイ・カレー・コーヒー」のいずれかのレコードを抽出**します。

▼マクロ 12-15

```
Range("B2:F50").AutoFilter Field:=3, _
    Criteria1:=Array("ビール", "チャイ", "カレー", "コーヒー"), _
    Operator:=xlFilterValues
```

次のコードは、**5列目の値のベスト3(同値を含む)のレコードを抽出**します。

▼マクロ 12-16

```
Range("B2:F50").AutoFilter Field:=5, _
    Criteria1:=3, Operator:=xlTop10Items
```

次のコードは、**5列目の値のワースト5%のレコードを抽出**します。

▼マクロ 12-17

```
Range("B2:F50").AutoFilter Field:=5, _
    Criteria1:=5, Operator:=xlBottom10Percent
```

次のコードは、**2列目の日付が「今月」のレコードを抽出**します。

▼マクロ 12-18

```
Range("B2:F50").AutoFilter Field:=2, _
    Criteria1:=xlFilterThisMonth, Operator:=xlFilterDynamic
```

なお、AutoFilterメソッドでは、一度に1つのフィールドにのみフィルターをかけることができます。複数フィールドを使って抽出を行いたい場合には、フィールドの数だけAutoFilterメソッドを実行します。

フィルターの結果を転記する

フィルターで抽出した結果のみを別の場所に転記したい場合には、フィルター適用範囲をそのままコピーして貼り付けるだけでOKです。「可視セルのみをコピー」等の特別な処理を加える必要は、特にありません。

次のコードは、**フィルターのかかった状態でセル範囲B2:F50を丸ごとコピーして、「抽出結果」シートのセルB2を起点とする位置に列幅も含めて貼り付け**します。転記元のシートに対してフィルターを実行してからお試しください。

▼マクロ 12-19

```
'フィルターのかかった状態で全体をコピー
Range("B2:F50").Copy
'転記先に列幅を含めて貼り付け
With Worksheets("抽出結果").Range("B2")
    .PasteSpecial xlPasteColumnWidths
    .PasteSpecial
End With
```

実行例　抽出結果のみを転記

	A	B	C	D	E	F
1						
2		ID	担当	商品	単価	数量
13		11	山田 有美	カレー	5,200	17
27		25	星野 啓太	カレー	5,200	25
46		44	松井 典子	カレー	5,200	20
51						
52						

フィルター　抽出結果　日付値のフィルター

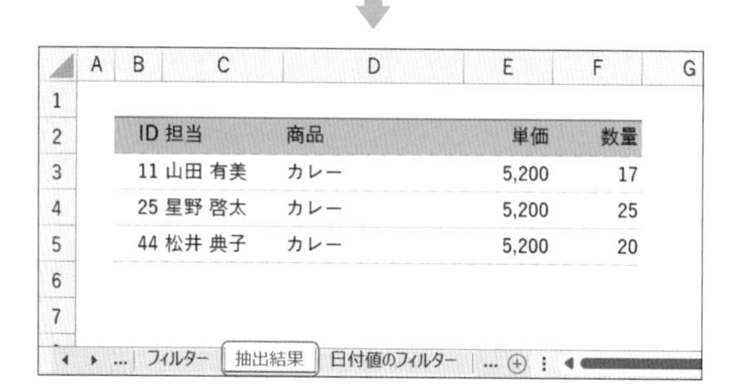

	A	B	C	D	E	F	G
1							
2		ID	担当	商品	単価	数量	
3		11	山田 有美	カレー	5,200	17	
4		25	星野 啓太	カレー	5,200	25	
5		44	松井 典子	カレー	5,200	20	
6							
7							

フィルター　抽出結果　日付値のフィルター

手作業で抽出を行い、その時点での抽出結果を他のシートに書き出すことも可能になりますね。

1つ注意点として、テーブル範囲のフィルターずみのデータの転記を行う場合には、「可視セルのみをコピー」する処理を加えた方が無難です。詳しくは361ページを参照してください。

column

現在のフィルター設定を知るには？

シート上にかけられているフィルターの設定は、WorksheetオブジェクトのAutoFilterプロパティからアクセスできるAutoFilterオブジェクトの各種プロパティ経由で取得可能です。テーブル範囲の場合には、ListObjectオブジェクトのAutoFilterプロパティ経由で同様の確認が可能です。

日付値のフィルターは要注意

AutoFilterメソッドによって抽出を行う際、表内の日付値を持つフィールドには注意が必要です。例えば、次図の表は、2列目のフィールドが日付値となっています。

▼日付値が入力されているフィールドのあるデータ

	A	B	C	D	E	F
1						
2		ID	日付	商品	在庫数	
3		1	2023/4/1	みかん	504	
4		2	2023/4/15	みかん	549	
5		3	2023/5/13	みかん	460	
6		4	2023/4/1	りんご	784	
7		5	2023/4/15	りんご	149	
8		6	2023/5/13	りんご	383	
9						

このセル範囲において、**2列目が「2023年4月1日」のデータを抽出**するには、どのようにコードを記述すればよいのでしょうか。まずは「正解」から見てみましょう。

▼マクロ 12-20

```
'対象列と同じ形式の「文字列」で抽出
Range("B2:D8").AutoFilter Field:=2, Criteria1:="=2023/4/1"
```

実行例　意図した日付のデータを抽出できた

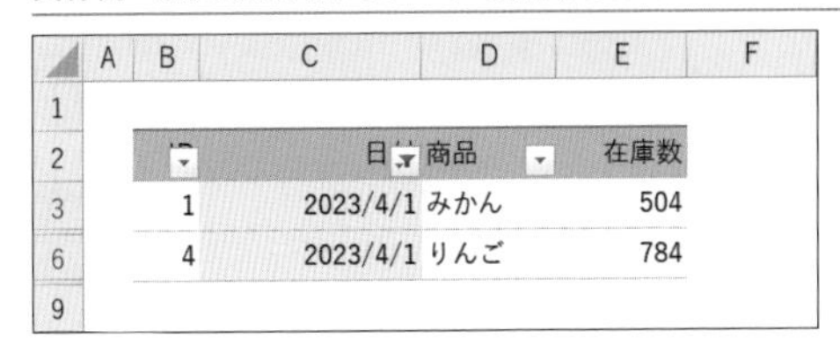

	A	B	C	D	E	F
1						
2		ID	日付	商品	在庫数	
3		1	2023/4/1	みかん	504	
6		4	2023/4/1	りんご	784	
9						

意図したように抽出できました。では、次に「不正解」のパターンを見てみましょう。

▼マクロ 12-21

```
'日付リテラルで抽出
Range("B2:D8").AutoFilter Field:=2, Criteria1:=#4/1/2023#
'よかれと思ってシリアル値に変換して抽出
Range("B2:D8").AutoFilter Field:=2, Criteria1:=DateValue("2023/4/1")
```

実行例　日付データをシリアル値で抽出

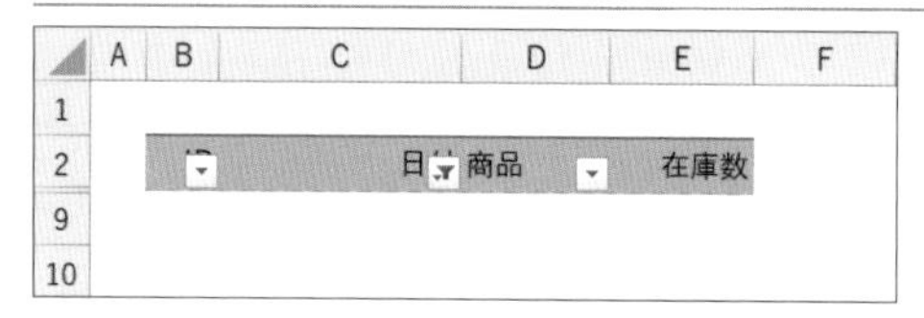

エラーこそ出ないものの、結果は「該当データなし」となってしまいます。なぜか日付データを抽出する際には、セルに表示されている表示形式での文字列で指定する必要があるのです。

しかし、VBAで日付を扱う基本は、シリアル値ベースでの計算です。計算により算出した日付で抽出を行う機会も多いでしょう。このようなケースでは、引数OperatorにxlAndを指定し、2つの日付の期間を計算させるという回避テクニックを利用します。

▼マクロ 12-22

```
Dim myDate As Date
'変数myDateにはシリアル値が格納されている
myDate = #4/1/2023#
'期間を求める抽出条件として設定し、シリアル値ベースで抽出
Range("B2:D8").AutoFilter Field:=2, _
    Criteria1:=">=" & myDate, Operator:=xlAnd, _
    Criteria2:="<=" & myDate
```

日付値の入力されているフィールドでは、引数Criteria1に「>=2023/4/1」、引数Criteria2に「<=2023/4/30」等の式を表す文字列を指定し、引数Operatorに「xlAnd」を指定すると、「4/1～4/30までの期間」を対象に抽出を行います。

この「期間を指定する方式」では、フィールドの表示形式がどのような状態になっているかに関わらず、シリアル値ベースで計算を行い、抽出を行ってくれます。そこで、特定の1日のデータを抽出する際にも、「>=2023/4/1」「<=2023/4/1」という同日を2つの引数に指定すると、表示形式に関わらず「4/1～4/1までの期間」、つまり「4/1だけ」が抽出可能となります。

なんとも珍妙なコードになりますが、こうしておけば、日付値の書式が変更された場合でも、シリアル値ベースで特定の日付の抽出が行えます。日付値を持つフィールドをキーに抽出を行う際には、この妙な動作を頭に入れておきましょう。

section 03 意外と知られていない便利なフィルターの詳細設定機能

Excelには、セルに記述した抽出条件を元にフィルター/転記を行う、フィルターの詳細設定機能が用意されています。これは非常に便利な機能ですが、意外と知られていないものでもあります。

「フィルターの詳細設定」機能の仕組み

まずは「フィルターの詳細設定」機能の仕組みからご紹介します。下図のようなフィールドを持つ表形式のセル範囲があったとします。

▼抽出対象の表

	A	B	C	D	E	F	G	H
1								
2		ID	受注日	担当	商品	単価	数量	
3		1	12/1	増田 宏樹	ビール	1,820	100	
4		2	12/1	宮崎 陽平	乾燥ナシ	3,900	10	
5		3	12/1	星野 啓太	チャイ	2,340	15	
6		4	12/2	増田 宏樹	ホワイトチョコ	390	30	
7		5	12/2	増田 宏樹	チョコレート	1,200	20	
8		6	12/2	三田 聡	ホワイトチョコ	390	40	
9		7	12/3	星野 啓太	チョコレート	1,660	40	
10		8	12/3	増田 宏樹	ピリカラタバスコ	2,860	30	
11		9	12/4	宮崎 陽平	チョコレート	1,660	10	
12		10	12/4	星野 啓太	クラムチャウダー	1,260	200	
13		11	12/4	山田 有美	カレーソース	5,200	17	

このセル範囲に対して適用したい抽出条件を、次の図のように記述していきます。抽出条件は、フィールド見出しを記述し、その下に抽出したい値を列記していきます。条件が複数ある場合には、複数の値を記述します。値には、イコールや不等号、そしてワイルドカードも利用できます。

縦方向に記述された値はOr条件となり、横方向に記述された値はAnd条件となります。

▼抽出条件

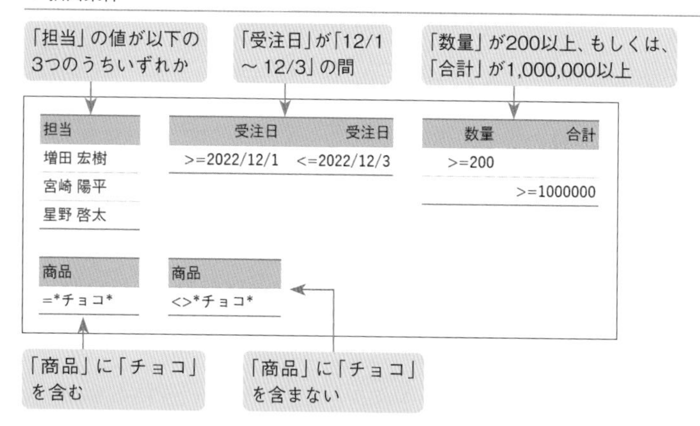

抽出条件の記述後、リボンの「データ」タブから**並べ替えとフィルター**内の**詳細設定**ボタンを押します。「フィルターオプションの設定」ダイアログで、**リスト範囲**に抽出したいデータのセル範囲を、**検索条件範囲**に抽出条件を記述したセル範囲を指定して**OK**ボタンを押すと、記述された抽出条件で抽出されます。

▼「フィルターオプションの設定」ダイアログ

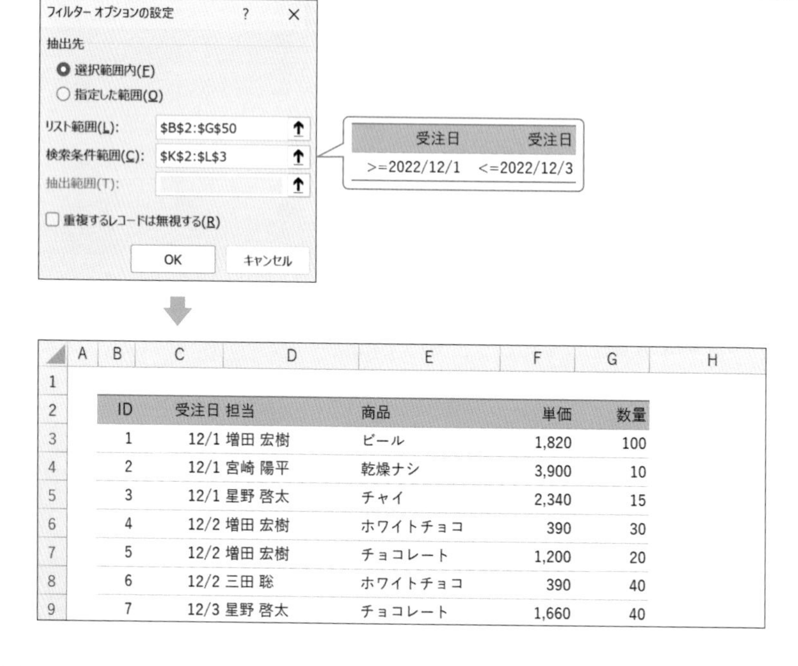

	A	B	C	D	E	F	G	H
1								
2		ID	受注日	担当	商品	単価	数量	
3		1	12/1	増田 宏樹	ビール	1,820	100	
4		2	12/1	宮崎 陽平	乾燥ナシ	3,900	10	
5		3	12/1	星野 啓太	チャイ	2,340	15	
6		4	12/2	増田 宏樹	ホワイトチョコ	390	30	
7		5	12/2	増田 宏樹	チョコレート	1,200	20	
8		6	12/2	三田 聡	ホワイトチョコ	390	40	
9		7	12/3	星野 啓太	チョコレート	1,660	40	

以上が「フィルターの詳細設定」機能の概要です。この機能をVBAから利用するのが、AdvancedFilterメソッドです。

VBAで抽出と転記を一発で終了させる

AdvancedFilterメソッドは、抽出を行いたいセル範囲に対し、以下の引数を指定して実行します。

▼フィルターの詳細設定で抽出する（AdvancedFilterメソッド）

```
データ入力範囲.AdvancedFilter 各種引数:=値
```

▼AdvancedFilterメソッドの引数

引数	用途
Action	その場でフィルターをかけるか、結果を転記するかをxlFilterInPlace（その場）/xlFilterCopy（転記）で指定。必須
CriteriaRange	抽出条件の記述されているセル範囲
CopyToRange	転記する場合の基準となるセル範囲
Unique	重複を削除するかどうかをTrue/Falseで指定

次のコードは、**セル範囲B2:G50に作成された表のデータを、セル範囲K2:L3に記述された抽出条件で抽出**します。

▼マクロ 12-23

```
Range("B2:G50").AdvancedFilter _
    Action:=xlFilterInPlace, CriteriaRange:=Range("K2:L3")
```

実行例　AdvecedFilterで抽出

抽出条件をセルの方に記述する分、コードはとてもシンプルになりますね。

また、AdvancedFilterメソッドの真骨頂は、データの転記にあります。次のコードは、**セル範囲B2:G50の表のデータを、セル範囲K2:L3に記述した条件で抽出し、その結果を「抽出先」シートのセルB2を起点とした位置へと転記**します。

▼マクロ 12-24

```
Range("B2:G50").AdvancedFilter _
    Action:=xlFilterCopy, _
    CriteriaRange:=Range("K2:L3"), _
    CopyToRange:=Worksheets("抽出先").Range("B2")
```

実行例 AdvancedFilterで転記

	A	B	C	D	E	F	G	H
1								
2		ID	受注日	担当	商品	単価	数量	
3		1	12/1	増田 宏樹	ビール	1,820	100	
4		2	12/1	宮崎 陽平	乾燥ナシ	3,900	10	
5		3	12/1	星野 啓太	チャイ	2,340	15	
6		4	12/2	増田 宏樹	ホワイトチョコ	390	30	
7		5	12/2	増田 宏樹	チョコレート	1,200	20	
8		6	12/2	三田 聡	ホワイトチョコ	390	40	
9		7	12/3	星野 啓太	チョコレート	1,660	40	
10		8	12/3	増田 宏樹	ピリカラタバスコ	2,860	30	
11								

ソート | フィルター | 抽出結果 | 日付値のフィルター | フィルターの詳細設定 | 抽出先

抽出結果を転記する場合は、引数ActionをxlFilterCopyにしたうえで、引数CopyToRangeに転記先を指定します。転記先は別のシートでも大丈夫です。

とてもシンプルなコードで、抽出結果のみを転記できましたね(図ではセル幅を調整ずみですが、セル幅は転記されません)。

AutoFilterメソッドで抽出した結果をコピーする処理と比べると、コードの記述量も減り、ひと目見ただけで「あ、これは抽出結果を転記してるな」と処理内容を把握できるうえに、速度も速くなります。難点は、抽出条件をセルに書く必要がある点ですが、それを差し引いても、とても役に立つ仕組みです。活用していきましょう。

必要なフィールドのみを転記する

AdvancedFilterメソッドを利用して転記を行う際には、引数CopyToRangeに指定するセル範囲、つまり、転記先のセル範囲に「抽出してほしいフィールド名」を記述しておくと、該当フィールドのデータのみを転記してくれます。

例えば、転記先シートのセル範囲I2:J2に、次図のように「担当」「数量」の2フィールドの見出しを記述しておくとします。

▼見出しを記述した状態の転記先

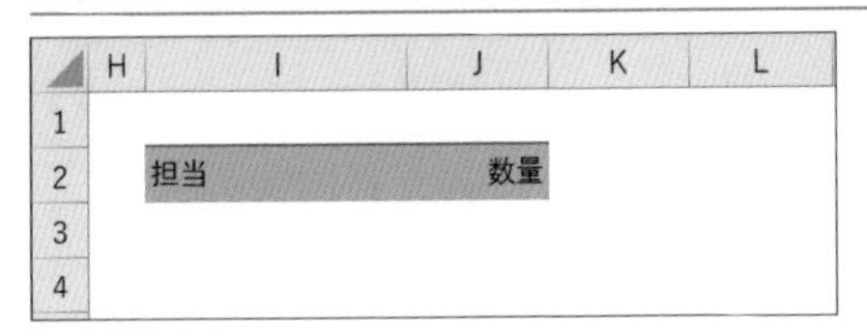

このセル範囲を引数CopyToRangeに指定してAdvancedFilterメソッドを実行してみましょう。次のコードは、**セル範囲B2:G50の表（425ページを参照）を、セル範囲K2:L3の条件で抽出して転記**します。

▼マクロ 12-25

```
Range("B2:G50").AdvancedFilter _
    Action:=xlFilterCopy, _
    CriteriaRange:=Range("K2:L3"), _
    CopyToRange:=Worksheets("抽出先").Range("I2:J2")
```

実行例　抽出結果から記述したフィールドのデータのみを転記

	H	I	J	K
1				
2		担当	数量	
3		増田 宏樹	100	
4		宮崎 陽平	10	
5		星野 啓太	15	
6		増田 宏樹	30	
7		増田 宏樹	20	
8		三田 聡	40	
9		星野 啓太	40	
10		増田 宏樹	30	

すると、抽出条件を満たすレコードのうち、見出しを記述したフィールドのデータのみを転記してくれます。フィールド数が多い表から抽出データのうち、必要なフィールドのデータのみを転記したい場合に非常に便利な仕組みですね。

また、すべてのフィールドのデータを抽出する場合でも、転記先では見出し列の順番を表示したい順に記述しておくと、元の表とは異なるフィールド順の表を素早く作成することも可能です。

▼フィールド順を入れ替えて転記

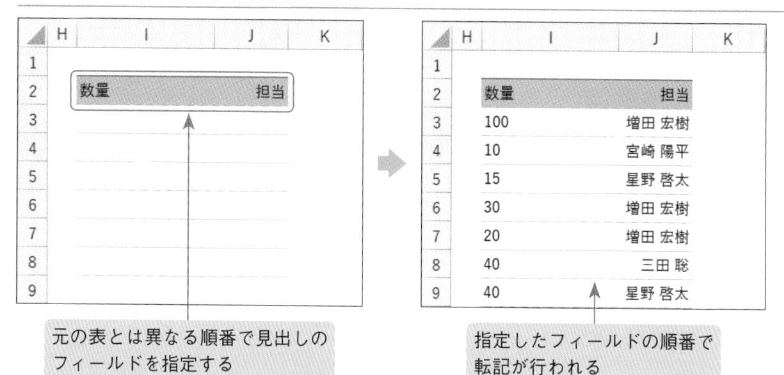
元の表とは異なる順番で見出しのフィールドを指定する
指定したフィールドの順番で転記が行われる

column

抽出条件作成時の考え方

AdvancedFilterメソッド利用の最大の難関は、「抽出条件の書き方がいまいちよくわからない」という点でしょう。そこさえ越えれば、本当に便利なメソッドなのです。そこで、筆者なりの抽出条件の考え方のコツをご紹介します。

まず、何を抽出したいのかを整理します。このとき、「特定の」というキーワードを使います。例えば、「特定月の受注日の、特定の担当の、特定の商品」という具合です。しっくりくる言葉にできたら、フィールド名を拾って全部横に並べて書いてしまいます。

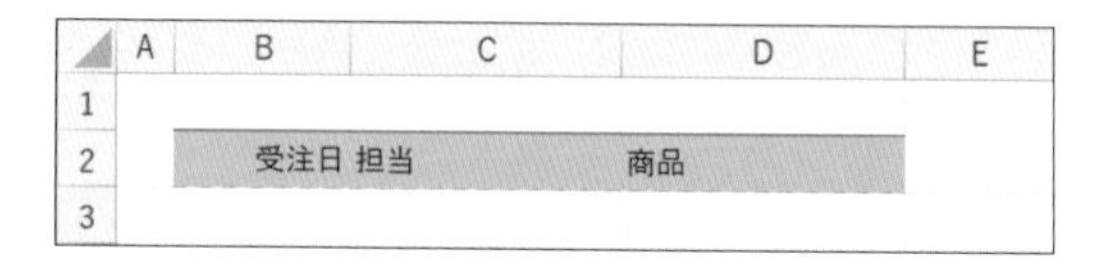

次に、「1行につき、1条件」という考え方で抽出条件を整理していきます。例えば、「担当」フィールドについては、「増田 宏樹」「宮崎 陽平」の2人のデータを抽出したいのであれば、「1行につき、1人」なので、縦に並べて記述します。

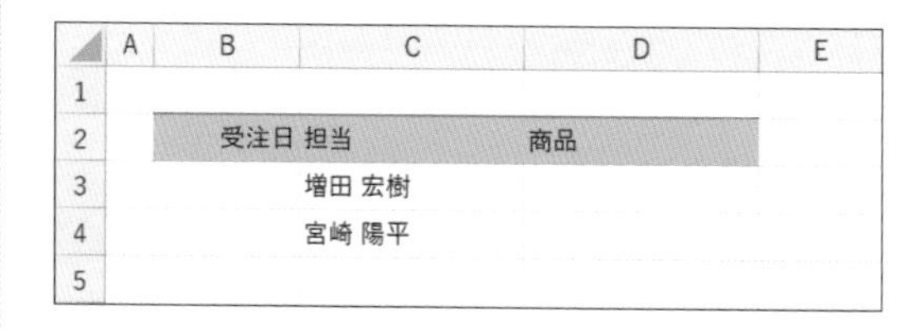

続いて、他のフィールドについて考えていきます。「商品」フィールドについては、「増田に関しては、『チョコ』から始まるデータのみを調べたい。宮崎は特に条件なし」という場合には、「増田」の同じ列に「『チョコ』から始まる」という条件式を記述します。特に条件のない「宮崎」の列は空欄のままでOKです。

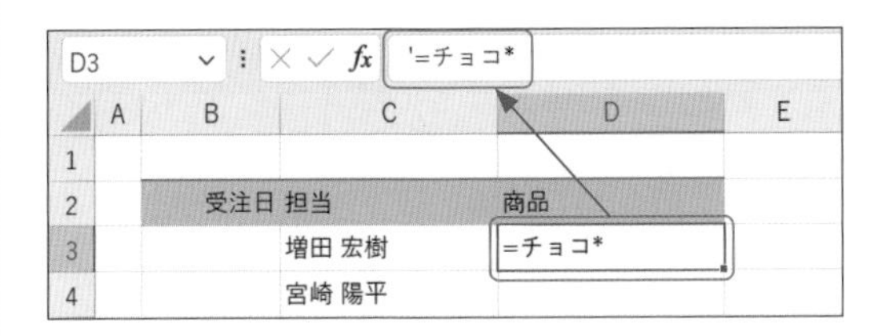

イコールから始まる条件式を記述する際には、セルの書式を「文字列」にしておくか、プレフィックスとして「'(シングルクォーテーション)」を付けて入力しましょう。

最後に「受注日」フィールドを利用して、期間を指定します。例えば、「12/1〜12/3」であれば、「1行に1条件」ですから、同じ行に「12/1以降」「12/3以前」という2つの条件式を記述する必要があります。そこで、「受注日」フィールドの数を1つ増やし、下図のように条件式を記述します。

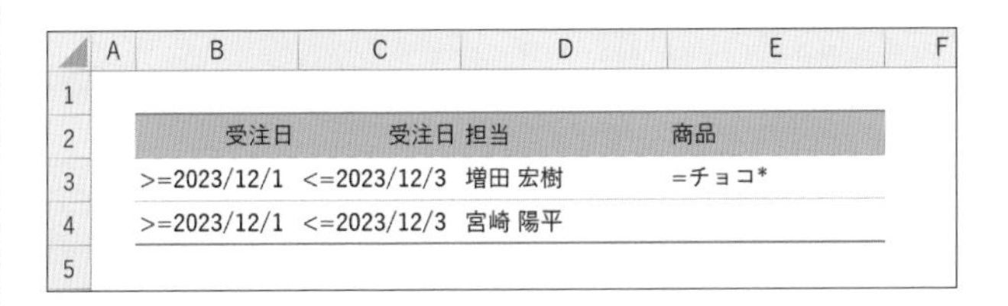

期間に関しては、「増田」も「宮崎」も同じ期間のデータを抽出したいので、「1行に1条件」ルールに則り、同じ範囲指定を2行ともに記述します。これで完成です。

「見出しをまず書いてしまう」からスタートし、「1行に1条件」「特に条件を指定しない箇所は空欄」というルールを頭に入れて、少しずつ条件を組み上げてみましょう。

ちなみに、「空白セル」を抽出条件にしたい場合には、「=」のみを記述します。次図は「『担当』フィールドが未入力(空白)のデータ」という抽出条件となります。

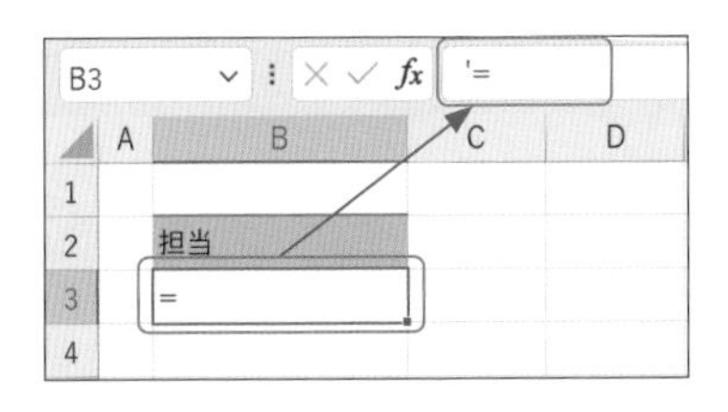

section 04 重複を削除するには？

入力ずみのデータから、重複のないリスト(いわゆるユニークなリスト)を作成したいというケースは多々あるでしょう。VBAではこの場合にどういった手段が用意されているのかを見ていきましょう。

ユニークなリストの取得はDictionaryがお手軽

VBAのコードのみでユニークなリストを作成するのであれば、Dictionaryオブジェクト(193ページ)を利用するのがお手軽です。

例えば、次のコードは、**セル範囲B2:E5内の値から、ユニークな値のリストを1次元配列として作成**します。

▼マクロ 12-26

```
Dim rng As Range, uniqueList() As Variant, dic As Object
'Dictionaryオブジェクト生成
Set dic = CreateObject("Scripting.Dictionary")
'セル範囲B2:E5を走査してユニークな値をキー値としてピックアップ
For Each rng In Range("B2:E5")
    If Not dic.Exists(rng.Value) Then dic.Add rng.Value, "dummy"
Next
'Dictionaryオブジェクトのキー値を配列で受け取る
uniqueList = dic.Keys
'配列の中身を確認
MsgBox "ユニーク値：" & Join(uniqueList, ",")
```

実行例　ユニーク値の取得

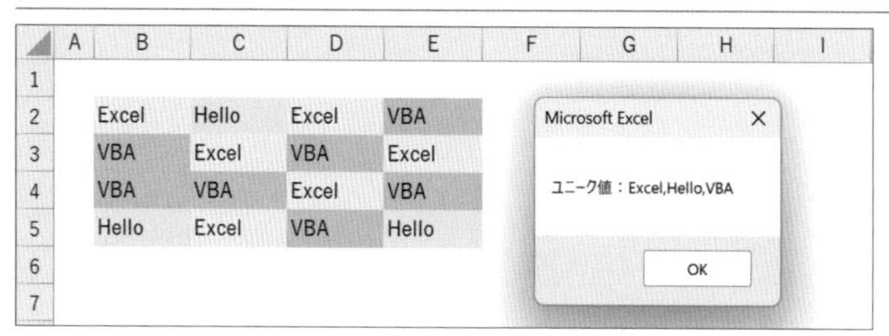

Dictionaryオブジェクトの**Exists**メソッドを利用して、セルの値が既にキー値として登録されているかを判定し、されていない場合にのみDictionaryオブジェクトのキー値として登録していきます。最終的に登録されているキー値のリストを取得すれば、そのリストがユニークなリストとなるわけですね。

▼キー値を登録する（Existsメソッド）

```
Dictionaryオブジェクト.Exists キー値
```

サンプルでは、セル範囲の値を走査しましたが、他の値のリストからも、同じ考え方でユニークなリストを作成できるでしょう。

「重複の削除」機能があるじゃないか

シート上に記入してあるデータから重複を削除したい場合には、うってつけの機能があります。それが、**重複の削除**機能です。名前から言って、まさにそのものですね。この機能をVBAから実行するには、**RemoveDuplicates**メソッドを利用します。

▼「重複の削除」機能を実行する（RemoveDuplicatesメソッド）

```
対象セル範囲.RemoveDuplicates 比較する列情報, 1行目の見出し設定
```

▼RemoveDuplicatesメソッドの引数

引数	用途
Columns	比較する列番号を指定。複数列を比較するには配列で指定
Header	1行目が見出しかどうかを定数で指定。見出し（xlYes）/見出しではない（xlNo）/自動判断（xlGuess）

例えば、次の図のように、重複の疑いがある表がセル範囲B2:F9に作成されているとします。

▼重複のあるデータ

	A	B	C	D	E	F	G
1							
2		伝票ID	担当	商品	価格	数量	
3		S-01	増田	りんご	120	11	
4		S-02	宮崎	みかん	80	20	
5		S-02	宮崎	みかん	80	20	
6		S-03	星野	りんご	120	20	
7		S-04	三田	ぶどう	350	20	
8		S-05	三田	ぶどう	350	20	
9		S-06	前田	りんご	120	8	
10							

2つ目のデータと3つ目のデータは、完全に一致していますね。また、5個目と6個目は、「伝票ID」こそ違うものの、他の4つのフィールドの値が一致しています。どうやら、同じ取引を2重に入力してしまったようです。

次のコードは、**この表から1列目(伝票ID)のみを基準に重複削除**を行います。

▼マクロ 12-27

```
'1つ目のフィールドのみをチェックして重複削除
Range("B2:F9").RemoveDuplicates Columns:=1, Header:=xlYes
```

実行例　1つ目のフィールドを基準に重複削除

	A	B	C	D	E	F	G
1							
2		伝票ID	担当	商品	価格	数量	
3		S-01	増田	りんご	120	11	
4		S-02	宮崎	みかん	80	20	
5		S-03	星野	りんご	120	20	
6		S-04	三田	ぶどう	350	20	
7		S-05	三田	ぶどう	350	20	
8		S-06	前田	りんご	120	8	
9							

次のコードは、**2～5列目を基準に重複削除**を行います。

▼マクロ 12-28

```
'2・3・4・5列目のフィールドをチェックして重複削除
Range("B2:F9").RemoveDuplicates _
    Columns:=Array(2, 3, 4, 5), Header:=xlYes
```

実行例　2・3・4・5列目のフィールドを基準に重複削除

	A	B	C	D	E	F	G
1							
2		伝票ID	担当	商品	価格	数量	
3		S-01	増田	りんご	120	11	
4		S-02	宮崎	みかん	80	20	
5		S-03	星野	りんご	120	20	
6		S-04	三田	ぶどう	350	20	
7		S-06	前田	りんご	120	8	
8							
9							

「重複」と判定するために、どの列を利用するのかを指定し、重複データを削除することができました。なお、残されるデータは、「重複」と判断されたもののうち一番上の行にあるデータとなります。

リストから削除のセオリーは「ソートして後ろから」

RemoveDuplicatesメソッドで重複を削除する方法をご紹介しましたが、実はこの機能、Excel 2007に搭載されたばかりの頃は、「特定の条件下では重複の削除もれが発生する」というバグがありました。その後、バグフィックスされたようですが、今でも古い環境のままアップデートをしていない場合には意図通りに動作しない可能性があります。

Excel 2016以降を利用している限りは大丈夫だと思うのですが、それでも心配な場合は、自前で重複を削除する処理を作成してみましょう。実はこの処理を考えることは、ちょっとしたノウハウを知るよい例でもあるのです。

さて、「重複」を判断する材料とは何でしょうか。表形式で作成されたデータの場合では、キーとなる特定のフィールドで同じ値を持つデータを重複と判断することが多いでしょう。

そこで、まず、キーとなるフィールドを基準にソートし、同じ値を持つ場合には連続した並びになるように整理します。次図では、「伝票ID」フィールドをソートし、値を比較しやすくしています。

▼キーとするフィールドで並べ替え

	A	B	C	D
1				
2		伝票ID	担当	商品
3		S-02	星野	りんご
4		S-06	前田	りんご
5		S-01	増田	りんご
6		S-02	宮崎	みかん
7		S-02	宮崎	みかん
8		S-04	三田	ぶどう
9		S-05	三田	ぶどう
10				

	A	B	C	D
1				
2		伝票ID	担当	商品
3		S-01	増田	りんご
4		S-02	星野	りんご
5		S-02	宮崎	みかん
6		S-02	宮崎	みかん
7		S-04	三田	ぶどう
8		S-05	三田	ぶどう
9		S-06	前田	りんご
10				

そのうえで、「伝票ID」フィールドの値を走査し、前の値と同じ値であればデータを削除するというループ処理を作成すればうまくいきそうです。この考えをコードにすると、次のようになります。次のコードは、**「伝票ID」が前と同じレコードを削除**します。

▼マクロ 12-29

```
'処理対象行を管理する変数を宣言
Dim curRow As Long
'「伝票ID」列の2つ目のデータから下方向にループ処理
For curRow = 4 To 9
    Cells(curRow, "B").Select   '経過がわかりやすいよう対象セル選択
    '1つ上のセルと同じ値であれば、そのデータの範囲を削除
    If Selection.Value = Selection.Offset(-1).Value Then
        Selection.Resize(1, 5).Delete Shift:=xlShiftUp
    End If
Next
```

実行例　重複を削除する処理の結果①

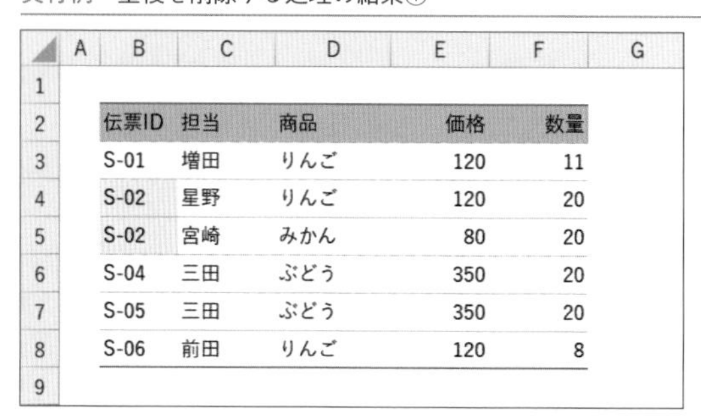

	A	B	C	D	E	F	G
1							
2		伝票ID	担当	商品	価格	数量	
3		S-01	増田	りんご	120	11	
4		S-02	星野	りんご	120	20	
5		S-02	宮崎	みかん	80	20	
6		S-04	三田	ぶどう	350	20	
7		S-05	三田	ぶどう	350	20	
8		S-06	前田	りんご	120	8	
9							

しかし、結果を見てみると、うまく重複が削除されていません。なぜでしょうか。実は「削除」を伴う処理の場合、上から下方向へとループ処理を行っていくと、削除を行った時点で、以降のデータの位置がずれるという現象が起きます。上記コードをステップ実行しながら処理を追っていくと、その仕組みがよくわかるでしょう。

こういう削除を伴うケースの定番は、下から上へ逆方向にループ処理を行うという考え方になります。次のコードは、**「伝票ID」の末尾から確認し、1つ上のセルと同じレコードを削除**します。

▼マクロ 12-30

```
'処理対象行を管理する変数を宣言
Dim curRow As Long
'「伝票ID」列の末尾のデータから2つ目のデータまで逆方向にループ処理
For curRow = 9 To 4 Step -1
    Cells(curRow, "B").Select  '経過がわかりやすいよう対象セル選択
    '1つ上のセルと同じ値であれば、そのデータの範囲を削除
    If Selection.Value = Selection.Offset(-1).Value Then
        Selection.Resize(1, 5).Delete Shift:=xlShiftUp
    End If
Next
```

実行例　重複を削除する処理の結果②

	A	B	C	D	E	F	G
1							
2		伝票ID	担当	商品	価格	数量	
3		S-01	増田	りんご	120	11	
4		S-02	星野	りんご	120	20	
5		S-04	三田	ぶどう	350	20	
6		S-05	三田	ぶどう	350	20	
7		S-06	前田	りんご	120	8	
8							

下から上へとループ処理を行うと、今度は意図したように重複データを削除できました。このように、削除を伴う処理を作成する際には、基本的に、ソートして下からループというルールを基準にコードを作成していくとうまくいきます。サンプルではソート部分は手作業で行うことを想定していますが、その部分もマクロ化してもよいですね。

複数の列の値を元に重複を判断する

複数の列の値を元に重複を判断して削除を行う処理を自作するには、どうすればよいでしょうか。考えてみましょう。

以下は、Dictionaryオブジェクトを利用した方法です。判断の対象となる列の値を全部繋げた文字列を「キー」、その列番号を「値」として辞書登録していき、重複登録が発覚した段階で対象のセル範囲を削除する、という方針でコードを記述しています。次のコードは、**C・D・E・F列の値を連結してキーとして重複の削除**を行います。

▼マクロ 12-31

```
Dim curRow As Long, dic As Object, tmpKey As String, rng As Range
'Dictionaryオブジェクト生成
Set dic = CreateObject("Scripting.Dictionary")
'末尾のデータから2つ目のデータまで逆方向にループ処理
For curRow = 9 To 4 Step -1
    'チェック対象レコードのセル範囲取得
    Set rng = Cells(curRow, "B").Resize(1, 5)
    'セル範囲の2～5番目の値(C～F列の値)を連結したキー文字列作成
    tmpKey = _
        rng.Cells(2).Value & _
        rng.Cells(3).Value & _
        rng.Cells(4).Value & _
        rng.Cells(5).Value
    'キーが重複した場合(登録ずみだった場合)、セルを削除
    If dic.Exists(tmpKey) Then
        rng.Delete Shift:=xlShiftUp
    Else
    '重複していなければ行番号を登録
        dic.Add tmpKey, curRow
    End If
Next
```

実行例　Dictionaryオブジェクトを利用した重複チェック処理

	A	B	C	D	E	F	G
1							
2		伝票ID	担当	商品	価格	数量	
3		S-01	増田	りんご	120	11	
4		S-02	宮崎	みかん	80	20	
5		S-02	宮崎	みかん	80	20	
6		S-03	宮崎	みかん	80	20	
7		S-04	三田	ぶどう	350	20	
8		S-05	三田	ぶどう	350	20	
9		S-06	前田	りんご	120	8	

	A	B	C	D	E	F	G
1							
2		伝票ID	担当	商品	価格	数量	
3		S-01	増田	りんご	120	11	
4		S-03	宮崎	みかん	80	20	
5		S-05	三田	ぶどう	350	20	
6		S-06	前田	りんご	120	8	
7							

少々強引ですが、この対象フィールドを全部連結した値をキーとして流用するという考え方を覚えておくと、いわゆるレコードの比較を行う場面で役に立つことでしょう。また、Dictionaryオブジェクト、Existsメソッドを利用した重複判定も、さまざまな場面で活用できます。あわせて覚えておきましょう。

section 05 ワークシート関数による ソート・フィルター・重複削除

Excel 2021以降やMicrosoft 365版のExcelのように、SORTワークシート関数、FILTERワークシート関数、そして、UNIQUEワークシート関数が利用できる環境では、VBAからこれらのワークシート関数を呼び出して活用できます。この項のコードは、上記ワークシート関数が利用できる環境のみで動作します。

SORTワークシート関数でソート結果を取得

SORTワークシート関数と同等のソート結果の配列を得たい場合には、WorksheetFunction.Sortメソッドを利用します。

▼SORTワークシート関数でソートする（WorksheetFunction.Sortメソッド）

```
WorksheetFunction.Sortセル範囲, キー列, 並べ替え順, ソート方向
```

▼WorksheetFunction.Sortメソッドの引数

引数（名前付き引数名）	用途
セル範囲（Arg1）	ソート対象のセル範囲や配列
[キー列]（Arg2）	ソートのキーとなる「列」のインデックス番号
[並べ替え順]（Arg3）	昇順（小さい順）は「1（既定）」、降順（大きい順）は「-1」
[ソート方向]（Arg4）	「列」方向基準なら「True」、「行」方向基準なら「False（既定）」

次のコードは、**セル範囲B3:C7の範囲のデータを、「2列目を降順」で並べ替えた結果を取得し、連結した値を出力**します。

▼マクロ12-32

```
Dim arr As Variant
'ソートの結果配列を受け取る
arr = WorksheetFunction.Sort(Range("B3:C7"), 2, -1)
'結果を出力
Debug.Print "1つ目：", arr(1, 1), arr(1, 2)
Debug.Print "2つ目：", arr(2, 1), arr(2, 2)
```

実行例　SORTワークシート関数でソート

	A	B	C	D	E	F	G	H
1								
2		氏名	得点					
3		水田	80					
4		櫓	95					
5		中山	60					
6		那須	100					
7		山崎	75					
8								

イミディエイト

```
1つ目：　那須　　100
2つ目：　櫓　　　95
```

2次元配列を対象にしたSORTワークシート関数の戻り値は、インデックス番号「1」から始まる2次元配列の形式で返されます。結果の1つ目の値と2つ目の値を「結果配列(1次元目インデックス, 2次元目インデックス)」の形で取り出すと、確かに「2」列目の「得点」列の値で降順ソートされた結果が格納されているのが確認できます。

また、配列の状態を出力して確認したい場合には、INDEXワークシート関数で「1行」ずつ受け取った配列を、TEXTJOIN関数で連結した文字列として出力する仕組みを作っておくと便利です。

以下のコードを前述のマクロの末尾に付け加えると、受け取った結果配列を文字列化して出力します。

```
'結果を「1行」ずつ出力
Dim idx As Long, wf As WorksheetFunction
Set wf = WorksheetFunction
For idx = LBound(arr) To UBound(arr)
    Debug.Print wf.TextJoin(",", False, wf.Index(arr, idx))
Next
```

また、「1行」ずつ書き出すのではなく、1つの連結した文字列にしたい場合は、「Debug.Printによる出力の末尾を『;』に指定した場合、改行文字の出力を行わない」という仕組みが利用できます。

```
'改行せず出力
For idx = LBound(arr) To UBound(arr)
    Debug.Print wf.TextJoin(",", False, wf.Index(arr, idx)) & ";";
Next
```

▼文字列化した値を出力

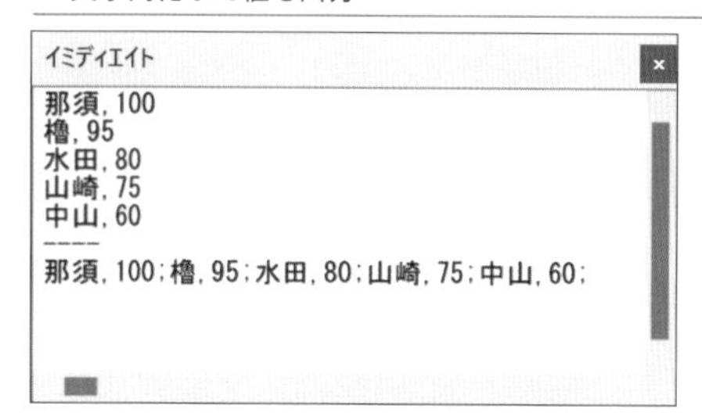
イミディエイト
那須,100
櫓,95
水田,80
山崎,75
中山,60

那須,100;櫓,95;水田,80;山崎,75;中山,60;

開発時における配列の中身の確認や、ログ出力に便利ですね。

さて、脱線しましたが、SORTワークシート関数とSortメソッドの最大の違いは、シート上の状態はそのまま保ち、新たに結果配列のみを得られる点です。マクロ内の計算ではソートずみの値を利用したいけれども、シート上のデータをソートするのは大げさすぎるようなケースで活用していきましょう。

column

ARRAYTOTEXT関数でシリアライズ

Microsoft 365環境等、ARRAYTOTEXT関数が利用できる環境においては、WorksheetFunction経由でARRAYTOTEXT関数を利用すると、配列の文字列化(シリアライズ)がより簡単に行えます。

FILTERワークシート関数で抽出結果を取得

FILTERワークシート関数と同等の抽出結果の配列を得たい場合は、WorksheetFunction.Filterメソッドを利用します。

▼FILTERワークシート関数で抽出する(WorksheetFunction.Filterメソッド)

```
WorksheetFunction.Filter セル範囲, 条件, 一致しない場合の値
```

▼WorksheetFunction.Filterメソッドの引数

引数(名前付き引数名)	用途
セル範囲(Arg1)	フィルター対象の範囲や配列
条件(Arg2)	ソートのキーとなる位置のインデックス番号
[一致しない場合の値](Arg3)	昇順(小さい順)は「1(既定)」、降順(大きい順)は「-1」

次のコードは、**セル範囲B3:F50の範囲のデータを、「『商品』列の値が『カレー』」という抽出条件で抽出**した結果を受け取ります。

▼マクロ 12-33（抜粋）

```
Dim filterArr As Variant
'フィルターの結果配列を受け取る
filterArr = WorksheetFunction.Filter( _
    Range("B3:F50"), _
    [D3:D50="カレー"], _
    "" _
)
```

実行例　FILTERワークシート関数で抽出

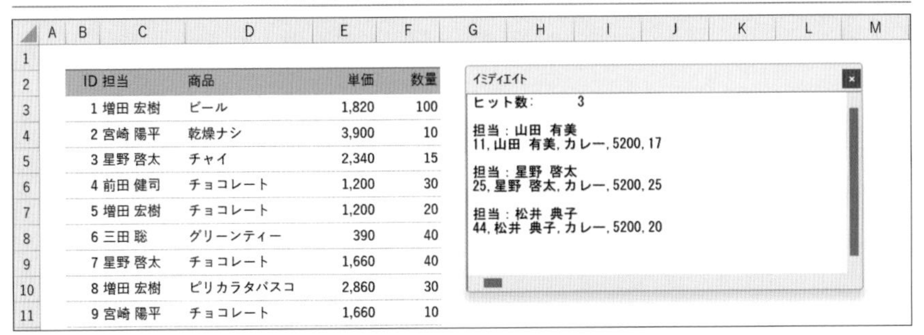

ID	担当	商品	単価	数量
1	増田 宏樹	ビール	1,820	100
2	宮崎 陽平	乾燥ナシ	3,900	10
3	星野 啓太	チャイ	2,340	15
4	前田 健司	チョコレート	1,200	30
5	増田 宏樹	チョコレート	1,200	20
6	三田 聡	グリーンティー	390	40
7	星野 啓太	チョコレート	1,660	40
8	増田 宏樹	ピリカラタバスコ	2,860	30
9	宮崎 陽平	チョコレート	1,660	10

関数を利用する際のポイントは、2番目の引数に指定する条件式の指定方法です。ここは「[ ]」の中に、ワークシート上で指定する形式と同じ形式で条件式を指定します。上記マクロ内では「セル範囲D3:D50の値が『カレー』」という条件式を指定しています。

```
[D3:D50="カレー"]
```

もし、対象セルがあるシート以外の場所から実行する際には、シート名も含めた形で条件式を作成します。

```
[シート名!D3:D50="カレー"]
```

角括弧の中に、ワークシート側で指定している値をそのまま記述するわけですね。なお、この角括弧による記述は、ApplicationオブジェクトのEvaluateメソッドの簡易記法です。きっちり記述するなら、以下のようになります。

```
Application.Evaluate("D3:D50=""カレー""")
```

さて、話がそれましたが、これでFILTER関数の結果をVBA側で受け取れます。この値は少々変則的で、フィルター結果によって次の3パターンに変化します。

▼フィルター結果と戻り値の型

結果	戻り値の型
ヒットなし	第3引数で設定した値を返す
1件だけヒット	1次元配列の形で返す
2件以上ヒット	2次元配列の形で返す

フィルター結果をコード内で扱いたい場合は、これを振り分けたのち、値を取り出す処理が必要になります。抽出条件にヒットなしの場合は、結果は配列ではないため、IsArray関数で判定可能です。

```
'ヒットしたレコードがあったかを確認
If Not IsArray(filterArr) Then
    Debug.Print "対象レコードはありませんでした"
    Exit Sub
End If
```

問題は「1次元配列か2次元配列か」の判定なのですが、VBAには配列の次元数を取得する関数はありません(要素数はUBound関数等で取得可能です)。そこで、以下のような簡易的な関数「isSingleDimension」を作成してみました。

```
Function isSingleDimension(arr As Variant) As Boolean
    Dim tmp As Variant
    '引数の2次元目にアクセスしてみてエラーならば1次元と判定
    On Error Resume Next
    tmp = LBound(arr, 2)
    isSingleDimension = IIf(Err.Number = 0, False, True)
    'エラートラップを元に戻す
    Err.Clear
    On Error GoTo 0
End Function
```

この関数を利用して、それぞれの次元数の場合の結果配列から値を取り出していきます。

```
'ヒット対象が1つの場合は1次元配列で返ってくる
If isSingleDimension(filterArr) Then
    Debug.Print "ヒット数：1"
    Debug.Print WorksheetFunction.ArrayToText(filterArr)
Else
'ヒット対象が複数の場合は2次元配列で返ってくる
    Dim arr As Variant, maxIdx As Long, idx As Long
    maxIdx = UBound(filterArr)
    Debug.Print "ヒット数：" & maxIdx
    For idx = 1 To maxIdx
        arr = WorksheetFunction.Index(filterArr, idx)
        Debug.Print WorksheetFunction.ArrayToText(arr)
    Next
End If
```

ちょっとクセがありますが、ワークシート側にフィルターを適用せずに、抽出結果を元にした処理を作成したい場合に活用できますね。

column

2次元配列から特定の「行」「列」を抜き出す

本文中サンプルの複数のヒット対象があった際の2次元配列のような配列から、任意の「行」、もしくは「列」のみのデータを取り出したい場合は、INDEXワークシート関数が便利です。INDEXワークシート関数で特定「行」「列」を取り出します。VBAから利用する場合は、WorksheetFunction.Indexメソッドを利用します。

```
'特定「行」のデータのみを取り出す
WorksheetFunction.Index(2次元配列, 「行」インデックス)
'特定「列」のデータのみを取り出す
WorksheetFunction.Index(2次元配列, 0, 「列」インデックス)
```

前述のサンプルでは、抽出結果を「行」ごとに取り出す際に利用しています。

UNIQUEワークシート関数でユニークなリストを取得

UNIQUEワークシート関数と同等のユニークなリストとなる結果配列を得たい場合には、WorksheetFunction.Uniqueメソッドを利用します。

▼ユニークなリストを取得する(WorksheetFunction.Uniqueメソッド)

```
WorksheetFunction.Unique セル範囲, 方向, 回数
```

▼WorksheetFunction.Sortメソッドの引数

引数(名前付き引数名)	用途
セル範囲(Arg1)	対象のセル範囲や配列
[方向](Arg2)	「列」方向基準なら「True」、「行」方向基準なら「False(既定)」
[回数](Arg3)	1回だけ現れる値のみリストアップする場合は「True」、複数回現れる値もリストアップする場合は「False(既定)」

次のコードは、**セル範囲B3:B9の範囲のデータから、重複を削除した値のリスト(ユニークなリスト)の結果配列を取得し、値を出力**します。

▼マクロ 12-34

```
Dim uniqueList As Variant
uniqueList = WorksheetFunction.Unique(Range("B3:B9"))
'1列タテ方向のセル範囲なのでヨコ方向の1次元配列に変換
uniqueList = WorksheetFunction.Transpose(uniqueList)
'リスト数とそれぞれの値を取り出す
Debug.Print "リスト数：" & UBound(uniqueList)
Debug.Print uniqueList(1), uniqueList(2), uniqueList(3)
```

実行例　UNIQUEワークシート関数でユニークなリスト作成

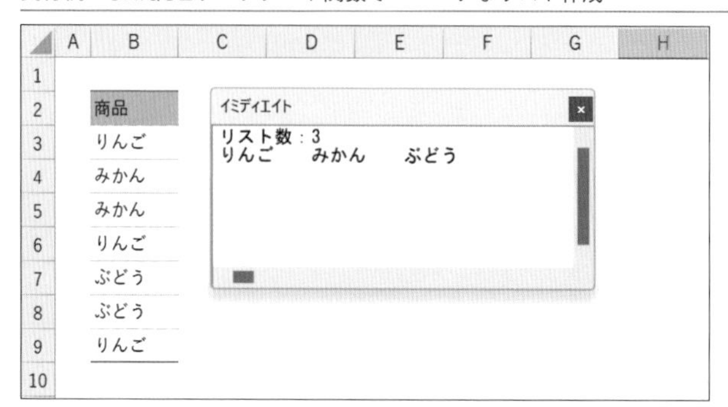

行方向のセル範囲を対象にしたUNIQUEワークシート関数の戻り値は、インデックス番号「1」から始まる2次元配列の形式で返されます。この配列から値を取り出して利用します。

いわゆる「ユニークな値のリスト」の作成がシンプルになりますね。Collectionオブジェクトやdictionaryオブジェクトを利用しなくても、UNIQUEワークシート関数で一発です。

このように、ソート・フィルター・ユニークなリストの作成には、各種ワークシート関数が利用できます。もともとワークシート用に作成された関数のため、少々扱いにクセがありますが、シート上の状態は変更せずに、結果の値だけを利用したい場合には利用を考えてみましょう。

column

SORTBYワークシート関数で配列をシャッフル

SORTBYワークシート関数とRANDARRAYワークシート関数が利用できる環境では、配列のシャッフルが簡単に行えます。次のコードは、配列「list」の要素をシャッフルした配列「shuffle」を生成します。

```
Dim list As Variant, shuffle As Variant
Dim wf As WorksheetFunction
Set wf = WorksheetFunction
'要素数3のリストを作成し、シャッフル
list = Array("りんご", "蜜柑", "レモン")
shuffle = wf.SortBy(list, wf.RandArray(1, 3), 1)
'結果を確認
Debug.Print Join(shuffle, ",")    '結果は「蜜柑,レモン,りんご」等
```

要素数と同じランダムな値のリストをRANDARRAYワークシート関数で作成し、そのリストを元にSORTBYワークシート関数でソートしています。

「ランダムにいくつかの要素を選びたい」という場合には、シャッフルして先頭から希望の数だけの要素を取り出せば、重複することなく要素を取り出せます。

section 06 誰かがやらねばいけない表記の統一

本トピックでは、表記の揺れの統一をテーマにいろいろな方法をご紹介します。ここだけの話、本を書く側にとっては「売り」となる見栄えのよいテーマではありません。地味です。

しかし、データを正しく扱うには、誰かがこの表記の統一作業を行わなくてはいけないのです。重要ですが、単純で時間ばかりを取られる作業でもあります。このような作業こそ、VBAを使って一気に進めてしまおうではありませんか。

表記の統一や修正に利用できる仕組み

それでは、用途別に対処方法をどんどんと挙げていきましょう。

●全半角・大文字小文字・ひらがなカタカナの統一

次のコードは、**セル範囲B3:B6に入力された英字（対象A）を半角に統一したうえで、先頭の文字を大文字にします。**

▼マクロ 12-35

```
Dim rng As Range
For Each rng In Range("B3:B6")
    rng.Value = StrConv(rng.Value, vbNarrow + vbProperCase)
Next
```

次のコードは、**セル範囲D3:D6に入力された文字列を全角に統一したうえでカタカナにします。**

▼マクロ 12-36

```
Dim rng As Range
For Each rng In Range("D3:D6")
    rng.Value = StrConv(rng.Value, vbKatakana + vbWide)
Next
```

実行例　全半角・大文字小文字・ひらがなカタカナの統一

	A	B	C	D	E
1					
2		対象A		対象B	
3		excel		えくせる	
4		EXCEL		エクセル	
5		ＥＸＣＥＬ		ｴｸｾﾙ	
6		EXceL		えクせﾙ	
7					

↓

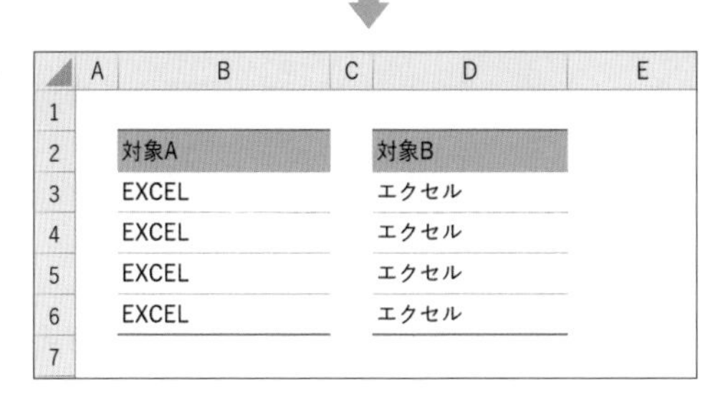

	A	B	C	D	E
1					
2		対象A		対象B	
3		EXCEL		エクセル	
4		EXCEL		エクセル	
5		EXCEL		エクセル	
6		EXCEL		エクセル	
7					

文字列の形式を変換する際には、StrConv関数を利用します。詳しくは135ページを参照してください。

●英数字は半角・カタカナは全角に統一

次のコードは、**セル範囲B3:B6に入力されたデータを、英数字は半角、カタカナは全角で統一**します。いったん半角に統一したうえで、PHONETICワークシート関数を利用しています。

▼マクロ 12-37

```
Dim rng As Range
For Each rng In Range("B3:B6")
    'いったんすべて半角・大文字に統一
    rng.Value = StrConv(rng.Value, vbNarrow + vbUpperCase)
    'PHONETICワークシート関数でフリガナ表記を取得して置き換え
    rng.Value = Application.WorksheetFunction.Phonetic(rng)
Next
```

実行例　英数字は半角・カタカナは全角に統一

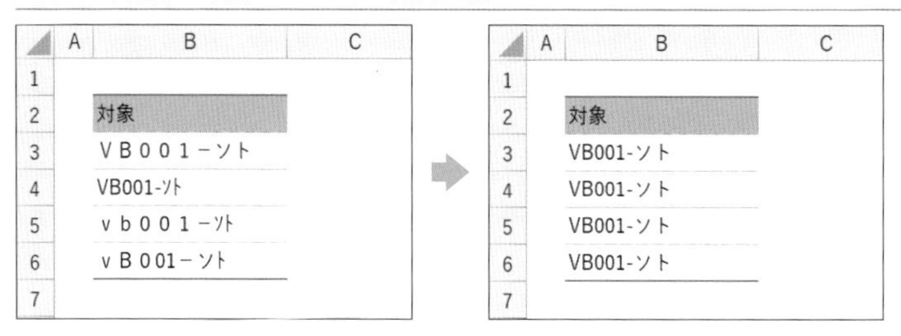

このコードは、「PHONETICワークシート関数は、半角フリガナに対しては全角のカタカナをフリガナとして返す(フリガナ設定が「全角カタカナの場合」のみ)」という性質を利用しています。

●数値を元にして定型ID等に統一

次のコードは、**セル範囲B3:B6に入力されたデータから数値を取り出し、ID形式に変換**します。

▼マクロ 12-38

```
Dim rng As Range
For Each rng In Range("B3:B6")
    '数値と認識できる場合はFormat
    If IsNumeric(rng.Value) Then
        rng.Value = Format(Val(StrConv(rng.Value, vbNarrow)), _
                    "VB-000")
    End If
Next
```

実行例　数値を元にして定型ID等に統一

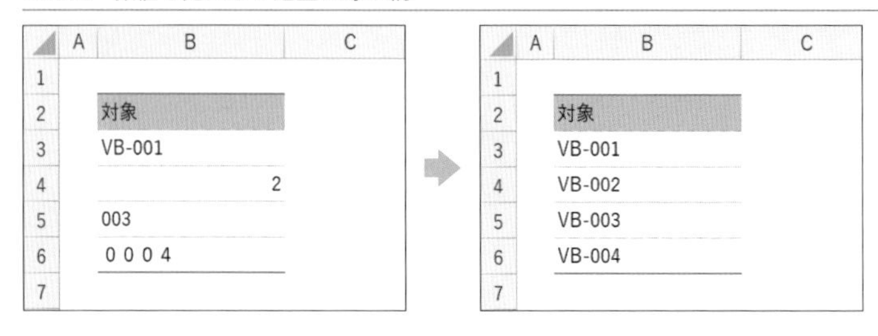

数値をID形式に変換するには、Format関数(136ページ)等を利用します。

●数値のみを取り出す

次のコードは、**セル範囲B3:B6に入力されたデータから数値のみを取り出します。**

▼マクロ 12-39

```
Dim rng As Range, regExpObj As Object, tmpMatches As Object
Set regExpObj = CreateObject("VBScript.RegExp")
'数値のみを取り出すパターンをセット
regExpObj.Global = True
regExpObj.Pattern = "¥d[¥.¥d]*"
'セル範囲の値についてマッチングし、マッチしていれば置き換える
For Each rng In Range("B3:B6")
    Set tmpMatches = regExpObj.Execute(StrConv(rng.Value, vbNarrow))
    If tmpMatches.Count > 0 Then
        rng.Value = tmpMatches(0).Value
    End If
Next
```

実行例　数値のみを取り出す

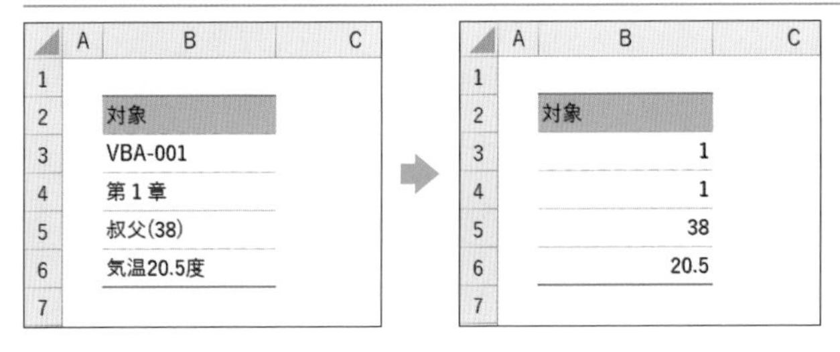

数値のみを取り出すには、RegExpオブジェクト(138ページ)を利用して正規表現を使います。

●シリアル値変換されてしまった値を何とか文字列に復元する

「01-01」と入力した値が「1月1日」となってしまったような状態を、Format関数で無理やり復元します。次のコードは、**セル範囲B3:B6に入力されたシリアル値を文字列に変換**しています。

▼マクロ 12-40

```
Dim rng As Range
For Each rng In Range("B3:B6")
    'Format関数で「月・日」の情報を取り出す
    rng.Value = Format(rng.Value, "'mm-dd")
Next
```

実行例 シリアル値に変換されてしまった値を文字列に復元

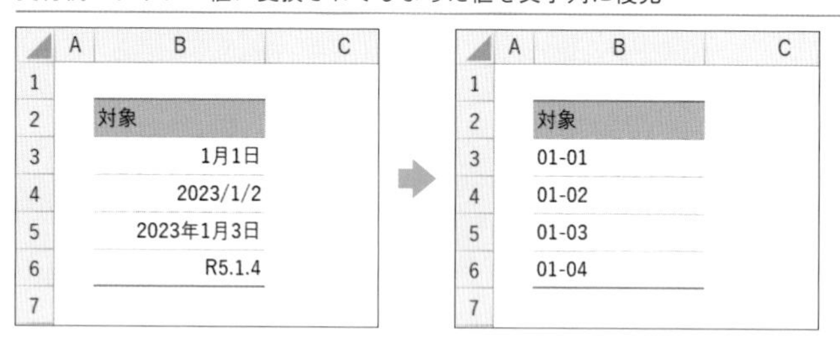

	A	B	C
1			
2		対象	
3		1月1日	
4		2023/1/2	
5		2023年1月3日	
6		R5.1.4	
7			

	A	B	C
1			
2		対象	
3		01-01	
4		01-02	
5		01-03	
6		01-04	
7			

復元する際の書式は、先頭に「'(シングルクォーテーション)」を付加し、文字列として入力されるようにしておきます。

「置換」機能で修正リスト項目に沿って一気に修正する

下図は同じ会社名・担当者名を意図したものですが、すべての表記が異なっています。このようなさまざまな表記の揺れを、一括して修正してみましょう。

▼表記の揺れを統一したい

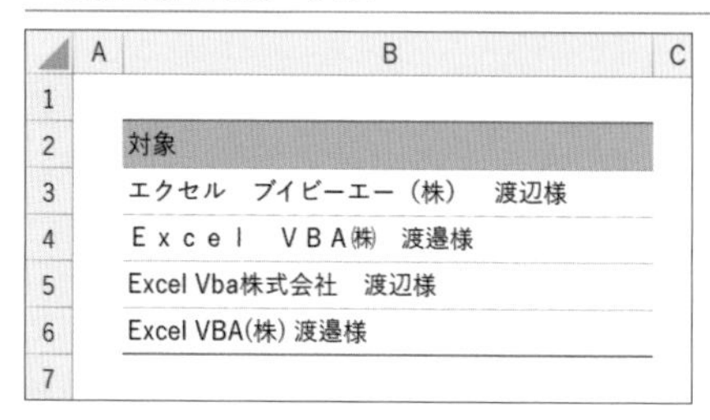

	A	B	C
1			
2		対象	
3		エクセル　ブイビーエー（株）　渡辺様	
4		Ｅｘｃｅｌ　ＶＢＡ㈱　渡邊様	
5		Excel Vba株式会社　渡辺様	
6		Excel VBA(株) 渡邉様	
7			

まず、セル上に修正前と修正後の値のリストを作成しておきます。ここでは、「Excel VBA (株) 渡辺様」と統一するのを念頭にリストを作成してみました。

▼揺れ修正リスト

	C	D	E	F
1				
2		修正前	修正後	
3		エクセル	Excel	
4		ブイビーエー	VBA	
5		Excel	Excel	
6		VBA	VBA	
7		㈱	（株）	
8		株式会社	（株）	
9		(株)	（株）	
10		渡邉	渡辺	
11				
12				

最後の行はわかりにくいですが、セルD11に「全角スペース」、セルE11に「半角スペース」が入力されています。要するに、「スペースを半角に統一」したいわけですね。

このような表を用意したら、「置換」機能をVBAから実行するReplaceメソッド(459ページ)を利用して、修正リストをループ処理で走査し、一括置換します。

次のコードは、**セル範囲B3:B6に入力されたデータに対し、セル範囲D3:E11の修正リストに基づいて置換**します。

▼マクロ 12-41

```
Dim sourceRng As Range, replaceTable() As Variant, i As Long
'置換範囲セット
Set sourceRng = Range("B3:B6")
'置換テーブルセット
replaceTable = Range("D3:E11").Value
'置換
For i = 1 To UBound(replaceTable)
    sourceRng.Replace LookAt:=xlPart, _
                      What:=replaceTable(i, 1), _
                      Replacement:=replaceTable(i, 2), _
                      MatchCase:=False, _
                      MatchByte:=False
Next
```

実行例　表記を置換で統一

	A	B	C
1			
2		対象	
3		Excel VBA（株）渡辺様	
4		Excel VBA（株）渡辺様	
5		Excel VBA（株）渡辺様	
6		Excel VBA（株）渡辺様	
7			

リストにした修正項目を、一気に置換できました。表記の統一方法をセルに残せるため、どんな風に修正をしたいのかが見た目にわかりやすくなる、というメリットもありますね。

なお、Replaceメソッドの各種引数の設定に関しては、459ページを参照してください。

column

「フリガナ」を忘れていませんか？

セル上の表記の統一ができて安心したところで、もう1つ何か忘れていませんか？そうです。フリガナです。Excelのセルはフリガナ情報を保持しています。特にソートを行うようなデータは注意しましょう。

ちなみに、一括でフリガナを取り除きたい場合には、

```
セル範囲.Phonetics.Delete
```

と、セル範囲を指定してPhoneticsコレクションのDeleteメソッドを実行すればOKです。ブック全体のフリガナを一括削除するのであれば、

```
Dim sht As Worksheet
For Each sht In Worksheets
    sht.Cells.Phonetics.Delete
Next
```

と、すべてのシートのセル全体に対して実行すればOKです。

section 07 検索で目的のデータを探す

並べ替えと抽出と並んで、データを取り扱う際に便利な機能が、検索そして置換です。VBAからこの機能を利用するには、Rangeオブジェクトに用意されているFindメソッドとReplaceメソッドを利用します。

Findメソッドで検索を行う

検索を行うFindメソッドは、検索対象としたいセル範囲に対して、次の引数を指定して実行します。

▼検索を行う（Findメソッド）

```
検索対象セル範囲.Find 検索値[, 各種引数:=値]
```

▼Findメソッドの引数

引数	説明
What	検索する値。必須
After	検索開始の基準セルを指定。このセルの「次のセル」から検索
LookIn	対象をxlValues（セルの値）、xlFormulas（数式）、xlNotes（メモ）で指定
LookAt	検索方法をxlWhole（完全一致）、xlPart（部分一致）で指定
SearchOrder	検索の優先方向をxlByRows（行方向）、xlByColumns（列方向）で指定
SearchDirection	検索の向きをxlNext（上から下）、xlPrevious（下から上）で指定
MatchCase	大文字・小文字の区別をTrue（行う）、False（行わない）で指定
MatchByte	全角・半角の区別をTrue（行う）、False（行わない）で指定
SearchFormat	書式検索をTrue（行う）、False（行わない）で指定

必須の引数は、検索値を指定する引数Whatのみです。その他の値を省略した場合は、「検索と置換」ダイアログの設定や、前回の検索設定を引き継ぎます。

また、Findメソッドは、戻り値として「検索条件に合致するセル」をRangeオブジェクトとして返します。見つからなかった場合は「Nothing」を返します。この仕組みを踏まえると、基本的な利用方法は以下のようになります。

▼Findメソッドで検索する

```
Dim 結果セル As Range
Set 結果セル = 検索対象セル範囲.Find(各種引数を利用した設定)
If Not 結果セル Is Nothing Then
    検索対象が見つかった場合の処理
Else
    検索対象が見つからなかった場合の処理
End If
```

ちょっとややこしいですね。極端な話、確実に検索値が見つかるのであれば、次のような超シンプルなコードでも大丈夫です。次のコードは、**「Excel」と入力されているセルへ移動**します。

▼マクロ 12-42

```
'「Excel」と入力されているセルにジャンプ
Application.Goto Cells.Find("Excel")
```

きっちり「見つからなかった場合」の処理まで書こうとすると、少々長くなります。次のコードは、**C列から「古川」という値を持つセルを検索し、最初に見つかったセルを選択**します。

▼マクロ 12-43

```
Dim findCell As Range
'Findメソッドの結果を変数で受ける
Set findCell = Columns("C").Find(What:="古川")
'Nothingでなければ対象セルが見つかっている
If Not findCell Is Nothing Then
    findCell.Select
    MsgBox "検索対象が見つかりました：" & findCell.Address
Else
    MsgBox "対象セルは見つかりませんでした"
End If
```

実行例　最初に検索されたセルを選択

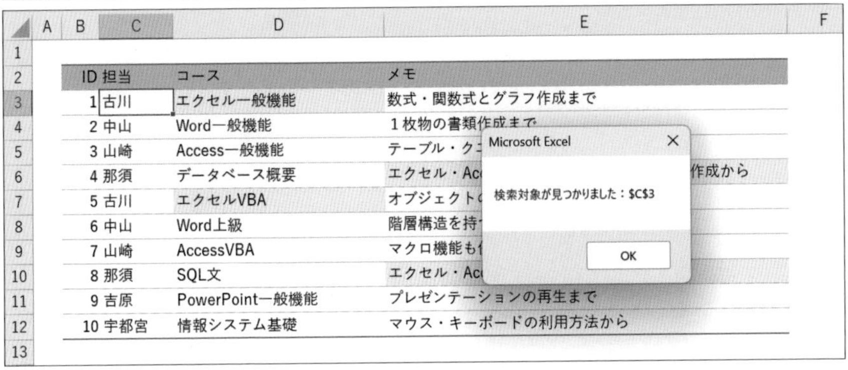

	A	B	C	D	E	F
1						
2		ID	担当	コース	メモ	
3		1	古川	エクセル一般機能	数式・関数式とグラフ作成まで	
4		2	中山	Word一般機能	1枚物の書類作成まで	
5		3	山崎	Access一般機能	テーブル・ク	
6		4	那須	データベース概要	エクセル・Acc　作成から	
7		5	古川	エクセルVBA	オブジェクト	
8		6	中山	Word上級	階層構造を持	
9		7	山崎	AccessVBA	マクロ機能も	
10		8	那須	SQL文	エクセル・Ac	
11		9	吉原	PowerPoint一般機能	プレゼンテーションの再生まで	
12		10	宇都宮	情報システム基礎	マウス・キーボードの利用方法から	
13						

Microsoft Excel

検索対象が見つかりました：$C$3

OK

「すべて検索」するには

Findメソッドは引数に指定した条件で検索を行い、「最初に見つかったセル」を返します。では、検索条件に合致するセルが複数ある場合、どのようにして、そのすべてのセルを取得すればよいのでしょうか。

すべてを検索するには、一般機能の次を検索に当たるFindNextメソッドを利用します。

▼すべてを検索する（FindNextメソッド）

```
セル範囲.FindNext(After:=検索の基準となるセル)
```

FindNextメソッドは、「同じ検索条件で、引数に指定したセルの『次のセル』から検索を行う」メソッドです。通常、引数には前回の検索で見つかったセルを指定します。直前の検索で見つかった結果セルを除外することで、同じセルが検索対象となってしまうことを防ぐわけですね。

次のコードは、**C列から「古川」という値を持つセルを検索し、見つかった場合には背景色を設定**します。

▼マクロ 12-44

```
Dim findCell As Range, firstCell As Range, targetRng As Range
'検索範囲をセット
Set targetRng = Columns("C")
'初回検索はFindメソッド
```

```
Set findCell = targetRng.Find(What:="古川")
'見つからなければ処理を終了
If findCell Is Nothing Then
    MsgBox "対象セルは見つかりませんでした"
    Exit Sub
End If
'初回のセルを記録しておく
Set firstCell = findCell
'2回目以降はFindNextメソッド
Do
    '見つかったセルに対する処理を記述(この例では背景色を変更)
    findCell.Interior.ThemeColor = msoThemeColorAccent4
    '「次のセル」を検索
    Set findCell = targetRng.FindNext(After:=findCell)
Loop Until findCell.Address = firstCell.Address
```

実行例　FindNextを併用して「すべて検索」

	A	B	C	D	E	F
1						
2		ID	担当	コース	メモ	
3		1	古川	エクセル一般機能	数式・関数式とグラフ作成まで	
4		2	中山	Word一般機能	1枚物の書類作成まで	
5		3	山崎	Access一般機能	テーブル・クエリ・レポートの基礎まで	
6		4	那須	データベース概要	エクセル・Accessでのテーブル形式のデータ作成から	
7		5	古川	エクセルVBA	オブジェクトの概要と制御構造まで	
8		6	中山	Word上級	階層構造を持つドキュメント作成中心	
9		7	山崎	AccessVBA	マクロ機能も併せて学習	
10		8	那須	SQL文	エクセル・Accessでの使用例も併せて学習	
11		9	吉原	PowerPoint一般機能	プレゼンテーションの再生まで	
12		10	宇都宮	情報システム基礎	マウス・キーボードの利用方法から	
13						

この手の「すべて検索」を行う処理を作成する際には、

1. 最初に見つかったセルへの参照を保持しておく
2. 1回目の検索はFind、以降はFindNextで検索する処理を、終了条件を満たすまでループ
3. ループの終了条件は「最新の検索対象セルが、保持していた最初の検索対象セルと同セルになった場合」に、「一回り検索が終わった」と判断して終了
4. セル同士の比較はIs演算子で行いたくなるが、Rangeオブジェクトは特殊で比較できないので(100ページ)、セル番地等の他の方法で比較

と、さまざまなポイントを押さえながらコードを記述していきます。はっきりと言ってしまうと、非常に煩雑で面倒なのです。

しかし、上記のポイントを押さえていったんコードを記述してしまえば、あとはそれをテンプレート的に利用して、いろいろな場面に「すべて検索」する処理を流用できます。最初の1回だけ頑張って仕組みを追ってみましょう。仕組みがわかったら、あとはコピーして必要な部分だけをカスタマイズしてしまえばOKです。応用すれば、「全シート検索」や「全ブック検索」の処理も作成できますね。

Replaceメソッドで置換する

「置換」機能をVBAから利用するReplaceメソッドは、置換対象としたいセル範囲に対して、次の引数を指定して実行します。

▼置換を行う(Replaceメソッド)

```
対象セル範囲.Replace 検索値, 置換値[, 各種引数:=値]
```

必須の引数は、検索値を指定する引数Whatと、置き換え後の値を指定する引数Replacementの2つのみです。その他の値を省略した場合は、「検索と置換」ダイアログの設定や、前回の置換設定を引き継ぎます。

▼Replaceメソッドの引数

引数	説明
What	検索する値。必須
Replacement	置き換え後の値。必須
LookAt	検索方法をxlWhole(完全一致)、xlPart(部分一致)で指定
SearchOrder	検索の優先方向をxlByRows(行方向)、xlByColumns(列方向)で指定
MatchCase	大文字・小文字の区別をTrue(行う)、False(行わない)で指定
MatchByte	全角・半角の区別をTrue(行う)、False(行わない)で指定
SearchFormat	書式検索をTrue(行う)、False(行わない)で指定
ReplaceFormat	書式の置換をTrue(行う)、False(行わない)で指定

次のコードは、**セル範囲B2:E12を対象に、「エクセル」を「Excel」へと置換**します。

▼マクロ 12-45

```
Range("B2:E12").Replace _
    What:="エクセル", Replacement:="Excel", LookAt:=xlPart
```

実行例　一括で置換

ID	担当	コース	メモ
1	古川	エクセル一般機能	数式・関数式とグラフ作成まで
2	中山	Word一般機能	1枚物の書類作成まで
3	山崎	Access一般機能	テーブル・クエリ・レポートの基礎まで
4	那須	データベース概要	エクセル・Accessでのテーブル形式のデータ作成から
5	古川	エクセルVBA	オブジェクトの概要と制御構造まで
6	中山	Word上級	階層構造を持つドキュメント作成中心
7	山崎	AccessVBA	マクロ機能も併せて学習
8	那須	SQL文	エクセル・Accessでの使用例も併せて学習
9	吉原	PowerPoint一般機能	プレゼンテーションの再生まで
10	宇都宮	情報システム基礎	マウス・キーボードの利用方法から

ID	担当	コース	メモ
1	古川	Excel一般機能	数式・関数式とグラフ作成まで
2	中山	Word一般機能	1枚物の書類作成まで
3	山崎	Access一般機能	テーブル・クエリ・レポートの基礎まで
4	那須	データベース概要	Excel・Accessでのテーブル形式のデータ作成から
5	古川	ExcelVBA	オブジェクトの概要と制御構造まで
6	中山	Word上級	階層構造を持つドキュメント作成中心
7	山崎	AccessVBA	マクロ機能も併せて学習
8	那須	SQL文	Excel・Accessでの使用例も併せて学習
9	吉原	PowerPoint一般機能	プレゼンテーションの再生まで
10	宇都宮	情報システム基礎	マウス・キーボードの利用方法から

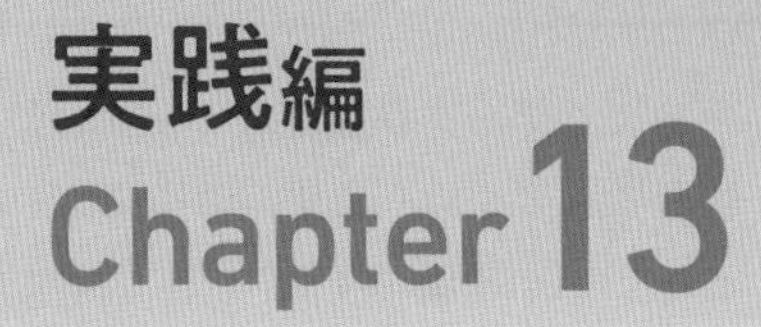

VBAでのファイル処理

本章では、「他のファイル」を操作する方法をご紹介します。特に、他のブックであったり、他のテキストファイルであったり、さまざまなファイルに保存されているデータを、Excelへと取り込む方法を中心にご紹介します。

本章の学習内容

❶ブックの取得と保存
❷複数ブックをまとめて扱う方法
❸ファイルやフォルダーの操作方法

section 01 他ブックのデータを取得する

必要なデータが複数のブックに散らばっている場合、何とかしてデータを1つに集める必要があります。手作業でやるにはなかなか面倒な作業ですが、こんなときこそVBAの出番です。

基本は開いてアクセス

他のブックのデータを扱う際の基本は、目的のブックを扱うWorkbookオブジェクトを取得し、そこ経由で操作するというスタイルになります。

目的のブックが既に開いているのであれば、Workbooksコレクション経由で取得できます。次のコードは、**既に開いている「支店A.xlsx」へアクセスし、1枚目のシートのセルA1に「Hello」と入力**します。

▼マクロ 13-1

```
Workbooks("支店A.xlsx").Worksheets(1).Range("A1").Value = "Hello"
```

しかし、目的のブックが開いていない場合は、そのブックを開いてアクセスする必要があります。データだけがほしい場合でも、「開いて、データを取得したら、閉じる」という操作が基本となります。

他のブックを開く場合の典型的な操作

ブックを開く際には、WorkbooksコレクションのOpenメソッドに、ブックを保存してある場所へのパスを渡して実行します。

▼ブックを開く（Workbooks.Openメソッド）

```
Workbooks.Open 開きたいブックのパス
```

また、Openメソッドは戻り値として、開いたブックを扱うWorkbookオブジェクトを返します。つまり、Openメソッドの戻り値をオブジェクト（Workbook）型の変数にセットしておけば、以降、その変数を経由して開いたブックを操作できます。

▼Openメソッドと変数の組み合わせ

```
Dim 変数 As Workbook
Set 変数 = Workbooks.Open(ブックへのパス)
```

次のコードは、**「C:¥excel」フォルダー内にある「支店データ.xlsx」を開き、セルA1に「Hello」と書き込み**を行います。

▼操作対象としたいブックの保存場所

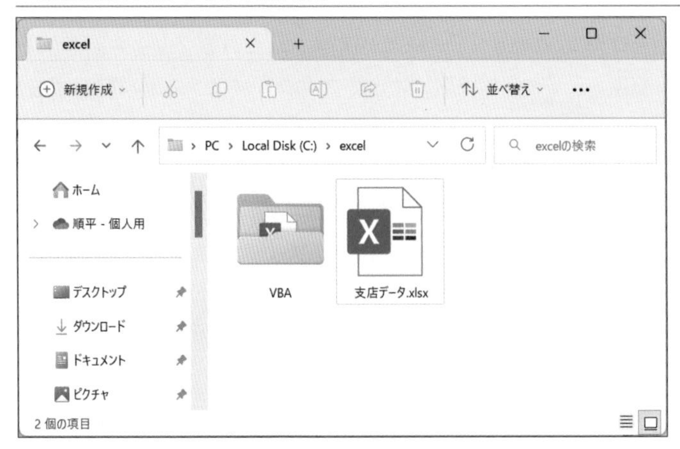

▼マクロ 13-2

```
Dim book As Workbook
Set book = Workbooks.Open("C:¥excel¥支店データ.xlsx")
book.Worksheets(1).Range("A1").Value = "Hello"
```

ブックを開いた際の注意点

ブックを開く系の操作を行った場合に注意したいのが、「アクティブなブックが変更される」という点です。

Openメソッドでブックを開くと、その時点でアクティブなブックは開いたブックとなります。この仕組みを意識できていないと、次のようなミスを起こしがちになります。次のコードは、**「C:¥excel」フォルダー内にある「支店データ.xlsx」を開き、セル範囲B2:D10にあるデータを、元のブックのセルB2を起点として転記**しようとするものです。

▼マクロ 13-3

```
Dim book As Workbook
'ブックを開く
Set book = Workbooks.Open("C:¥excel¥支店データ.xlsx")
'開いたブックのデータをコピー
book.Worksheets(1).Range("B2:D10").Copy
'元のブックのセルB2に転記する「つもり」のコード
Range("B2").PasteSpecial xlPasteAll
```

上記コードで想定している処理は、「データが保存されているブックを開き、そのブックの特定セル範囲を、マクロ実行開始時点でアクティブなシートへ転記する」というものです。

この場合、問題となるのは、最下行の「Range("B2")」の部分です。Rangeプロパティは「アクティブなシートのセル」を取得するためのプロパティです。しかし、ブックを開いた時点でアクティブなシートは、開いたブック上のシートへと変わっています。

つまり、このコードは、「開いたブックの1枚目のシート上のセル範囲をコピー」後に、「開いたブックのアクティブなシートのセルB2に貼り付け」するコードとなってしまっています。

上記のコードを手直しするとすれば、**対象ブックを開く前に、「アクティブなシート」を変数へセットしておき、貼り付ける際にはその変数経由でセルを指定する**といった処理へと変更します。

▼マクロ 13-4

```
Dim targetSheet As Worksheet, book As Workbook
'実行開始時のアクティブシートを保持
Set targetSheet = ActiveSheet
'ブックを開く
Set book = Workbooks.Open("C:¥excel¥支店データ.xlsx")
'開いたブックのデータをコピー
book.Worksheets(1).Range("B2:D10").Copy
'保持しておいたシートへ貼り付け
targetSheet.Range("B2").PasteSpecial xlPasteAll
```

また、データの貼り付け先を「マクロを記述したブック」上のシートにしたい場合には、ThisWorkbookプロパティが便利です。ThisWorkbookプロパティは、アクティブシートに依存せず､常に「そのマクロが記述されているブック」を返します。

次のコードは､**「C:¥excel」フォルダー内の「支店データ.xlsx」を開き､1枚目のシートのセルB2から始まるセル範囲をマクロの記述されたブックへと転記後に、閉じます**。

▼マクロ 13-5

```
Dim book As Workbook
'ブックを開く
Set book = Workbooks.Open("C:¥excel¥支店データ.xlsx")
'開いたブックのデータをコピー
book.Worksheets(1).Range("B2").CurrentRegion.Copy
'マクロを記述したブックに貼り付け
ThisWorkbook.Worksheets(1).Range("B2").PasteSpecial xlPasteAll
'閉じる
book.Close
```

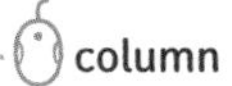

見かけ上はブックを開かずに転記するには

「ブックを開き、転記後、閉じる」という処理は、時間はそれほどかからないものの、実際に画面上で一瞬ブックが開いた状態が見えてから閉じます。つまり、チラチラするのです。このチラつきを起こさずに処理を行うには、ScreenUpdatingプロパティを利用して､画面更新を一時的にオフにします。詳しくは624ページを参照してください。

覚えておくと便利な相対的なパスの作成方法

ブックのパスを指定する際に覚えておくと便利なのが、WorkbookオブジェクトのPathプロパティです。Pathプロパティは、そのブックの保存されているフォルダーまでのパス文字列を返します。次のコードは、**アクティブなブックのパスをメッセージボックスに表示**します。ブックを任意のフォルダーに保存してから実行してください。

▼マクロ 13-6

```
'アクティブなブックのパスを表示
MsgBox "パス：" & ActiveWorkbook.Path
```

実行例 ブックの保存されているフォルダーまでのパスを取得

この値を利用すれば、あるブックと同じフォルダー内のブックのパスを簡単に作成できます。例えば、マクロの記述されているブックと同フォルダー内にある「支店データ.xlsx」のパスは「ThisWorkbook.Path & "¥支店データ.xlsx"」と表せます。「現在進行中の業務のファイルはデスクトップ上にフォルダーを作って作業を行い、作業が終わったらバックアップ用のフォルダーへと移動する」ような、ファイルの保存場所が変わるようなケースでも、特定のブックのパスを基準とした相対的なパスとなるため、コードを変更することなく運用できますね。

ブックを閉じるには？

特定のブックを閉じる場合には、Closeメソッドを利用します。

▼ブックを閉じる（Closeメソッド）

```
Workbookオブジェクト.Close [SaveChanges]
```

次のコードは、**アクティブなブックを閉じます**。

▼マクロ 13-7

```
ActiveWorkbook.Close
```

また、閉じようとしているブックに変更がある場合、Closeメソッド実行時に保存確認メッセージが表示されますが、このメッセージを表示させずに「変更を保存しないまま閉じる」場合には、引数SaveChangesに「False」を指定してCloseメソッドを実行します。次のコードは、**アクティブなブックを、変更を保存せずに閉じます**。

▼マクロ 13-8

```
ActiveWorkbook.Close SaveChanges:=False
```

逆に、上書き保存してから閉じたい場合には、引数SaveChangesに「True」を指定します。次のコードは、**アクティブなブックを、変更を保存して閉じます**。

▼マクロ 13-9

```
ActiveWorkbook.Close SaveChanges:=True
```

こちらの場合も、確認メッセージは表示されません。

3パターンのブック保存方法

既に一度は保存されているブックを上書き保存するには、Saveメソッドを利用します。

▼ブックを上書き保存する（Saveメソッド）

```
Workbookオブジェクト.Save
```

次のコードは、**アクティブなブックを上書き保存**します。

▼マクロ 13-10

```
ActiveWorkbook.Save
```

未保存のブックや既存のブックを名前を付けて保存するには、SaveAsメソッドを利用します。ブック名は引数Filenameに「パスを含むパス文字列で」指定します。

▼ブックを名前を付けて保存する（SaveAsメソッド）

```
Workbookオブジェクト.SaveAs Filename
```

次のコードは、**アクティブなブックに「C:¥excel¥バックアップ¥売上データ.xlsx」というパスと名前を付けて保存**します。「C:¥excel¥バックアップ」フォルダーを用意し、マクロを含まないブックに対して実行してください。

▼マクロ 13-11

```
ActiveWorkbook.SaveAs Filename:="C:¥excel¥バックアップ¥売上データ.xlsx"
```

実行例　任意のフォルダー内に名前を付けて保存

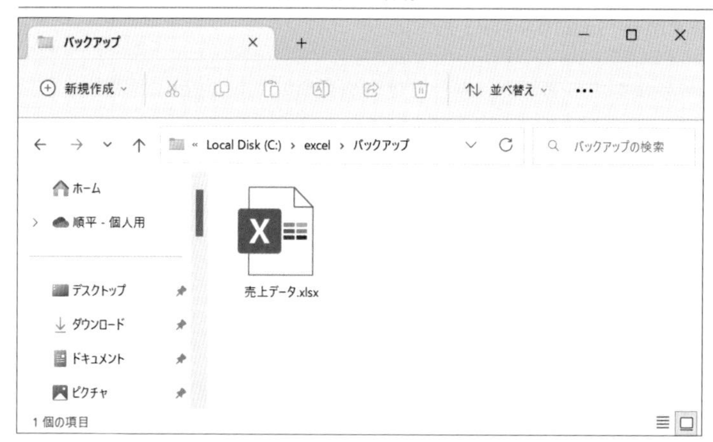

パス文字列を指定する際には、一度にパス文字列を作成するのではなく、フォルダーを指定する部分を最初に作成し、その後、ファイル名を指定する部分と連結する形にしておくのもよいですね。次のコードは、**「C:¥excel¥バックアップ」フォルダーへのパスを作成したうえで、ブック名「売上データ.xlsx」と連結して保存**します。

▼マクロ 13-12

```
'保存したいフォルダーへのパス文字列を作成
Dim folderPath As String
folderPath = "C:¥excel¥バックアップ"
'ブック名と連結したパスを作成して保存
ActiveWorkbook.SaveAs Filename:=folderPath & "¥売上データ.xlsx"
```

バックアップを取りたいとき等、ブックのコピーを作成して保存する場合には、SaveCopyAsメソッドを利用します。

▼ブックのコピーを作成して保存する（SaveCopyAsメソッド）

```
Workbookオブジェクト.SaveCopyAs Filename[, パスワード]
```

コピー&保存するブック名の指定は、SaveAsメソッドと同じく、引数Filenameで指定します。保存したファイルにパスワードを設定することもできます。

次のコードは、**アクティブなブックと同じフォルダー内に、アクティブなブックのブック名の末尾に「_年月日」を付加する形で複製を保存**します。

▼マクロ 13-13

```
Dim book As Workbook, newName As String, fmtText As String
Set book = ActiveWorkbook
'ブック名に日付データを付加したパス文字列を作成
newName = Split(book.FullName, ".")(0)
'マクロの有無によって接尾辞を作成する書式を変更してパス文字列作成
fmtText = IIf(book.HasVBProject, _
    "_yyyymmdd.xl¥s¥m", "_yyyymmdd.xl¥sx")
newName = newName & Format(Date, fmtText)
'現在のブックのコピーを、作成したパス文字列で保存
ActiveWorkbook.SaveCopyAs Filename:=newName
```

実行例　複製を保存

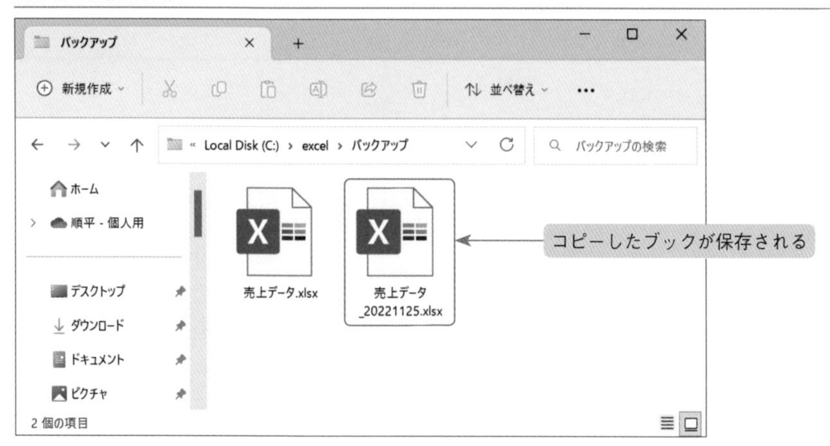

column

プレースホルダーのエスケープ

マクロ13-13のコードでは、日付を元にファイル名を生成する際に、Format関数を利用しています。この際、拡張子を付加する書式として、「xl¥sx」や「xl¥s¥m」と、「s」「m」の前に「¥」を挟んでいます。これは、「s」「m」は「秒」「分」のプレースホルダーであるため、そのまま文字列の「s」や「m」として扱ってもらうために、直前にエスケープ文字の「¥」を付けてエスケープしている書式となります。

パスワード付きで保存する

ブックをパスワード付きで保存するには、SaveAsメソッドの引数Passwordにパスワード文字列を指定して実行します。次のコードは、**アクティブなブックに「pass」というパスワードを付けて保存**します。なお、ファイルを保存するマクロは、保存先として扱うフォルダー（ディレクトリ）にアクセス権限が設定されている場合には、実行できないことがあります。

▼マクロ 13-14

```
ActiveWorkbook.SaveAs _
                        Filename:="C:¥excel¥バックアップ¥売上データ.xlsx", _
                        Password:="pass"
```

実行例　パスワードをかけて保存する

パスワード	? ×
'売上データ.xlsx' は保護されています。	
パスワード(P):	****
OK	キャンセル

保存したブックを開く際には、パスワードが要求されるようになります。なお、パスワードをかけたブックをマクロで開く場合には、Openメソッドの引数Passwordに、パスワード文字列を指定して実行します。

次のコードは、**「売上データ.xlsx」をパスワード「pass」を指定して開きます**。

▼マクロ 13-15

```
Workbooks.Open _
                Filename:="C:¥excel¥バックアップ¥売上データ.xlsx", _
                Password:="pass"
```

マクロを含むかどうかを判定して保存する

ブックを保存する際、マクロを含むブックは拡張子「.xlsm」で、含まないブックは拡張子「.xlsx」で保存する必要があります。

対象ブックがマクロを含むかどうかはWorkbookオブジェクトのHasVBProjectプロパティで判定できます。また、マクロを含むブックを保存する場合には、バック名の拡張子を「.xlsm」としたうえで、SaveAsプロパティの引数FileFormatに、定数xlOpenXMLWorkbookMacroEnabledを指定して実行します。

次のコードは、**アクティブなブックのマクロの有無に応じて、拡張子を「.xlsx」「.xlsm」に切り替えて指定フォルダー内に保存**します。

▼マクロ 13-16

```
Dim book As Workbook, baseName As String, path As String
'保存先のパス指定
path = "C:¥excel¥バックアップ¥"
'アクティブなブックを取得
Set book = ActiveWorkbook
'ブックの拡張子を除いた名前を取得
baseName = Split(book.Name, ".")(0)
'マクロの有無によって保存方法を変更
If book.HasVBProject = True Then
    '指定フォルダー内にxlsm形式で保存
    book.SaveAs _
        Filename:=path & baseName & ".xlsm", _
        FileFormat:=xlOpenXMLWorkbookMacroEnabled
Else
    '指定フォルダー内にxlsx形式で保存
    book.SaveAs _
        Filename:=path & baseName & ".xlsx"
End If
```

実行例　マクロを含むブックを保存

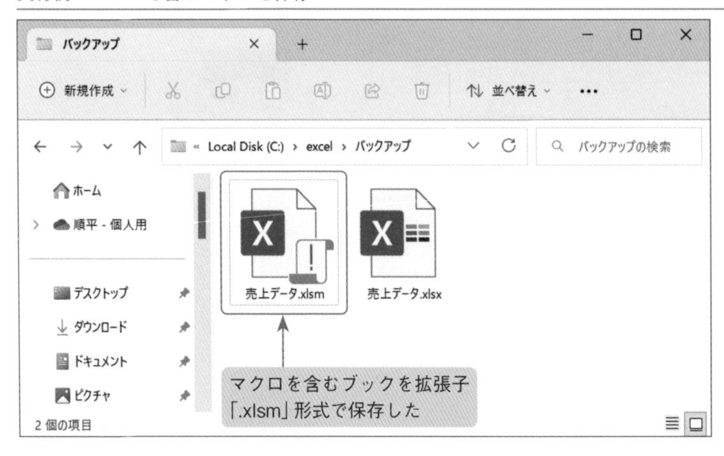

section 02 複数ブックをまとめて処理する

複数のブックに点在しているデータを1つのブックにまとめる処理を考えてみましょう。まずは既に開いているブックのケースからスタートし、開いていないブックの場合、そして、特定のフォルダー内に保存されているブックをまとめて扱う方法までをご紹介します。

処理対象のブックのリストを作成してループ処理する

開いているブックを対象にする場合の基本的な考え方は、まず扱うブックのリストを作成し、ループ処理です。リストに関しては、「Workbookオブジェクトのリスト」を作成するよりも「ブック名のリスト」を作成する方が手軽で簡単です。リストについては182ページを参照してください。

次図のように、「売上」シートのセルB2を起点とする表形式のデータを持つ、「支店A.xlsx」「支店B.xlsx」「支店C.xlsx」の3つのブックが開いているとします。

▼処理対象としたい複数のブック

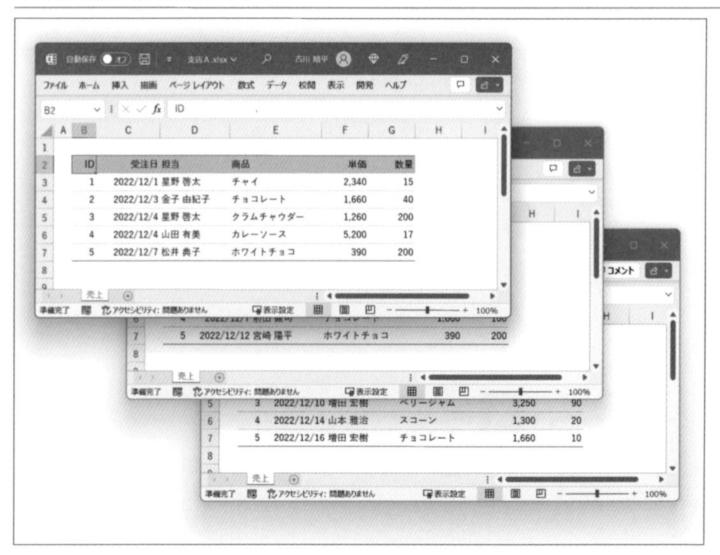

このデータを、「集計」シートを持つブックにまとめてみましょう。なお、今回は「集計」シートに、次図のような見出し部分をあらかじめ用意してあるとします。

▼集計先となる「集計」シートの状態

次のコードは、**既に開いている「支店A.xlsx」「支店B.xlsx」「支店C.xlsx」の3つのブックの「売上」シートのセルB2を起点とする範囲のデータをコピーし、「集計」シートのセルに転記**します。

▼マクロ 13-17

```
Dim bookNameList() As Variant, tmpName As Variant
Dim copyRng As Range, pasteRng As Range
'ブック名のリスト作成
bookNameList = Array("支店A.xlsx", "支店B.xlsx", "支店C.xlsx")
'リストに対してループ処理
For Each tmpName In bookNameList
    '個々のブックの「売上」シートのセルB2から始まる表部分を取得
    Set copyRng = _
        Workbooks(tmpName). _
        Worksheets("売上").Range("B2").CurrentRegion
        'マクロ記述ブックの「集計」シートのB列から転記開始位置となるセルを取得
    Set pasteRng = _
        ThisWorkbook.Worksheets("集計"). _
        Cells(Rows.Count, "B").End(xlUp).Offset(1)
    '表の見出しを除くデータ部分をコピー
    copyRng.Rows("2:" & copyRng.Rows.Count).Copy
```

```
    '転記開始位置を起点に値のみ貼り付け
    pasteRng.PasteSpecial xlPasteValues
Next
```

実行例　集計結果

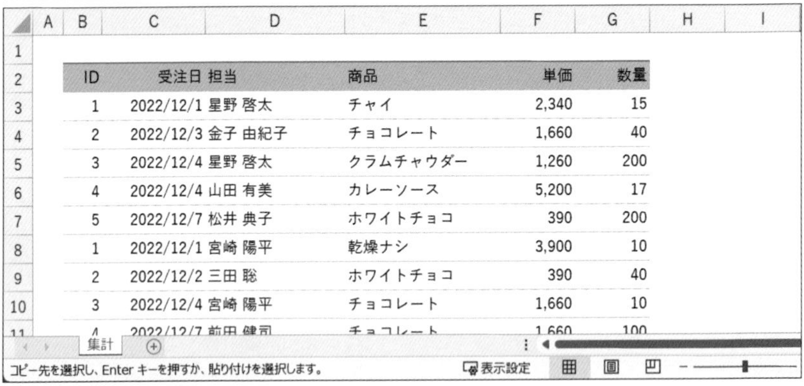

ID	受注日	担当	商品	単価	数量
1	2022/12/1	星野 啓太	チャイ	2,340	15
2	2022/12/3	金子 由紀子	チョコレート	1,660	40
3	2022/12/4	星野 啓太	クラムチャウダー	1,260	200
4	2022/12/4	山田 有美	カレーソース	5,200	17
5	2022/12/7	松井 典子	ホワイトチョコ	390	200
1	2022/12/1	宮崎 陽平	乾燥ナシ	3,900	10
2	2022/12/2	三田 聡	ホワイトチョコ	390	40
3	2022/12/4	宮崎 陽平	チョコレート	1,660	10
4	2022/12/7	前田 健司	チョコレート	1,660	100

集計

コピー先を選択し、Enter キーを押すか、貼り付けを選択します。　表示設定

処理中では、ブック名のリストをArray関数（182ページ）で作成し、そのリストに対し、For Eachステートメントでループ処理を行っています。ループ処理内で注目してほしいのは、「Workbooks(tmpName)」の部分です。For Eachステートメントにより、変数tmpNameにセットされた個々のブック名を利用して、リスト化したブックへの操作を行っています。

残りの部分は、ざっくり言うと「コピーして転記」です。今回は各ブックの見出しを除くセル範囲をコピーしていますが、このあたりの各ブックに対して行う処理は、お好みで変更してください。

閉じているブックを一気に集計する

では次に、閉じているブックの場合の処理を見ていきましょう。「リスト化→ループ処理」という基本の流れはそのままに、ブックを開く処理と閉じる処理を付け加えます。

次のコードは、**マクロを実行するブックと同じフォルダーにある「支店A.xlsx」「支店B.xlsx」「支店C.xlsx」の3つのブックの「売上」シートのセルB2を起点とする範囲のデータをコピーし、「集計」シートのセルに転記**します。

▼マクロ 13-18

```
Dim bookPathList() As Variant, tmpPath As Variant
Dim tmpBook As Workbook, copyRng As Range, pasteRng As Range
'ブックのパス文字列のリスト作成
bookPathList = Array( _
    ThisWorkbook.path & "¥支店A.xlsx", _
    ThisWorkbook.path & "¥支店B.xlsx", _
    ThisWorkbook.path & "¥支店C.xlsx" _
)
'リストに対してループ処理
For Each tmpPath In bookPathList
    '個々のブックを開く
    Set tmpBook = Workbooks.Open(tmpPath)
    '「売上」シートのデータをコピーして貼り付け
    Set copyRng = _
        tmpBook.Worksheets("売上").Range("B2").CurrentRegion
    Set pasteRng = _
        ThisWorkbook.Worksheets("集計"). _
        Cells(Rows.Count, "B").End(xlUp).Offset(1)
    copyRng.Rows("2:" & copyRng.Rows.Count).Copy
    pasteRng.PasteSpecial xlPasteValues
    'ブックを閉じる
    tmpBook.Close
Next
```

ブックのパス文字列のリストを作成し、For Eachステートメントでループ処理を行います。ループ処理内では、リストの値を利用してブックを開き、データをコピーしてブックを閉じます。

この、「パスのリスト化→開く→ブックに対する処理→閉じる」という一連の流れが、開いていないブックをまとめて扱う際の基本の流れとなります。

覚えておきたいフォルダーを丸ごと集計する仕組み

最後に、特定のフォルダー内にあるExcelブックをまとめて集計する仕組みを見ていきましょう。例えば、マクロを記述してあるブックと同じ階層に、「集計用」フォルダーがあるとします。

▼特定フォルダー内のブックを一括集計したい

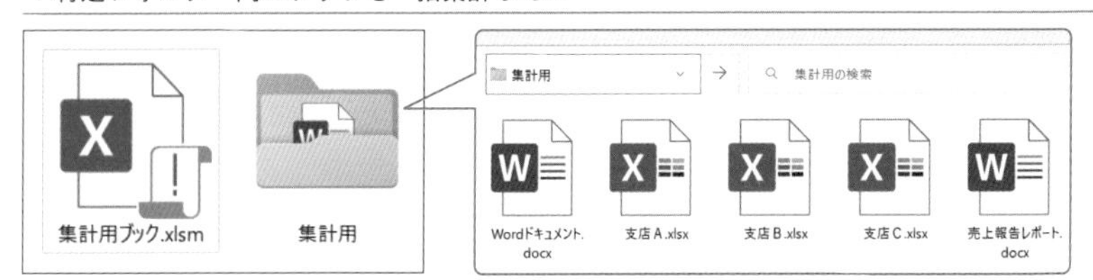

「集計用」フォルダーの中には、Excelブックの他にも、いくつかのファイルが保存されています。このとき、Excelブックのみのパス文字列のリストが自動作成できれば、前トピックでご紹介した方法へと当てはめて、ブックの集計ができますよね。つまり、フォルダー内のExcelブックのパス文字列リストの作り方がわかればよいわけですね。

そこで、指定したフォルダー内のExcelブック（拡張子「xlsx」のファイル）のリストを作成するマクロを作成してみましょう。いろいろな方法がありますが、今回は、FileSystemObject（479ページ）を利用して、下記のようなコードを作成してみました。次のコードは、**「集計用」フォルダー内にあるExcelブックのパスのリストを作成し、出力し**ます。「集計用」フォルダーと同じ場所にあるブックから実行してください。

▼マクロ 13-19

```
Dim fso As Object, dic As Object
Dim tmpfile As Object, tmpExtension As String
'FileSystemObjectとDictionaryを生成
Set fso = CreateObject("Scripting.FileSystemObject")
Set dic = CreateObject("Scripting.Dictionary")
'「集計用」フォルダー内の拡張子が「xlsx」のファイルのパスを辞書登録
With fso.GetFolder(ThisWorkbook.path & "¥集計用")
    For Each tmpfile In .Files
        tmpExtension = fso.GetExtensionName(tmpfile)
        If tmpExtension = "xlsx" Then
            dic.Add tmpfile.path, "dummy"
        End If
    Next
End With
'登録されたリストを確認
Debug.Print Join(dic.Keys, vbCrLf)
```

実行例　「集計用」フォルダー内のブックのパスのみからリストを作成

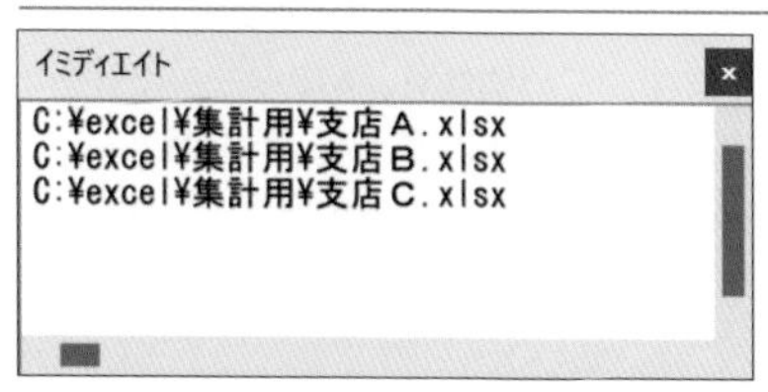
イミディエイト
C:¥excel¥集計用¥支店A.xlsx
C:¥excel¥集計用¥支店B.xlsx
C:¥excel¥集計用¥支店C.xlsx

FileSystemObjectの利用方法は、479ページ以降の解説を参照してください(説明が前後して申し訳ありません)。

column

リストの作成処理を関数化する

フォルダー内のExcelブックのリストを作成するコードで行っている内容は、「FileSystemObjectを利用して、『集計用』フォルダー内の拡張子『xlsx』のファイルをDictionaryオブジェクトに登録し、1次元配列のリストとして取り出す」という内容となっています。　せっかくですので、この一連の処理を関数にしてみましょう。

▼マクロ 13-20

```
'引数に指定したフォルダー内のExcelブックのパス文字列のリストを返す関数
Function getBookPathList(folderPath As String) As Variant
    Dim dic As Object, tmpfile As Object, tmpExtension As String
    Set dic = CreateObject("Scripting.Dictionary")
    '引数folderPathのフォルダー内の拡張子「xlsx」のファイルのパスを登録
    With CreateObject("Scripting.FileSystemObject")
        For Each tmpfile In .GetFolder(folderPath).Files
            tmpExtension = .GetExtensionName(tmpfile)
            If tmpExtension = _
                "xlsx" Then dic.Add tmpfile.path, "dummy"
        Next
    End With
    getBookPathList = dic.Keys
End Function
```

作成した関数「getBookPathList」は、引数に指定したパス文字列のフォルダーから、Excelブックのみのリストを1次元配列の形で返します。この関数を、473ページで作成したコード（マクロ13-17）のブックパスのリスト作成部分に利用すれば、あとのコードは変更することなく「集計用」フォルダー内のExcelブックのデータを集計できます。

▼マクロ 13-21

```
Dim bookPathList() As Variant, tmpPath As Variant
Dim tmpBook As Workbook, copyRng As Range, pasteRng As Range
'ブックのパス文字列のリスト作成
'bookPathList = Array( _
'    ThisWorkbook.path & "¥支店A.xlsx", _
'    ThisWorkbook.path & "¥支店B.xlsx", _
'    ThisWorkbook.path & "¥支店C.xlsx" _
')
'フォルダー内のブックを集計
bookPathList = getBookPathList(ThisWorkbook.path & "¥集計用")
'リストに対してループ処理
For Each tmpPath In bookPathList
    '個々のブックを開く
    Set tmpBook = Workbooks.Open(tmpPath)
    '「売上」シートのデータをコピーして貼り付け
    Set copyRng = _
        tmpBook.Worksheets("売上").Range("B2").CurrentRegion
    Set pasteRng = _
        ThisWorkbook.Worksheets("集計"). _
        Cells(Rows.Count, "B").End(xlUp).Offset(1)
    copyRng.Rows("2:" & copyRng.Rows.Count).Copy
    pasteRng.PasteSpecial xlPasteValues
    'ブックを閉じる
    tmpBook.Close
Next
```

このように「リストの作り方」を工夫すれば、さまざまな形でブックの集計ができるようになりますね。

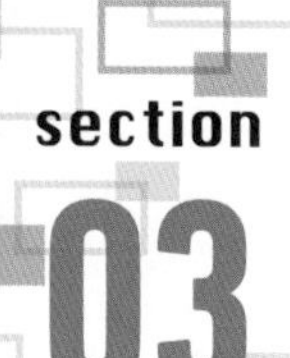

section 03 ファイル・フォルダー操作の定番は FileSystemObject

VBAからファイル処理全般を行うには、大きく分けて2つの方法があります。1つ目はOpenステートメントを利用する方法、2つ目は外部ライブラリであるFileSystemObjectを利用する方法です。

Openステートメントは、もの凄く古くからある手続き型ベースの方法であり、FileSystemObjectはオブジェクトベースの方法です。本書では、そのうちの「FileSystemObjectを利用する方法」をご紹介します。

FileSystemObjectとは

FileSystemObject（FSO）は、外部ライブラリであるMicrosoft Scripting Runtimeに用意されている、ファイルやフォルダーの操作に特化したオブジェクトです。

FSOのオブジェクトの生成はCreateObject関数（224ページ）で行います。その際のクラス文字列はScripting.FileSystemObjectとなります。

▼FSOオブジェクトを生成する際のクラス文字列

```
CreateObject("Scripting.FileSystemObject")
```

▼FileSystemObjectに用意されているメソッド（抜粋）

メソッド	用途
GetFolder	指定パスのフォルダーを扱うFolderオブジェクトを返す
GetFile	指定パスのファイルを扱うFileオブジェクトを返す
CreateFolder	新規フォルダーを作成
GetExtensionName	指定パスのファイルの拡張子文字列を返す
FileExists	指定パスのファイルが存在するかどうかを返す

FSOのGetFolderメソッドやGetFileメソッドを利用すると、該当のフォルダーやファイルを扱うFolderオブジェクトやFileオブジェクトを取得できます。フォルダーやファイルに関する操作は、取得したFolderオブジェクトやFileオブジェクトの各種プロパティ/メソッドから行います。

▼Folderオブジェクトのプロパティ/メソッド(抜粋)

プロパティ/メソッド	用途
Nameプロパティ	フォルダー名を取得/設定
Pathプロパティ	パス文字列を取得
Filesプロパティ	フォルダー内のファイルを扱うコレクション(Filesコレクション)を取得
Copyメソッド	フォルダーごとコピー
Deleteメソッド	フォルダーごと削除
Moveメソッド	フォルダーごと移動

▼Fileオブジェクトのプロパティ/メソッド(抜粋)

プロパティ/メソッド	用途
Nameプロパティ	ファイル名を取得/設定
Pathプロパティ	パス文字列を取得
ParentFolderプロパティ	ファイルの保存されているフォルダーを取得
Copyメソッド	ファイルのコピー
Deleteメソッド	ファイルの削除
Moveメソッド	ファイルの移動

FileSystemObjectの利用方法

FSOの基本的な利用方法は、「CreateObjectでFSO生成→ファイル/フォルダーを取得→ファイル/フォルダーを操作」という流れとなります。FSOの利用例をいくつかご紹介しましょう。

●ファイル一覧の取得する

次のコードは、**マクロを実行するブックが保存されているフォルダー内にあるファイルの一覧を取得し、出力**します。

▼マクロ 13-22

```
Dim fso As Object, tmpfile As Object
Set fso = CreateObject("Scripting.FileSystemObject")
```

```
'ブックが保存してあるフォルダー内のファイルに対してループ処理
For Each tmpfile In fso.GetFolder(ThisWorkbook.Path).Files
    Debug.Print tmpfile.Name
Next
```

実行例　フォルダー内のファイル一覧を取得

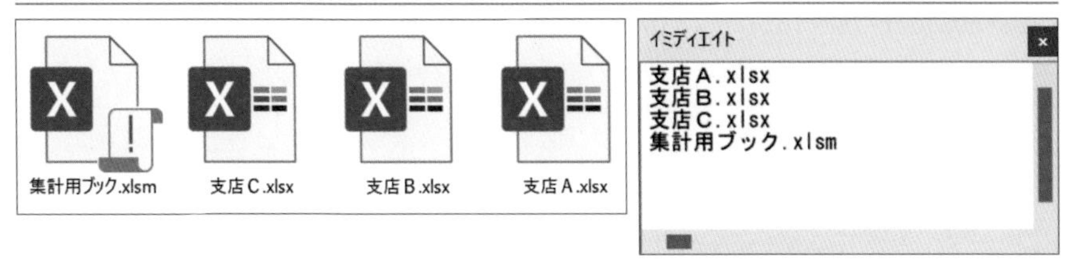

●特定のファイルをコピーする

次のコードは、**「C:¥excel¥バックアップ¥売上データ.xlsx」をファイル名に「バックアップ」と付け加えた名前でコピー**します。

▼マクロ 13-23

```
Dim fso As Object, path As String
Set fso = CreateObject("Scripting.FileSystemObject")
path = "C:¥excel¥バックアップ¥売上データ.xlsx"
'ファイルが存在する場合はコピー
If fso.FileExists(path) Then
   fso.GetFile(path).Copy Replace(path, ".xlsx", "_バックアップ.xlsx")
End If
```

実行例　任意のファイルを任意の名前でコピー

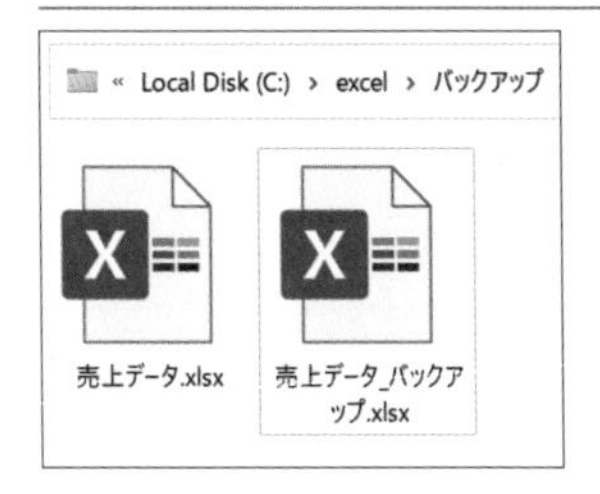

●ファイル名を変更する（リネームする）

次のコードは、**「C:¥excel¥バックアップ¥売上データ.xlsx」のファイル名を「変更後の名前.xlsx」に変更**します。

▼マクロ13-24

```
CreateObject("Scripting.FileSystemObject") _
    .GetFile("C:¥excel¥バックアップ¥売上データ.xlsx") _
    .Name = "変更後の名前.xlsx"
```

実行例　ファイルのリネーム

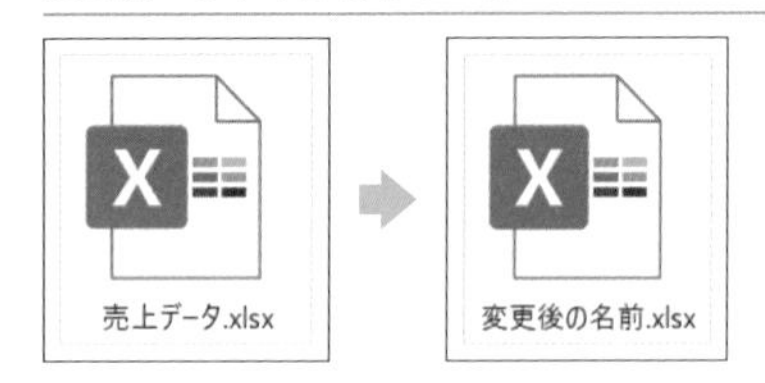

●フォルダーごとコピーする

次のコードは、**マクロを記述したブックと同じ場所にある「支店データ」フォルダーを、「バックアップ」を加えたフォルダー名でコピー**します。

▼マクロ 13-25

```
Dim tmpFolder As Object
'マクロを記述したブックと同じ場所にある「支店データ」フォルダーを取得
Set tmpFolder = _
    CreateObject("Scripting.FileSystemObject") _
        .GetFolder(ThisWorkbook.path & "¥支店データ")
'フォルダーごとコピー
tmpFolder.Copy ThisWorkbook.path & "¥支店データ_バックアップ"
```

実行例　フォルダー単位でコピー

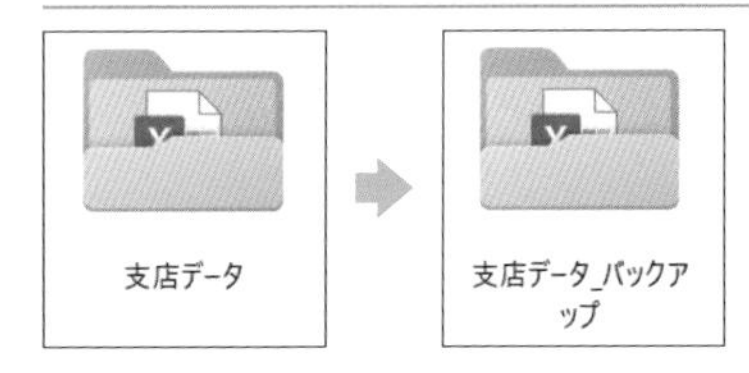

column

より詳しくFileSystemObjectに関して調べたい場合は

FSO、Folderオブジェクト、Fileオブジェクト等についてより詳しく知りたい場合には、MSDNのリファレンス(https://learn.microsoft.com/ja-jp/previous-versions/windows/scripting/cc409800(v=msdn.10))を参照してください。

また、VBEの参照設定(227ページ)において、「Microsoft Scripting Runtime」に参照を行ったうえで、オブジェクトブラウザーで「Scripting」に関して見てみると、用意されているオブジェクトとプロパティ/メソッドを調べることが可能です。

ちなみに、連想配列(192ページ)を扱うDictionaryオブジェクトも同じライブラリ内に用意されています。一度は参照設定して用意されている機能を眺めてみると、利用できそうなものを発見できるかもしれませんね。

ファイルやフォルダーの選択を行うダイアログを表示する

処理対象のファイルやフォルダーをユーザーに選択してもらいたい場合には、専用のダイアログを表示するFileDialogオブジェクトが便利です。

▼FileDialogオブジェクトのプロパティ/メソッド(抜粋)

プロパティ/メソッド	用途
Titleプロパティ	表示タイトルを設定
InitialFileNameプロパティ	初期フォルダーを設定
AllowMultiSelectプロパティ	複数選択設定をTrue(可能)、False(不可能)で指定
SelectedItemプロパティ	選択したファイル/フォルダーを取得
Showメソッド	ダイアログを表示。選択せずに閉じた場合は「0」を、選択した場合は「-1」を返す

ダイアログは4種類が用意されており、対応するFileDialogオブジェクトは、ApplicationオブジェクトのFileDialogプロパティに、以下の4種類のMsoFileDialogType列挙の定数を指定して取得します。

▼ファイル操作のダイアログを取得する(Application.FileDialogプロパティ)

```
Application.FileDialog(ダイアログの種類)
```

▼MsoFileDialogType列挙の定数

定数	値	用途
msoFileDialogFilePicker	3	「ファイルを選択する」ダイアログの指定
msoFileDialogFolderPicker	4	「フォルダーを選択する」ダイアログの指定
msoFileDialogOpen	1	「ファイルを開く」ダイアログの指定
msoFileDialogSaveAs	2	「ファイルを保存する」ダイアログの指定

次のコードは、**ファイルを選択する用途のダイアログを取得**します。取得するのみで、表示はされません。

▼マクロ 13-26

```
Dim fd As FileDialog
'ファイル選択ダイアログを取得
Set fd = Application.FileDialog(msoFileDialogFilePicker)
```

FileDialogオブジェクトは、下準備を各種プロパティで設定後に、Showメソッドで表示というスタイルでコードを記述していきます。

また、Showメソッドは、ユーザーの選択結果を「0(選択をキャンセル)」か「-1(選択を行った)」の戻り値で返します。ユーザーが選択を行った際、選択したファイルやフォルダーのパス情報は、SelectedItemプロパティに、インデックス番号「1」から始まる配列の形で格納されます。次のコードは、**ファイルを選択するダイアログを表示し、選択結果を取得**します。

▼マクロ 13-27

```
Dim fd As FileDialog
'ファイル選択ダイアログを取得
Set fd = Application.FileDialog(msoFileDialogFilePicker)
'表示タイトルと初期フォルダー設定
With fd
    .Title = "ファイルを選択してください"
    .InitialFileName = ThisWorkbook.path
End With
'表示して選択結果を取得
If fd.Show = 0 Then
    Debug.Print "選択をキャンセルしました"
```

```
Else
    Debug.Print "選択ファイル名：", fd.SelectedItems(1)
End If
```

実行例　ファイル選択ダイアログで選択ファイルを取得

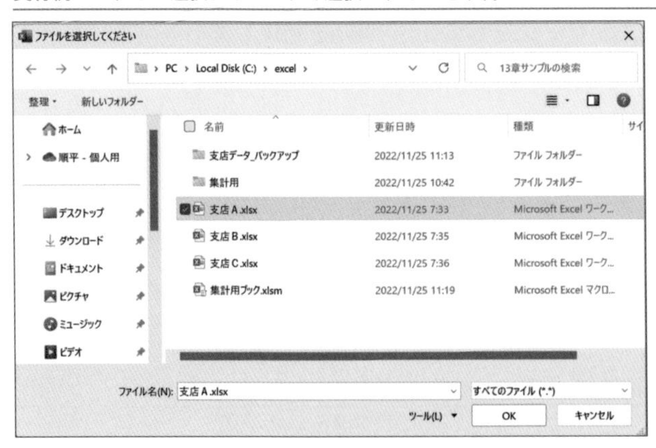

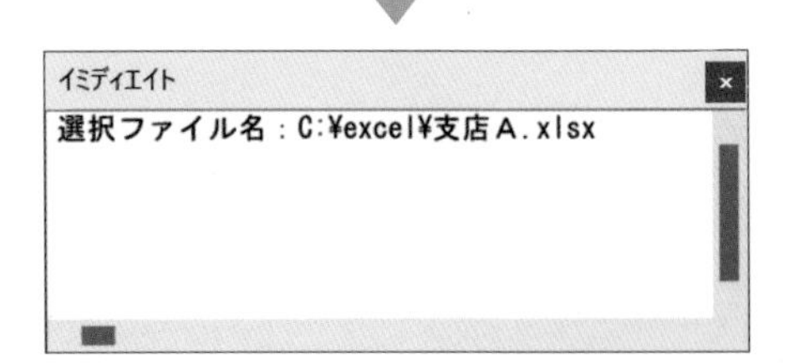

なお、フォルダーを選択する際は、「Application.FileDialog(msoFileDialogFolderPicker)」として取得したFileDialogオブジェクトを利用しますが、この際にはフォルダーのみがダイアログに表示されるようになります（ファイルは表示されません）。

FileDialogオブジェクトで得たパス文字列を利用すれば、「ユーザーが選択したファイルやフォルダーを対象にした処理」が作成できますね。

section 04 OneDrive上のファイルを扱う際の注意点

Windowsでオンラインストレージとして OneDrive を利用している場合、ファイルの扱いには注意が必要です。ローカルに保存している場合と勝手が変わります。

OneDrive上に保存したブックのパスはどうなる？

OneDriveをいわゆるクラウド上のオンラインストレージとして利用している環境では、ブックのデフォルトの保存先が、OneDriveの個人用ドキュメントフォルダーになります。

▼保存先のデフォルトがOneDriveのフォルダーとなる

デフォルトでクラウド上に保存することが想定されているわけですね。OneDriveでファイルを保存する場合には、

1. ローカルPC上のOneDriveと関連付けられたフォルダー（以下、「OneDrive用フォルダー」）内に保存
2. クラウド上のストレージとOneDrive用フォルダーの内容を同期

という流れになります。ブックを保存する際にも、いきなりクラウド上にアップロードするのではなく、いったんローカルに保存し、その保存した内容を特定のタイミングでMicrosoftが用意したクラウド上の場所へと同期（保存）します。

▼ローカルのフォルダーとクラウド上のフォルダーの関係

ざっくりと言うと、Microsoft側のストレージとPC側のローカルストレージの内容を常に同じに保つようコピーする仕組みになっているわけですね。

例えば、筆者のPC環境では、OneDrive用フォルダーのパスは「C:¥Users¥furuk¥OneDrive」となり、Officeアプリケーションのデフォルトの保存先はその中の「ドキュメント」フォルダーとなっています。

では、この場所に保存したExcelブックのパス情報はどのようになっているのでしょうか。定番のWorkbookオブジェクトのPathプロパティで取得してみましょう。次のコードは、**アクティブなブックのPathプロパティの値を出力**します。

▼マクロ 13-28

```
'アクティブなブックのパスを取得
Debug.Print ActiveWorkbook.Path
'パスの先頭が「https」である場合は「クラウド」と出力
Debug.Print _
    IIf(ActiveWorkbook.Path Like "https*", "クラウド上", "ローカル")
```

実行例　OneDriveに保存したブックのPathプロパティの値

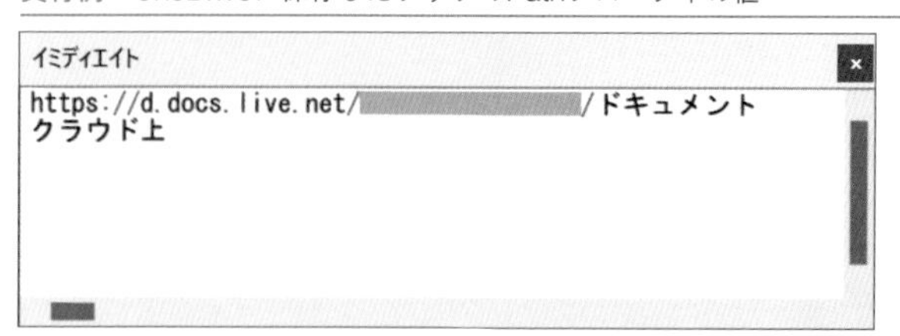

結果を見てみると、「https～」と、クラウド側のURL表記のアドレスが取得されてしまっていますね。これでは「Pathプロパティの値を元に相対的な位置のパスを作成する」ようなコードは正しく動作しなくなってしまいます。

また、この仕組みを踏まえると、対象ブックがクラウド上に保存されているかどうかの判定をVBAで行うには「Pathで得られる文字列の冒頭が『https』で始まるかどうか」で可能です。

このように、OneDrive上に保存されているブックを扱う際には、特にそのパス情報の扱いに注意が必要です。

クラウド側のURL表記をローカル側のパスに変換

URL表記を元に、何とかOneDrive用フォルダーのパスを取得できないでしょうか。2022年現在、OneDriveのサービスは、法人向けの「OneDrive for Business」と個人向けのOneDriveの2種類に分かれており、それぞれクラウド側のパスが変化します。ざっくりと以下のような違いがあります。

▼OneDriveのサービスによるパスの違い

OneDrive for Business	https://法人ID-my.sharepoint.com/personal/ユーザー ID_domain_com/…
OneDrive	https://d.docs.live.net/ユーザー ID/...

また、ローカル側のOneDrive用フォルダーのパスは、Windowsの環境変数として登録されており、VBAからは**Environ**関数で取得可能です。

▼OneDriveのサービスによるOneDrive用フォルダーパスの取得方法

OneDrive for Business	Environ("OneDriveCommercial")
OneDrive	Environ("OneDrive")　もしくは、Environ("OneDriveConsumer")

これらの仕組みを組み合わせて、変換を行うマクロを作成してみましょう。次のコードは、**アクティブなブックのPathプロパティを取得し、「https」から始まる場合はパスの変換**を行います。なお、OneDriveは個人用を利用していることを想定しています。

▼マクロ 13-29

```
Dim url As String, localPath As String
Dim oneDrivePath As String, cloudPattern As String
'アクティブなブックのPathを取得
url = ActiveWorkbook.Path
'クラウド上でなければ終了
If Not url Like "https*" Then
    Debug.Print "ローカルのブックです"
    Exit Sub
End If
'個人用OneDrive用フォルダーのパスを取得
oneDrivePath = Environ("OneDrive")
If oneDrivePath = "" Then oneDrivePath = Environ("OneDriveConsumer")
'個人用のクラウド側のパターン文字列指定
cloudPattern = "https://d.docs.live.net/[^/$]+"
'パターン文字列の範囲をOneDrive用フォルダーのパスに置換
With CreateObject("VBScript.RegExp")
    .Pattern = cloudPattern
    .IgnoreCase = True
    .Global = False
    localPath = .Replace(url, oneDrivePath)
End With
'残る「/」をセパレーターに変換
```

```
localPath = Replace(localPath, "/", Application.PathSeparator)
'出力
Debug.Print "変換後："; localPath
Debug.Print "変換前："; url
```

実行例　クラウド側のURLをローカルのパスに変換

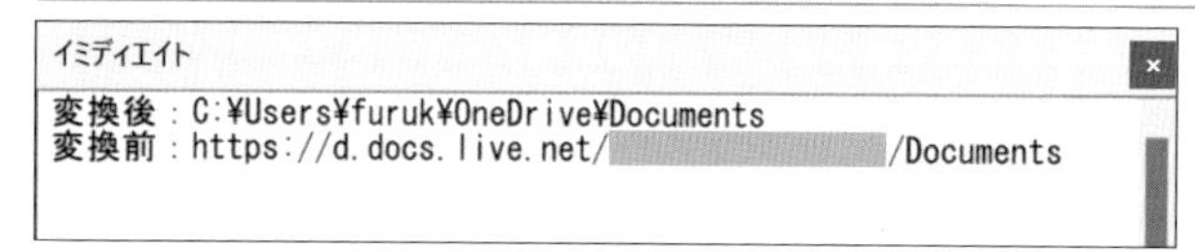

「https」で始まるURLのうち、個人用のOneDriveの定型となる部分、「https://d.docs.live.net/ユーザーID」にマッチする箇所を、正規表現を利用してローカルのOneDrive用フォルダーのパスに変換しています。

法人用のOneDriveの場合には、OneDrive用フォルダーを取得する箇所を以下のように修正します。

```
'法人用OneDrive用フォルダーのパスを取得
oneDrivePath = Environ("OneDriveCommercial")
If oneDrivePath = "" Then oneDrivePath = Environ("OneDrive")
```

加えて、マッチング用の正規表現を以下のように修正します。

```
'パターン文字列指定
cloudPattern = "https://.+my.sharepoint.com/personal/[^/$]+"
```

サンプルではURL内の定型箇所を決め打ちで置換してローカルのパスに変換していますが、このあたりの処理やマッチングのパターン文字列はマクロを実行する環境に合わせて適宜変更してみてください。

実践編
Chapter 14

集計・分析結果を「出力」する

本章では、Excelのシート上に作成した表を「出力」する方法をご紹介します。つまりは、「印刷」に関してのノウハウを中心にご紹介します。率直に言って、Excelの印刷関連の機能はあまり優れているとは言えませんが、VBAを利用して細かな調整を一発で行えるように準備しておくことで、作業の負担の軽減が可能です。
あわせて、Excelのブック自体を取引先に「出力」する場合、つまりはお渡しする際の注意事項や、知っておくと便利なVBAを使った仕組みもご紹介します。

本章の学習内容

❶印刷の際の注意点
❷印刷設定と確認
❸ブックの体裁を確認して整える

section 01 結果を印刷する

いきなりこんなことを言うのは申し訳ないのですが、Excelでの印刷処理はわりと鬼門です。もともと、画面上で表計算を実行・確認することに重きを置いていたためか、印刷機能は正直言って貧弱です。画面通りに印刷できないことは、多々あります。Excelを愛用されている方であるほど、この「弱点」を痛感されていることでしょう。

それでも、印刷が必要な場面はまだまだ多くあります。実行環境ごとの設定や微調整は手作業で行うしかないところもありますが、マクロを利用して大まかな設定を行うことはもちろん可能です。それでは、印刷関連の仕組みを見ていきましょう。

印刷とプレビューの仕組み

ファイル→印刷を選択した際に表示されるバックステージビュー上で行う印刷に関する各種設定は、VBAでは、WorksheetオブジェクトのPageSetupプロパティ経由で取得できる、PageSetupオブジェクトで管理されています。

▼バックステージビューでの印刷プレビュー画面

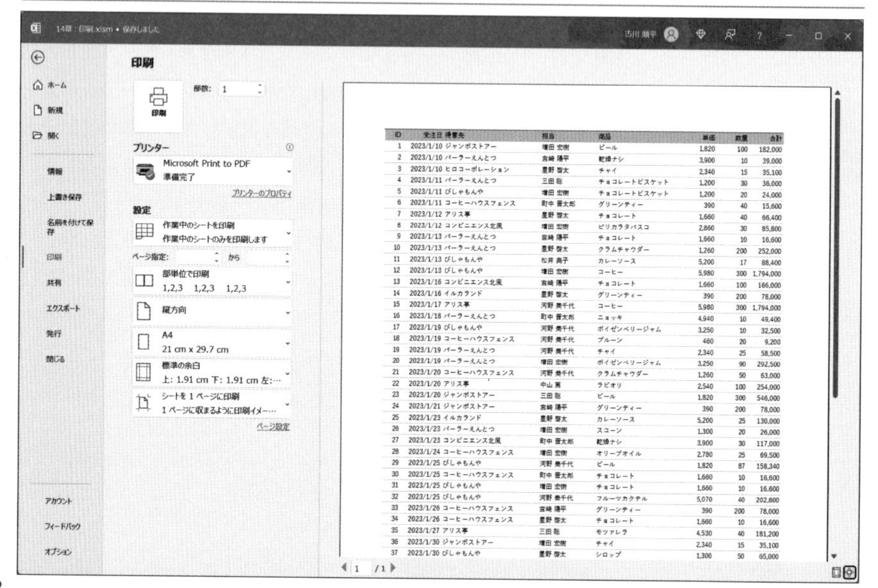

つまり印刷設定は、シートごとにPageSetupオブジェクトにアクセスして設定するわけですね。PageSetupオブジェクトには、下記のような各種設定に対応したプロパティが用意されています。

▼PageSetupオブジェクトのプロパティ（抜粋）

プロパティ	用途
PrintArea	印刷範囲をセル参照文字列で設定（Worksheet経由のみ）
PaperSize	用紙サイズの設定Orientation用紙の向きを、横向き（xlLandscape）か縦向き（xlPortrait）で設定
TopMargin	上余白の大きさ。単位はポイント
BottomMargin	下余白の大きさ。単位はポイント
LeftMargin	左余白の大きさ。単位はポイント
RightMargin	右余白の大きさ。単位はポイント
PrintTitleColumns	見出し列の設定
PrintTitleRows	見出し行の設定
Zoom	拡大/縮小設定。拡大なし（100%）のときは「100」を、150%にする際には「150」を指定。Falseを指定すると、FitToPagesTallやFitToPagesWideの設定に従い自動計算される
FitToPagesTall	拡大率を行方向を基準に決定
FitToPagesWide	拡大率を列方向を基準に決定
CenterHorizontally	左右中央揃えを行う（True）/行わない（False）で設定
CenterVertically	上下中央揃えを行う（True）行わない（False）で設定
Pages	総ページ数
BlackAndWhite	白黒印刷を行う（True）/行わない（False）で設定

次のコードは、**アクティブシートに対して、「縦向きで、すべてを1枚に収める」**印刷設定を行います。

▼マクロ 14-1

```
With ActiveSheet.PageSetup
    '印刷範囲をアドレス「文字列」で指定
    .PrintArea = ActiveSheet.Range("B4:I52").Address
    '印刷方向は「縦」
    .Orientation = xlPortrait
```

```
        'ズーム設定を自動に設定
        .Zoom = False
        '行・列すべてが「1」ページに収まるように拡大率を自動調整
        .FitToPagesTall = 1
        .FitToPagesWide = 1
End With
```

印刷を行うには、PrintOutメソッドを利用します。PrintOutメソッドは、Workbook、Worksheets、WorksheetそれにRangeにも用意されており、それぞれの対象を印刷します。

▼印刷を行う(PrintOutメソッド)

```
印刷対象オブジェクト.PrintOut
```

次のコードは、**アクティブシートを印刷設定に従って印刷**します。

▼マクロ 14-2

```
ActiveSheet.PrintOut
```

また、印刷を行わずに、プレビュー画面で確認したい場合には、PrintPreviewメソッドが利用できます。

▼印刷プレビューで確認する(PrintPreviewメソッド)

```
印刷対象オブジェクト.PrintPreview
```

次のコードは、**アクティブシートの印刷プレビュー画面を表示**します。

▼マクロ 14-3

```
ActiveSheet.PrintPreview
```

実践　印刷プレビュー画面

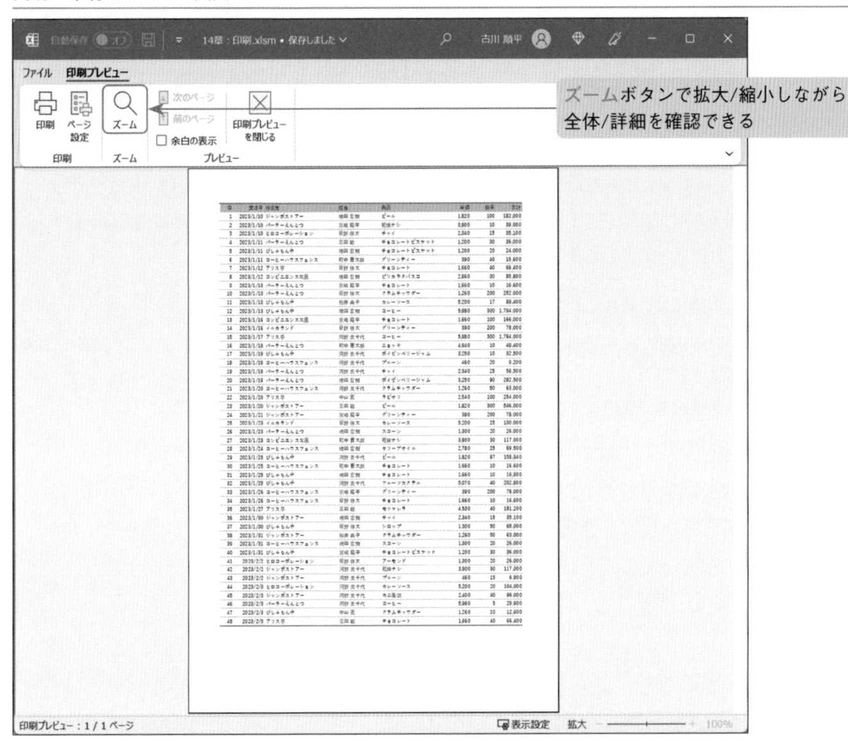

印刷の設定を行う処理は、プリンタドライバとの通信に結構な時間がかかります。そのため、印刷を行うたびに印刷設定をやり直すようなマクロはあまりお勧めできません。印刷設定を行うマクロと印刷を実行するマクロは分けておき、印刷設定を変更せずともよい場合には、印刷するマクロのみを実行しましょう。

なお、Excelでは、印刷設定後や印刷後には、ページ区切りの場所を表示する点線がシート上に表示されます。この点線を非表示にするには、該当シートのDisplayPageBreaksプロパティにFalseを代入します。次のコードは、**アクティブシートのページ区切り線を非表示**にします。

▼マクロ 14-4

```
ActiveSheet.DisplayPageBreaks = False
```

印刷をマクロから実行する場合には、Printメソッドの後ろに記載しておくのがよいでしょう。

column

プリンタドライバとの通信速度を上げる仕組み

Excel 2010以降では、Applicationオブジェクトに、プリンタとの通信を一時的にコントロールできるPrintCommunicationプロパティが追加されました。

このプロパティに「False」を設定すると、一時的にプリンタとの通信を行わなくなります。その間に印刷設定の指定をまとめて行い、設定後に「True」に戻すと、今までは1項目ごとに行っていた通信を、一括で行えるようになります。

```
'プリンタへの通信を一時的にオフ
Application.PrintCommunication = False
'各種印刷設定を行う
'プリンタへの通信を元に戻す
Application.PrintCommunication = True
```

つまりは、印刷設定の処理時間を短縮できるようになったのです。Excel 2010以降で印刷設定を行う処理を作成する際には、積極的に組み込んでおきたい仕組みですね。

section

02 結果をPDFで出力する

印刷をするのではなく、PDFファイルとして出力したい場合には、PrintOutメソッドではなく、ExportAsFixedFormatメソッドを利用します。

PDFに出力するには

任意のブックやシートの内容をPDFとして書き出す場合には、ExportAsFixedFormatメソッドの引数Typeに定数xlTypePDFを指定し、引数FilenameにPDFのパス文字列を指定して実行します。

▼PDFとして書き出す（ExportAsFixedFormatメソッド）

```
印刷対象オブジェクト.ExportAsFixedFormat _
                    Type:=xlTypePDF, _
                    Filename:=PDFファイルのファイルパス
```

次のコードは、**アクティブシートの内容を、ブックと同じフォルダー内に、「PDF出力.pdf」というファイル名で書き出します**。

▼マクロ 14-5

```
ActiveSheet.ExportAsFixedFormat _
              Type:=xlTypePDF, _
              Filename:=ThisWorkbook.Path & "¥PDF出力.pdf"
```

実践　PDFで書き出し

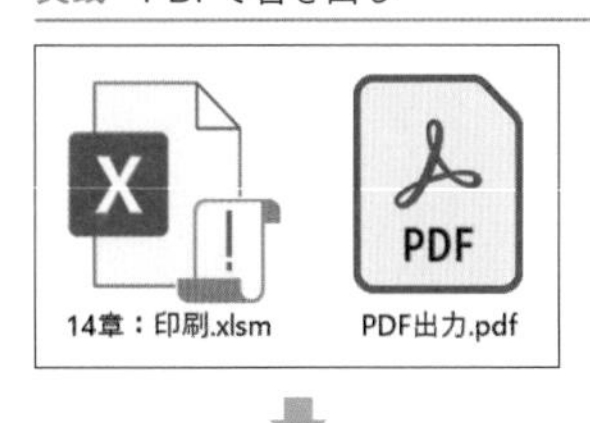

Chapter 14

02 結果をPDFで出力する

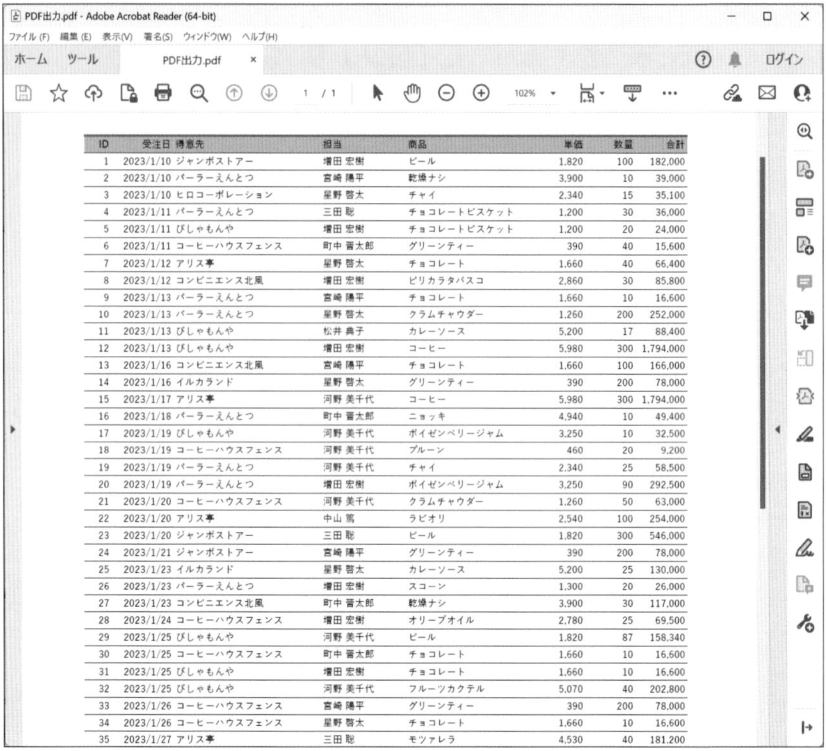

PDF出力.pdf - Adobe Acrobat Reader (64-bit)
ファイル (F) 編集 (E) 表示(V) 署名(S) ウィンドウ(W) ヘルプ(H)
ホーム ツール PDF出力.pdf
ログイン
1 / 1 102%

ID	受注日	得意先	担当	商品	単価	数量	合計
1	2023/1/10	ジャンボストアー	増田 宏樹	ビール	1,820	100	182,000
2	2023/1/10	パーラーえんとつ	宮崎 陽平	乾燥ナシ	3,900	10	39,000
3	2023/1/10	ヒロコーポレーション	星野 啓太	チャイ	2,340	15	35,100
4	2023/1/11	パーラーえんとつ	三田 聡	チョコレートビスケット	1,200	30	36,000
5	2023/1/11	びしゃもんや	増田 宏樹	チョコレートビスケット	1,200	20	24,000
6	2023/1/11	コーヒーハウスフェンス	町中 晋太郎	グリーンティー	390	40	15,600
7	2023/1/12	アリス亭	星野 啓太	チョコレート	1,660	40	66,400
8	2023/1/12	コンビニエンス北風	増田 宏樹	ピリカラタバスコ	2,860	30	85,800
9	2023/1/13	パーラーえんとつ	宮崎 陽平	チョコレート	1,660	10	16,600
10	2023/1/13	パーラーえんとつ	星野 啓太	クラムチャウダー	1,260	200	252,000
11	2023/1/13	びしゃもんや	松井 典子	カレーソース	5,200	17	88,400
12	2023/1/13	びしゃもんや	増田 宏樹	コーヒー	5,980	300	1,794,000
13	2023/1/16	コンビニエンス北風	宮崎 陽平	チョコレート	1,660	100	166,000
14	2023/1/16	イルカランド	星野 啓太	グリーンティー	390	200	78,000
15	2023/1/17	アリス亭	河野 美千代	コーヒー	5,980	300	1,794,000
16	2023/1/18	パーラーえんとつ	町中 晋太郎	ニョッキ	4,940	10	49,400
17	2023/1/19	びしゃもんや	河野 美千代	ボイゼンベリージャム	3,250	10	32,500
18	2023/1/19	コーヒーハウスフェンス	河野 美千代	プルーン	460	20	9,200
19	2023/1/19	パーラーえんとつ	河野 美千代	チャイ	2,340	25	58,500
20	2023/1/19	パーラーえんとつ	増田 宏樹	ボイゼンベリージャム	3,250	90	292,500
21	2023/1/20	コーヒーハウスフェンス	河野 美千代	クラムチャウダー	1,260	50	63,000
22	2023/1/20	アリス亭	中山 篤	ラビオリ	2,540	100	254,000
23	2023/1/20	ジャンボストアー	三田 聡	ビール	1,820	300	546,000
24	2023/1/21	ジャンボストアー	宮崎 陽平	グリーンティー	390	200	78,000
25	2023/1/23	イルカランド	星野 啓太	カレーソース	5,200	25	130,000
26	2023/1/23	パーラーえんとつ	増田 宏樹	スコーン	1,300	20	26,000
27	2023/1/23	コンビニエンス北風	町中 晋太郎	乾燥ナシ	3,900	30	117,000
28	2023/1/24	コーヒーハウスフェンス	増田 宏樹	オリーブオイル	2,780	25	69,500
29	2023/1/25	びしゃもんや	河野 美千代	ビール	1,820	87	158,340
30	2023/1/25	コーヒーハウスフェンス	町中 晋太郎	チョコレート	1,660	10	16,600
31	2023/1/25	びしゃもんや	増田 宏樹	チョコレート	1,660	10	16,600
32	2023/1/25	びしゃもんや	河野 美千代	フルーツカクテル	5,070	40	202,800
33	2023/1/26	コーヒーハウスフェンス	宮崎 陽平	グリーンティー	390	200	78,000
34	2023/1/26	コーヒーハウスフェンス	星野 啓太	チョコレート	1,660	10	16,600
35	2023/1/27	アリス亭	三田 聡	モツァレラ	4,530	40	181,200

section 03 結果のブックの送信準備

Excelは、ほぼ、どの会社のPCにもインストールされています。そのため、さまざまな書類のやり取りを、印刷せずにそのままExcelブックの状態で行うことも多くあります。

そこで、相手先にExcelブックを送信するとき前にチェックしておきたい項目や、その項目をVBAを利用してチェックする方法をご紹介します。

非表示をチェックする

作業用のシートや作業列等を一時的に非表示にしておいた場合、うっかりそのまま相手先へブックを送ってしまうと、本来は見られたくなかったデータまで見られてしまう場合があります。また、グループ化機能を利用している際、アウトラインのレベルが意図した状態とは異なって保存されている場合もあるでしょう。

例えば次の図のブックは、非表示部分のあるシート「非表示の行_列」、非表示になっているシート「作業用」、グループ化している部分のあるシート「グループ化」を持っています。

▼非表示の部分があるブック

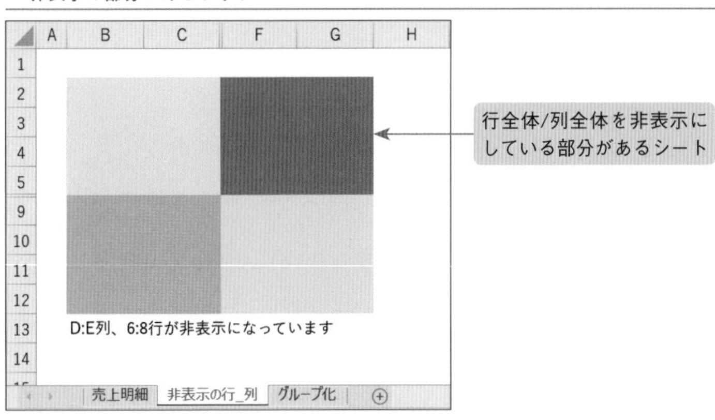

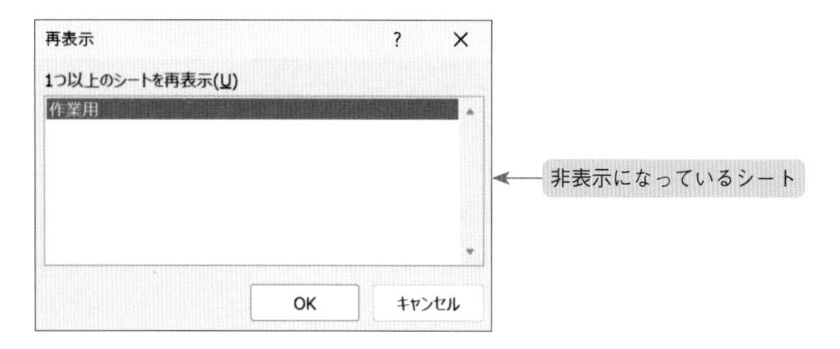

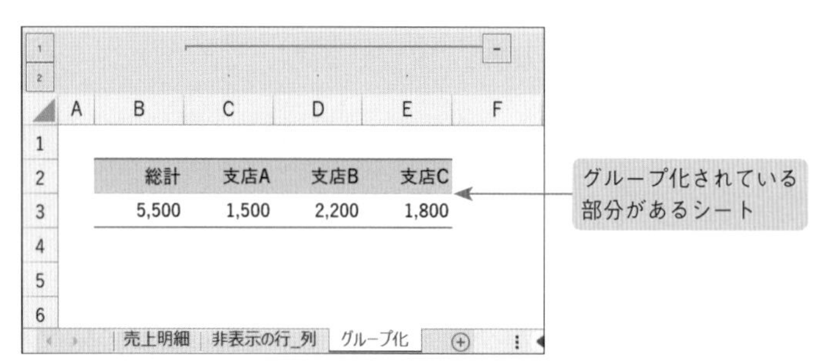

このとき、次のコードは、**アクティブなブック内に各種の非表示状態が存在するかどうかをチェックし、結果を表示**します。

▼マクロ 14-6

```
Dim sht As Worksheet
Dim isVisible As Boolean, hasHidden As Boolean, hasGroup As Boolean
'非表示シートのチェック
For Each sht In Worksheets
    'Visibleプロパティの値で非表示チェック
    isVisible = sht.Visible = xlSheetVisible
    'Areas.Countで非表示行・列のチェック
    hasHidden = _
        sht.Cells.SpecialCells(xlCellTypeVisible).Areas.Count > 1
    'OutlineLevelでグループ化の有無をチェック
    hasGroup = _
        IsNull(sht.Rows.OutlineLevel) Or _
        IsNull(sht.Columns.OutlineLevel)
    '結果出力
    Debug.Print "シート名：" & sht.Name
    Debug.Print "  表示      ：" & IIf(isVisible, "○", "×")
```

```
    Debug.Print "  全表示    ：" & IIf(hasHidden, "非表示アリ", "〇")
    Debug.Print "  グループ化：" & IIf(hasGroup, "要確認", "〇") & vbCrLf
Next
```

実行例　シートの各種非表示状態をチェック

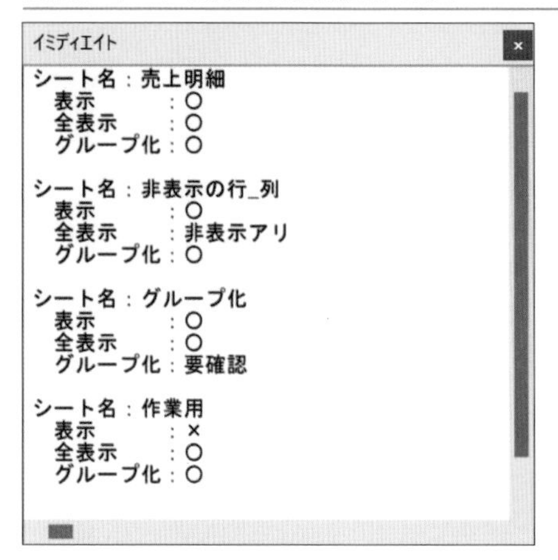

シートが非表示かどうかは、Visibleプロパティの値で判定し、非表示行・列があるかどうかは、シート上のセル全体の可視セルの分割数をAreas.Countで数え、「1」より上であれば非表示の箇所があると判定しています。また、グループ化部分があるかどうかは、各シートの行全体の設定をRows.OntLineLevel、列全体の設定をColumns.OntLineLevelで取得し、いずれかがNull値であればグループ化部分が作成されていると判定しています。Null値とは、有効なデータが格納されていないことを意味します。

結果を元にシートやセルの中身を目視で確認し、非表示のままでいいのか、グループ化のアウトライン表示レベルは意図したものなのか等、そのまま相手先に送ってもよいかどうかをチェックしましょう。

セル「A1」を選択しておこう

複数のシートがあるブックを送る場合には、すべてのシートのセル「A1」を選択しておくと違和感なくデータへと向き合えるでしょう。逆に、特に意図もないのにセルA1以外のセルが選択された状態であると、「おやっ？」と違和感を覚えることになるでしょう。人によっては「だらしない」とまで思い、せっかく作成した資料の信頼感が低下してしまう恐れまであります。

そこで、**「すべてのシートのセルA1を選択」し、かつ「シートは1枚目が選択されている」状**態にしてみましょう。VBAであれば、何十枚シートがあっても一発です。

▼マクロ14-7

```
Dim i As Long
'最後に1枚目のシートが選択されるよう、逆順にループ
For i = Worksheets.Count To 1 Step -1
    Application.Goto Worksheets(i).Range("A1"), Scroll:=True
Next
```

実行例　全シートのセルA1を選択した状態にする

	A	B	C	D	E
1					
2					
3					
4					
5					
6					

Sheet1 | Sheet2 | Sheet3

準備完了　表示設定

ApplicationオブジェクトのGotoメソッドで、選択先のセル(A1)へ移動しています。この際、引数Scrollを「True」にすることで、選択したセルが画面左上に表示されるようになります。

なお、上記のコードは非表示セルがある場合はエラーとなります。そこで、非表示セルがある場合は、以下のようにコードを修正します。

▼マクロ 14-8

```
Dim i As Long
'最後に1枚目のシートが選択されるよう、逆順にループ
For i = Worksheets.Count To 1 Step -1
    '非表示シートは処理から除く
    If Worksheets(i).Visible = xlSheetVisible Then
        Application.Goto Worksheets(i).Range("A1"), Scroll:=True
    End If
Next
```

ブックの「作成者」や「編集者」をチェックする

Excelブック等のOffice製品のファイルでは、「作成者」や「編集者」といった情報を自動的に保持する仕組みとなっています。確認するには、**ファイル→情報**を選択して表示されるバックステージビューの右下あたりを見てみましょう。

▼ブックの作成者情報

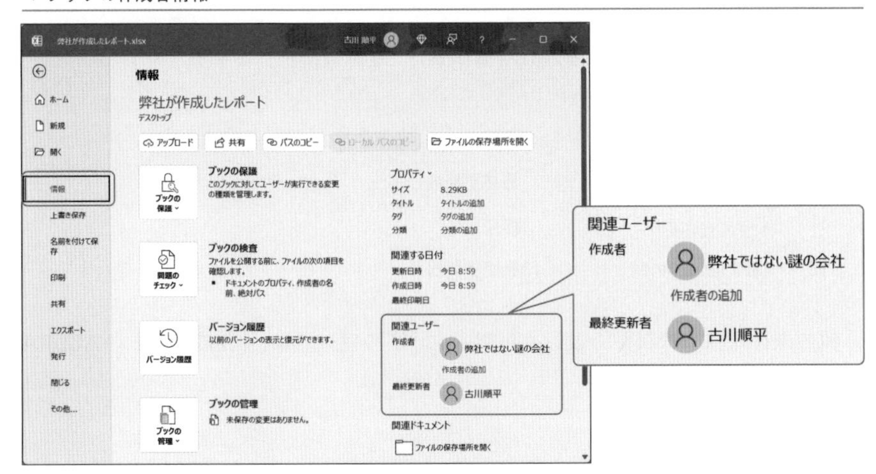

昔のブックを元にして新たな資料を作成した場合や、資料の作成を外注したりした場合には、「作成者」欄に思いもよらない名前が入ったままになっていることがあります。資料を送付した取引先の方にとっては、たまたま目にした「作成者」が、自分のまったく知らない、出所もよくわからない名前であったり、作成日が何年も前の日付だったりすると少々不安になるでしょう。場合によっては、これも信頼感を損なう原因となってしまいます。

そこで、このドキュメント情報をマクロから確認する仕組みを用意してみましょう。任意のブックのドキュメント情報には、Workbookオブジェクトの BuiltinDocumentPropertiesプロパティ経由でアクセス可能です。次のコードは、**「作成者」と「最終更新者」の情報を取得**します。

▼マクロ 14-9

```
With ActiveWorkbook.BuiltinDocumentProperties
    Debug.Print "作成者：", .Item("Author")
    Debug.Print "最終更新者：", .Item("Last author")
End With
```

実行例　ドキュメント情報の取得

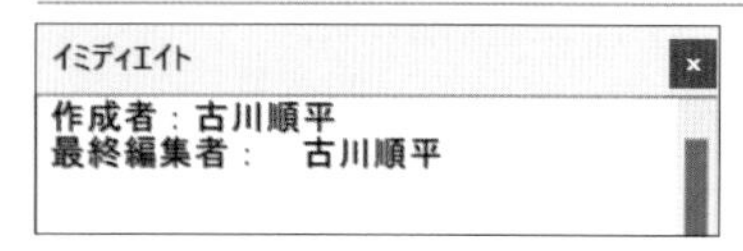

「作成者」は、「Author（またはインデックス番号『3』）」で、「最終更新者」は、「Last author（またはインデックス番号『7』）」で取得可能です。

▼プロパティに対応したインデックス番号と値（抜粋）

Id	アクセス時の名前	要素
3	Author	作成者
7	Last author	最終更新者
11	Creation date	作成日
12	Last save time	最終更新日

値の取得だけではなく、設定も可能です。次のコードは、**「作成者」を「YAGURA Ryoutarou」に設定**します。

▼マクロ 14-10

```
ActiveWorkbook. _
    BuiltinDocumentProperties("Author").Value = "YAGURA Ryoutarou"
```

実行例　ドキュメントプロパティを設定する

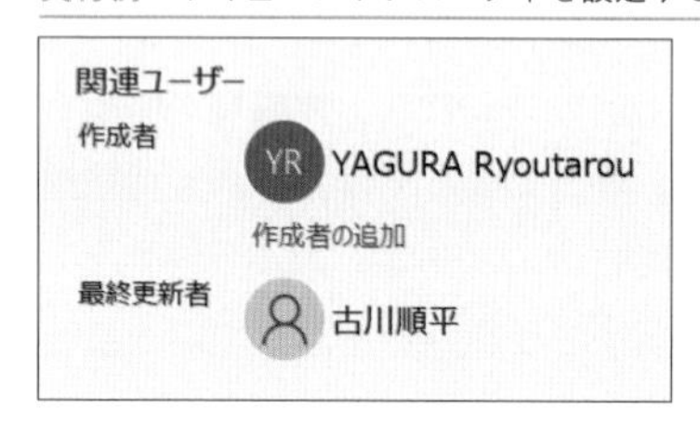

Valueの値を空白("")にすることで、作成者等の情報の消去も可能です。

何気ない部分ですが、きっちりと揃えておくと、余計な違和感なくブックの内容へと向き合えるようになるでしょう。

実践編

Chapter 15

外部データとの連携処理

本章では、テキストファイルやAccessで作成したデータベース等、「外部にあるデータをExcelへと取り込む仕組み」についてご紹介します。
さまざまな手段で蓄積されたデータを手軽にExcelに取り込むことができれば、グラフやピボットテーブルを駆使した分析を行うことも楽になります。面倒な手続きや設定こそ、VBAを利用して楽にすませてしまいましょう。

本章の学習内容

❶外部データを読み込む手段の整理
❷テキストファイルの内容を読み込む
❸Accessのデータベースを操作する

section 01

外部データを取り込む仕組みの整理

Excelで外部データを取り込む処理の自動化を考えてみましょう。まずは、そもそも、Excelに外部データを取り込むには、どんな機能が用意されているかを整理します。

ざっくりと分類すると、以下の3パターンに分類できます。

▼3パターンの外部データの取り込み方法

方式	概要
Power Queryと連携	Power Queryの結果を受け取る。VBAだけでは完全には操作できない
従来の方式	Excel従来の機能で外部データを取り込む。VBAだけで操作可能。Power Queryが搭載される以前の方式
外部ライブラリによる読み込み	外部ライブラリを利用してテキストベースやファイルストリームベースで取り込む

それぞれの方式の違いを簡単に確認しましょう。

基本となるのはPower Query

外部データの取り込みに関する機能は、リボンの「データ」タブ内の**データの取得と変換**欄にまとめられています。2022年12月現在、Microsoft 365版のExcel(バージョン2210 ビルド16.0)の「データ」タブは以下のようになっています。

▼「データ」タブの外部データ取り込み機能

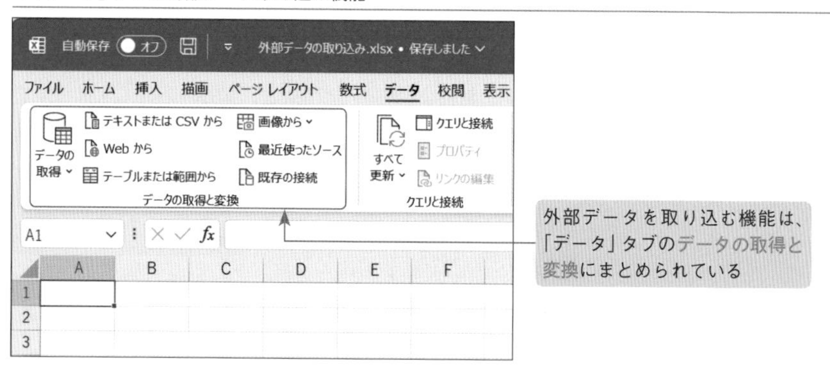

テキストファイルやAccessデータベース等、各種外部データの取り込みから、AIを利用した画像からの文字列データ読み込みまで、多種多様の機能が揃っていますね。テキストファイルを外部データとして取り込もうとすると、以下のダイアログが表示されます。

▼テキストファイルの読み込み設定画面

文字コードや区切り文字等の取り込み設定を行うものですが、このダイアログの右下の**データの変換**ボタンを押すと、Excelとは別にPower Queryの画面が表示されます。

▼Power Queryの画面

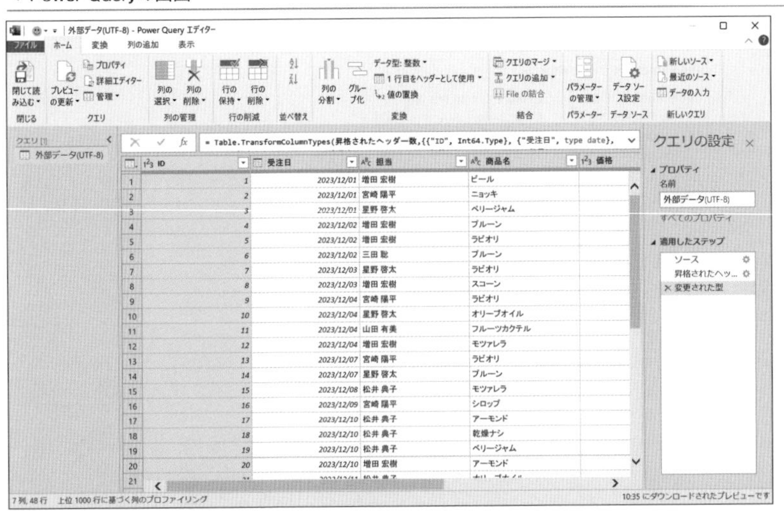

Power Queryは、データの読み込みに特化したアプリケーションです。Excelとは、拡張機能のような扱いで連携が可能です。外部データを取り込む際には、「Power Queryで読み込み」→「結果をExcelの外部データ範囲として連携」という流れで処理が行われます。

これが2022年12月現在の基本の機能となります。Power QueryはExcelと独立したアプリケーションなので、VBAで操作するというよりは、Power Queryを操作するための専用言語で操作し、結果をExcelで受け取る形になります。こちらの方法は16章で詳しくご紹介します。

Power Query以前の従来の外部データの取り込み機能

Power Queryは比較的新しい機能ですが、ExcelにはPower Queryと連携する以前にも外部データの取り込み機能が搭載されていました。

この機能は、Excelのオプション設定の**データ**項目の**レガシ データインポートウィザードの表示**にチェックを入れると利用できるようになっています。

▼Excelのオプション設定

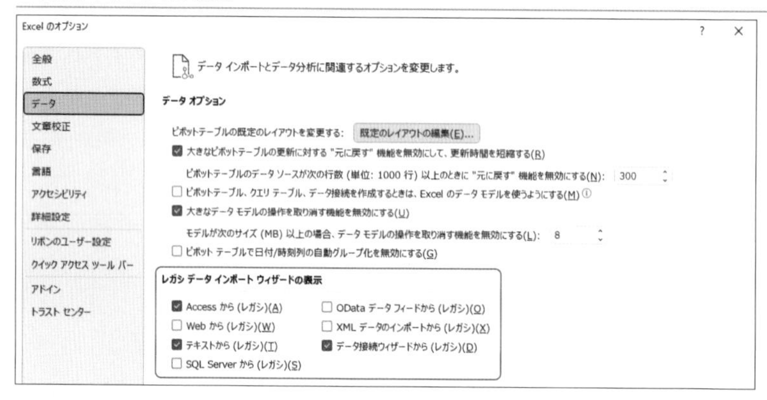

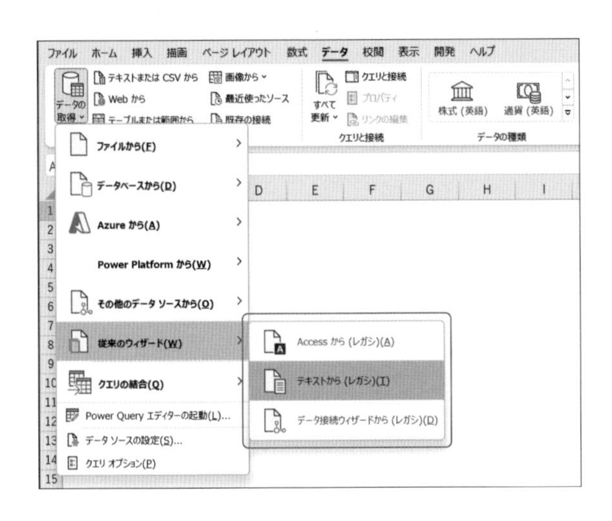

これは、言ってみれば「昔の機能」です。この機能からはQueryTableオブジェクトを中心とした、VBAのオブジェクトだけで設定の作成から取り込みまで操作可能です。

これらの「レガシ」な取り込み機能を利用すると、「テキストファイルウィザード」等のダイアログが表示され、各種の設定を行えます。これらの設定は、後述するVBAを使った取り込み処理の各種設定に対応していますので、一度使ってみると「ああ、あの項目を設定しているんだな」とイメージがつかみやすくなるでしょう。

テキストやファイルストリームは外部ライブラリで

その他、Excelの機能というわけではありませんが、FileSystemObjectやStreamといった外部ライブラリを利用することで、任意のファイルをテキスト形式やファイルストリーム形式で読み込むことも可能です。

PowerQueryを利用した処理やQueryTableオブジェクトを利用した処理は、大元のコンセプトとしてさまざまな形式のデータに対応できるよう作成されているため、少々「大きな」処理となります。単にテキストファイルを読み書きするだけであれば、こちらの方式の方が軽くすみます。

このように、Excel、そしてVBAで外部データを取り込むためには、上記3つの方式のいずれかを利用していきます。以降、本章では、PowerQueryを利用した方式以外の手段で外部データを取り込む方法をご紹介していきます。

section 02 テキストファイルからの取り込み

異なるアプリケーション間でデータをやり取りする際、一番シンプルな方法が、「データをテキストファイルに書き出し、それを読み込む」という方法です。VBAを利用してこの作業を行う方法を見ていきましょう。

QueryTableで区切り文字を指定して読み込む

シート上の任意の位置にテキストファイルの内容を読み込むには、QueryTableオブジェクトを利用します。

QueryTableオブジェクトは、「外部データへの接続・展開方法」をまとめて扱います。まずは実際のコードで使い方を見ていきましょう。次のコードは、**マクロを実行するブックと同じフォルダーにある「外部データ.csv」を読み込み、セルB2を基準に展開**します。

なお、この章で使用するテキストファイルやデータベースファイルは、本書のサポートページ(http://isbn2.sbcr.jp/17714/)よりダウンロード可能です。

▼マクロ 15-1

```
Dim connectInfo As String
'接続先の情報を作成
connectInfo = "TEXT;" & ThisWorkbook.Path & "¥外部データ.csv"
'QueryTableを作成
With ActiveSheet.QueryTables.Add( _
    Connection:=connectInfo, Destination:=Range("B2") _
)
    '区切り文字の設定
    .TextFileParseType = xlDelimited
    .TextFileCommaDelimiter = True
    '読み込み
    .Refresh BackgroundQuery:=False
    '削除
    .Delete
End With
```

実行例　テキストファイルを読み込む

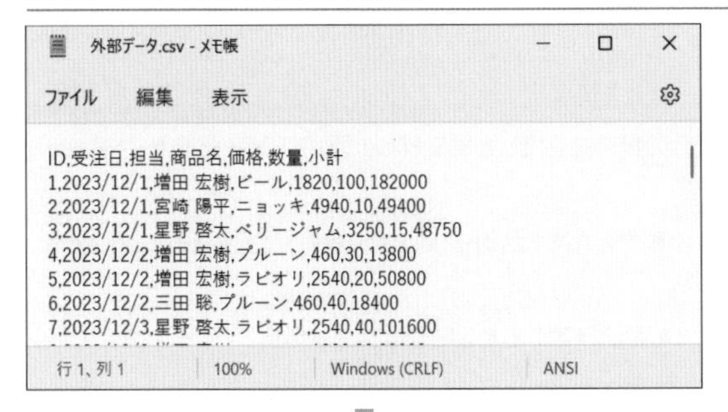

	A	B	C	D	E	F	G	H	I
1									
2		ID	受注日	担当	商品名	価格	数量	小計	
3		1	2023/12/1	増田 宏樹	ビール	1820	100	182000	
4		2	2023/12/1	宮崎 陽平	ニョッキ	4940	10	49400	
5		3	2023/12/1	星野 啓太	ベリージャム	3250	15	48750	
6		4	2023/12/2	増田 宏樹	プルーン	460	30	13800	
7		5	2023/12/2	増田 宏樹	ラビオリ	2540	20	50800	
8		6	2023/12/2	三田 聡	プルーン	460	40	18400	
9		7	2023/12/3	星野 啓太	ラビオリ	2540	40	101600	
10		8	2023/12/3	増田 宏樹	スコーン	1300	30	39000	

新規のQueryTableオブジェクトを作成するには、データを読み込みたいシートのQueryTablesコレクションに対して、Addメソッドを実行します。

▼QueryTableオブジェクトを作成する（QueryTables.Addメソッド）

```
読み込み先シート.QueryTables.Add _
                    Connection:="TEXT;テキストファイルのパス文字列", _
                    Destination:=読み込み先のセル
```

このとき、引数Connectionには「TEXT;」に続けてテキストファイルのパス文字列を連結した値を指定します。例えば、「TEXT;C¥excel¥売上.txt」は、「C:¥excel」フォルダー内の「売上.txt」を対象と指定します。さらに引数Destinationには、読み込み先の起点となるセルを指定します。また、Addメソッド実行すると、戻り値として作成したQueryTableオブジェクトを返します。

このAddメソッドを実行し、QueryTableオブジェクトを作成しただけではデータを読み込みません。下記のプロパティを利用して、読み込み設定を行っていきます。

▼QueryTableのプロパティ（抜粋）

プロパティ	用途
TextFilePlatform	文字コードを指定
FieldNames	先頭行の扱いを見出しとする（True:既定）、読み込まない（False）で指定
TextFileParseType	パース基準をカンマ区切り（xlDelimited）、固定長（xlFixedWidth）で指定
TextFileCommaDelimiter	カンマを区切り文字とする場合はTrueを指定
TextFileTabDelimiter	タブを区切り文字とする場合はTrueを指定
TextFileSemicolonDelimiter	セミコロンを区切り文字とする場合はTrueを指定
TextFileSpaceDelimiter	スペースを区切り文字とする場合はTrueを指定
TextFileOtherDelimiter	任意の区切り文字としたい文字を指定
TextFileConsecutiveDelimiter	区切り文字が連続する場合、単一の区切りと判定する場合はTrueを指定
AdjustColumnWidth	セル幅の自動調整を行う（True：既定）、行わない（False）で指定
TextFileColumnDataTypes	列ごとのデータ型を指定

各種の設定を行った後は、Refreshメソッドで設定に従ってデータを読み込みます。一連の処理をまとめると、次のようなコードとなります。

▼テキストファイルの読み込み処理

```
With QueryTableオブジェクト
      .各種プロパティでの設定
      .Refresh
End With
```

また、QueryTableオブジェクトで作成した読み込みの設定はクエリとしてブックに保存され、以降、Refreshメソッドを実行するたびに最新のデータを読み込みます。

外部データとのリンクは不要で一度だけデータを読み込みたい、という場合には、Refreshメソッドの引数BackgroundQueryに「False」を指定して、非同期読み込み（読み込み完了まで以降の処理をストップする読み込み手法）を行った後で、Deleteメソッドを実行し、クエリの設定自体を削除してしまいましょう。

▼テキストファイルの読み込み（読み込み後に設定を削除）

```
With QueryTableオブジェクト
    .各種プロパティでの設定
    .Refresh BackgroundQuery:=False
    .Delete
End With
```

「読み込みたいテキストのパス情報を元にQueryTableオブジェクトを作成」「各種読み込み設定を行いRefreshで読み込み」「以降に必要なければDelete」というのが、テキストファイルを読み込む際の典型的な流れとなります。

文字コードやデータ型を指定する方法

外部のデータを取り込む際に指定しておくと便利な要素が文字コードとデータ型です。何も指定しない場合は自動的に判断されて取り込まれますが、その判断が意図したものと違うと、文字化けしたり、自動変換されて取り込まれてしまいます。これらの指定方法を見ていきましょう。

●文字コードを指定して読み込む

テキストファイルを読み込む際に重要になってくるのが、文字コードです。QueryTableオブジェクトでは、この設定を、TextFilePlatformプロパティで指定します。このときに設定する値は、リボンの「データ」タブの**テキストまたはCSVから**等の機能から、実際にテキストファイルを選択した際に表示されるダイアログ（Excelのバージョンによって異なります）内の、**元のファイル**欄に表示される文字コードとともに表示される数値で指定します。

▼文字コードに対応した値の確認方法

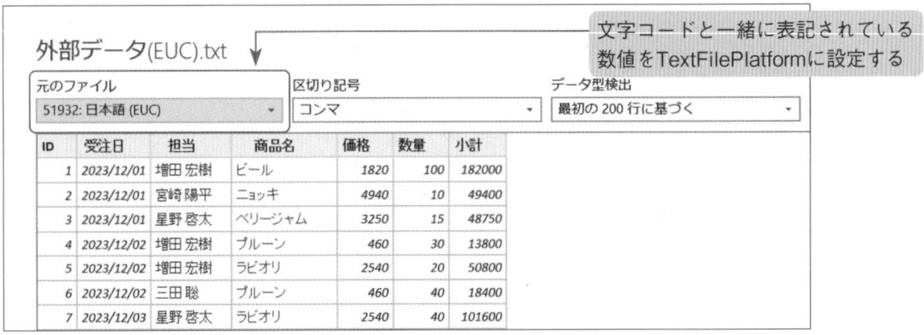

外部データ(EUC).txt

文字コードと一緒に表記されている数値をTextFilePlatformに設定する

元のファイル: 51932: 日本語 (EUC)　区切り記号: コンマ　データ型検出: 最初の 200 行に基づく

ID	受注日	担当	商品名	価格	数量	小計
1	2023/12/01	増田 宏樹	ビール	1820	100	182000
2	2023/12/01	宮崎 陽平	ニョッキ	4940	10	49400
3	2023/12/01	星野 啓太	ベリージャム	3250	15	48750
4	2023/12/02	増田 宏樹	プルーン	460	30	13800
5	2023/12/02	増田 宏樹	ラビオリ	2540	20	50800
6	2023/12/02	三田 聡	プルーン	460	40	18400
7	2023/12/03	星野 啓太	ラビオリ	2540	40	101600

▼文字コードに対応する値(抜粋)

文字コード	値
シフトJIS	932
日本語EUC	51932
UTF-8	65001

次のコードは、**文字コードに「UTF-8」を指定して、テキストファイル(マクロを実行するブックと同じフォルダーにある「外部データ(UTF-8).txt」)をカンマ区切りで読み込み、セルB2を基準に展開**します。

▼マクロ 15-2

```
With ActiveSheet.QueryTables.Add( _
    Connection:="TEXT;" & ThisWorkbook.Path & "¥外部データ(UTF-8).txt", _
    Destination:=Range("B2") _
)
    '文字コード設定
    .TextFilePlatform = 65001
    '以下、区切り文字等を設定し読み込み
    .TextFileParseType = xlDelimited
    .TextFileCommaDelimiter = True
    .Refresh BackgroundQuery:=False
    .Delete
End With
```

実行例　文字コードを指定して読み込み

	A	B	C	D	E	F	G	H	I
1									
2		ID	受注日	担当	商品名	価格	数量	小計	
3		1	2023/12/1	増田 宏樹	ビール	1820	100	182000	
4		2	2023/12/1	宮崎 陽平	ニョッキ	4940	10	49400	
5		3	2023/12/1	星野 啓太	ベリージャム	3250	15	48750	
6		4	2023/12/2	増田 宏樹	プルーン	460	30	13800	
7		5	2023/12/2	増田 宏樹	ラビオリ	2540	20	50800	
8		6	2023/12/2	三田 聡	プルーン	460	40	18400	
9		7	2023/12/3	星野 啓太	ラビオリ	2540	40	101600	
10		8	2023/12/3	増田 宏樹	スコーン	1300	30	39000	
11		9	2023/12/4	宮崎 陽平	ラビオリ	2540	10	25400	
12		10	2023/12/4	星野 啓太	オリーブオイル	2780	200	556000	
13		11	2023/12/4	山田 有美	フルーツカクテル	5070	17	86190	

●フィールドのデータ型を指定して読み込む

テキストファイルを読み込む際に、「1-1」や「1-2」という値は「1月1日」「1月2日」という日付値と判断され、シリアル値に自動変換して読み込まれてしまいます。この自動変換を防ぐには、TextFileColumnDataTypesプロパティで、フィールドごとのデータ型を指定します。

次のコードは、**マクロを実行するブックと同じフォルダーにある「日付と見なされるデータ.txt」を、日付値ではない形で読み込み、セルB2を基準に展開**します。

▼マクロ 15-3

```
With ActiveSheet.QueryTables.Add( _
    Connection:="TEXT;" & ThisWorkbook.Path & _
    "¥日付と見なされるデータ.txt", _
    Destination:=Range("B2") _
)
    'フィールド情報設定
    .TextFileColumnDataTypes = Array(xlTextFormat, xlGeneralFormat)
    '以下、区切り文字等を設定し読み込み
    .TextFileParseType = xlDelimited
    .TextFileTabDelimiter = True
    .Refresh BackgroundQuery:=False
    .Delete
End With
```

実行例　日付値ではない形で読み込む

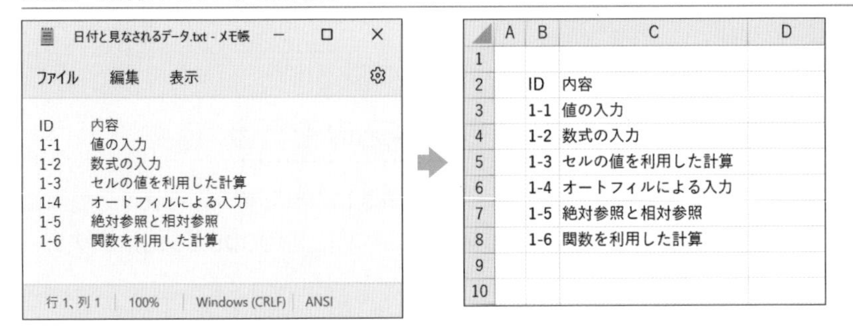

TextFileColumnDataTypesプロパティに指定する各列のデータ型は、配列の形で、1フィールド目(1列目)から順番にXlColumnDataType列挙の定数で記述します。

▼XlColumnDataType列挙の定数

定数	値	形式
xlGeneralFormat	1	自動判定
xlTextFormat	2	文字列
xlSkipColumn	9	読み込まない
xlDMYFormat	4	DMY（日月年）形式の日付
xlDYMFormat	7	DYM（日年月）形式の日付
xlEMDFormat	10	EMD（台湾年月日）形式の日付
xlMDYFormat	3	MDY（月日年）形式の日付
xlMYDFormat	6	MYD（月年日）形式の日付
xlYDMFormat	8	YDM（年日月）形式の日付
xlYMDFormat	5	YMD（年月日）形式の日付

column

データ型を指定して読み込み速度を向上する

意図していない形式への自動変換を、TextFileColumnDataTypesプロパティで列ごとにデータ型を指定して防ぐ方法をご紹介しましたが、実はこの仕組み、読み込みの高速化の際にも有効です。

明示的にデータ型を指定していない場合には、個々のデータのデータ型をExcelが判断するため、データの数に比例して劇的に処理速度が遅くなります。このため、「特にデータ型を指定せずとも、意図した通りに読み込まれる」ような場合であっても、きちんと列ごとのデータ型を指定しておくと、読み込み速度の向上が期待できます。

1行ずつチェックしながら読み込みを行う

Webサイトのログデータ等、1行ずつ大量に書き出されたデータを読み込む際に覚えておくと便利な外部ライブラリのオブジェクトに、ADODB.Streamオブジェクトがあります。

基本的な利用方法は次のようになります。次のコードは、**マクロを実行するブックと同じフォルダーにある「外部データ（UTF-8）.txt」）を読み込み、メッセージボックスに表示**します。

▼マクロ 15-4

```
Dim textStream As Object, buf As String
'Streamオブジェクトを生成
Set textStream = CreateObject("ADODB.Stream")
With textStream
    'ストリームを開き、テキストの読み込み設定を行う
    .Open
    .Type = 2  'ADODBの定数adTypeTextの値
    .Charset = "UTF-8"
    'テキストファイルの内容を一括取得
    .LoadFromFile ThisWorkbook.Path & "¥外部データ(UTF-8).txt"
    buf = .ReadText
    '閉じる
    .Close
End With
'取得した内容を表示
MsgBox buf
```

実行例　テキストをまとめて読み込む

ADODB.Streamオブジェクトには、以下のようなプロパティ/メソッドがあります。

▼ADODB.Streamオブジェクトのプロパティ/メソッド(抜粋)

プロパティ/メソッド	用途
Typeプロパティ	扱うファイル形式を指定。テキストであれば「2」(ADODBで定義されている定数adTypeTextの値)
Charsetプロパティ	文字コードを指定。「Shift-JIS」「UTF-8」「EUC-JP」等
LineSeparatorプロパティ	改行文字を下記の値から指定。「-1(CRLF)」「13(CR)」「10(LF)」
EOSプロパティ	各種メソッドによってファイル末尾まで読み込んだ場合にはTrueを返す
Openメソッド	ストリームデータを開く
Closeメソッド	ストリームデータを閉じる
ReadTextメソッド	引数に指定したテキストファイルの内容を読み込む。引数を指定しない場合は末尾まで一気に読み込む。引数に「-2(定数adReadLine)」を指定すると1行分だけ読み込む
SkipLineメソッド	一度実行するたびに「1行分」だけ読み込み位置をスキップ

ADODB.Streamオブジェクトは、CreateObject関数に、クラス文字列「ADODB.Stream」を渡して生成します。

テキストファイルを扱う場合には、Openメソッド実行後に、Typeプロパティに「2」を指定し、Charsetプロパティに扱うテキストファイルの文字コードを表す文字列を指定します。

あとは、ReadTextメソッドを利用して、テキストファイルの内容を取得していきます。データが取得できたら、処理の最後にCloseメソッドを実行し、ストリームデータを閉じます。

なお、ReadTextメソッドは引数に「-2」を指定すると、1行ずつデータを取得できます。次のコードは、**テキストファイル(マクロを実行するブックと同じフォルダーにある「外部データ(UTF-8).txt」)の先頭行から末尾の行まで1行ずつデータの内容を取得し、「増田」という文字列が含まれているデータのみをアクティブセルを基準に転記**します。

▼マクロ 15-5

```
Dim textStream As Object, buf As String
'Streamオブジェクトを生成
Set textStream = CreateObject("ADODB.Stream")
With textStream
    .Open
```

```
        .Type = 2               'adTypeText
        .Charset = "UTF-8"
        .LineSeparator = -1   'adCRLF
        '読み込むファイルを指定
        .LoadFromFile ThisWorkbook.Path & "¥外部データ(UTF-8).txt"
        'EOSプロパティがTrueになるまでループ処理
        Do While .EOS = False
            buf = .ReadText(-2)  '1行読み込み
            If buf Like "*増田*" Then
                ActiveCell.Value = buf
                ActiveCell.Offset(1).Select
            End If
        Loop
        '閉じる
        .Close
    End With
```

実行例　1行ずつ確認しながら読み込む

	A	B	C	D	E	F	G
1							
2		1,2023/12/01,増田 宏樹,ビール,1820,100,182000					
3		4,2023/12/02,増田 宏樹,プルーン,460,30,13800					
4		5,2023/12/02,増田 宏樹,ラビオリ,2540,20,50800					
5		8,2023/12/03,増田 宏樹,スコーン,1300,30,39000					
6		12,2023/12/04,増田 宏樹,モツァレラ,4530,300,1359000					
7		20,2023/12/10,増田 宏樹,アーモンド,1300,90,117000					
8		26,2023/12/14,増田 宏樹,チャイ,2340,20,46800					
9		28,2023/12/15,増田 宏樹,ホワイトチョコ,390,25,9750					
10		31,2023/12/16,増田 宏樹,ラビオリ,2540,10,25400					
11		36,2023/12/21,増田 宏樹,ベリージャム,3250,15,48750					
12		39,2023/12/22,増田 宏樹,チャイ,2340,20,46800					
13							
14							

section 03 テキストファイルへの書き出し

Excelのデータをテキストファイルへと書き出す仕組みを見ていきましょう。

CSV形式やタブ区切り形式で書き出す

CSV形式やタブ区切り形式のデータで書き出す場合には、「書き出したいデータのみからなるブックを作成し、SaveAsメソッドの引数Filenameにファイル名(パス)、引数FileFormatにファイル形式を指定して書き出す」という手順が簡単です。

▼データを書き出す(SaveAsメソッド)

```
Workbookオブジェクト.SaveAs _
    Filename:=パス&ファイル名, FileFormat:=ファイル形式
```

次のコードは、**セルB2から始まる範囲を、「CSVデータ.csv」というCSV形式のファイルに書き出します**。書き出し先のファイルは、マクロを実行するブックと同じフォルダーに保存するものとします。

▼マクロ 15-6

```
Dim saveRange As Range, saveBook As Workbook
'書き出したいセル範囲をセット
Set saveRange = Range("B2").CurrentRegion
'新規ブックを作成し、コピー
Set saveBook = Workbooks.Add
saveRange.Copy saveBook.Worksheets(1).Range("A1")
'CSV形式で保存
saveBook.SaveAs _
    Filename:=ThisWorkbook.Path & "¥CSVデータ.csv", _
    FileFormat:=xlCSV
'保存がすんだ新規ブックを閉じる
saveBook.Close
```

実行例　SaveAsメソッドでCSV形式の書き出し

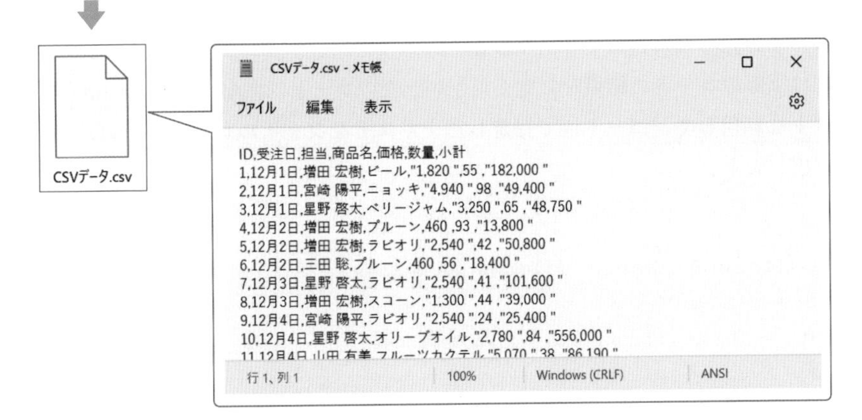

タブ区切りで書き出す場合には、SaveAsメソッドの引数FileFormatに定数「xlCSV」を指定している部分をxlCurrentPlatformTextに変更します。

```
'タブ区切り形式で保存
saveBook.SaveAs _
    Filename:=ThisWorkbook.Path & "¥タブ区切りデータ.txt", _
    FileFormat:=xlCurrentPlatformText
```

さらに、2016年10月度のアップデートを行ったExcel 2016以降では、新規追加された定数xlCSVUTF8を指定することで、文字コードがUTF-8形式のCSVファイルを書き出すこともできます。

```
'文字コードUTF-8のCSV形式で保存
saveBook.SaveAs _
    Filename:=ThisWorkbook.Path & "¥CSVデータ(UTF-8).csv", _
    FileFormat:=xlCSVUTF8
```

逆に言うと、アップデート適用前のExcelでは、SaveAsメソッドではUTF-8形式のCSVファイルを書き出せません(Shift-JIS相当の文字コードになります)。

自分の好きなフォーマットで書き出す

SaveAsメソッドでテキストファイルに書き出せるのは便利ですが、書き出される値がセルの表示形式に依存して決まってくる等、多少窮屈な面があります。

そこで、手間さえかければ自分の好きなように書き出せる、ADODB.Streamオブジェクトを利用した方法をご紹介します。

まずは実際のコードの結果をご覧ください。次のコードは、**ADODB.Streamオブジェクトを利用して、コード内で指定したテキストをファイル(出力結果.txt)として書き出します**。

▼マクロ 15-7

```
Dim textStream As Object, filePath As String
'保存するテキストファイルのパス作成
filePath = ThisWorkbook.Path & "¥出力結果.txt"
'Streamオブジェクトを生成して書き出し
Set textStream = CreateObject("ADODB.Stream")
With textStream
    .Open
    .Type = 2  'adTypeText
    .Charset = "UTF-8"
    '3回書き出し
    .WriteText "Hello", 1    'adWriteLine(改行アリ)
    .WriteText "Excel"
    .WriteText "VBA!"
    .SaveToFile filePath, 2  'adSaveCreateOverWrite(上書き)
    .Close
End With
```

実行例　ADODB.Streamオブジェクトで書き出し

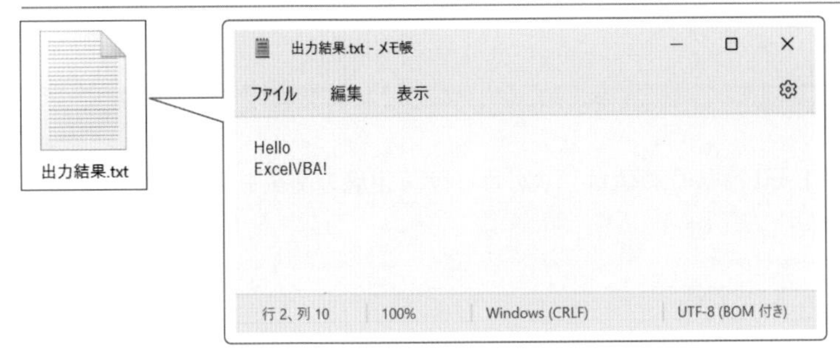

ADODB.Streamオブジェクトでテキストファイルを作成するには、Typeプロパティと Charsetプロパティを設定したうえで、WriteTextメソッドの引数に、書き出したい文字列を指定します。このとき、第2引数に「1（定数adWriteLineの値）」を指定すると、第1引数の文字列を書き込んだ後ろに改行文字を書き込みます。

何回かWriteTextメソッドで文字を書き込んでいき、最後にSaveToFileメソッドで保存します。

これならば自由な形でテキストファイルを作成できますね。この方式を応用して、シート上のテキストを書き出してみましょう。次のコードは、**セルB2から始まる範囲の表を、列ごとに指定した形式の値に変換したうえで、カンマ区切りのテキストファイル（Streamで書出.txt）として書き出します**。

▼マクロ 15-8

```
Dim filePath As String, rng As Range
'保存するテキストファイルのパス作成
filePath = ThisWorkbook.Path & "¥Streamで書出.txt"
'Streamオブジェクトを生成して書き出し
With CreateObject("ADODB.Stream")
    .Open
    .Type = 2  'adTypeText
    .Charset = "UTF-8"
    '見出しを書き出し
    .WriteText "ID,受注日,担当,商品名,価格,数量,小計", 1
    'セル範囲B3:H50の値を書き出し
    For Each rng In Range("B3:H50").Rows
        '1行分のデータをユーザー定義関数で文字列化して書き出し
        .WriteText getStringFrom(rng), 1
```

```
    Next
    .SaveToFile filePath, 2
    .Close
End With
```

表の1レコード分(7列分)の値は、次のユーザー定義の関数を利用して、カンマ区切りの文字列としています。

▼マクロ 15-9

```
'セル範囲からカンマ区切りの文字列を作成する関数
Function getStringFrom(rng As Range) As String
    Dim buf(6) As String
    '7列分の値をFormat関数で好きな形式の文字列に変換
    buf(0) = Format(rng.Cells(1).Value, "000")
    buf(1) = Format(rng.Cells(2).Value, "yyyy/mm/dd")
    buf(2) = rng.Cells(3).Value
    buf(3) = rng.Cells(4).Value
    buf(4) = Format(rng.Cells(5).Value, "#")
    buf(5) = Format(rng.Cells(6).Value, "#")
    buf(6) = Format(rng.Cells(7).Value, "#")
    'カンマで連結して返す
    getStringFrom = Join(buf, ",")
End Function
```

実行例　Streamオブジェクトでシート上のデータを書き出す

	A	B	C	D	E	F	G	H	I
1									
2		ID	受注日	担当	商品名	価格	数量	小計	
3		1	12月1日	増田 宏樹	ビール	1,820	55	182,000	
4		2	12月1日	宮崎 陽平	ニョッキ	4,940	98	49,400	
5		3	12月1日	星野 啓太	ベリージャム	3,250	65	48,750	
6		4	12月2日	増田 宏樹	プルーン	460	93	13,800	
7		5	12月2日	増田 宏樹	ラビオリ	2,540	42	50,800	
8		6	12月2日	三田 聡	プルーン	460	56	18,400	
9		7	12月3日	星野 啓太	ラビオリ	2,540	41	101,600	
10		8	12月3日	増田 宏樹	スコーン	1,300	44	39,000	
11		9	12月4日	宮崎 陽平	ラビオリ	2,540	24	25,400	

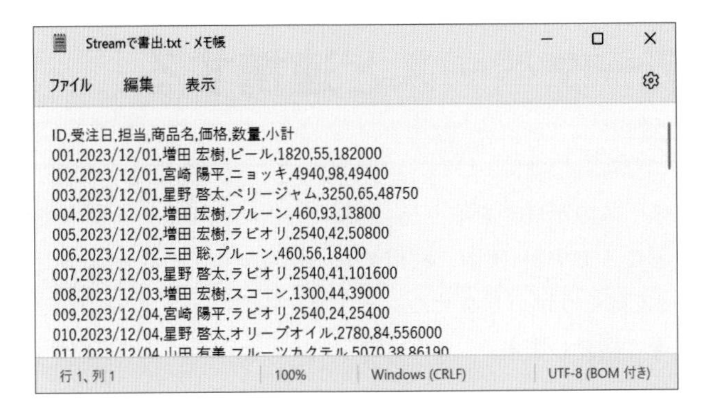

SaveAsメソッドを利用して書き出す方法よりも小回りが利き、文字コードも自由に指定できるため、Webアプリケーション等で主に利用されているUTF-8形式で自由にテキストファイルを書き出したい場合にも、このADODB.Streamオブジェクトを利用した方法は有効です。

column

カンマ区切り形式にしたい場合はARRAYTOTEXT関数が便利

マクロ15-8、15-9では、指定セル範囲の値をカンマ区切りの文字列に変換するため、独自の関数を作成しましたが、ARRAYTOTEXTワークシート関数が利用できる環境では、WorksheetFunctionオブジェクト経由でARRAYTOTEXTワークシート関数を利用した方が便利です。利用できる環境では、マクロ15-8においてユーザー定義関数「getStringFrom」を利用していた箇所を、以下のように修正可能です。

修正前のコードは次のようになります。

```
'1行分のデータをユーザー定義関数で文字列化して書き出し
.WriteText getStringFrom(rng), 1
```

修正後のコードは次のようになります。

```
'1行分のデータをARRAYTOTEXT関数で文字列化して書き出し
.WriteText WorksheetFunction.ArrayToText(rng.Value), 1
```

こちらの方がコードがスッキリしますね。

section 04 外部データベースと連携する

ExcelにAccessデータベースのデータを取り込むには、「Power Queryを使ってください！」と言いたいところですが(実際、利用できる環境ではそれがベストだと思います)、環境によってはそういはいきません。そこで、外部ライブラリのDAOを利用して連携する方法をご紹介します。

Accessデータベースからの取り込み

DAO (Data Access Object) は、Microsoft社が開発しているデータベースにアクセスする際に便利なオブジェクトが集められたライブラリです。特に、Accessデータベースと相性がよいです。

今回は、例としてシンプルなテーブル・クエリ・パラメータークエリを持つAccessで作成したデータベースからデータを取得することとします。

▼DAO経由で接続するAccess側の構成

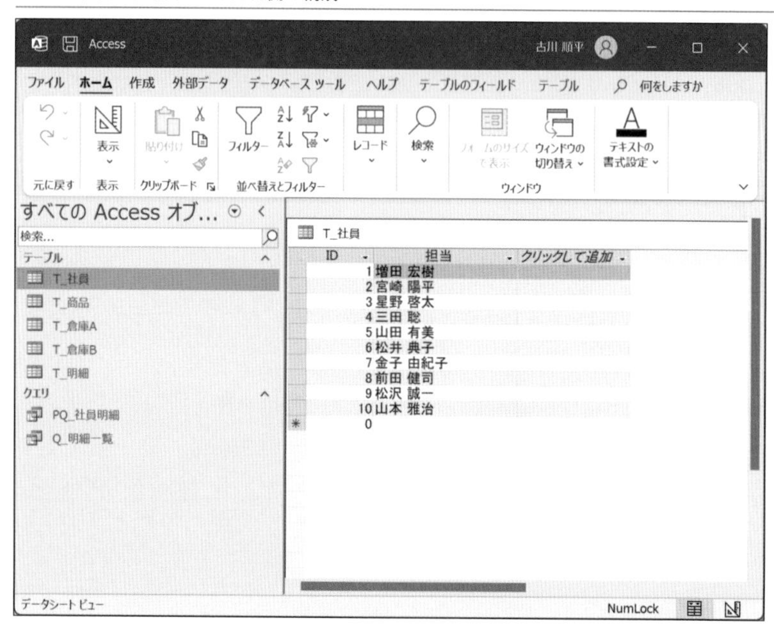

DAOライブラリには、Access側の各機能に対応する下記のオブジェクトが用意されています。

▼DAOに用意されているオブジェクト(抜粋)

オブジェクト	用途
DBEngine	データベースへ接続する際の基本オブジェクト
Database	データベースにアクセスするオブジェクト
Recordset	テーブルやクエリの結果セット等にアクセスするオブジェクト
QueryDef	パラメータークエリ等を扱う際に利用するオブジェクト

Access側の任意のテーブルデータを取得する

それでは、実際のコードを見ていきましょう。次のコードは、**Accessで作成したデータベース「外部DB.accdb」内のテーブル、「T_社員」の内容をシート上に取り出します**。

データベースファイルは、マクロ実行するブックと同じフォルダーに保存されているものとします。

▼マクロ 15-10

```
Dim DBE As Object, DB As Object, tmpRS As Object
'DBEngineオブジェクト生成
Set DBE = CreateObject("DAO.DBEngine.120")
'データベースに接続
Set DB = DBE.OpenDatabase(ThisWorkbook.Path & "¥外部DB.accdb")
'レコードセットにテーブルの内容を受け取る
Set tmpRS = DB.OpenRecordset("T_社員")
'データを転記
Range("B2").CopyFromRecordset tmpRS
'接続を切る
tmpRS.Close
DB.Close
```

実行例 Accessデータベースから任意のテーブルを読み込む

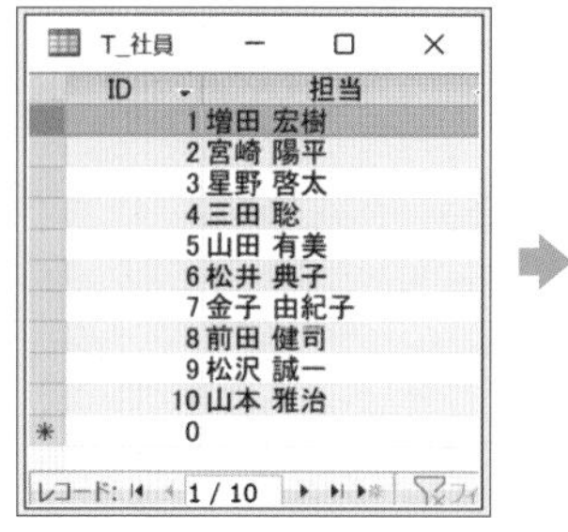

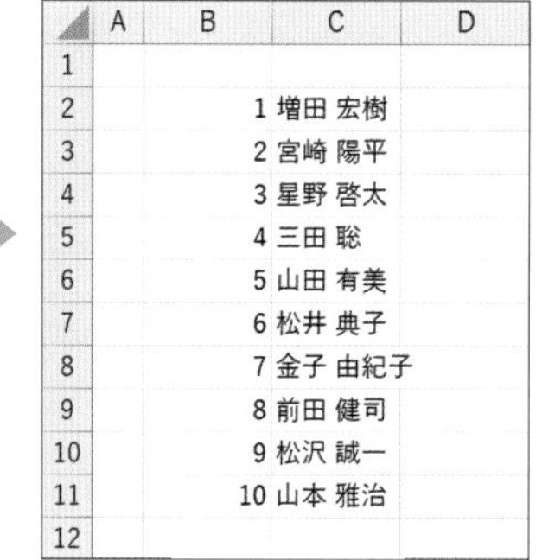

DAOで任意のデータベースに接続する際には、

1. DBEngineオブジェクトを生成
2. DBEngineオブジェクトのOpenDatabaseメソッドで任意のデータベースに接続。戻り値としてデータベースを扱うDatabaseオブジェクトを返す
3. Databaseオブジェクトの各種メソッドでテーブルやクエリへアクセス

というのが基本的な手順となります。さらに、任意のテーブルを扱うには、

4. OpenRecordsetメソッドの引数にテーブル名もしくはクエリ名を指定する。戻り値として結果セットを扱うRecordsetオブジェクトを返す
5. Recordsetオブジェクトから結果セットのデータを取り出す

という流れとなります。なお、ExcelのRangeオブジェクトには、レコードセットの保持しているデータをセルへと書き出すという、CopyFromRecordsetメソッドが用意されているので、こちらを利用すれば簡単にデータをシート上へと書き出せます。

▼レコードセットのデータを書き出す(CopyFromRecordsetメソッド)

```
転記先.CopyFromRecordset レコードセットを格納したオブジェクト
```

データを取り出したら、RecordsetオブジェクトとDatabaseオブジェクトのCloseメソッドを実行し、データベースとの接続を切ります。「繋げて、操作して、切る」という一連の操作が、データベースとやり取りをする際の基本の処理となります。

Access側のクエリの結果を取得する

ここで例として使用するAccessで作成したデータベース「外部DB.accdb」内のクエリ「Q_明細一覧」は、3つのテーブルを結合した結果セットを作成します。

▼Access側で作成したクエリ

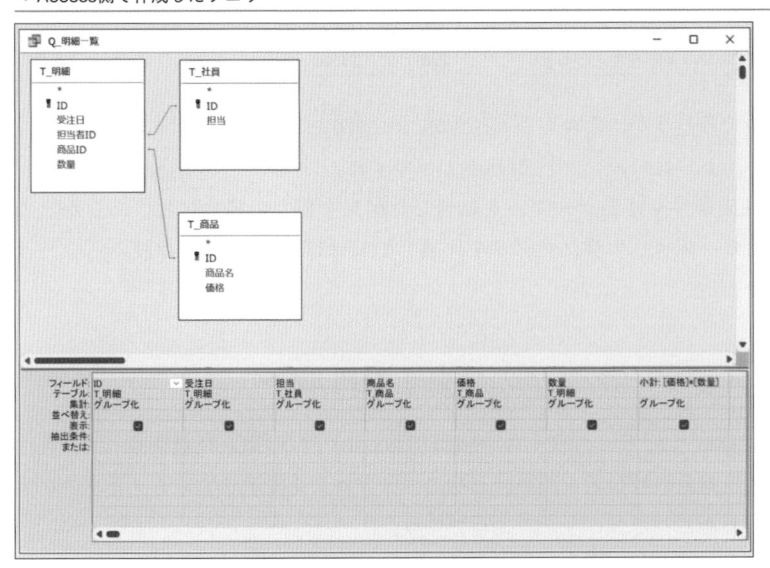

このようなクエリを実行した結果をExcelへと読み込むには、テーブルから読み込むのと同じ方法でOKです。次のコードは、**「外部DB.accdb」内の「Q_明細一覧」の結果を読み込み、セルB2を基準として取り込みます**。

▼マクロ 15-11

```
Dim DBE As Object, DB As Object, tmpRS As Object
Set DBE = CreateObject("DAO.DBEngine.120")
Set DB = DBE.OpenDatabase(ThisWorkbook.Path & "¥外部DB.accdb")
'レコードセットにクエリの内容を受け取る
Set tmpRS = DB.OpenRecordset("Q_明細一覧")
'データを転記
Range("B2").CopyFromRecordset tmpRS
'接続を切る
tmpRS.Close
DB.Close
```

実行例　クエリの結果セットを読み込む

	A	B	C	D	E	F	G	H	I
1									
2		1	2023/12/1	増田 宏樹	ビール	1820	100	182000	
3		2	2023/12/1	宮崎 陽平	ニョッキ	4940	10	49400	
4		3	2023/12/1	星野 啓太	ベリージャム	3250	15	48750	
5		4	2023/12/2	増田 宏樹	プルーン	460	30	13800	
6		5	2023/12/2	増田 宏樹	ラビオリ	2540	20	50800	
7		6	2023/12/2	三田 聡	プルーン	460	40	18400	
8		7	2023/12/3	星野 啓太	ラビオリ	2540	40	101600	

テーブルであろうが、クエリであろうが、Recordsetオブジェクトに受け取って、CopyFromRecordsetメソッドでOKなわけですね。

複雑な抽出条件や複数テーブルを結合した結果を得たい場合には、あらかじめAcces等のデータベース側にクエリを作成しておけば、Excel側では読み込むだけですみます。

パラメータークエリの結果を受け取る

Accessで作成したデータベース「外部DB.accdb」内の「PQ_社員明細」は、実行すると、抽出対象の社員名を問い合わせるダイアログを表示してくるタイプのクエリです。いわゆるパラメータークエリですね。

▼Access側で作成したパラメータークエリ

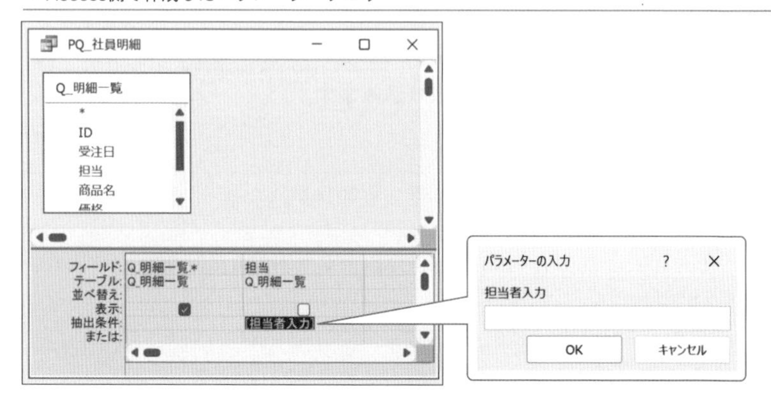

このタイプのクエリの結果をVBAから取得するには、QueryDefオブジェクトを利用します。次のコードは、**「外部DB.accdb」内の「PQ_社員明細」にパラメーターとして「増田 宏樹」を与えて実行した結果を読み込み、セルB2を基準として転記**します。

▼マクロ 15-12

```
Dim DBE As Object, DB As Object
Dim tmpQDef As Object, tmpRS As Object
Set DBE = CreateObject("DAO.DBEngine.120")
Set DB = DBE.OpenDatabase(ThisWorkbook.Path & "¥外部DB.accdb")
'パラメータークエリの定義を受け取り、パラメーターを設定
Set tmpQDef = DB.QueryDefs("PQ_社員明細")
tmpQDef.Parameters("担当者入力") = "増田 宏樹"
'レコードセットにパラメータークエリの内容を受け取る
Set tmpRS = tmpQDef.OpenRecordset
'データを転記
Range("B2").CopyFromRecordset tmpRS
'接続を切る
tmpRS.Close
DB.Close
```

実行例　パラメータークエリにパラメーターを指定して結果セットを取り込む

	A	B	C	D	E	F	G	H	I
1									
2		1	2023/12/1	増田 宏樹	ビール	1820	100	182000	
3		4	2023/12/2	増田 宏樹	プルーン	460	30	13800	
4		5	2023/12/2	増田 宏樹	ラビオリ	2540	20	50800	
5		8	2023/12/3	増田 宏樹	スコーン	1300	30	39000	
6		12	2023/12/4	増田 宏樹	モツァレラ	4530	300	1359000	
7		20	2023/12/10	増田 宏樹	アーモンド	1300	90	117000	
8		26	2023/12/14	増田 宏樹	チャイ	2340	20	46800	
9		28	2023/12/15	増田 宏樹	ホワイトチョコ	390	25	9750	
10		31	2023/12/16	増田 宏樹	ラビオリ	2540	10	25400	
11		36	2023/12/21	増田 宏樹	ベリージャム	3250	15	48750	
12		39	2023/12/22	増田 宏樹	チャイ	2340	20	46800	
13									

任意のパラメータークエリをQueryDefオブジェクトに受け取るには、Databaseオブジェクトの QueryDefs プロパティに、パラメータークエリ名を指定します。

受け取ったQueryDefオブジェクトの各パラメーターは、Parameters プロパティの引数に、パラメーター定義時に記述した「[] (角括弧)」内の値をキーに指定し、パラメーターの値を代入します。

パラメーターをセットした状態で、QueryDefオブジェクトの OpenRecordset メソッドを実行すると、戻り値として、指定したパラメーターにより抽出されたデータの結果セットが、Recordsetオブジェクトとして返されます。

フィールド名を取得する

CopyFromRecordsetメソッドでは、レコードセットのデータを簡単に転記できますが、フィールド名は転記されません。フィールド名も取り出したい場合には、RecordsetオブジェクトのFieldsプロパティ経由でFieldオブジェクトにアクセスし、Nameプロパティでフィールド名を取り出します。

次のコードは、**「外部DB.accdb」内の「T_社員」テーブルのデータを取得し、セルB2を基準としてフィールド名とデータを転記**します。

▼マクロ 15-13

```
Dim DBE As Object, DB As Object, tmpRS As Object, i As Long
Set DBE = CreateObject("DAO.DBEngine.120")
Set DB = DBE.OpenDatabase(ThisWorkbook.Path & "¥外部DB.accdb")
'レコードセットにクエリの内容を受け取る
Set tmpRS = DB.OpenRecordset("T_社員")
'フィールド名の書き出し
For i = 0 To tmpRS.Fields.Count - 1
    Range("B2").Offset(0, i).Value = tmpRS.Fields(i).Name
Next
'データを転記
Range("B3").CopyFromRecordset tmpRS
'接続を切る
tmpRS.Close
DB.Close
```

実行例　フィールド名も含めて取り込み

	A	B	C	D
1				
2		ID	担当	
3		1	増田 宏樹	
4		2	宮崎 陽平	
5		3	星野 啓太	
6		4	三田 聡	
7		5	山田 有美	

各フィールドは「0」から始まるインデックス番号で管理されており、総フィールド数はExcelのシート等と同じように、FieldsコレクションのCountプロパティで取得可能です。つまり、全フィールドを走査したい場合には、「0 〜 Count - 1」のインデックス番号をループ処理すればOKです。

SQL文を利用したい場合には

SQL文を利用して読み込みたい場合には、DatabaseオブジェクトのOpenRecordsetメソッドの引数に、SQL文字列を渡します。戻り値としてSQL文の結果セットがRecordsetオブジェクトの形で帰ってきますので、あとはCopyFromRecordsetメソッドで取り出せばOKです。

次のコードは、**「外部DB.accdb」内から、クエリ「Q_明細一覧」を実行して、担当者が「増田 宏樹」で受注日が「2023/12/01から2012/12/03」のデータを、セルB2を基準として転記**します。

▼マクロ 15-14

```
Dim DBE As Object, DB As Object, tmpRS As Object
Set DBE = CreateObject("DAO.DBEngine.120")
Set DB = DBE.OpenDatabase(ThisWorkbook.Path & "¥外部DB.accdb")
'レコードセットにSQL文の結果を受け取る
Set tmpRS = DB.OpenRecordset( _
    "SELECT *" & _
    " FROM" & _
       " Q_明細一覧" & _
    " WHERE" & _
       " 担当='増田 宏樹' AND" & _
       " 受注日 BETWEEN #2023/12/01# AND #2023/12/03#" _
)
'データを転記
Range("B2").CopyFromRecordset tmpRS
'接続を切る
tmpRS.Close
DB.Close
```

実行例 SQL文の結果を読み込む

	A	B	C	D	E	F	G	H	I
1									
2		1	2023/12/1	増田 宏樹	ビール	1820	100	182000	
3		4	2023/12/2	増田 宏樹	プルーン	460	30	13800	
4		5	2023/12/2	増田 宏樹	ラビオリ	2540	20	50800	
5		8	2023/12/3	増田 宏樹	スコーン	1300	30	39000	
6									

SQL文に精通した方であれば、こちらの方法の方が自由に目的のデータを取り出しやすいかもしれませんね。

Accessデータベースへ書き込む

Accessデータベースの任意のテーブルへとレコードを追加する場合には、Recordsetオブジェクトで追加先のテーブルへと接続し、各種プロパティやメソッドを利用します。

●新規レコードを追加する

次のコードは、**「外部DB.accdb」の「T_社員」テーブルに、新規のレコードを1件追加**します。

▼マクロ 15-15

```
Dim DBE As Object, DB As Object, tmpRS As Object
Set DBE = CreateObject("DAO.DBEngine.120")
Set DB = DBE.OpenDatabase(ThisWorkbook.Path & "¥外部DB.accdb")
'「T_社員」テーブルに接続
Set tmpRS = DB.OpenRecordset("T_社員")
'新規レコードを追加
tmpRS.AddNew
tmpRS!ID = 11
tmpRS!担当 = "後藤 晋太郎"
tmpRS.Update
'接続を切る
tmpRS.Close
DB.Close
```

実行例　新規レコードの追加

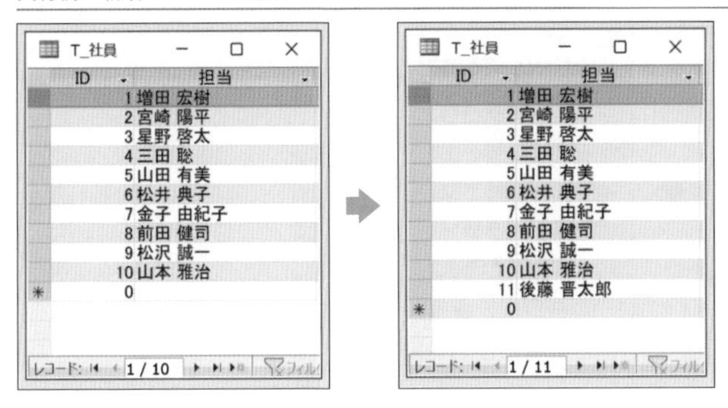

新規レコードを追加するには、Recordsetオブジェクトに対し、

1. AddNewメソッドを実行
2. 「Recordsetオブジェクト!フィールド名 = 値」の形式で各フィールドに値を設定していく
3. Updateメソッドで確定

という手順で値を設定していきます。Recordsetオブジェクトに設定する値をセルから参照すれば、シート上のデータを使ってレコードを追加する処理が作れます。

●更新系のSQLステートメントを実行する

SQLのUPDATE文やDELETE文、INSERT INTO文等、いわゆる更新クエリやアクションクエリを実行するには、DatabaseオブジェクトのExecuteメソッドの引数に、実行したいSQL文を渡して実行します。

次のコードは、**「外部DB.accdb」の「T_社員」テーブルに、「ID・担当」フィールドの値が、それぞれ、「11・後藤 晋太郎」の新規レコードを追加**します。

▼マクロ 15-16

```
Dim DBE As Object, DB As Object
Set DBE = CreateObject("DAO.DBEngine.120")
Set DB = DBE.OpenDatabase(ThisWorkbook.Path & "¥外部DB.accdb")
'SQL文で新規レコード追加
DB.Execute "INSERT INTO T_社員(ID, 担当) VALUES(11, '後藤 晋太郎') "
'接続を切る
DB.Close
```

実行例　新規レコードを追加

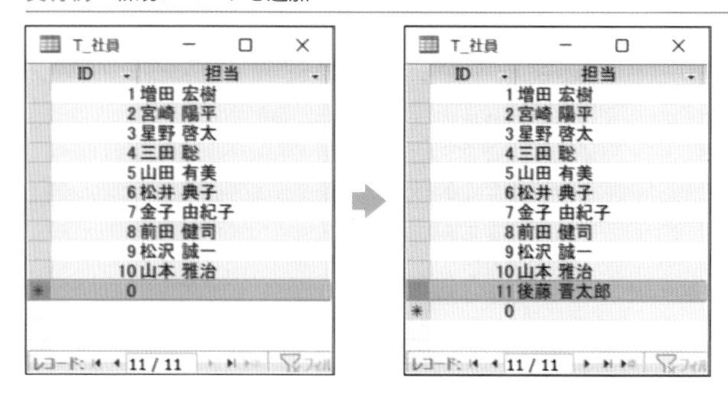

●既存のレコードを修正する

既存のレコードを修正するには、RecordsetをOpenRecordsetメソッドで開く際に、第2引数を「2（定数dbOpenDynasetの値）」に指定して、レコード修正のできるダイナセット形式で開きます。SeekメソッドやFindFirstメソッド等の検索系のメソッドを利用して修正対象のレコードへと移動したら、Editメソッドで編集を開始し、修正後にUpdateメソッドで確定します。

次のコードは、**「外部DB.accdb」の「T_商品」テーブル内から、「商品名」フィールドの値が「オリーブオイル」のレコードを検索し、「価格」フィールドの値を修正**します。

▼マクロ 15-17

```
Dim DBE As Object, DB As Object, tmpRS As Object
Set DBE = CreateObject("DAO.DBEngine.120")
Set DB = DBE.OpenDatabase(ThisWorkbook.Path & "¥外部DB.accdb")
'「T_商品」テーブルに接続
'第2引数にdbOpenDynasetの値「2」を指定しダイナセット形式で開く
Set tmpRS = DB.OpenRecordset("T_商品", 2)
'「商品名」の値が「オリーブオイル」のレコードへ移動
tmpRS.FindFirst "商品名 = 'オリーブオイル'"
'検索値が存在する場合には、その値を修正
If Not tmpRS.NoMatch Then
    tmpRS.Edit
    tmpRS!価格 = 1200
    tmpRS.Update
```

```
Else
    MsgBox "該当レコードは見つかりませんでした"
End If
'接続を切る
tmpRS.Close
DB.Close
```

実行例　既存レコードの修正

T_商品

ID	商品名	価格	クリ
C01	プルーン	460	
C02	ラビオリ	2540	
C03	オリーブオイル	2800	
C04	シロップ	1300	
C05	乾燥ナシ	3900	
C06	カニ缶詰	2400	
C07	チャイ	2340	

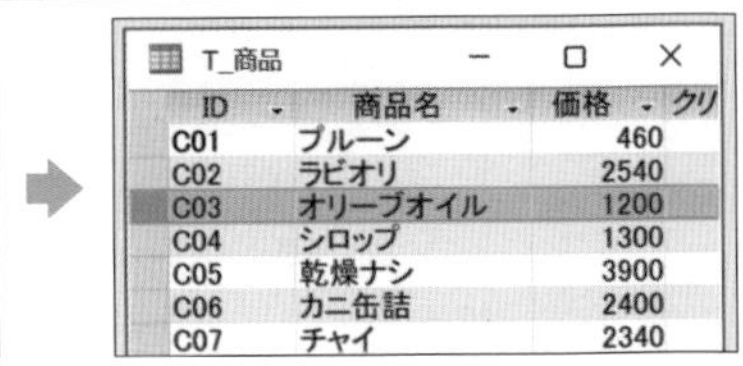

T_商品

ID	商品名	価格	クリ
C01	プルーン	460	
C02	ラビオリ	2540	
C03	オリーブオイル	1200	
C04	シロップ	1300	
C05	乾燥ナシ	3900	
C06	カニ缶詰	2400	
C07	チャイ	2340	

●トランザクション処理を利用してデータを更新する

一連の処理をまとめて「なかったことにする」トランザクション処理を実行するには、WorkspaceオブジェクトのBeginTransメソッドを利用します。

例えば、Access側に次図のような2つの倉庫の在庫を管理するテーブル「T_倉庫A」「T_倉庫B」があったとします。

▼実行前の2つのテーブルの状態

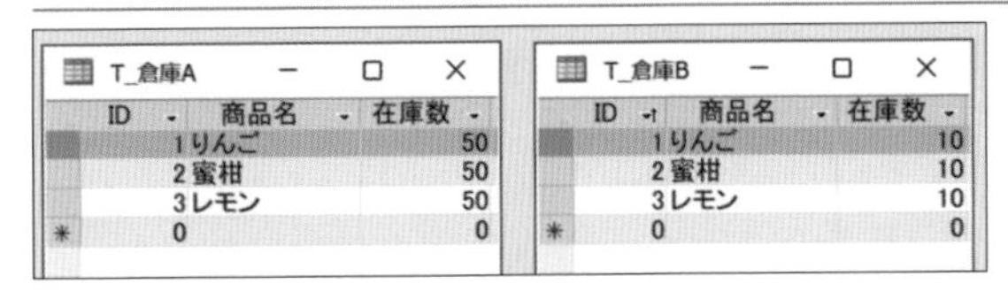

T_倉庫A

	ID	商品名	在庫数
	1	りんご	50
	2	蜜柑	50
	3	レモン	50
*	0		0

T_倉庫B

	ID	商品名	在庫数
	1	りんご	10
	2	蜜柑	10
	3	レモン	10
*	0		0

このとき、「倉庫Aから倉庫Bに『りんご』を30個移動」する処理を実行しようと、次のようなSQLコマンドを実行しようと試みました。

```
'1つ目のSQLコマンド
UPDATE T_倉庫A
    SET 在庫数 = 在庫数 - 30
    WHERE ID = 1
'2つ目のSQLコマンド
UPDATE T_倉庫B
    SET 在庫数 = 在庫数 + 30
    WHERE ID = 1
```

しかし、1つ目のSQLコマンドを実行後、2つ目のSQLコマンドを実行する際にエラーが発生してしまいました。SQLコマンドは、T_倉庫Aに対するものだけが実行されています。つまり、倉庫AのID「1」「りんご」の在庫のみが30減算され、倉庫Bの在庫数は変更ナシのままの状態です。このままでは、データの整合がとれませんね。2つのSQLコマンドは、2つでひとまとめの処理として実行される必要があります。

▼倉庫Aに対するSQLコマンドのみが実行された状態

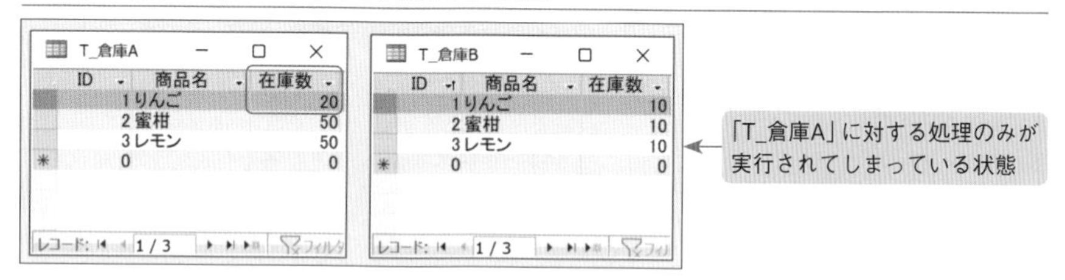

このような、データベースに対する複数の処理をひとまとめにして実行したい場合の仕組みが「トランザクション処理」です。

トランザクション処理は、開始時点でのデータベースの状態を一時的に保存しておき、一連の処理を実行し、処理が問題なく終了すればその状態に更新（コミット）し、問題が発生したら保存していた状態に戻す（ロールバック）する仕組みです。

VBAでDAOを利用している際にこの仕組みを利用するには、WorkspaceオブジェクトのBeginTransメソッド、CommitTransメソッド、Rollbackメソッドとエラー処理を併用します。

▼トランザクション処理に利用するメソッド

メソッド	内容
BeginTrans	トランザクション処理を開始する
CommitTrans	BeginTransメソッド実行後にデータベースに対して行った処理を確定（コミット）する
RollBack	BeginTransメソッド実行後にデータベースに対して行った処理を破棄して巻き戻す（ロールバックする）

次のコードは、**「T_倉庫A」「T_倉庫B」に対する一連の処理をトランザクション処理を用いて実行**します。なお、2つのテーブルに対する処理の間で、Err.Raiseステートメントを利用して明示的にエラーを発生させています。

▼マクロ 15-18

```
Dim DBE As Object, DB As Object, WS As Object
Set DBE = CreateObject("DAO.DBEngine.120")
Set DB = DBE.OpenDatabase(ThisWorkbook.Path & "¥外部DB.accdb")
'WorkSpaceを取得
Set WS = DBE.WorkSpaces(0)
'トランザクション処理&エラートラップ開始
On Error GoTo ROLLBACK_DB
WS.BeginTrans
'2つのテーブルに対する一連の処理実行
DB.Execute "UPDATE T_倉庫A" & _
           " SET 在庫数 = 在庫数 - 30" & _
           " WHERE ID = 1"
'処理の途中でエラーを発生させる
Err.Raise 513
DB.Execute "UPDATE T_倉庫B" & _
           " SET 在庫数 = 在庫数 + 30" & _
           " WHERE ID = 1"
'正常実行できた場合はコミットし終了処理へジャンプ
WS.CommitTrans
On Error GoTo 0
GoTo CLOSE_DB
'エラートラップ用ラベル
ROLLBACK_DB:
    'ロールバックする
    WS.RollBack
    MsgBox "エラー発生。処理をロールバックします", vbExclamation
'終了処理用ラベル
CLOSE_DB:
'接続を切る
DB.Close
```

実行例　トランザクション処理で実行

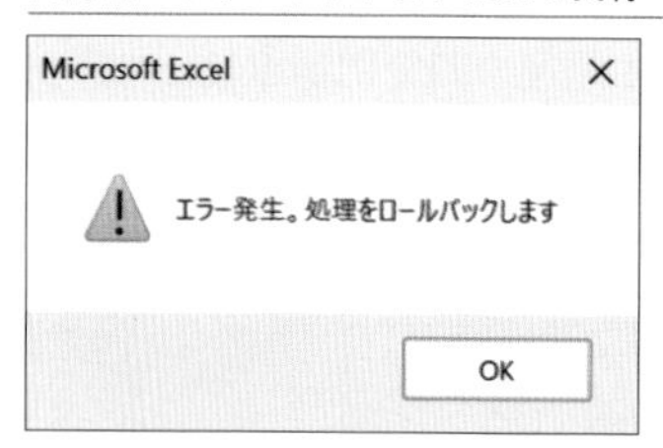

トランザクション処理を用いれば、「一連の処理」を安全に実行できます。ただし、ExcelのVBA側でトラップできるエラーは、ExcelのVBA側のものだけである点には注意しましょう。「Excel側の不備で一連の処理の途中でエラーが発生した場合には、ロールバックできる」仕組みというわけですね。

以上、Access側のデータをExcel VBAから扱うためのあれやこれやの仕組みをご紹介しました。何やら急に見慣れない用語やメソッド名が出てきましたが、本書ではページ数の都合もあり、詳しい解説は行いません。とりあえずは、**DAOに用意されている各種オブジェクトを利用すれば、外部DBを操作可能**ということが伝わっていれば幸いです。

なお、DAOはAccessのVBAでデータベースを操作する際に利用する基本的な仕組みとして採用されています。そのため、Access VBA関係の書籍やコンテンツを調べていただくと、DAOの利用方法について、より詳しい情報が手に入れられるでしょう。興味のある方は、そちらの方面にも手を伸ばしてみてください。

実践編

Chapter 16

Power Queryと連携して外部データを取り込む

本章では、Power Queryを利用して、さまざまなデータをExcel上に取り込む仕組みを学習します。
Power Queryで作成した「クエリ」の更新方法からクエリ自体を作成・実行する方法を学習していきましょう。

本章の学習内容

❶Power Queryで取り込んだデータの扱い
❷M言語でクエリを作成する
❸M言語で関数や変数を利用する

section 01

Power Queryで外部データを取り込む手順

Power Queryは、さまざまな形式のデータをテーブル形式に変換してExcelに取り込むことのできる、データ取り込みに特化したアプリケーションです。Power Queryを利用して外部データを取り込む場合、どのように管理を行っているのかの仕組みと手順を見ていきましょう。

クエリを登録し、シート上に展開するという2手順

外部データを取り込む場合、まず、「どこのデータをどのように取り込むのか」という指示書とも言えるクエリが作成され、ブックに保存されます。

そして、そのクエリの指示に従って作成した結果データを、シート上に展開します。この結果データを展開したセル範囲を、外部データ範囲と呼びます。

▼ クエリと外部データ範囲

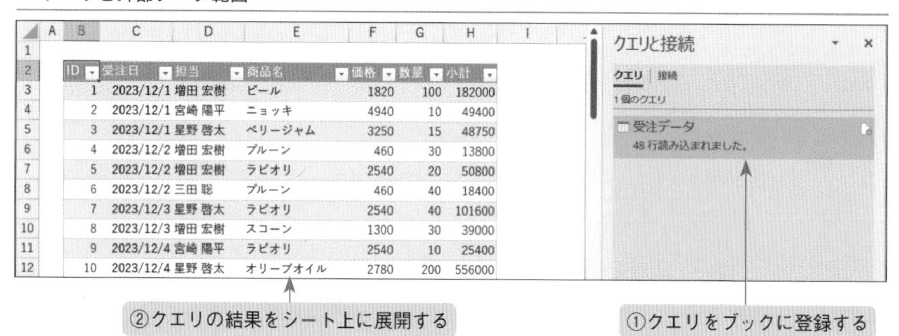

ブックに登録されているクエリを確認するには、リボンの「データ」タブ内の**クエリと接続**ボタンを押します。すると、画面右端に「クエリと接続」ペインが表示され、登録ずみのクエリ一覧が表示されます。

このクエリは、VBAではWorkbookQueryオブジェクトとして管理されます。WorkbookQueryの実行結果は、テーブル（ListObject）と関連付けて外部データ範囲として展開したり、結果の値のみを取り出してセルに展開したりします。

「クエリ登録」→「展開」の2ステップで取り込むという手順を押さえておきましょう。

クエリの内容はM言語で記述

クエリの内容は、「Power Query M式言語(通称：M言語)」という独自の言語で作成されます。Power Queryはコードを記述せずに手作業でクエリの作成・編集が行えますが、内部的にはM言語を利用したコードとして記録されます。

手作業で作成したクエリの内容は、Power Queryエディターのリボンの「ホーム」タブの**詳細エディター**ボタンを押すと表示される「詳細エディター」ダイアログで確認・編集できます。

▼Power Queryの詳細エディターでM言語を確認/編集

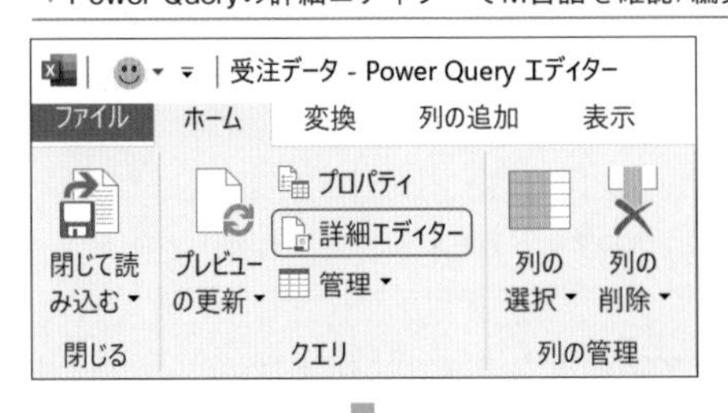

Excelの「マクロの記録」機能と同じ感覚で、手作業でクエリを作成し、詳細エディターで対応するコードが確認できるわけですね。ともあれ、「クエリの作成・編集はPower QueryのM言語で行う」という点を押さえておきましょう。

なお、M言語の詳細については、Microsoftのリファレンス(https://learn.microsoft.com/ja-jp/powerquery-m/)を参照してください。

column

Power Queryエディターの起動方法

Power Queryエディターは、Excelのリボンから起動できます。リボンの「データ」タブから**データの取得→PowerQueryエディターの起動**を選択します。

クエリを追加する

VBAから新規のクエリを追加するには、WorkbookオブジェクトのQuerysプロパティから取得できるQuerysコレクションのAddメソッドを利用します。

▼新規のクエリを追加する（Querys.Addメソッド）

```
ブック.Querys.Add Name:=クエリ名, Formula:=コマンドテキスト
```

コマンドテキストは、M言語のコードの文字列となります。例えば、次のコードは、**「C:¥excel¥外部データ.csv」を読み込むクエリ「伝票データ」を作成し、ブックに登録**します。外部データを準備したうえで実行してください。

▼マクロ 16-1

```
Dim queryName As String, commandText As Variant
'クエリ名設定
queryName = "伝票データ"
'M言語のコマンドテキスト作成
commandText = Array( _
    "let", _
        "source = Csv.Document(" & _
            "File.Contents(""C:¥excel¥外部データ.csv"")), ", _
        "header = Table.PromoteHeaders(source)", _
    "in", _
        "header" _
)
commandText = Join(commandText, vbCrLf)
'新規WorbookQueryオブジェクトとしてブックに登録
ThisWorkbook.Queries.Add Name:=queryName, Formula:=commandText
```

実行例　クエリの追加

コマンドテキストを作成する際には、1行ずつ考えられるよう、いったんArray関数を利用して1行ごとのテキストを作成し、後でJoin関数によって連結して1つの文字列にしています。ただ、コマンドテキスト作成に関してはVBAで作成するというよりは、Power Query側で作成・編集する作業の方がメインとなるでしょう。

ともあれ、ブックにクエリを追加するには、このような手順で行います。

テーブルとして展開するか、値のみを転記するか

任意のクエリの結果をシート上に展開する際には、テーブルとして展開するか、結果の値のみを展開するのかによって処理も変わってきます。

●テーブルとして展開する

テーブルとして展開するには、クエリと関連付けたListObjectを作成します。次のコードは、**クエリ「伝票データ」と関連付けたテーブルを、セルB2を起点とした範囲に作成**します。

▼マクロ 16-2

```
Dim queryName As String, table As ListObject
'クエリ名を指定
queryName = "伝票データ"
'クエリと関連付けたテーブル作成
Set table = ActiveSheet.ListObjects.Add( _
    SourceType:=xlSrcExternal, _
    Source:="OLEDB;" & _
            "Provider=Microsoft.Mashup.OleDb.1;" & _
            "Data Source=$Workbook$;" & _
            "Location=" & queryName & ";", _
    Destination:=Range("B2") _
)
```

```
'テーブル名をクエリ名と同じものに変更
table.Name = queryName
'テーブルに関連付けた外部接続先のデータをリフレッシュ(取り込み)
With table.QueryTable
    .CommandType = xlCmdSql
    .CommandText = Array("SELECT * FROM [" & queryName & "]")
    .Refresh
End With
```

実行例　クエリの内容をテーブルとして展開

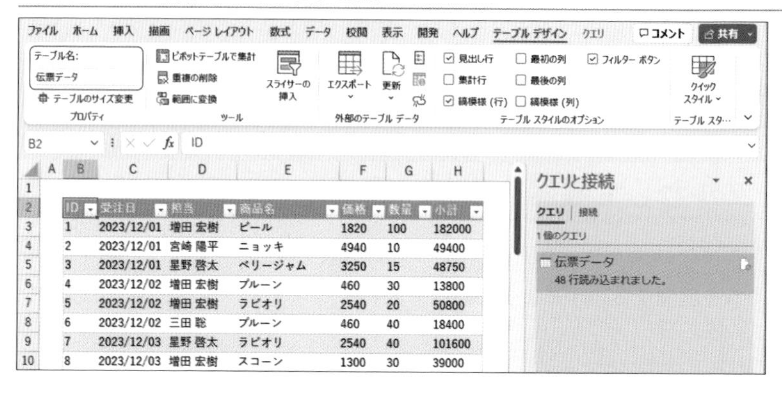

テーブルとして展開すれば、構造化参照による各種のデータ範囲の取得も可能になるため、取り込んだデータを参照した式の作成が格段に楽になります。

また、外部データ範囲と関連付けたテーブル(ListObject)は、QueryTableプロパティから取得できるQueryTableオブジェクトのRefreshメソッドを実行することで、その時点での外部データの再読み込みを行います。

次のコードは、**「伝票データ」テーブルの外部データを再読み込み(更新)**します。

▼マクロ 16-3

```
ActiveSheet.ListObjects("伝票データ").QueryTable.Refresh
```

●値のみを展開する

クエリの結果の値のみをシートに展開するには、クエリに関連付けたQueryTableオブジェクトを作成し、シート上に展開後に削除してしまえばOKです。

次のコードは、**クエリ「伝票データ」の結果の値のみをセルBを起点として展開**します。

▼マクロ 16-4

```
Dim queryName As String, qt As QueryTable
'クエリ名を指定
queryName = "伝票データ"
'クエリをデータソースとするQueryTableを作成
Set qt = ActiveSheet.QueryTables.Add( _
    Connection:="OLEDB;" & _
                "Provider=Microsoft.Mashup.OleDb.1;" & _
                "Data Source=$Workbook$;" & _
                "Location=" & queryName & ";", _
    Destination:=Range("B2") _
)
'クエリの結果全体を取り込み後にQueryTable自体を削除
With qt
    .CommandType = xlCmdSql
    .CommandText = Array("SELECT * FROM [" & queryName & "]")
    '完全に読み込むまで待機してから次の処理を実行
    .Refresh BackgroundQuery:=False
    .Delete
End With
```

実行例　クエリの結果の値のみを展開

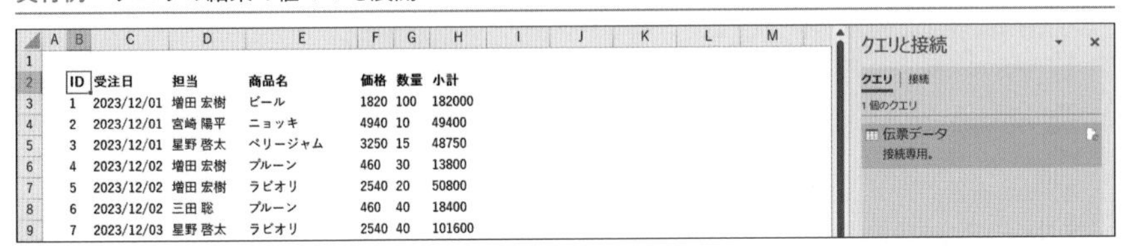

ID	受注日	担当	商品名	価格	数量	小計
1	2023/12/01	増田 宏樹	ビール	1820	100	182000
2	2023/12/01	宮崎 陽平	ニョッキ	4940	10	49400
3	2023/12/01	星野 啓太	ベリージャム	3250	15	48750
4	2023/12/02	増田 宏樹	プルーン	460	30	13800
5	2023/12/02	増田 宏樹	ラビオリ	2540	20	50800
6	2023/12/02	三田 聡	プルーン	460	40	18400
7	2023/12/03	星野 啓太	ラビオリ	2540	40	101600

クエリの結果のみを展開した場合でも、クエリ自体はブックに残ります。

クエリ自体も削除してしまうには、該当クエリに対応するWorkbookQueryオブジェクトを取得し、Deleteメソッドを実行します。次のコードは、**クエリ「伝票データ」をブックから削除**します。

▼マクロ 16-5

```
ThisWorkbook.Queries("伝票データ").Delete
```

section

02 M言語の基本的な記述方法

本章のこれ以降は、主にVBAでなくM言語のコードの書き方についてご紹介します。Power Queryは手作業でデータの指定からパースまで行えるのが魅力のアプリケーションではありますが、やはり、かゆいところまで手が届くように調整しようと思うと、直接M言語を記述するスタイルに分があります。

空のクエリを作成する

M言語ベースでクエリを作成する場合は、まず、Excel側のリボンの「データ」タブから**データの取得→その他のデータソースから→空のクエリ**を選択します。すると、Power Queryエディターの画面に移行するので、詳細エディターを表示してコードを記述していきます。

▼空のクエリを作成して詳細エディターにコードを記述

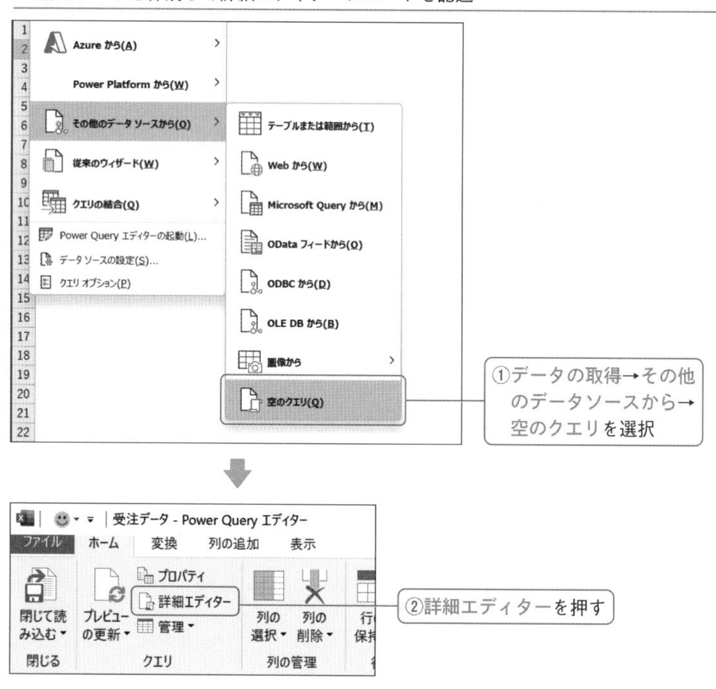

Power Queryでは、「データソースを読み込む」「フィルターをかける」等の1つひとつの操作をステップと呼び、複数のステップを踏んで最終的にExcel側へと取り込む形を作成していきます。

▼1つの処理を「ステップ」と呼ぶ

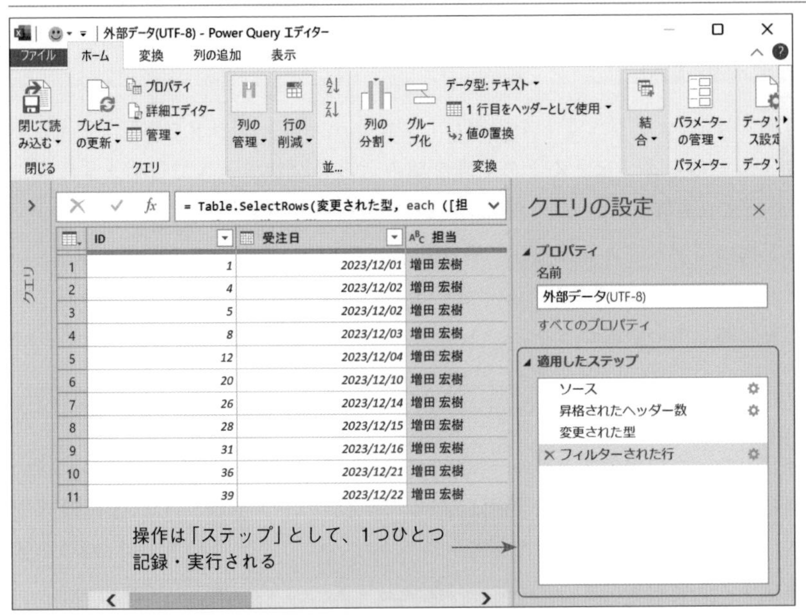

M言語の基本的な構文もこのステップをベースとした構造に対応しています。

▼M言語の基本的な構文

```
let
    ステップ名1= 処理,
    ステップ名2= 処理 …
in
    出力となるステップ名
```

各ステップの操作を記述するletブロックと、結果として何を出力するかを記述するinブロックに分かれます。

letブロック内では、ステップごとのステップ名と実行する処理を記述していき、最後にinブロックで最終的な出力となる処理やステップ名を記述する形となります。

M言語の基本ルール

M言語で指定する内容はVBAのように多岐にわたる機能やオブジェクトがあるわけでなく、結局は「テーブルやリストの内容をどうするのか」というものが中心となります。以下、用意されている仕組みをざっくりとご紹介します。

●組み込みの関数

M言語では、「オブジェクトを指定してプロパティやメソッドを実行する」というスタイルではなく、ほとんどの処理を組み込みの関数ベースで行います。実に700個を超える関数を、各カテゴリに分類し、用意しています。

関数を使ってテーブルを成形し、戻り値として成型後のテーブルを受け取るというステップを繰り返し、だんだんと最終出力となる形に整えていくイメージでステップを記述していきましょう。

●リストとレコード

コード中でいくつかの値をグループ化して利用する、いわゆる配列のように扱いたい場合は、リストの仕組みを利用します。M言語のリストは、「{ }（波括弧）」を利用し、その中にカンマ区切りで値を列記します。例えば、**「1」「2」「3」の3つの要素を持つリスト**を表すには、次のように記述します。

```
{1, 2, 3}
```

また、波括弧は、リストの中から、0から始まるインデックス番号を指定して値を取り出す際にも利用します。次のコードは、**リスト中の「1」の位置の値、つまり、「愛知」を取り出します**。

```
{"東京", "愛知", "大阪"}{1}
```

リストと似た仕組みに、レコードがあります。M言語におけるレコードは、名前（フィールド名）と値のペアを扱います。「[ ]（角括弧）」を利用し、その中にカンマ区切りで「名前=値」のペアを列記します。

次のコードは、**「id」が「1」、「name」が「りんご」、「price」が「100」のレコードを作成し、ステップ「source」とします**。

```
source = [id = 1, name = "りんご", price = 100]
```

角括弧は、レコードから任意のフィールドの値を取り出す際にも利用します。次のコードは、**上記で作成したsourceから、nameフィールドの値「りんご」を取り出します**。

```
source[name]
```

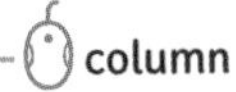

column

角括弧の方が「レコード」な点に注意

JavaScript等のECMAScript系の言語では、角括弧は配列を作成する表記となります。そのため、こちらに親しんでいる方はついつい配列を作成しようと角括弧を使いたくなりますが、M言語では角括弧はレコード（名前と値のペア）を作成する表記です。配列に相当するリストは波括弧です。間違いやすいので注意しましょう。

●テーブルのレコードやフィールドを取り出す

テーブル内の任意の1レコードを取り出すには、波括弧を使って0から始まるインデックス番号を指定します。**先頭レコードを取り出す**には次のように記述します。

```
テーブル{0}
```

また、ユニークな値を持つフィールドがある場合には、値を指定して取り出すことも可能です。**「ID」フィールドの値が「VBA-001」のレコードを取り出す**には次のように記述します。

```
テーブル{[ID="VBA-001"]}
```

任意のフィールドの値を取り出すには、角括弧を使ってフィールド名を指定します。**先頭レコードの「ID」フィールドの値を取り出す**には次のように記述します。

```
テーブル{0}[ID]
```

レコードを指定しない場合は、そのテーブルの指定フィールドが持つ値を、リストとして取得します。**テーブルの「ID」フィールドの値のリストを得る**には次のように記述します。

```
テーブル[ID]
```

●コメント

M言語ではコード中に「//」を記述すると、その行の以降の部分はコメントとして扱われます。

```
//この部分はコメントとして扱われ評価されません
```

また、「/*」と「*/」で囲まれた部分はコメントブロックとして扱われます。

```
/*
この部分はコメントブロックとして扱われ
評価されません。
*/
```

VBAの「'(シングルクォーテーション)」と同じような仕組みですね。

column

行継続文字は「ありません」、大文字小文字は「区別します」

VBAでは複数行にわたるコードを「 _(スペース・アンダーバー)」を利用して改行しましたが、M言語では行継続文字はありません。改行しても次の行までコードが継続しているものと判断されます。例えば、

```
Table.SelectRows(xlBook,each [Kind]="Sheet")
```

というコードは、

```
Table.SelectRows(
    xlBook,
    each [Kind]="Sheet"
)
```

と記述して構いません。読みやすい位置で自由に改行を入れてください、というスタイルなのです。

また、M言語はVBAと違い、大文字小文字を区別する言語です。コードを記述する際には注意しましょう。

大まかな流れは「ナビゲーションテーブルを作って削る」

多くの場合、M言語でクエリを作成する際の最初のステップとなるのは、どの場所にある、どういう形式のデータを対象にするのかです。Power Queryは実に多様なデータを取得可能であり、それぞれの形式に対応したデータアクセス関数が多数用意されています。次表は、扱えるデータの一部と対応するデータアクセス関数です。

▼扱える形式と用意されたデータアクセス関数（抜粋）

形式	対応する関数
テキスト（csv形式）	Csv.Document
Excelブック	Excel.CurrentWorkbook
	Excel.Workbook
Accessデータベース	Access.Database
各種データベース/各種データソース	Sql.Database
	Oracle.Database
	MySQL.Database
	Odbc.DataSource
	OleDb.DataSource
Web上のデータ	Web.Page
	Html.Table
JSON形式のデータ	Json.Document
XML形式のデータ	Xml.Document
ファイルやフォルダー	File.Contents
	Folder.Files
PDF	Pdf.Tables

これは一部ですが、テキストファイルやExcelのブックだけでなく、Web上のデータやフォルダー等にまで対応しているのがわかりますね。

ともあれ、Power Queryでは、取り込みの対象を指定すると、大雑把に「指定してもらった対象から、データとして扱えそうな箇所を網羅した一覧表を作りました！」と、一覧表を作成してくれるような処理を行い、その対象に合わせた基本となるテーブル（ナビゲーションテーブル）を作成してくれます。

例えば、下図のような内容のフォルダーを対象に指定すると、ファイル名やファイル情報の一覧表となるナビゲーションテーブルを作成してくれます。

▼特定のフォルダーを対象に読み込み

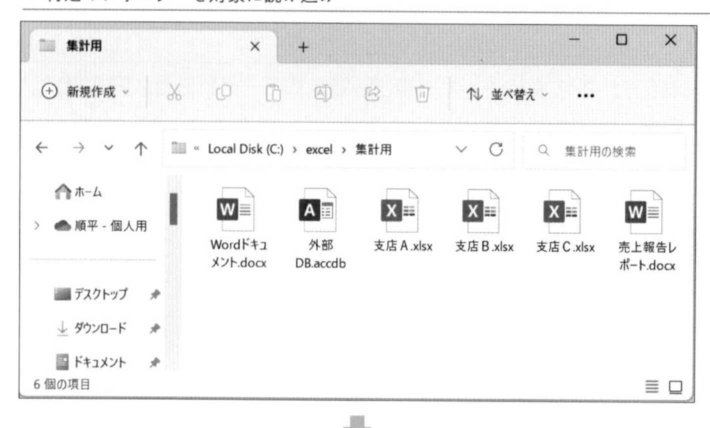

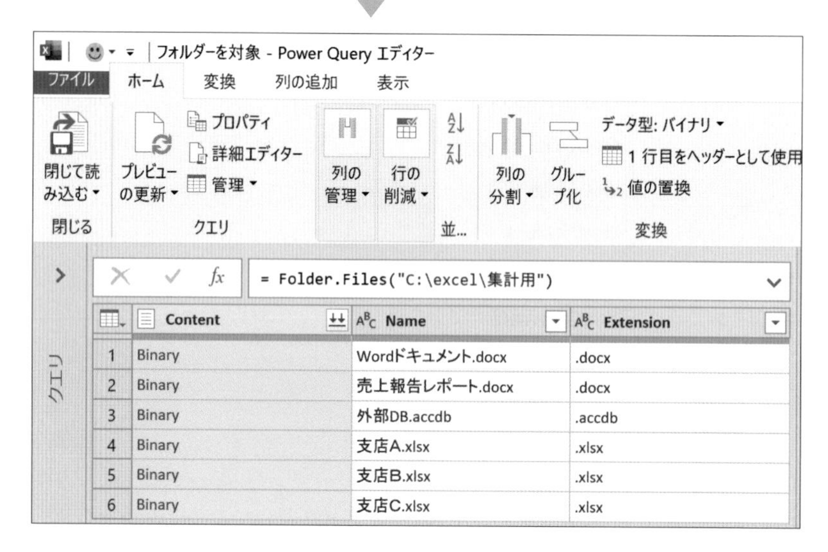

	Content	Name	Extension
1	Binary	Wordドキュメント.docx	.docx
2	Binary	売上報告レポート.docx	.docx
3	Binary	外部DB.accdb	.accdb
4	Binary	支店A.xlsx	.xlsx
5	Binary	支店B.xlsx	.xlsx
6	Binary	支店C.xlsx	.xlsx

この作成してくれたナビゲーションテーブルから、だんだんと目的のデータへと絞り込んだり、そぎ落としたり、加工をしたりしながら、最終的にできあがったテーブルの内容をExcelへと取り込む流れとなります。「まずはざっと大まかにつかんでもらい、ステップごとにそぎ落としていく」のがPower Queryの基本スタイルです。

section 03 CSV形式のデータを扱う

Power Queryで外部データを取り込む際の基本となるコードを確認するためにも、CSV形式のファイルを取り込んでみましょう。

▼読み込むCSV形式のファイル

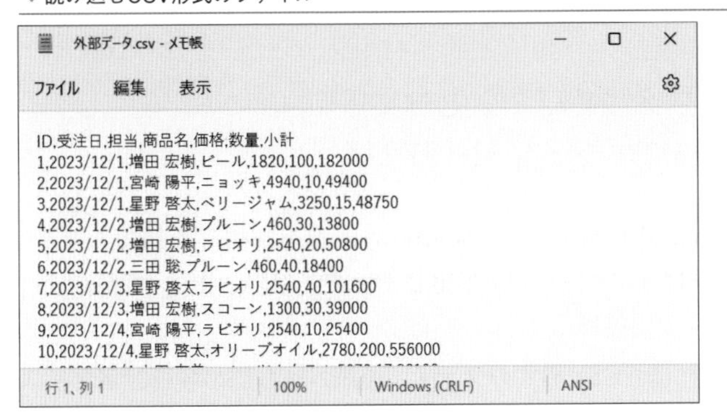

外部データ.csv - メモ帳

ファイル 編集 表示

ID,受注日,担当,商品名,価格,数量,小計
1,2023/12/1,増田 宏樹,ビール,1820,100,182000
2,2023/12/1,宮崎 陽平,ニョッキ,4940,10,49400
3,2023/12/1,星野 啓太,ベリージャム,3250,15,48750
4,2023/12/2,増田 宏樹,プルーン,460,30,13800
5,2023/12/2,増田 宏樹,ラビオリ,2540,20,50800
6,2023/12/2,三田 聡,プルーン,460,40,18400
7,2023/12/3,星野 啓太,ラビオリ,2540,40,101600
8,2023/12/3,増田 宏樹,スコーン,1300,30,39000
9,2023/12/4,宮崎 陽平,ラビオリ,2540,10,25400
10,2023/12/4,星野 啓太,オリーブオイル,2780,200,556000

行 1、列 1 | 100% | Windows (CRLF) | ANSI

ファイルを指定する

次のクエリは、**3ステップを指定し、「C:¥excel¥外部データ.csv」を、1行目をヘッダーとして扱う形で取り込みます**。

▼クエリ 16-1

```
//Power Query側のコード
let
    filePath = "C:¥excel¥外部データ.csv",
    source = Csv.Document(File.Contents(filePath),[Encoding=932]),
    header = Table.PromoteHeaders(source)
in
    header
```

各ステップについて見ていきましょう。最初のステップ「filePath」は、filePathというステップに対象テキストファイルのパス文字列を返しています。変数に値を代入する式のように扱っているわけですね。

```
filePath = "C:¥excel¥外部データ.csv",
```

次のステップ「source」を見てみましょう。

```
source = Csv.Document(File.Contents(filePath),[Encoding=932]),
```

このステップでは、指定したテキストファイルを元にナビゲーションテーブルを作成しています。

CSV形式のナビゲーションテーブルを作成するには、Csv.Document関数を利用します。

▼CSV形式のナビゲーションテーブルを作成する（Csv.Document関数）

```
Csv.Document(File.Contents(対象ファイル),[引数のリスト])
```

1つ目の引数には、対象ファイルをFile.Contents関数を利用して指定します。File.Contents関数の引数にはパス文字列を指定しますが、今回はステップ「filePath」の値を指定しています。

さらに、2つ目の引数には、CSV形式のファイルを読み込む際の各種設定をリストの形で渡します。Power Queryの標準の文字コードはUTF-8形式ですが、今回の対象ファイルは文字コードがANSI形式なため、文字コードを指定するために第2引数のリストに「Encoding」を「932」として渡しています。

3つ目のステップ「header」では、Table.PromoteHeaders関数を使って、引数に指定したテーブルの1行目をフィールド名として扱うように変換しています。この際の引数は、2ステップ目の「source」を指定しています。つまり、ナビゲーションテーブルの1行目をフィールドとして扱うようにしているわけですね。

そして最後にinブロックで「header」と記述し、最終出力として「header」ステップの結果を返すよう指定しています。

▼Excel側に返される結果

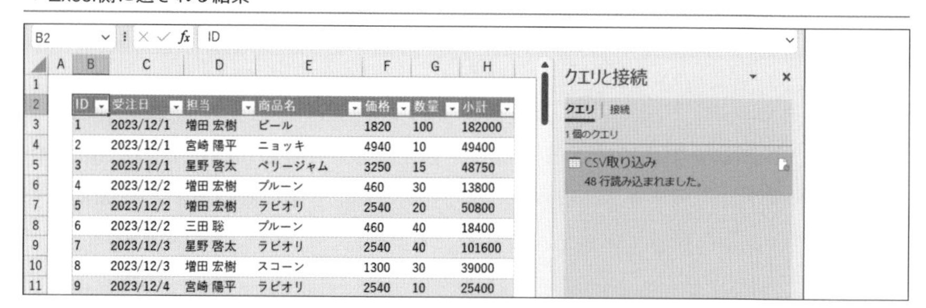

ID	受注日	担当	商品名	価格	数量	小計
1	2023/12/1	増田 宏樹	ビール	1820	100	182000
2	2023/12/1	宮崎 陽平	ニョッキ	4940	10	49400
3	2023/12/1	星野 啓太	ベリージャム	3250	15	48750
4	2023/12/2	増田 宏樹	プルーン	460	30	13800
5	2023/12/2	増田 宏樹	ラビオリ	2540	20	50800
6	2023/12/2	三田 聡	プルーン	460	40	18400
7	2023/12/3	星野 啓太	ラビオリ	2540	40	101600
8	2023/12/3	増田 宏樹	スコーン	1300	30	39000
9	2023/12/4	宮崎 陽平	ラビオリ	2540	10	25400

フィールドのデータ型を指定する

さらにステップを追加して取り込むデータを絞り込んでいきましょう。まずは、フィルターをかける準備として、フィールドに対してデータ型を指定します。

データ型を指定するには、Table.TransformColumnTypes関数を利用します。

▼データ型を指定する（Table.TransformColumnTypes関数）

```
Table.TransformColumnTypes(テーブル, フィールドとデータ型のリスト)
```

次の「fieldType」ステップは、**「header」ステップで作成したテーブルに対し、各フィールドのデータ型を指定**します。

▼クエリ 16-2

```
fieldType = Table.TransformColumnTypes(
            header,
            {
                {"ID", Number.Type},
                {"受注日", Date.Type},
                {"担当", Text.Type},
                {"商品名", Text.Type},
                {"価格", Currency.Type},
                {"数量", Number.Type},
                {"小計", Currency.Type}
            }),
```

データ型を指定する際には、フィールド名とデータ型を表す定数のリストで指定します。

▼Power Queryのデータ型と対応する定数（抜粋）

データ型	定数
文字列	Text.Type
10進数	Number.Type
整数	Int64.Type
通貨	Currency.Type
日付	Date.Type
真偽値	Logical.Type
バイナリ	Binary.Type
任意/Any型	Any.Type

データを読み込んだ状態では、フィールドのデータ型はAny型として扱われます。これはVBAでいうところのVariant型のようなものです。フィールドのデータに応じたデータ型を指定することは、そのデータ型にとって適切なソートやフィルター処理を行えるようになり、処理速度の向上も見込めます。できるだけきちんと指定しておきましょう。

フィルターとソートをかける

それでは、データの抽出と並べ替えを行うステップを追加していきましょう。次のステップ「filter1」は、**fieldTypeステップの結果テーブルのうち、「担当」フィールドの値が「増田 宏樹」のレコードを抽出した結果テーブルを取得**します。

▼クエリ 16-3

```
filter1 = Table.SelectRows(fieldType, each([担当] = "増田 宏樹")),
```

フィルター結果を受け取るには、Table.SelectRows関数を利用します。

▼フィルター結果を受け取る（Table.SelectRows関数）

```
Table.SelectRows(テーブル, 条件式)
```

引数にはフィルターをかけるテーブルと条件式を指定します。条件式はeachキーワードを利用してフィールド名・比較演算子・値をセットで記述します。

▼eachキーワードを使った条件式の例

条件式	意味
each([フィールド名] = 値)	フィールド名のデータが値と等しい
each([フィールド名] > 値)	フィールド名のデータが値より大きい
each([フィールド名] <> 値)	フィールド名のデータが値と等しくない

また、複数の条件式を組み合わせる際は、and演算子とor演算子が利用できます。次のステップ「filter2」は、**filter1ステップの結果テーブルのうち、「受注日」フィールドが「2023/12/1」～「2023/12/10」のレコードを抽出した結果テーブルを取得**します。

▼クエリ 16-4

```
filter2 = Table.SelectRows(
    filter1,
    each [受注日] >= #date(2023,12,1) and [受注日] <= #date(2023,12,10)
),
```

なお、日付シリアル値を指定する際には、「#date(年, 月, 日)」の形式で記述します。

目的のレコードのみが抽出できたら、並べ替えを行いましょう。次のステップ「sort」は、**filter2ステップの結果テーブルを、「」フィールドで降順ソートした結果テーブルを取得**します。

▼クエリ 16-5

```
sort = Table.Sort(filter2,{{"小計", Order.Descending}})
```

ソートの結果を受け取るには、Table.Sort関数を利用します。

▼ソートの結果を受け取る（Table.Sort関数）

```
Table.Sort(テーブル, {対象フィールドとソート順のリスト})
```

引数にはソートを行うテーブルと、対象フィールドとソート順のリストを指定します。

▼ソート順を指定する定数

定数	ソート順
Order.Ascending	昇順(小さい順)
Order.Descending	降順(大きい順)

以上のステップを踏んでExcel側にテキストファイルのデータを取り込んだ結果が次図のものとなります。サンプルファイルには、VBAから実行するためのマクロも用意してあります。そちらもご確認ください。

▼Excelに取り込んだ外部データ

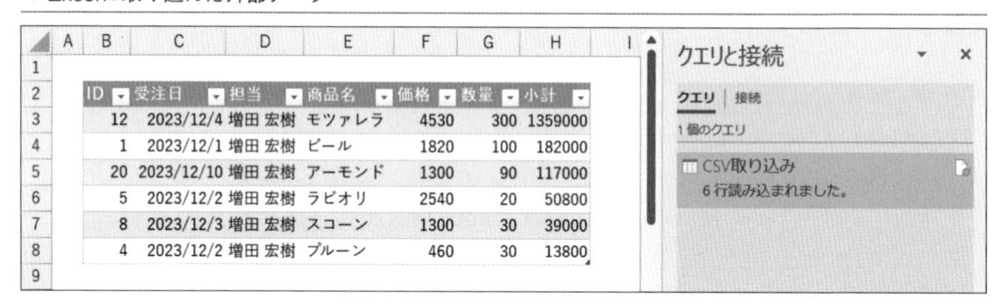

ID	受注日	担当	商品名	価格	数量	小計
12	2023/12/4	増田 宏樹	モツァレラ	4530	300	1359000
1	2023/12/1	増田 宏樹	ビール	1820	100	182000
20	2023/12/10	増田 宏樹	アーモンド	1300	90	117000
5	2023/12/2	増田 宏樹	ラビオリ	2540	20	50800
8	2023/12/3	増田 宏樹	スコーン	1300	30	39000
4	2023/12/2	増田 宏樹	プルーン	460	30	13800

テキストに書き出した大量のログデータのうち、一部のみを取り込んで利用したい場合には、Power Query側であらかじめ抽出した結果を読み込むのがよいでしょう。

また、本トピックではCSV形式のファイルを例にしていますが、最初のナビゲーションテーブルを作成する箇所以降は、どんなデータソースから取り込んだ場合にも応用できるステップとなります。

取り込むファイルの形式が変わった場合も、データの構成が同じならば、ナビゲーションテーブルを作成する部分のみを修正して対応できるようになっているわけですね。

section

04 Excelのデータを扱う

Power Queryでは、データソースとしてExcelのブックを扱うこともできます。Excelをデータソースとする方法を見ていきましょう。

自ブックをデータソースとする

自ブックをデータソースとするには、Excel.CurrentWorkbook関数を利用します。

▼自ブックをデータソースにする（Excel.CurrentWorkbook関数）

```
Excel.CurrentWorkbook()
```

Excel.CurrentWorkbook関数は、現在のブック内の「テーブル」と「名前付きセル範囲」の名前と内容をピックアップしたナビゲーションテーブルを作成します。

下図は4つのテーブル範囲と、1つの名前付きセル範囲を持つブックからExcel.CurrentWorkbook関数を実行した結果テーブルです。

▼Excel.CurrentWorkbook関数で作成されるナビゲーションテーブル

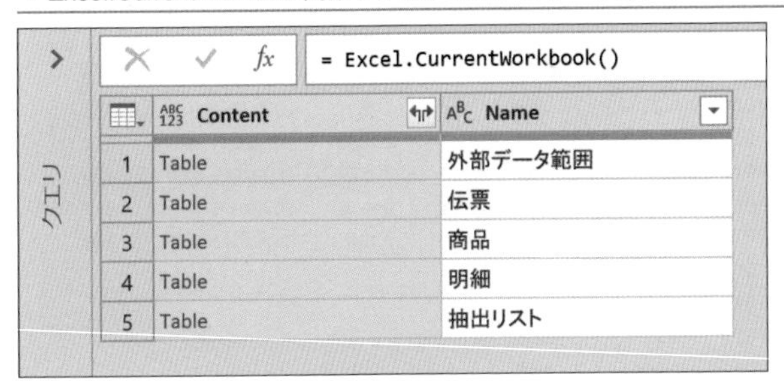

	Content	Name
1	Table	外部データ範囲
2	Table	伝票
3	Table	商品
4	Table	明細
5	Table	抽出リスト

テーブルと名前付きセル範囲に対応した、5つのレコードを持つナビゲーションテーブルが作成されていますね。テーブルは、Excel側の「名前」を持つNameフィールドと、対応するセルの値をテーブル形式で保持するContentフィールドを持ちます。つまり、ブックの方でテーブルを作成しておけば、テーブル単位でPower Query側でデータを加工できるわけですね。

●個々のテーブルを取得するには

ナビゲーションテーブルから個々のテーブルの内容を取得するには、次の構文を用います。

▼個々のテーブルを取得する

```
ナビゲーションテーブル{[Name="フィールド名"]}[Content]
```

テーブルから、Nameフィールドの値でレコードを指定し、そのレコードのContentフィールドの値を取得しています。

次のクエリは、**現在のブック内の「伝票」テーブルの内容を取得し、先頭から5個のレコードからなる結果テーブルを取得**します。

▼クエリ 16-6

```
let
    xlBook = Excel.CurrentWorkbook(),
    dataTable = xlBook{[Name="伝票"]}[Content],
    top5 = Table.Range(dataTable,0,5)   //先頭から5レコード分
in
    top5
```

実行例　現在のブックを対象にする

id	担当者	日付	商品	数量
1	櫓	2023/03/01	りんご	592
2	水田	2023/03/01	レモン	244
3	水田	2023/03/01	蜜柑	489
4	中山	2023/03/01	レモン	610
5	水田	2023/03/01	レモン	159
6	水田	2023/03/01	りんご	409
7	櫓	2023/03/01	蜜柑	64
8	中山	2023/03/01	レモン	364
9	水田	2023/03/01	レモン	642
10	水田	2023/03/01	レモン	254

id	担当者	日付	商品	数量
1	櫓	2023/3/1	りんご	592
2	水田	2023/3/1	レモン	244
3	水田	2023/3/1	蜜柑	489
4	中山	2023/3/1	レモン	610
5	水田	2023/3/1	レモン	159

簡単にシート上のデータを扱えますね！なお、テーブルから任意の範囲のレコードを取り出すには、Table.Range関数を利用します。

▼任意の範囲のレコードを取り出す(Table.Range関数)

```
Table.Range(開始位置, 取得レコード数)
```


Power Queryには、いわゆるデータベース系のアプリケーションに用意されているような、テーブル・レコード単位での各種操作が行える関数が用意されています。それらを利用すれば、Excel上のデータを、データベースを操作する感覚で加工できるようになります。

●Excel上のテーブルを「結合」する

シート上の2つのテーブルのデータを結合してみましょう。シート上に「商品」テーブルと「明細」テーブルが作成してあるとします。

▼シート上の「商品」テーブルと「明細」テーブルのデータを結合する

■「商品」テーブル

id	商品	価格
1	りんご	120
2	蜜柑	80
3	レモン	160

■「明細」テーブル

id	商品id	数量
123	1	150
124	1	120
125	2	100
126	3	80
127	2	200

このとき、次のクエリは、**「商品」テーブルと「明細」テーブルのデータを、「商品テーブルの『id』列」と、「明細テーブルの『商品id』列をキーとして結合**します。

▼クエリ 16-7

```
let
    xlBook =  Excel.CurrentWorkbook(),
    //商品テーブルと明細テーブルをそれぞれ「left」「right」に格納
    left = xlBook{[Name="商品"]}[Content],
    right = xlBook{[Name="明細"]}[Content],
    //同じフィールド名があると衝突するため、明細側にプレフィックスを付加
    prefixRight = Table.PrefixColumns(right,"明細"),
    //結合
    join = Table.Join(
        left,"id",
```

```
        prefixRight,"明細.商品id"
    ),
    //結合したテーブルから必要なフィールドのみをピックアップ
    result = Table.SelectColumns(join,{"明細.id","商品","価格","明細.数量"})
in
    result
```

テーブルの「結合」とは、2つのテーブルのデータを合わせて、新たなテーブルを作成する処理を指します。結合の際、通常は両テーブルから、それぞれキーとするフィールドを指定し、その値を比較してデータを結合します。

M言語で結合を行うには、Table.Join関数を利用します。

▼テーブルを結合する(Table.Join関数)

```
Table.Join(テーブル1, キー列1, テーブル2, キー列2 [,結合方法])
```

また、結合を行うと2つのテーブルのすべてのフィールドを持つ新たなテーブルが作成されますが、このとき、テーブル間で同じフィールド名が存在すると、エラーとなります。この衝突を避けるため、任意テーブルのフィールド名に一括でプレフィックスを付ける関数、Table.PrefixColumns関数も用意されています。

▼フィールド名にプレフィックスを付ける(Table.PrefixColumns関数)

```
Table.PrefixColumns(テーブル,プレフィックス文字列)
```

新たなフィールド名は、「プレフィックス文字列.元のフィールド名」となります。

さて、話を結合に戻しましょう。「商品」テーブルと「明細」テーブルを結合すると、以下の新たな結果テーブルが得られます。

▼結合した結果

■結合結果

id	商品	価格	明細.id	明細.商品id	明細.数量
1	りんご	120	123	1	150
1	りんご	120	124	1	120
2	蜜柑	80	125	2	100
3	レモン	160	126	3	80
2	蜜柑	80	127	2	200

2つのテーブルのすべてのフィールドを持つテーブルが作成されていることが確認できますね。このテーブルから結果としてほしいフィールドのみを、Table.SelectColumn関数を利用して指定します。

▼結果のフィールド名を指定する（Table.SelectColumn関数）

```
Table.SelectColumn(テーブル,{フィールド名のリスト})
```

フィールド名はリストの形で指定しますが、リスト内で指定した順にフィールドを並べ替えてテーブルを作成してくれます。

▼結合結果から必要なフィールドのみをピックアップ

	I	J	K	L	M
2		■結合結果			
3		明細.id	商品	価格	明細.数量
4		123	りんご	120	150
5		124	りんご	120	120
6		125	蜜柑	80	100
7		126	レモン	160	80
8		127	蜜柑	80	200
9					

```
Table.SelectColumns(
    join,
    {"明細.id","商品","価格","明細.数量"}
    )
```

また、結合にはいくつか方式がありますが、Table.Join関数では5番目の引数に結合の種類を表す定数を指定することで、6種類の結合を行えます。既定の結合方式は内部結合です。

▼結合の種類を表す定数

定数	結合の種類
JoinKind.Inner	内部結合。両テーブルに共にキー値が存在するレコードを結合
JoinKind.LeftOuter	左外部結合。1つ目のテーブルのキーを基準に結合
JoinKind.RightOuter	右外部結合。2つ目のテーブルのキーを基準に結合
JoinKind.FullOuter	全外部結合。2つ目のテーブルのキーすべてを基準に結合
JoinKind.LeftAnti	左アンチ結合。1つ目のテーブルのキー値のうち、2つ目のテーブルで利用されていないレコードのみを結合
JoinKind.RightAnti	右アンチ結合。2つ目のテーブルのキー値のうち、1つ目のテーブルで利用されていないレコードのみを結合

これでExcel内のデータを結合して分析するような業務も簡単になりますね。

外部のブックをソースとする

自ブックではなく、任意のExcelブックをデータソースとするには、Excel.Workbook関数を利用します。

▼任意のブックをデータソースにする（Excel.Workbook関数）

```
Excel.Workbook(File.Contents(ブックへのパス文字列))
```

Excel.Workbook関数は、指定のブック内の「テーブル」「名前付きセル範囲」そして「シート」の名前と内容をピックアップしたナビゲーションテーブルを作成してくれます。

下図は4枚のシートと1つのテーブル範囲を持つブックを対象にExcel.Workbook関数を実行した場合のナビゲーションテーブルです。

▼Excel.Workbook関数で作成されるナビゲーションテーブル

```
= Excel.Workbook(File.Contents("C:\excel\外部ブック.xlsx"))
```

	Name	Data	Item	Kind	Hidden
1	注意事項	Table	注意事項	Sheet	FALSE
2	支店A	Table	支店A	Sheet	FALSE
3	支店B	Table	支店B	Sheet	FALSE
4	支店C	Table	支店C	Sheet	FALSE
5	担当者	Table	担当者	Table	FALSE

▼Excel.Workbook関数で作成されるナビゲーションテーブルの内容

フィールド	内容
Name	シート名やテーブル名
Data	該当セル範囲のデータから作成したテーブル
Item	Nameと同じ値だが詳細不明
Kind	データの種類「Sheet」「Table」等
Hidden	シートの表示状態

Excel.CurrentWorkbook関数では「テーブル」「名前付きセル範囲」のみしかリストアップしてくれませんでしたが、Excel.Workbook関数ではシート単位でテーブルとして扱えるようリストアップしてくれます。この仕組みを利用すれば「全シートのデータをひとまとめにしたい」系の処理が非常に簡単に行えます。

●集計したいシートを絞って集計を行う

実際に指定ブックの4枚のシートのうち、「支店A」「支店B」「支店C」の3枚のシートのデータを連結した結果を作成してみましょう。各シートは同じフォーマットで次のようにデータが入力されているものとします。

▼集計対象ブックのシートの状態

	A	B	C	D	E	F	G
1	ID	受注日	担当	商品	単価	数量	
2	1	2022/12/1	星野 啓太	チャイ	2,340	15	
3	2	2022/12/3	金子 由紀子	チョコレート	1,660	40	
4	3	2022/12/4	星野 啓太	クラムチャウダー	1,260	200	
5	4	2022/12/4	山田 有美	カレーソース	5,200	17	
6	5	2022/12/7	松井 典子	ホワイトチョコ	390	200	
7							

注意事項 | 支店A | 支店B | 支店C

このとき、各シートに対応するテーブルは、ナビゲーションテーブルから以下の構文で取得できます。

▼個々のシートのテーブルを取得する

```
ナビゲーションテーブル{[Name="シート名"]}[Data]
```

テーブルはシート内で使用されているセル範囲について、「Column1」「Column2」…と列番号に合わせたフィールドが用意され、各レコードには、対応する行のセルに入力されている値が取得された状態となっています。つまりは、シートそのままのような形になっているわけですね。

▼テーブル状態で取得されているシートのデータ

= xlBook{[Name="支店A"]}[Data]

	Column1	Column2	Column3	Colu
1	ID	受注日	担当	商品
2	1	2022/12/01	星野 啓太	チャイ
3	2	2022/12/03	金子 由紀子	チョコレー
4	3	2022/12/04	星野 啓太	クラムチ
5	4	2022/12/04	山田 有美	カレーソ
6	5	2022/12/07	松井 典子	ホワイトチ

以上の仕組みを踏まえ、クエリを作成していきましょう。次のクエリは、**「支店A」「支店B」「支店C」の3枚のシートのデータを連結した結果テーブルを取得**します。

▼クエリ 16-8

```
let
    filePath = "C:¥excel¥外部ブック.xlsx",
    xlBook = Excel.Workbook(File.Contents(filePath)),
    //3つのシートのデータをそのまま連結
    combineTable = Table.Combine({
            xlBook{[Name="支店A"]}[Data],
            xlBook{[Name="支店B"]}[Data],
            xlBook{[Name="支店C"]}[Data]
    })
in
    combineTable
```

複数のテーブルを「連結」するには、Table.Combine関数を利用します。

▼テーブルを連結する（Table.Combine関数）

```
Table.Combine({テーブルのリスト})
```

連結した結果テーブルを取り込むと、以下のようになります。

▼シートのデータを連結した結果

	A	B	C	D	E	F	G
1	Column1	Column2	Column3	Column4	Column5	Column6	
2	ID	受注日	担当	商品	単価	数量	
3	1	44896	星野 啓太	チャイ	2340	15	
4	2	44898	金子 由紀子	チョコレート	1660	40	
5	3	44899	星野 啓太	クラムチャウダー	1260	200	
6	4	44899	山田 有美	カレーソース	5200	17	
7	5	44902	松井 典子	ホワイトチョコ	390	200	
8	ID	受注日	担当	商品	単価	数量	
9	1	44896	宮崎 陽平	乾燥ナシ	3900	10	
10	2	44897	三田 聡	ホワイトチョコ	390	40	
11	3	44899	宮崎 陽平	チョコレート	1660	10	
12	4	44902	前田 健司	チョコレート	1660	100	
13	5	44907	宮崎 陽平	ホワイトチョコ	390	200	
14	ID	受注日	担当	商品	単価	数量	
15	1	44896	増田 宏樹	ビール	1820	100	
16	2	44897	山本 雅治	ホワイトチョコ	390	30	
17	3	44905	増田 宏樹	ベリージャム	3250	90	
18	4	44909	山本 雅治	スコーン	1300	20	
19	5	44911	増田 宏樹	チョコレート	1660	10	

日付シリアル値が数値のままであったり、各シートの見出し行の値まで含まれたりしていますが、見事にデータが連結されていますね！手作業はもちろん、VBAでもシートのデータを連結する処理を作成しようとするとなかなかの手間ですが、非常にシンプルなコードで実現できます。

●シートごとの加工処理を作成する

もう少し手を加えて取り込むテーブルを整えてみましょう。データを連結する場合、**2枚目以降の1つ目のレコードは見出しの値が入力されているので、この部分をTable.RemoveRows関数で削除します。さらに、連結後のテーブルの先頭のレコードを、Table.PromoteHeaders関数でフィールド見出しとして設定**します。

▼クエリ 16-9

```
combineTable = Table.Combine({
    xlBook{[Name="支店A"]}[Data],
    //2つ目以降のテーブルは先頭行を削除
    Table.RemoveRows(xlBook{[Name="支店B"]}[Data],0),
    Table.RemoveRows(xlBook{[Name="支店C"]}[Data],0)
}),
//連結テーブルの1行目の値をヘッダーとして設定
header = Table.PromoteHeaders(combineTable)
```

実行例　出力結果を整える

	A	B	C	D	E	F	G
1	ID	受注日	担当	商品	単価	数量	
2	1	44896	星野 啓太	チャイ	2340	15	
3	2	44898	金子 由紀子	チョコレート	1660	40	
4	3	44899	星野 啓太	クラムチャウダー	1260	200	
5	4	44899	山田 有美	カレーソース	5200	17	
6	5	44902	松井 典子	ホワイトチョコ	390	200	
7	1	44896	宮崎 陽平	乾燥ナシ	3900	10	
8	2	44897	三田 聡	ホワイトチョコ	390	40	
9	3	44899	宮崎 陽平	チョコレート	1660	10	
10	4	44902	前田 健司	チョコレート	1660	100	
11	5	44907	宮崎 陽平	ホワイトチョコ	390	200	
12	1	44896	増田 宏樹	ビール	1820	100	
13	2	44897	山本 雅治	ホワイトチョコ	390	30	
14	3	44905	増田 宏樹	ベリージャム	3250	90	
15	4	44909	山本 雅治	スコーン	1300	20	
16	5	44911	増田 宏樹	チョコレート	1660	10	
17							

今度は綺麗に連結できていますね。

●ループ処理の考え方の基本は「リストを作ってeach」

先ほどは3枚のシート名を決め打ちしましたが、シート数が可変する場合にも対応できるよう処理を作成してみましょう。次のクエリは、**指定ブック内の「注意事項」シート以外のシートのデータをすべて連結した結果テーブルを取得**します。

▼クエリ 16-10

```
let
    xlBook = Excel.Workbook(File.Contents("C:¥excel¥外部ブック.xlsx")),
    //「注意事項」シートを除くシートのレコードのみ抽出
    filter = Table.SelectRows(
        xlBook,each [Kind]="Sheet" and [Name]<>"注意事項"
    ),
    //「Data」列のみの値をリストとして取得
    dataList = filter[Data],
    //リスト内のメンバーに対してTable.PromoteHeaders適用
    transList = List.Transform(dataList,each Table.PromoteHeaders(_)),
    //リストのメンバーを全連結
    combine = Table.Combine(transList)
in
    combine
```

まず、filterステップで、ナビゲーションテーブルから「Kind」列が「Sheet」、つまり、シートのデータのレコードかつ、「Name」が「注意事項」でないレコード、つまり「注意事項」シート以外のシートのレコードのみを抽出します。

続くdataListステップでは、「Data」列のデータをリストとして取得します。つまり、対象シートのデータのリストですね。

次のtransListステップでは、dataListステップで取得したリストのメンバーすべてに対して、List.Transform関数でTable.PromoteHeaders関数の結果を適用しています。つまり、メンバーすべてに対して「1行目をヘッダーに昇格」しています。

▼リストに対して適用する処理を指定する(List.Transform関数)

```
List.Transform(リスト, each 処理)
```

List.Transform関数では、1つ目の引数にリストを指定し、2つ目の引数としてリストに対して適用したい処理を記述します。このとき、eachキーワードを利用すると、それ以降の処理では「_(アンダーバー)」が、リスト内の個々のメンバーを参照する識別子として扱えます。

次のコードは、**dataList内の個々のメンバーに対して、Table.PromoteHeaders関数を適用する**、という意味になります。

```
List.Transform(dataList,each Table.PromoteHeaders(_))
```

最後のcombineステップでは、リストのメンバーすべてをTable.Combine関数で連結しています。

このように、「処理を行いたい対象を抽出/リスト化」→「抽出/リスト化した対象すべてに任意の処理を適用」という流れでステップを重ねると、決め打ちではなく、抽出条件に応じた実行時点での処理対象を抽出し、処理を適用できます。

column

null値のあるテーブルが作成される場合には

シート単位でデータを取り込もうとする場合、Excel側で値が入力されていなくても、書式の設定等の何らかの変更が加えられているセル範囲も「利用しているセル範囲」と判断され、テーブルに追加されます。

	ID	受注日	担当	商品	
1	1	2022/12/01	増田 宏樹	ビール	
2	2	2022/12/02	山本 雅治	ホワイトチョコ	
3	3	2022/12/10	増田 宏樹	ベリージャム	
4	4	2022/12/14	山本 雅治	スコーン	
5	5	2022/12/16	増田 宏樹	チョコレート	
6	null	null	null	null	
7	null	null	null	null	
8	null	null	null	null	
9	null	null	null	null	

値が入力されていないセルのデータは「null」として扱われます。このnull値を含むレコードが不要な場合は、任意のフィールドをキーに「null値以外」の条件で抽出してしまいましょう。次のコードは、**指定テーブルから「ID」列がnull値以外のレコードを抽出した結果**を得ます。

```
Table.SelectRows(テーブル,each [ID]<>null))
```

シート単位でデータを取り込む際には、このような意図してない箇所のデータを取り込む可能性に注意しましょう。
ちなみに、テーブル範囲の場合はこのような。取り込みは行われません。きっちりと、テーブル範囲のデータのみを取り込みます。取り込むデータを明確にしておきたいのであれば、テーブル範囲にしておくのがベターというわけですね。

特定のフォルダー内のブックをまとめて取り込む

今度は特定フォルダー内のブックをまとめて取り込んでみましょう。次図のようにExcelブックを含むファイルが保存されているフォルダーがあるとします。

▼ブックの保存されているフォルダー

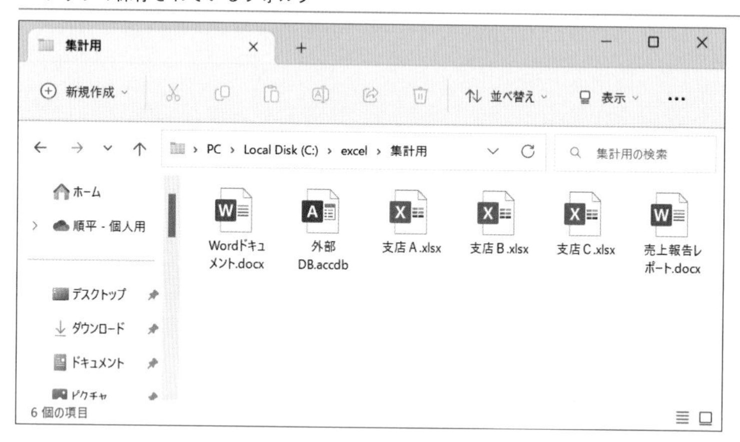

まず、フォルダーを対象にナビゲーションテーブルを作成してくれる、Folder.Files関数を利用します。

▼フォルダーからナビゲーションテーブルを作成する(Folder.Files関数)

```
Folder.Files関数(フォルダーへのパス)
```

Folder.Files関数が返すナビゲーションテーブルには、次の3つのフィールドが含まれます。

▼Folder.Files関数の作成するナビゲーションテーブルのフィールド(抜粋)

フィールド	内容
Content	ファイルのバイナリ。Excelのブックそのもの等
Name	ファイル名
Extension	拡張子

▼Folder.Files関数の作成するナビゲーションテーブル

= Folder.Files("C:\excel\集計用")

	Content	Name	Extension	Date accessed
1	Binary	Wordドキュメント.docx	.docx	2022/11
2	Binary	売上報告レポート.docx	.docx	2022/11
3	Binary	外部DB.accdb	.accdb	2022/11/
4	Binary	支店A.xlsx	.xlsx	2022/11/
5	Binary	支店B.xlsx	.xlsx	2022/11/
6	Binary	支店C.xlsx	.xlsx	2022/11/

一気にフォルダー内のファイル一覧テーブルを作成してくれるとは、助かりますね。このテーブルを元にExcelブックのレコードのみを抽出し、それぞれのブックにContentフィールドからアクセスしていきます。

次のクエリは、**指定フォルダー内のExcelブックすべての「売上データ」テーブルの内容を連結した結果テーブルを取得**します。

▼クエリ 16-11

```
let
    files = Folder.Files("C:¥excel¥集計用"),
    //Excelブックのみを抽出し、Name列とContent列のみ取り出し
    xlTable = Table.SelectColumns(
        Table.SelectRows(files,each [Extension]=".xlsx"),
        {"Name","Content"}
    ),
    //各ブック内の「売上データ」テーブルを取り出し
    pickup = Table.ReplaceValue(
              xlTable,
              each [Content],
              each Excel.Workbook([Content]){[Name="売上データ"]}[Data],
              Replacer.ReplaceValue,
```

```
                {"Content"}
    ),
    //Content列を「展開」
    fieldNames = Table.ColumnNames(pickup{0}[Content]),
    expand = Table.ExpandTableColumn(
        pickup,
        "Content",
        fieldNames,
        fieldNames
    ),
    //Name列を「取り込み元」列にリネーム
    rename =Table.RenameColumns(expand,{{"Name", "取り込み元"}})
in
    rename
```

実行例　フォルダー内のExcelブックのデータを取り出す

	A	B	C	D	E	F	G	H
1	取り込み元	ID	受注日	担当	商品	単価	数量	
2	支店A.xlsx	1	44896	星野 啓太	チャイ	2340	15	
3	支店A.xlsx	2	44898	金子 由紀子	チョコレート	1660	40	
4	支店A.xlsx	3	44899	星野 啓太	クラムチャウダー	1260	200	
5	支店A.xlsx	4	44899	山田 有美	カレーソース	5200	17	
6	支店A.xlsx	5	44902	松井 典子	ホワイトチョコ	390	200	
7	支店B.xlsx	1	44896	宮崎 陽平	乾燥ナシ	3900	10	
8	支店B.xlsx	2	44897	三田 聡	ホワイトチョコ	390	40	
9	支店B.xlsx	3	44899	宮崎 陽平	チョコレート	1660	10	
10	支店B.xlsx	4	44902	前田 健司	チョコレート	1660	100	
11	支店B.xlsx	5	44907	宮崎 陽平	ホワイトチョコ	390	200	
12	支店C.xlsx	1	44896	増田 宏樹	ビール	1820	100	
13	支店C.xlsx	2	44897	山本 雅治	ホワイトチョコ	390	30	
14	支店C.xlsx	3	44905	増田 宏樹	ベリージャム	3250	90	
15	支店C.xlsx	4	44909	山本 雅治	スコーン	1300	20	
16	支店C.xlsx	5	44911	増田 宏樹	チョコレート	1660	10	
17								

取り込んだ結果を見てみると、各ブックのテーブルのデータに加え、どのブックからそのデータを取り込んだかがわかる「取り込み元」列も用意できていますね。各ステップのコードを詳しく見ていきましょう。

filesステップでは、Folder.Files関数でファイル一覧のナビゲーションテーブルを作成してもらっています。

xlTableステップでは、「Extention」列の値が「.xlsx」のデータ、つまり、Excelブックのみのレコードを抽出し、さらに「Name」列と「Content」列のみ取り出しています。これで、ブック名と対応するファイルのバイナリのみからなるテーブルが得られました。

▼xlTableステップの結果

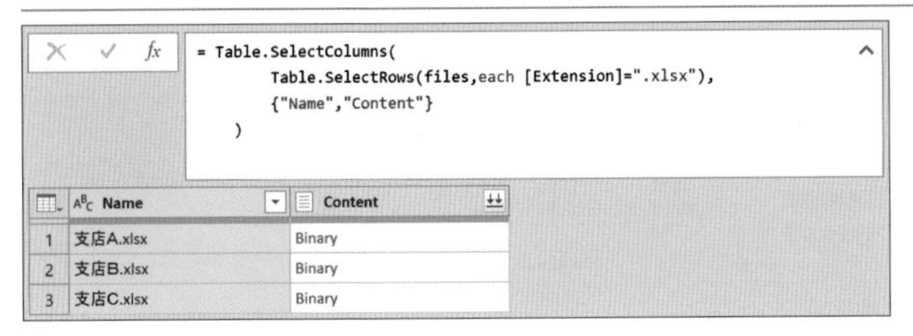

pickupステップでは、「Content」列の内容を、Table.ReplaceValue関数で置換しています。

▼列の内容を置換する(Table.ReplaceValue関数)

```
Table.ReplaceValue(テーブル, 検索値, 置換値, 対象列)
```

置換内容は、それぞれのレコードの「Content」列の値、

```
each [Content]
```

を、それぞれのレコードの「Content」列の値、つまりファイルのバイナリをExcel.Workbook関数に渡し、作成されたナビゲーションテーブル経由で取り出した、ブック内の「売上データ」テーブルのデータ、

```
each Excel.Workbook([Content]){[Name="売上データ"]}[Data]
```

に置換しています。つまりは、Content列の値を「売上データ」テーブルに置換しているわけですね。

▼各ブックのバイナリから「売上データ」部分のテーブルを取り出す

fieldNamesステップとexpandステップでは、展開というPower Query独特の処理を行います。「展開」とは、テーブルやリスト等、入れ子状になっているメンバーを、同じ階層のデータとして昇格させる処理です。

Content列のようなテーブルを保持している列を展開すると、各レコードの保持するテーブル内の個々のレコードと、既存のName列の値を組み合わせたレコードが作成されます。結果として、ブックごとの「売上データ」テーブルのデータが、すべて連結され、かつ、対応するName列の値を持ったテーブルが作成されます。

▼展開した結果

	Name	Content
1	支店A.xlsx	Table
2	支店B.xlsx	Table
3	支店C.xlsx	Table

= Table.ExpandTableColumn(

	Name	ID	受注日	担当	商品	単価	数量
1	支店A.xlsx	1	2022/12/01	星野 啓太	チャイ	2340	15
2	支店A.xlsx	2	2022/12/03	金子 由紀子	チョコレート	1660	40
3	支店A.xlsx	3	2022/12/04	星野 啓太	クラムチャウダー	1260	200
4	支店A.xlsx	4	2022/12/04	山田 有美	カレーソース	5200	17
5	支店A.xlsx	5	2022/12/07	松井 典子	ホワイトチョコ	390	200
6	支店B.xlsx	1	2022/12/01	宮崎 陽平	乾燥ナシ	3900	10
7	支店B.xlsx	2	2022/12/02	三田 聡	ホワイトチョコ	390	40
8	支店B.xlsx	3	2022/12/04	宮崎 陽平	チョコレート	1660	10
9	支店B.xlsx	4	2022/12/07	前田 健司	チョコレート	1660	100
10	支店B.xlsx	5	2022/12/12	宮崎 陽平	ホワイトチョコ	390	200
11	支店C.xlsx	1	2022/12/01	増田 宏樹	ビール	1820	100
12	支店C.xlsx	2	2022/12/02	山本 雅治	ホワイトチョコ	390	30
13	支店C.xlsx	3	2022/12/10	増田 宏樹	ベリージャム	3250	90
14	支店C.xlsx	4	2022/12/14	山本 雅治	スコーン	1300	20
15	支店C.xlsx	5	2022/12/16	増田 宏樹	チョコレート	1660	10

展開を行うには、Table.ExpandTableColumn関数を利用します。

▼展開を行う（Table.ExpandTableColumn関数）

```
Table.ExpandTableColumn(
    テーブル, フィールド名, 展開前フィールド名リスト, 展開後フィールド名リスト
)
```

Table.ExpandTableColumn関数では、展開前のフィールド名のリストと、展開後のフィールド名のリストが必要なのですが、今回は、引数として指定したテーブルのフィールド名のリストを取得してくれるTable.ColumnNames関数の結果を利用しています。

▼テーブルのフィールド名のリストを取得する（Table.ColumnNames関数）

```
Table.ColumnNames(テーブル)
```

最後のrenameステップでは、展開結果の「Name」列の列名が何を表すデータがわかりにくくなってしまっているので、「取り込み元」列へとリネームしています。任意の列名のリネームは、Table.RenameColumns関数を利用します。

▼列名をリネームする（Table.RenameColumns関数）

```
Table.RenameColumns(テーブル,{元の名前と変更後の名前のリスト})
```

これで完成です。便利ですね！ VBAで特定フォルダーに対する処理というと、ファイル一覧を取得する処理から作成しなくてはいけませんが、Power QueryではFolder.Files関数のおかげで、作成されたナビゲーションテーブルのデータを絞り込んでいくスタイルで一連の処理を作成できます。

Excelブックだけでなく、テキストファイル等に対する一括処理も同じ考え方で作成できます。

「Excel方眼紙」状態のデータを取り込む

Power Queryの仕組みを利用して、結合セルを利用していたり、いわゆるエクセル方眼紙状態でデータを入力してあるシートのデータを読み取ってみましょう。

次図のような手ごわそうな構成のシートを複数枚持つブックがあるとします。このブックから、各シートごとの氏名・日付・合計金額の値を抜き出してみましょう。

▼エクセル方眼紙状態のデータを持つブック

基本的な作戦はこうです。Excel.Workbook関数では、シートごとにデータを取得可能です。取得したデータは行・列ごとにパースされ、値が入力されていない箇所はnull値とする形で取得されます。上記のシートの場合は、次図のような状態となります。

▼帳票状のシートのデータを扱うテーブルの内容

	Column1	Column2	Column3	Column4	
1	null	null	null	令和	
2	出張旅費精算所	null	null	null	
3	null	null	null	null	
4	所属	営業一課	null	null	
5	社員番号	SN005	null	氏名	水
6	null	null	null	null	
7	出張先	富士宮市	null	null	
8	null	null	null	null	
9	訪問先	null	目的	null	
10	null	null	null	null	
11	サウナ富士山	null	商談（櫓同行）	null	
12	ホテルパナジウム	null	商談	null	
13	null	null	null	null	

シートの状態を行・列のグリッドとしてそのまま取り込んだような形になっているわけですね。つまり、シート側の帳票の構成が固定されていれば、取り込むデータの位置も固定されます。あとは、根性で1つひとつの値をピックアップし、その値を用いてテーブルを作成していきます。

作成にちょっと手間がかかりますが、一度シートからに必要なデータをピックアップする仕組みを作成すれば、あとはその仕組みを各シートに適用すれば、帳票シートが何枚増えようとも一発でテーブルが作成できるようになります。では、ピックアップの仕組みの作成を始めましょう。

●扱いやすいようにテーブルを整える

まずは、Excel.Workbook関数で作成したナビゲーションテーブルからシートのレコードのみを抽出し、テーブルのリストを作成します。

```
xlBook = Excel.Workbook(File.Contents(ファイルパス)),
//シートのデータのみからなるリストを作成
sheets = Table.SelectRows(xlBook,each [Kind]="Sheet")[Data],
```

続いて、個々のシートのデータを扱いやすくするよう、加工します。

まずは、「行番号」の加工です。今回のケースでは、シート上では2行目からデータが入力されており、かつ、テーブルの先頭のインデックス番号は「0」のため、「0」番目のレコードがシート上の2行目のデータになっています。そこで、Table.InsertRows関数を利用して2個分ダミーのレコードを追加します。

```
//シート上の行番号と同じになるよう2個のダミーレコードを先頭に追加
fixRow = List.Transform(
    sheets,each Table.InsertRows(_,0,{_{0},_{0}})),
```

続いて、「列名」の加工です。今回のケースでは、シート上ではB～K列を使用しているので、列見出しの文字列のリストを作成し、そのリストの値を列名に使用します。

列名を変更するには、Table.TransformColumnNames関数を利用します。今回は自動で付けられる「Column1」「Column2」等の列名の番号部分を取り出し、列見出しのリストから値を取り出すインデックス番号として利用し、置換しています。

```
//列名をシート上の列見出しと同じなるよう変更
colChars = {"dummy","b","c","d","e","f","g","h","i","j","k"},
fixCol = List.Transform(
    fixRow,
    each Table.TransformColumnNames(
        _,
        each colChars{Number.FromText(Text.Replace( _,"Column",""))}
    )
),
```

これでシートのデータを扱うテーブルは、「テーブル{行番号}[列見出し]」の形式で、シート上の対応するセルの値を取り出すことが可能となります。

●M言語の関数はアロー関数形式で記述する

さて、ここで新しい仕組みを1つ覚えましょう。M言語では関数をアロー関数の形式で作成します。戻り値を返す関数の構文は、以下のようになります。アロー関数とは、JavaScript等で利用されている、「定義を簡単に記述できる関数」といった仕組みです。

▼M言語での値を返すアロー関数の基本構文

```
関数名 = (引数) =>
    let
        関数内のステップ...
    in
        戻り値となるステップや式
```

次のコードは、**2つの引数num1と引数num2を受け取り、加算した結果を返す関数「add」を定義**します。

▼関数「add」の定義

```
add = (num1, num2) =>
    let
        step1 = num1 + num2
    in
        step1
```

この関数を利用するには、次のようにコードを記述します。

▼関数「add」の実行

```
add(10, 5)  //戻り値は「15」
```

実行例　関数「add」の結果

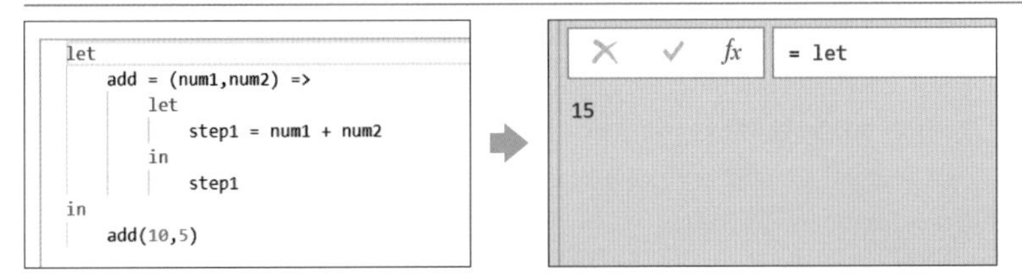

関数は1つのステップとして定義が可能です。ステップ名を関数名のように扱う流れになるわけですね。この仕組みを踏まえて、いくつかの関数を作成してみましょう。

まずは、**引数として受け取ったレコード（1行分のデータ）から、日付値を求める関数「dateFromRecord」を定義**します。

▼関数「dateFromRecord」の定義

```
dateFromRecord = (rec as record)=>
    let
        //レコードのf,h,j列から値を取り出してリスト化
        nums = Record.ToList(Record.SelectFields(rec,{"f","h","j"})),
        //数値を文字列化
        numText = List.Transform(nums,each Number.ToText(_)),
        //取り出したリストの値を使って「令和〇年〇月〇日」の文字列作成
        dateText = Text.Combine(
```

```
            {"令和",numText{0},"年",numText{1},"月",numText{2},"日"}
        )
    in
        //作成した日付文字列からシリアル値を生成して返す
        Date.FromText(dateText)
```

今回の場合は、年月日の値はシート上のF列、H列、J列に入力されているので、引数として受け取ったレコードの該当列から値を取り出し、「令和○年○月○日」という文字列にしたうえで、対応する日付シリアル値を返します。

同様に、**引数として受け取ったレコードから、合計金額の数値を求める関数「amountFromRecord」を定義**します。

▼関数「amountFromRecord」の定義

```
amountFromRecord = (rec as record)=>
    let
        //レコードのg,h,i,j,k列から値のリスト作成
        nums = Record.ToList(
            Record.SelectFields(rec,{"g","h","i","j","k"})),

        //リストの値をいったん文字列化
        numText = List.Transform(
            nums,
            //null値の場合は文字列の「0」で埋める
            each if _ = null then "0" else Number.ToText(_)
        )
    in
        //リストを連結した文字列からCurrency型の数値を生成し返す
        Currency.From(Text.Combine(numText))
```

これで「方眼紙上」に散らばったデータも変換できます。

最後に、**引数として受け取ったテーブルのデータから、3つのメンバーを持ったレコードを作成する関数「getRecord」を定義**します。

▼関数「getRecord」の定義

```
getRecord = (sheet as table)=>
    let
        //セルF6の値をnameとして取得
        name = sheet{6}[f],
        //2行目のレコードを元に日付値をdateに取得
        date = dateFromRecord(sheet{2}),
        //16行目のレコードを元に数値をamountに取得
        amount = amountFromRecord(sheet{16})
    in
        //3つのステップで取得した値をメンバーに持つレコードを返す
        [#"氏名"=name, #"日付"=date, #"合計金額"=amount],
```

これで関数の準備はOKです。あとは、**作成しておいたシートのデータのリストに、関数getRecordを適用し、テーブルに変換**すればOKです。

▼関数「getRecord」の適用

```
//リスト内のデータに関数getRecordを適用したリストを取得
records = List.Transform(fixCol,each getRecord(_)),
//レコードのリストを元にテーブル作成
table = Table.FromList(
    records,Record.FieldValues,
    {"氏名","日付","合計金額"}
)
```

実行例　方眼紙状のシートらピックアップしたデータで作成したテーブル

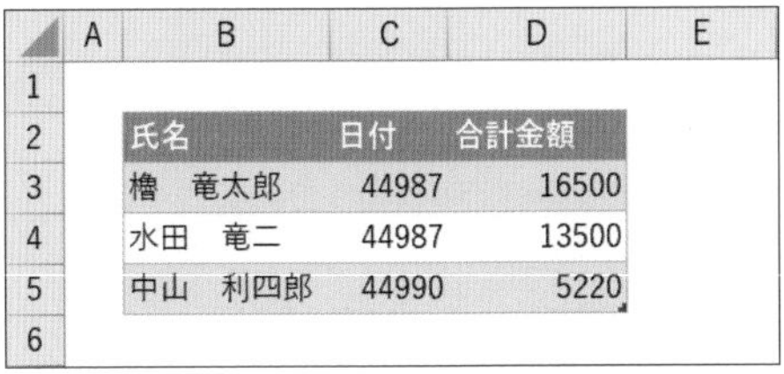

	A	B	C	D	E
1					
2		氏名	日付	合計金額	
3		櫓　竜太郎	44987	16500	
4		水田　竜二	44987	13500	
5		中山　利四郎	44990	5220	
6					

無事にデータをテーブルの形で取り出せました。紙面の関係上、個々の関数内の詳細な処理についての説明は省きますが、関数の作成とeachキーワードを利用した処理を併用することで、大量のシートやブックをまとめて処理できることが伝わっていれば幸いです。

なお、**方眼紙状のブックのデータを読み込むクエリ**の内容をまとめると、以下のようになります。

▼クエリ 16-12

```
let
  xlBook = Excel.Workbook(File.Contents("##ファイルパス##")),
  //シートのデータのみからなるリストを作成
  sheets = Table.SelectRows(xlBook,each [Kind]="Sheet")[Data],
  //シート上の行番号、列文字列で指定できるようにレコード数と列名を調整
  colChars = {"dummy","b","c","d","e","f","g","h","i","j","k"},
  fixRow = List.Transform(
             sheets,each Table.InsertRows(_,0,{_{0},_{0}})
  ),
  fixCol = List.Transform(
    fixRow,
    each Table.TransformColumnNames(
       _,
       each colChars{
         Number.FromText(Text.Replace( _,"Column",""))
       }
    )
  ),
  //レコードから日付を算出する関数
  dateFromRecord = (rec as record)=>
    let
      nums = Record.ToList(
        Record.SelectFields(rec,{"f","h","j"})
      ),
      numText = List.Transform(nums,each Number.ToText(_)),
      dateText = Text.Combine(
        {"令和",numText{0},"年",numText{1},"月",numText{2},"日"}
      )
    in
      Date.FromText(dateText),
  //レコードのg,h,i,j,k列から金額を算出する関数
  amountFromRecord = (rec as record)=>
    let
```

```
      nums = Record.ToList(
        Record.SelectFields(rec,{"g","h","i","j","k"})
      ),
      numText = List.Transform(
        nums,
        each if _ = null then "0" else Number.ToText(_)
      )
    in
      Currency.From(Text.Combine(numText)),
  //シート情報からレコードを作成する関数
  getRecord = (sheet as table)=>
    let
      name = sheet{6}[f],
      date = dateFromRecord(sheet{2}),
      amount = amountFromRecord(sheet{16})
    in
      [#"氏名"=name, #"日付"=date, #"合計金額"=amount],
  //リスト内のデータを元にシートごとのデータのレコードのリストを作成
  records = List.Transform(fixCol,each getRecord(_)),
  //レコードのリストを元にテーブル作成
  table = Table.FromList(
    records,Record.FieldValues,{"氏名","日付","合計金額"}
  )
in
  table
```

section 05 いろいろな形式のデータを取り込む

Power Queryでは多彩な対象からデータを読み込めます。ここでは、その多彩な対象に対応した取り込み方法のさわりの部分をダイジェストでご紹介します。

各関数で作成されるナビゲーションテーブルの特徴さえ押さえれば、あとはそこからデータをどうそぎ落としていくか、という考え方で目的のデータを取得できるでしょう。

Accessデータベースから取り込む

Accessデータベースのデータを取り込むには、Access.Database関数を利用します。

▼Accessのデータを取り込む（Access.Database関数）

```
Access.Database(File.Contents(ファイルパス))
```

Access.Database関数が返すナビゲーションテーブルは、Nameフィールドがテーブル名やクエリ名、Dataフィールドがテーブルやクエリの結果セットが格納されています。

▼Access.Database関数で作成されるナビゲーションテーブルの内容（抜粋）

フィールド	内容
Name	テーブル名やクエリ名
Data	テーブルやクエリの結果セット

次のクエリは、**「外部DB.accdb」内の「T_社員」テーブルの内容を返します**。

▼クエリ 16-13

```
let
    accessDB = Access.Database(
      File.Contents("C:¥excel¥集計用¥外部DB.accdb")
    ),
    table = accessDB{[Name="T_社員"]}[Data]
```

```
in
    table
```

Nameフィールドの値がユニークな値であるという前提で単一のレコードを取り出していますが、重複がある場合にはTable.SelectRows関数(558ページ)を利用する等の方法で目的のテーブルやクエリを取り出してください。

column

Power Queryでは元データの更新はできません

Power Queryはデータの読み込み・パースに特化したアプリケーションであるため、元データ側のデータの更新はできません。Power Query上で新たなデータを付け加えたり、内容の一部を変更したりはできますが、それはあくまでPower Query上で行っているだけで、元のデータに反映されるわけではありません。

見方を変えると「元データには影響を与えないから、ガンガン編集してしまっても元データは安全」という仕組みになっているわけですね。

XMLやフィード情報を取り込む

RSSとして配信されている情報やXML形式のデータを取り込むには、XML.Tables関数を利用します。

▼RSSやXML形式のデータをWebから取り込む(XML.Tables関数)

```
Xml.Tables(Web.Contents(コンテンツへのURL))
```

▼RSSやXML形式のデータをファイルから取り込む(XML.Tables関数)

```
Xml.Tables(File.Contents(ファイルパス))
```

XML.Tables関数が返すナビゲーションテーブルは、最上位の要素からなるテーブルとなります。そこからだんだんと目的のデータの階層へとたどっていきます。

次のクエリは、**Yahoo!ニュースの配信しているRSSのうち、ITトピックスのRSSを読み込んでトピックのタイトルとリンク先からなるテーブルを返します**。なお、想定しているRSSの配信アドレスは以下のようになります。なお、このアドレスは変更されることがあります。

想定しているRSSの配信アドレス

URL https://news.yahoo.co.jp/rss/topics/it.xml

▼クエリ 16-14

```
let
    rss = Xml.Tables(Web.Contents(
      "https://news.yahoo.co.jp/rss/topics/it.xml")
    ),
    channel = rss{0}[channel],
    item = channel{0}[item],
    table = Table.SelectColumns(item,{"title", "link"})
in
    table
```

次のクエリは、**XML形式のデータが記述されているファイルを読み込んでテーブルを作成**します。XMLデータのパスを指定のうえで実行してください。

▼クエリ 16-15

```
let
    xml = Xml.Tables(File.Contents("XMLデータ.xmlのパス")),
    itemsTable = xml{[Name="items"]}[Table],
    itemTable = itemsTable{[Name="item"]}[Table]
in
    itemTable
```

実行例 XML形式のデータを取り込む

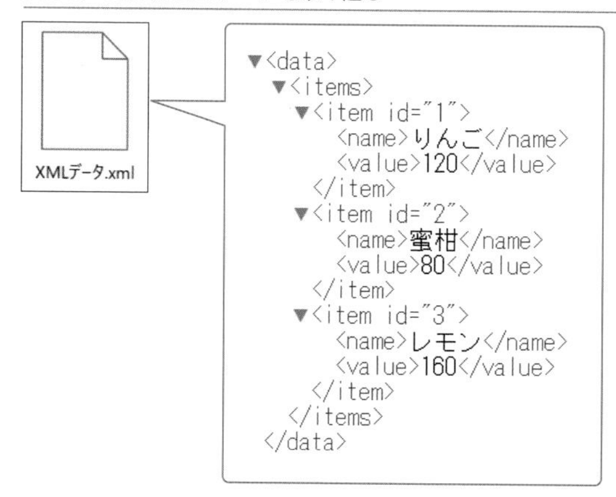

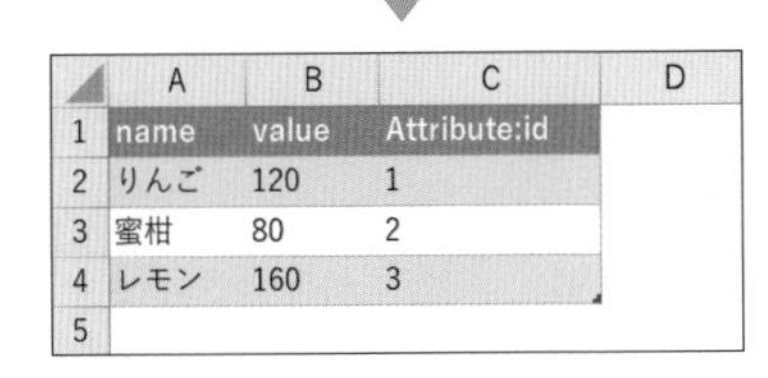

	A	B	C	D
1	name	value	Attribute:id	
2	りんご	120	1	
3	蜜柑	80	2	
4	レモン	160	3	
5				

テーブル形式として扱えるXML形式のデータは、要素の値だけでなく、要素の属性(Attribute)の値も自動で個別のフィールドに展開してくれます。

JSON形式のデータを取り込む

JSON形式のデータを取り込むには、Json.Document関数を利用します。

▼JSON形式のデータを取り込む（Json.Document関数）

```
Json.Document(File.Contents(ファイルパス))
```

Json.Document関数が返すナビゲーションテーブルは、最上位の要素(レコード)のリストとなります。シンプルな構成であれば、リストをTable.FromRecords関数でテーブル化すれば、要素の一覧テーブルとして利用可能です。

次のクエリは、**指定パスのJSON形式のデータを読み込み、テーブルを作成**します。JSONファイルのパスを指定のうえで実行してください。

▼クエリ 16-16

```
let
    json = Json.Document(File.Contents("##ファイルパス##")),
    table = Table.FromRecords(json)
in
    table
```

実行例　JSON形式のデータを取り込む

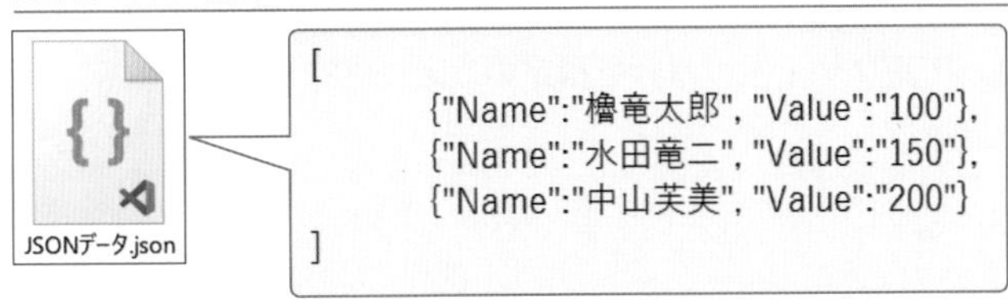

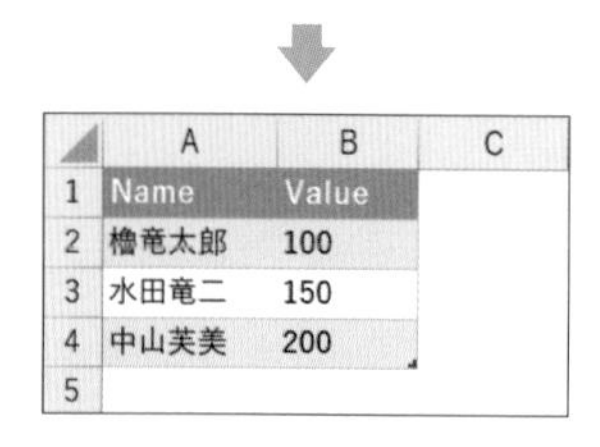

PDFから取り込む

PDF形式のファイルからデータを取り込むには、Pdf.Tables関数を利用します。

▼PDF形式のデータを取り込む（Pdf.Tables関数）

```
Pdf.Tables(File.Contents("PDFファイルへのパス"))
```

Pdf.Tables関数が返すナビゲーションテーブルは、Power Queryが「ここがデータとして扱えそうですよ」と、解析を行った結果一覧のテーブルになります。

▼Pdf.Tables関数で作成されるナビゲーションテーブルの内容

フィールド	内容
Id	自動で振られるID
Name	自動で振られるページ名やテーブル名
Kind	レコードで扱うデータの種類 ページ全体：Page ページ内の表：Table
Data	扱えそうなデータ ページの場合：ページ全体を改行や配置によって分割したテーブル 表の場合：表をテーブルとして捉えたテーブル

基本はページ単位で内容のテキストをテーブル形式で取得しますが、ページ内に表がある場合には、表ごとにテーブルとして扱えるように取得もしてくれます。

次のクエリは、**指定PDFファイルから、表として見なせる部分のうち、1つ目の表の内容を取得**します。PDFファイルのパスを指定のうえで実行してください。

▼クエリ 16-17

```
let
    pdf = Pdf.Tables(File.Contents("##ファイルパス##")),
    filter = Table.SelectRows(pdf,each [Kind]="Table"),
    table = Table.PromoteHeaders(filter{0}[Data])
in
    table
```

実行例　PDF形式のファイルから読み込み

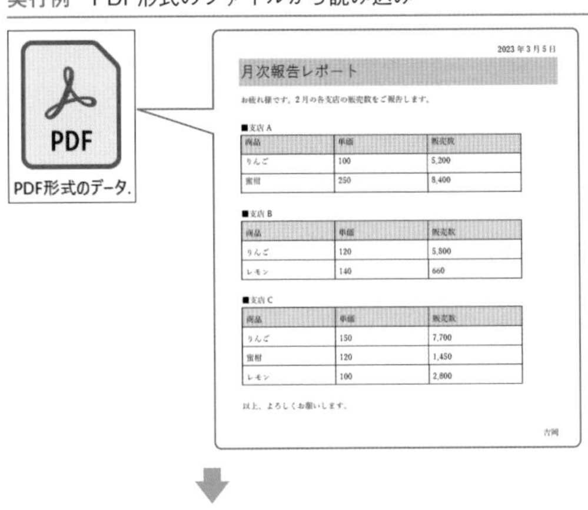

2023年3月5日

月次報告レポート

お疲れ様です。2月の各支店の販売数をご報告します。

■支店A

商品	単価	販売数
りんご	100	5,200
蜜柑	250	8,400

■支店B

商品	単価	販売数
りんご	120	5,800
レモン	140	660

■支店C

商品	単価	販売数
りんご	150	7,700
蜜柑	120	1,450
レモン	100	2,800

以上、よろしくお願いします。

吉岡

	A	B	C	D
1	商品	単価	販売数	
2	りんご	100	5,200	
3	蜜柑	250	8,400	
4				

column

画像形式のPDFは画像読み取り機能にかけよう

Pdf.Tables関数でデータを取り込めるPDFは、前提としてデータをテキストデータとして持っているPDFになります。

全画面を画像として持っているタイプのPDFからはデータは取り込めません。こちらのタイプは、Excelのバージョンによっては、画像を解析してデータを読み取る機能が使えますので、画像として書き出したうえでチャレンジしてみましょう。

画像からの読み取りは、リボンの「データ」タブの**画像から**から行えます。

ブックに残る「クエリ」や「接続」を一括削除する

Power Queryと連携してデータを取り込む場合には、「クエリを作成し、シート上に展開する」という手順で行います。データの取り込み後は、不要になったクエリを削除することもあるかと思いますが、クエリを削除しても接続先への接続情報が接続として残ってしまうこともあります。

▼クエリと「接続」ペイン

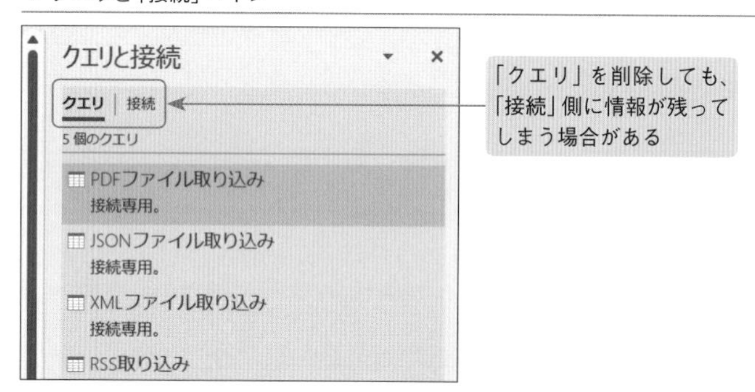

そこで、ブック内のクエリと接続を一括で削除する方法をご紹介します。次のコードは、**アクティブなブックのクエリと接続を一括削除**します。

▼マクロ 16-6

```
Dim book As Workbook
Set book = ActiveWorkbook
'Queriesコレクションについてループ
Do While book.Queries.Count > 0
    book.Queries(1).Delete
    DoEvents
Loop
'Connectionsコレクションについてループ
Do While book.Connections.Count > 0
    book.Connections(1).Delete
    DoEvents
Loop
```

クエリはQueriesコレクションでブックごとに管理されており、接続はConnectionsコレクションでブックごとに管理されています。

そこで、この2つのコレクションのメンバー数を取得するCountプロパティが「0」になるまでメンバーの削除処理を繰り返します。

クエリや接続情報が残ったままのブックを開いた場合、セキュリティの警告メッセージが表示されます。自分が作成したクエリであれば「コンテンツの有効化」ボタンを押して継続すればよいですが、自分以外の方に渡すような場合、警告メッセージが出ると「怖い」ブックと判断されてしまいます。

利用しなくなったクエリや接続は、きちんと削除しておくようにしましょう。

column

マウスポインタを乗せてクエリのプレビューを確認

「クエリと接続」ペイン上に表示されたクエリのリストは、マウスポインタを乗せることで結果のプレビューが確認できます。

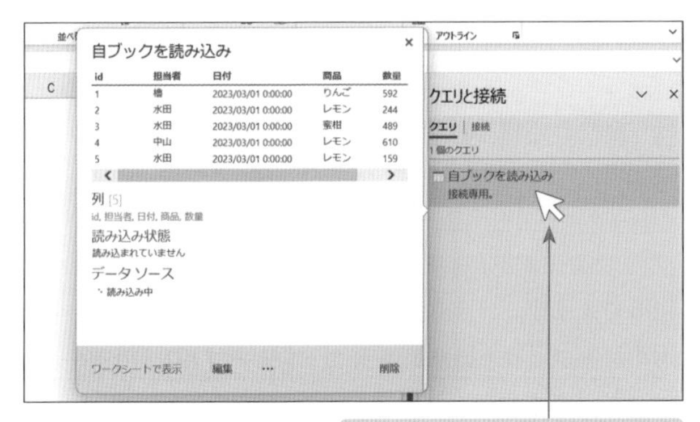

クエリにマウスポインタを乗せるとプレビューが表示される

ここでうまくプレビューが表示されない場合は、M言語側のコードに何らかの不備があると見当が付けられます。

また、プレビューの「編集」ボタンを押すとPower Query画面に移行し、「削除」ボタンを押せば削除も可能です。

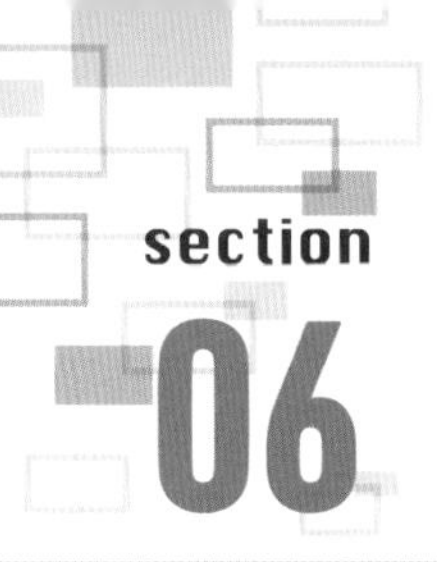

section 06 かゆいところに手が届く Power Queryの仕組み

Power Queryを利用する際に覚えておくと便利な仕組みを3つご紹介します。どれも必須というわけではありませんが、開発の手助けになってくれるでしょう。

複数のクエリを組み合わせて運用する

同じブック内に作成されたクエリは、組み合わせての利用も可能です。例えば、自ブックのナビゲーションテーブルを返すだけのシンプルなクエリ「対象ブック」を作成したとします。

▼シンプルなクエリ

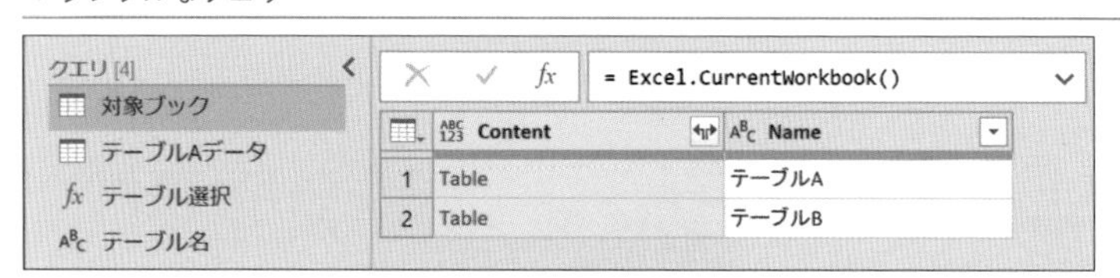

このとき、他のクエリ内ではクエリ「対象ブック」の結果を、「対象ブック」のようにクエリ名を使って利用できます。

次のクエリは、**クエリ「対象ブック」の結果を元に、「テーブルA」のデータを取得するクエリ「テーブルAデータ」を定義**します。

▼クエリ 16-18

```
let
    xlBook = 対象ブック
in
    xlBook{[Name="テーブルA"]}[Content]
```

実行例 クエリの中で他のクエリの結果を利用

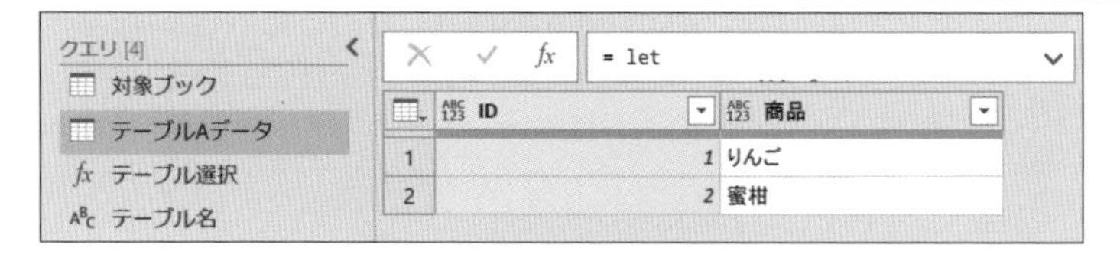

いわゆるサブクエリのように組み合わせて利用できるわけですね。クエリ「テーブルAデータ」は、クエリ「対象ブック」の結果を元にパースを行っていくため、クエリ「対象ブック」側で取り込み対象とするExcelブックを変更すれば、その結果から「テーブルA」のデータを取得することになります。

パラメーターを受け取って実行するクエリを作成する

受け取ったパラメーターを元にパースを行う、いわゆるパラメータークエリのような仕組みも作成可能です。

次のクエリは、**自ブックから、パラメーター「tableName」で受け取ったテーブル名のテーブルを取得するクエリ「テーブル選択」を定義**します。

▼クエリ 16-19

```
let
    table = (tableName as text)=>
        Excel.CurrentWorkbook(){[Name=tableName]}[Content]
in
    table
```

実行例　パラメーターを受け取って結果を返す

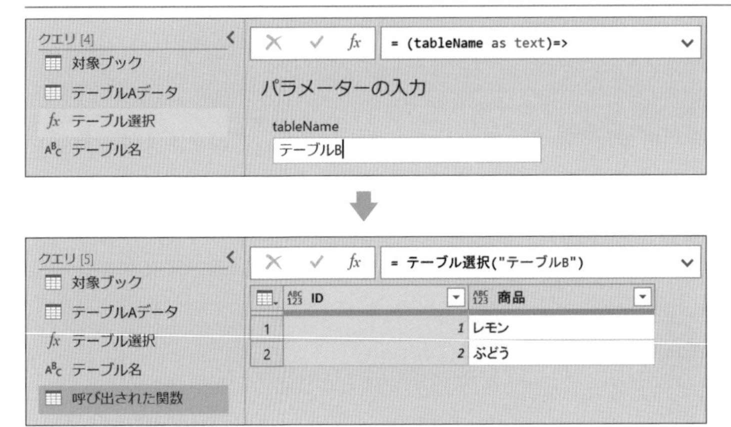

Power Query上でクエリ「テーブル選択」を選ぶと、パラメーター「tableName」の入力を促されます。値を入力、**呼び出し**ボタンを押すと、入力値を使った結果を返すクエリが自動作成されます。

この**クエリ「テーブル選択」を他のクエリ内から呼び出す**には、次のように記述します。

```
//引数に「テーブルB」を渡して「テーブル選択」クエリの結果を取得
table = テーブル選択("テーブルB")
```

ステップ「table」には、引数「テーブルB」を渡して「テーブル選択」クエリを実行した結果が取得されます。サブルーチンのように利用できますね。

Excel側からPower Quey側に値を送る

パラメーターを利用できるクエリが作成できるとなると、Excel側からパラメーターを指定して結果を受け取りたくなりますよね。しかし、2022年12月現在では、直接Power Query側にパラメーターを渡す方法はありません。

そこで、特定のクエリをパラメーターがわりに利用してしまいましょう。次のクエリ「テーブル名」は、シンプルに「"テーブルB"」という文字列のみを記述します。

▼パラメーターがわりのクエリを用意

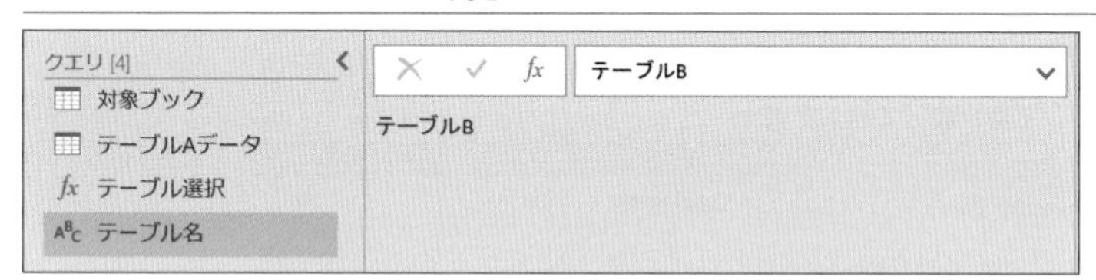

では、この値を利用したクエリを定義していきましょう。次のクエリは、**自ブックから「テーブル名」の値のテーブルを取得**します。

▼クエリ 16-20

```
let
    xlBook = Excel.CurrentWorkbook(),
    table = xlBook{[Name=テーブル名]}[Content]
in
    table
```

実行例　「テーブルB」が取得できた

クエリ [5]
対象ブック
テーブルAデータ
テーブル選択
テーブル名
指定テーブル取得

= xlBook{[Name=テーブル名]}[Content]

	ID	商品
1	1	レモン
2	2	ぶどう

クエリ「テーブル名」の値である「テーブルB」を利用した結果が取得されていますね。

Power Query側でこの仕組みができたら、今度はExcel側です。ExcelではクエリをWorkbookQueryオブジェクトで管理していますが、作成ずみのクエリのコマンドテキストは、Formulaプロパティから取得/変更が可能です。この仕組みを利用します。

次のコードは、ク**エリ「テーブル名」のコマンドテキストを変更し、関連付けられているテーブル「指定テーブル取得」を更新**します。

▼マクロ 16-7

```
'クエリの内容(パラメーターとして渡す値)を更新
ThisWorkbook.Queries("テーブル名").Formula = """テーブルA"""
'テーブルのデータをリフレッシュ
ActiveSheet.ListObjects("指定テーブル取得").QueryTable.Refresh
```

実行例　パラメーターを変更して更新する

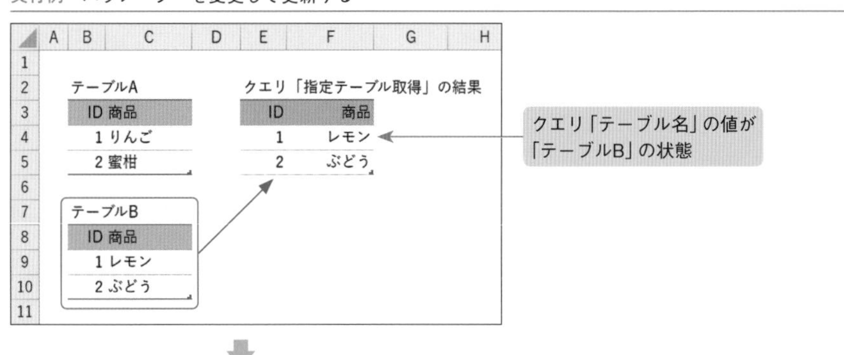

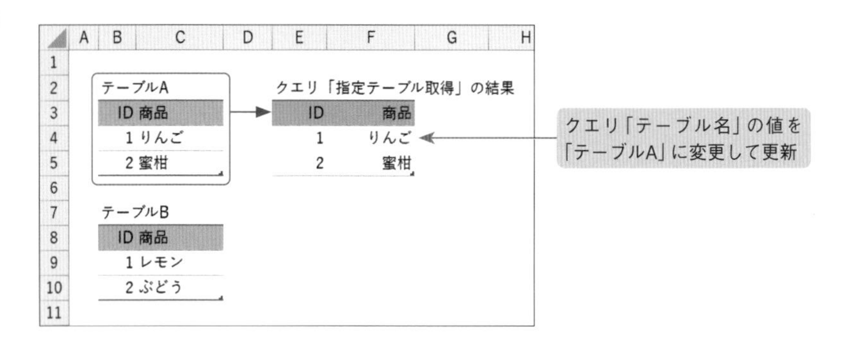

Excel側で変更したクエリ「テーブル名」のコマンドテキストに応じて、Power Query側のパース結果が変更されていますね。少々回りくどい方法ですが、かゆいところに手が届く方法でもあります。

column

関連するクエリの削除順に注意

ブック内に他のクエリを参照しているクエリがある場合には、クエリの削除順に注意が必要です。他のクエリから参照されているクエリは、参照を行っている側のクエリを削除してからでないと削除できません。注意しましょう。

Web上のデータをExcelに取り込む

本章では、Web上のデータをExcelへと取り込む際の仕組みをご紹介します。
単純なコピー＆ペーストによる取り込みとデータの整形から、HTML形式、XML形式、JSON形式でのデータの取り込み方法を一通り見ていきましょう。

本章の学習内容

❶ブラウザーからコピーしたデータの成型
❷Power Queryで取り込む
❸Webコンテンツのソースベースでの解析

section

01 Webからデータを取得する

Web上のデータをExcelへと取り込んで利用する機会は多くあります。最もカジュアルな方法は、「Webブラウザーからコピーして Excelへ貼り付け」をする方法でしょう。

基本はコピーして整形

Webブラウザーに表示されているデータをExcelに取り込むには、画面上で取り込みたいデータを部分をドラッグ操作で選択したうえで、Ctrl+Cキー等でコピーし、Excel上の任意のセルを選択してペーストします。

このとき、単純にペーストする方法と、「値を選択して貼り付け」オプションで貼り付ける方法があります。単純にペーストした場合は、画像等もそのままシート上に貼り付けられます。次図は、とある日の「Yahoo!天気・災害」ページの週間天気予報(https://weather.yahoo.co.jp/weather/week/)の表部分をコピー&ペーストした結果です。お天気アイコンまでコピーされていますね。

▼ブラウザーの表示内容を単純にコピーした結果

	A	B	C	D	E	F	G	H	I	J
1										
2		日付	12月1日	12月2日	12月3日	12月4日	12月5日	12月6日	12月7日	
3			(木)	(金)	(土)	(日)	(月)	(火)	(水)	
4		北海道								
5		(札幌)								
6			0/-4	0/-3	3/-5	0/-6	1/-5	1/-5	3/-4	
7			50%	50%	90%	70%	30%	50%	40%	
8		東北								
9		(仙台)								
10			8月4日	7月2日	12/0	11月4日	9月2日	10月2日	11月2日	
11			40%	60%	20%	30%	30%	50%	20%	
12		関東								
13		(東京)								
14			10月15日	9月14日	6月15日	8月14日	12月7日	7月15日	7月15日	
15			30%	10%	0%	30%	30%	10%	10%	
16		信越								
17		(新潟)								
18			11月5日	8月4日	12月2日	11月5日	10月4日	10月4日	11月4日	
19			90%	90%	30%	80%	70%	80%	50%	
20		北陸								
21		(金沢)								
22			11月7日	10月5日	6月14日	9月13日	8月13日	11月7日	7月13日	
23			70%	90%	30%	70%	70%	80%	40%	
24										

それに対して、値のみを貼り付けた結果は、以下のようになります。

▼値のみを貼り付けした結果

	A	B	C	D	E	F	G	H	I	J
1										
2		日付	12月1日	12月2日	12月3日	12月4日	12月5日	12月6日	12月7日	
3			(木)	(金)	(土)	(日)	(月)	(火)	(水)	
4		北海道	曇一時雪	曇時々雪	曇一時雪	曇一時雪	曇り	曇一時雪	曇り	
5		(札幌)	曇一時雪	曇時々雪	曇一時雪	曇一時雪	曇り	曇一時雪	曇り	
6			0/-4	0/-3	3/-5	0/-6	1/-5	1/-5	3/-4	
7			50%	50%	90%	70%	30%	50%	40%	
8		東北	曇り	雪のち曇	曇時々晴	曇り	曇り	曇一時雨	曇り	
9		(仙台)	曇り	雪のち曇	曇時々晴	曇り	曇り	曇一時雨	曇り	
10			8月4日	7月2日	12/0	11月4日	9月2日	10月2日	11月2日	
11			40%	60%	20%	30%	30%	50%	20%	
12		関東	曇り	曇のち晴	曇時々晴	曇り	曇り	曇時々晴	晴時々曇	
13		(東京)	曇り	曇のち晴	曇時々晴	曇り	曇り	曇時々晴	晴時々曇	
14			10月15日	9月14日	6月15日	8月14日	12月7日	7月15日	7月15日	
15			30%	10%	0%	30%	30%	10%	10%	
16		信越	曇時々雨	曇時々雨	曇時々晴	曇時々雨	曇時々雨	曇時々雨	曇一時雨	
17		(新潟)	曇時々雨	曇時々雨	曇時々晴	曇時々雨	曇時々雨	曇時々雨	曇一時雨	
18			11月5日	8月4日	12月2日	11月5日	10月4日	10月4日	11月4日	
19			90%	90%	30%	80%	70%	80%	50%	
20		北陸	曇時々雨	曇時々雨	曇時々晴	曇一時雨	曇一時雨	曇時々雨	曇時々晴	
21		(金沢)	曇時々雨	曇時々雨	曇時々晴	曇一時雨	曇一時雨	曇時々雨	曇時々晴	
22			11月7日	10月5日	6月14日	9月13日	8月13日	11月7日	7月13日	
23			70%	90%	30%	70%	70%	80%	40%	
24										

Webブラウザー上に表示されているコンテンツをコピー&ペーストしたときの結果は、コンテンツの作りやExcelのバージョンによって結構変わりますが、Webブラウザー上において表形式で表示されている部分を貼り付けた場合は、「何かしらの規則性」を持って貼り付けられることになります。

一発で好みの形式に貼り付けられたら、それでOKですが、そうでない場合は「何かしらの規則性」を読み取り、ループ処理を組み合わせて整形していきます。

参考までに、上記の貼り付け結果を表形式に整形するコードを考えてみました。最初に「何かしらの規則性」をピックアップしてみます。

- 2行目と3行目は日付、以降は4行ごとに1つの都道府県のデータ
- 行1：天気予報画像のキャプション：必要
- 行2：天気予報：不要（行1と同じデータ）
- 行3：最高/最低気温：必要だが日付と解釈されている箇所も。要変換
- 行4：降水確率：必要

規則性を元に、**コピー&ペーストでシート上に散り込んだデータから必要な部分を抜き出し、整形**してみましょう(実行例では見出し等をあらかじめ用意してから書き出しを行っています)。

▼マクロ 17-1

```
Dim rowIndex As Long, colIndex As Long, tmp As Variant
'パース結果の書き出し起点セル範囲選択
Range("K3:P3").Select
'4行目から20行目までステップ4でループ
For rowIndex = 4 To 20 Step 4
    '3列目から8列目までループ
    For colIndex = 3 To 8
        With Selection
            '都道府県・日付・天気・最高気温・最低気温・降水確率を取り出す
            .Cells(1).Value = Cells(rowIndex, "B").Value
            .Cells(2).Value = Cells(2, colIndex).Value
            .Cells(3).Value = Cells(rowIndex, colIndex).Value
            '「12月11日」や「22/15」から2つの数値を取り出す
            tmp = Cells(rowIndex + 2, colIndex).Text
            tmp = Split(Replace(tmp, "月", "/"), "/")
            .Cells(4).Value = Val(tmp(0))
            .Cells(5).Value = Val(tmp(1))
            .Cells(6).Value = Val(Cells(rowIndex + 3, colIndex).Value)
        End With
        '書き出し位置を1行下に
        Selection.Offset(1).Select
    Next
Next
```

実行例　規則性を元に整形

	J	K	L	M	N	O	P	Q
1								
2		都道府県	日付	天気	最高気温	最低気温	降水確率	
3		北海道	2022/12/1	曇一時雪	0	-4	50%	
4		北海道	2022/12/2	曇時々雪	0	-3	50%	
5		北海道	2022/12/3	曇一時雪	3	-5	90%	
6		北海道	2022/12/4	曇一時雪	0	-6	70%	
7		北海道	2022/12/5	曇り	1	-5	30%	
8		北海道	2022/12/6	曇一時雪	1	-5	50%	

コードの具体的な内容はともかく、規則性さえ見つければ、マクロで表形式に変換することができますね。いったんマクロを作成してしまえば、同じ形式のコンテンツであれば、マクロを使いまわして好みの形式へと変換できるようになります。

コツとしては、

1. 取り出したいデータの表見出しを考えて書いてみる
2. データの規則性を見つける
3. 規則性に沿った大まかなループ処理の枠組みを作成（たいていは行・列方向の2重ループになる）
4. 個々の値を取り出す際に必要な変換処理を作成

といった手順で順番に処理を考えると、作成しやすくなります。

「コピーして整形」が、地味ながら一番カジュアルなWeb上のデータの取り込み方法です。

Power Queryが使えるならPower Queryが一番

さて、コピー＆ペーストしてから整形する方法をご提示した後で言うのははばかられるのですが、実は、Web上で表形式のデータであれば、Power Queryを利用できる環境ならば、Power Queryによる取り込み・変換機能を利用するのが一番手軽です。

例えば、上述の「Yahoo!天気・災害」ページの週間天気予報のWebページのURLを指定すると、下図のように、データとして読み込めそうな場所をピックアップしてくれます。

その中から取り込みたいものを選択して、**読み込み**ボタンを押すだけで、シート上にデータが読み込まれます。また、すぐに読み込まずに、**データの変換**ボタンを押すと、Power Queryエディターで詳細なデータの整形（パース）手順の指定も可能です。

▼Power Queryで取り込む

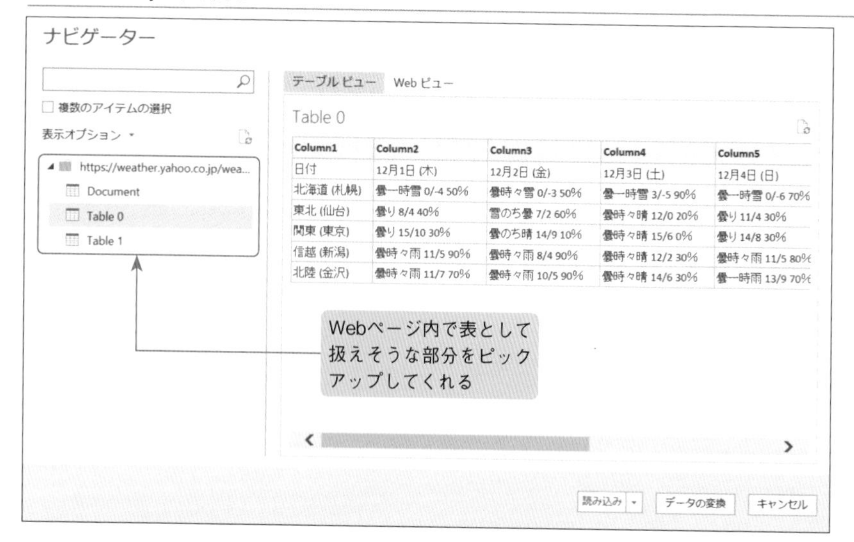

Column1	Column2	Column3	Column4	Column5
日付	12月1日 (木)	12月2日 (金)	12月3日 (土)	12月4日 (日)
北海道 (札幌)	曇一時雪 0/-4 50%	曇時々雪 0/-3 50%	曇一時雪 3/-5 90%	曇一時雪 0/-6 70%
東北 (仙台)	曇り 8/4 40%	雪のち曇 7/2 60%	曇時々晴 12/0 20%	曇り 11/4 30%
関東 (東京)	曇り 15/10 30%	曇のち晴 14/9 10%	曇時々晴 15/6 0%	曇り 14/8 30%
信越 (新潟)	曇時々雨 11/5 90%	曇時々雨 8/4 90%	曇時々晴 12/2 30%	曇時々雨 11/5 80%
北陸 (金沢)	曇時々雨 11/7 70%	曇時々雨 10/5 90%	曇時々晴 14/6 30%	曇一時雨 13/9 70%

下図は、Power Queryエディター上で、上述のコンテンツのデータをパースして読み込んだ結果です。マクロをまったく記述せずに、ピボット状態の解除や、特定列の値を複数の列へ分割する処理等を行えています。おそろしく手軽です。

▼取り込み結果

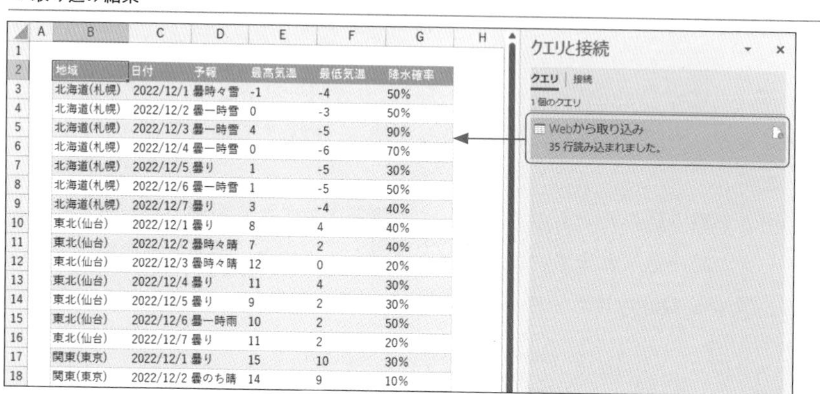

地域	日付	予報	最高気温	最低気温	降水確率
北海道(札幌)	2022/12/1	曇時々雪	-1	-4	50%
北海道(札幌)	2022/12/2	曇一時雪	0	-3	50%
北海道(札幌)	2022/12/3	曇一時雪	4	-5	90%
北海道(札幌)	2022/12/4	曇一時雪	0	-6	70%
北海道(札幌)	2022/12/5	曇り	1	-5	30%
北海道(札幌)	2022/12/6	曇一時雪	1	-5	50%
北海道(札幌)	2022/12/7	曇り	3	-4	40%
東北(仙台)	2022/12/1	曇り	8	4	40%
東北(仙台)	2022/12/2	曇時々晴	7	2	40%
東北(仙台)	2022/12/3	曇時々晴	12	0	20%
東北(仙台)	2022/12/4	曇り	11	4	30%
東北(仙台)	2022/12/5	曇り	9	2	30%
東北(仙台)	2022/12/6	曇一時雨	10	2	50%
東北(仙台)	2022/12/7	曇り	11	2	20%
関東(東京)	2022/12/1	曇り	15	10	30%
関東(東京)	2022/12/2	曇のち晴	14	9	10%

Web上のデータをパースして利用したい場合の第一の選択肢はPower Queryになるでしょう。

また、16章でご紹介したように、Power QueryでのパースはM言語を利用して記述可能です。上記の手順を行うM言語のコードは、以下のようになります。

▼クエリ 17-1

```
let
    url = "https://weather.yahoo.co.jp/weather/week/",
    web = Web.Page(Web.Contents(url)),
    //1つ目の表をテーブルとして取得
    otenki = web[Data]{0},
    //1行目を見出しにして「日付」列の列名を「地域」に変更
    header = Table.PromoteHeaders(otenki),
    otenki2 = Table.RenameColumns(header,{"日付","地域"}),
    //ピボット状態の表になっているのでピボットを解除
    unpivot = Table.UnpivotOtherColumns(
      otenki2, {"地域"}, "日付", "天気情報"
    ),
    //「天気情報」列を改行文字(CRLF)と「/」を区切り文字として4列に分割
    split = Table.SplitColumn(
        unpivot,
         "天気情報",
         Splitter.SplitTextByAnyDelimiter({"#(cr)#(lf)","/"}),
         {"予報", "最高気温","最低気温", "降水確率"}
    ),
    //「日付」列の値の改行文字(CRLF)を削除
    replace = Table.ReplaceValue(
      split,"#(cr)#(lf)","",Replacer.ReplaceText,{"日付"}
    ),
    //「日付」列を日付値に変換
    columnType = Table.TransformColumnTypes(
      replace,{{"日付", type date}}
    )
in
    columnType
```

M言語に関する基本的な仕組みは、16章を参照してください。以下、ざっとどんな風なパース手順を行っているのかを解説していきます。

●Web.Page関数でWebページのデータを読み込む

Webページのデータを読み込むにはWeb.Page関数を利用します。Web.Page関数の引数には、Web.Contents関数を使って変換したWebページのURLを指定します。

▼Webページのデータを読み込む（Web.Page関数）

```
Web.Page(Web.Contents("WebページのURL"))
```

Web.Page関数の返すナビゲーションテーブルでは、「Data」列に表として扱えそうなデータの候補がテーブルの形で格納されています。この中から目的のものを指定し、パースしていきます。上記コードでは、otenkiステップで「Data」列の最初のレコードのデータを取得しています。

```
otenki = web[Data]{0},
```

●Table.UnpivotOtherColumns関数でピボット解除

headerステップ、otenki2ステップでは、表の1行目をヘッダーに指定して列名を変更しています。その後、unpivotステップではピボット解除処理を行っています。ピボット解除とは、ピボットテーブルの結果のような、いわゆるクロス集計表状態の表を、クロス集計を行う前の状態にする処理です。

▼ピボット解除

	地域	12月1日 (木)	12月2日 (金)	12月3日 (土)
1	北海道 (札幌)	曇一時雪 0/-4 50%	曇時々雪 0/-3 50%	曇一時雪 3/-5 90%
2	東北 (仙台)	曇り 8/4 40%	雪のち曇 7/2	曇時々晴 12/0
3	関東 (東京)	曇り 15/10 30%	10%	0%

縦軸が地域ごと、横軸が日付ごとで、クロスする位置にその地域・日付のデータが集計されている状態

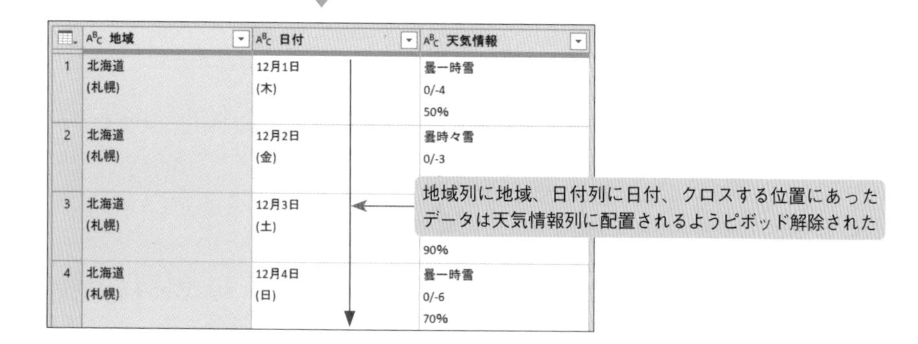

	地域	日付	天気情報
1	北海道 (札幌)	12月1日 (木)	曇一時雪 0/-4 50%
2	北海道 (札幌)	12月2日 (金)	曇時々雪 0/-3
3	北海道 (札幌)	12月3日 (土)	90%
4	北海道 (札幌)	12月4日 (日)	曇一時雪 0/-6 70%

ピボット解除を行うには、Table.UnpivotOtherColumns関数やTable.Unpivot関数を利用します。クロス集計表を元の状態に戻すのは、VBAで行おうとする場合もなかなかに面倒な処理ですが、Power Queryであれば一発です。便利ですね。

Table.UnpivotOtherColumns関数は、指定した列「以外の列」のデータをピボット解除します。

▼指定した以外の列のピボット解除を行う（Table.UnpivotOtherColumns関数）

```
Table.UnpivotOtherColumns(
    テーブル, 対象外の列名のリスト, 見出し名の値の列名, クロス位置の値の列名
)
```

Table.Unpivot関数は指定した列のデータをピボット解除します

▼指定した列のピボット解除を行う（Table.Unpivot関数）

```
Table.Unpivot(
    テーブル, 対象の列のリスト, 見出し名の値の列名, クロス位置の値の列名
)
```

●Table.SplitColumn関数で区切り文字をキーに列を分割

splitステップでは、「天気情報」列の内容を分割しています。「天気情報」列のデータは、予報・最高気温・最低気温・降水確率の4種類のデータが、改行されて3行のひとまとめのデータとして入力されています。さらに、最高気温と最低気温は「/」記号でひとまとめにされています。

▼3つのデータが改行されて入力されている状態

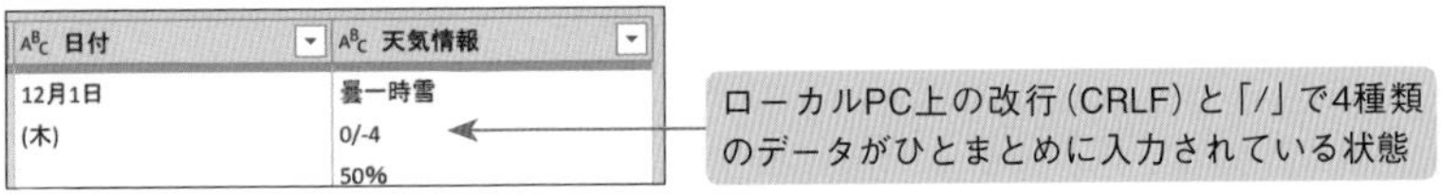

日付	天気情報
12月1日 (木)	曇一時雪 0/-4 50%

ローカルPC上の改行（CRLF）と「/」で4種類のデータがひとまとめに入力されている状態

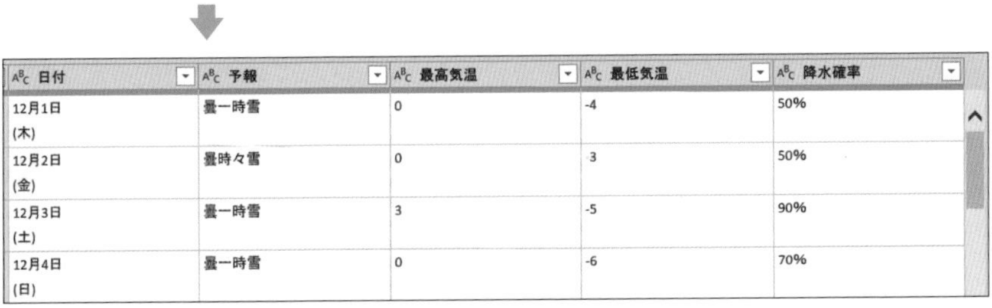

日付	予報	最高気温	最低気温	降水確率
12月1日 (木)	曇一時雪	0	-4	50%
12月2日 (金)	曇時々雪	0	3	50%
12月3日 (土)	曇一時雪	3	-5	90%
12月4日 (日)	曇一時雪	0	-6	70%

これを「予報」「最高気温」「最低気温」「降水確率」の4列のデータとして分割します。分割を行うには、Table.SplitColumn関数を利用します。

▼データを分割する（Table.SplitColumn関数）

```
Table.SplitColumn(テーブル, 列名, 分割ルール, 新しい列の名前リスト)
```

▼分割ルールを指定する関数（抜粋）

名前	説明
Splitter.SplitTextByDelimiter	指定した区切り記号で分割
Splitter.SplitTextByAnyDelimiter	指定した区切り記号のリストのいずれかで分割
Splitter.SplitTextByLengths	指定した長さで分割
Splitter.SplitTextByPositions	指定した位置で分割
Splitter.SplitTextByRepeatedLengths	指定した長さで繰り返し分割
Splitter.SplitTextByWhitespace	空白文字で分割

今回は、改行（CRLF）と「/」を区切り文字に指定して分割を行いました。これで個々のデータが扱いやすくなりますね。

●Table.ReplaceValue関数で値を修正

replaceステップでは、「日付」列のデータの改行を一括削除しています。これは、Table.ReplaceValue関数を使って、改行記号を空白文字列に置換することで実現しています。

▼改行を削除する（Table.ReplaceValue関数）

```
Table.ReplaceValue(テーブル, 検索値, 置換値, 対象列)
```

最後にcolumnTypeステップでは、「日付」列の値を日付シリアル値に変換しています。

このように、ステップごとに少しずつデータをパースしていき、目的の形に整えたデータをExcel側に取り込んで利用できます。ピボット解除や列の分割等は、Excel側でやろうと思うとなかなかに大変な処理になりますので、Power Query側にまかせてしまうのがよいでしょう。

section 02 Webページのソースを解析する

Webブラウザーに表示されている内容ではなく、直接Webページのソースを取り込んで解析したい場合には、各種外部ライブラリを利用します。

ここでは、さまざまなWeb上のデータを、VBAを利用して取得する処理をご紹介します。まずは、Webページのソース（HTML形式のデータ）を扱う方法を見ていきましょう。

任意のWebページのデータを取得する

Webページ関連のデータを扱う際に便利な外部ライブラリの1つが、Microsoft WinHTTP Servicesライブラリです。こちらに用意されているオブジェクトは、下記のように、VBEのメニューから、**ツール→参照設定**を選択して表示されるダイアログから、参照設定を行って利用します。

▼Microsoft WinHTTP Servicesライブラリの参照設定

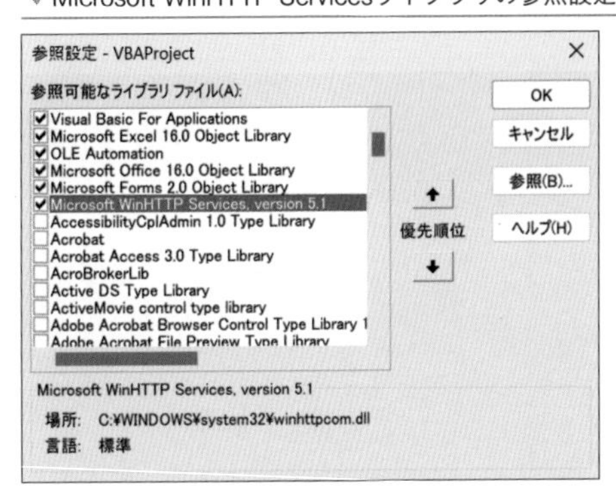

次のコードは、**SBクリエイティブ社のトップページ（https://www.sbcr.jp/pc/）の本文の内容（HTMLドキュメント）を表示**します。

▼マクロ 17-2

```
Dim httpRequest As WinHttpRequest
'新規のWinHttpRequestリクエスト生成
Set httpRequest = New WinHttpRequest
```

```
'GETでリクエスト送信
With httpRequest
    .Open "GET", "https://www.sbcr.jp/pc/"
    .Send
End With
'ステータスコードを確認
Do While httpRequest.Status <> 200  '正常終了
    Select Case httpRequest.Status
    Case Is > 399
        MsgBox "エラー発生：" & httpRequest.Status
        Exit Sub
    Case Else '状態を書き出し
            Debug.Print httpRequest.Status, httpRequest.StatusText
    End Select
    '読み込みフリーズしても実行停止できるようDoEvents
    DoEvents
Loop
'リクエストの結果テキストを表示
MsgBox httpRequest.responseText
```

実行例　指定ページのソースを取得

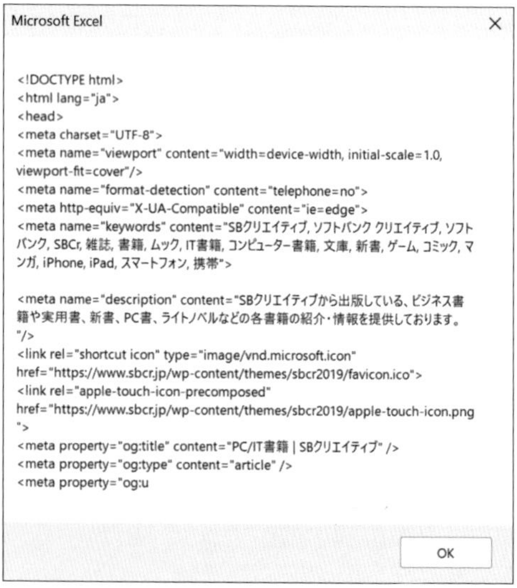

```
Microsoft Excel                                                    ×

<!DOCTYPE html>
<html lang="ja">
<head>
<meta charset="UTF-8">
<meta name="viewport" content="width=device-width, initial-scale=1.0,
viewport-fit=cover"/>
<meta name="format-detection" content="telephone=no">
<meta http-equiv="X-UA-Compatible" content="ie=edge">
<meta name="keywords" content="SBクリエイティブ, ソフトバンク クリエイティブ, ソフト
バンク, SBCr, 雑誌, 書籍, ムック, IT書籍, コンピューター書籍, 文庫, 新書, ゲーム, コミック, マ
ンガ, iPhone, iPad, スマートフォン, 携帯">

<meta name="description" content="SBクリエイティブから出版している、ビジネス書
籍や実用書、新書、PC書、ライトノベルなどの各書籍の紹介・情報を提供しております。
"/>
<link rel="shortcut icon" type="image/vnd.microsoft.icon"
href="https://www.sbcr.jp/wp-content/themes/sbcr2019/favicon.ico">
<link rel="apple-touch-icon-precomposed"
href="https://www.sbcr.jp/wp-content/themes/sbcr2019/apple-touch-icon.png
">
<meta property="og:title" content="PC/IT書籍 | SBクリエイティブ" />
<meta property="og:type" content="article" />
<meta property="og:u

                                                          OK
```

WinHttpRequestオブジェクトで任意のWebページのソースを取得するには、新規オブジェクトを生成後、Openメソッドでwebページを送信してもらうリクエスト先のURLを指定後、Sendメソッドでリクエストを送信します。

サンプルでは、https://www.sbcr.jp/pc/にGET方式でリクエストを送信しています。

```
Set httpRequest = New WinHttpRequest
'GETでリクエスト送信
With httpRequest
    .Open "GET", "https://www.sbcr.jp/pc/"
    .Send
End With
```

リクエスト送信後、その結果(レスポンス)は、responseTextプロパティから取得できます。

また、リクエストを送信した場合、必ずしも正常にレスポンスを受け取れるわけではありません。指定したURLが存在しなかった、というケースもあるでしょう。そういったリクエストの状態はHTTPステータスコードで表されます。

HTTPステータスコードは100〜599の間の数値で状態を表すよう規定されています。例えば、成功時は「200」、URLが見つからない場合は「404」、タイムアウトは「408」等です。

▼ステータスコードの大まかな分類

範囲	状態
100〜199	情報レスポンス。主に作業段階を表す
200〜299	成功レスポンス。順調にやり取りを行う段階を表す
300〜399	リダイレクトメッセージ。何らかの追加情報を示す
400〜499	クライアントエラーレスポンス。クライアント側主因のエラー
500〜599	サーバーエラーレスポンス。サーバー側主因のエラー

WinHttpRequestオブジェクトでは、これらのステータスコードは、Statusプロパティから取得できます。

ソースを元にHTMLドキュメントとして解析を試みる

取得したWebページのソースから目的のデータを取り出すには、そのままテキストとして扱い、正規表現等を駆使して目的の箇所を抜き出してもよいのですが、専用のオブジェクトを利用すると、もっと手軽に取得可能です。

HTMLドキュメントを扱う、HTMLDocumentオブジェクトの各種プロパティ・メソッドを利用すると、解析がしやすくなります。

HTMLDocumentオブジェクトは、Microsoft HTML Object Library内に用意されています。利用する場合は、参照設定しておくと扱いやすくなります。

▼Microsoft HTML Object Libraryへの参照設定

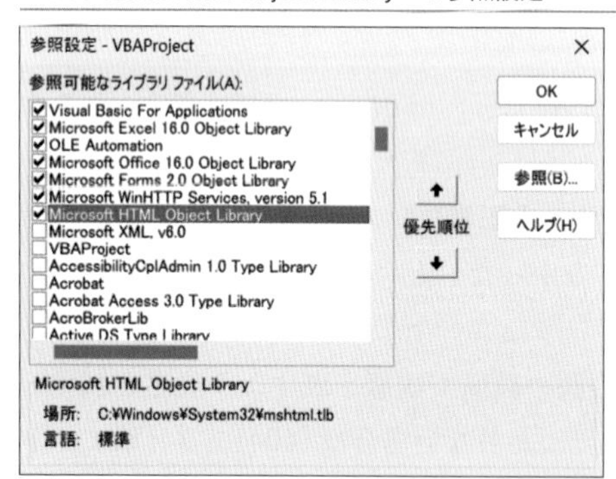

HTMLDocumentオブジェクトで任意のWebページを扱う際の基本は、New演算子で新規のHTMLDocumentオブジェクトを生成後、writeメソッドで読み込んだページのソースを書き込んでHTMLドキュメントとしてビルドします。

このときの注意点は、HTMLDocumentオブジェクトを扱う変数のデータ型です。HTMLDocument型ではなく、頭に「I」が付いたIHTMLDocumentインターフェイス型で宣言します。こうしておかないと、writeメソッド等の一部のプロパティ/メソッドが利用しようとした際にエラーとなります。

▼HTMLDocumentの初期設定の定番構文

```
'データ型はIHTMLDocumentインターフェイス型で宣言
Dim doc As IHTMLDocument
'新規HTMLDocumentを生成
Set doc = New HTMLDocument
'writeメソッドで取り込んだソースを書き込む
doc.write httpRequest.responseText
```

writeメソッドによるビルドが完了したら、HTMLDocumentオブジェクトの各種プロパティ経由で、HTMLドキュメントの各要素(エレメント)へとアクセスができるようになります。

▼HTMLDocumentオブジェクトのプロパティ/メソッド(抜粋)

プロパティ/メソッド	用途
writeメソッド	文字列を元に、HTMLドキュメントをビルド
headプロパティ	HTMLドキュメントのhead要素へアクセス
bodyプロパティ	HTMLドキュメントのbody要素へアクセスする
getElementByIDメソッド	任意のid属性を持つ単一要素を取得
getElementsByNameメソッド	任意のname属性を持つ要素のリストを取得
getElementsByClassNameメソッド	任意のクラス名を持つ要素のリストを取得
getElementsByTagNameメソッド	任意のタグの要素のリストを取得

getElementByIDメソッドやgetElementsByClassNameメソッドでHTMLドキュメント内の任意の要素や要素のリストを取得すると、単体の要素はHTMLElementオブジェクトの形で、リストはHTMLElementCollectionオブジェクトの形で取得可能です。

個々の要素の持つデータには、HTMLElementオブジェクトの各種プロパティ/メソッドでアクセスしていきます。

▼HTMLElementオブジェクトのプロパティ/メソッド(抜粋)

プロパティ/メソッド	用途
outerHTMLプロパティ	要素のHTML表現
innerHTMLプロパティ	要素内のHTML表現
innerTextプロパティ	要素内のテキスト
tagNameプロパティ	要素のタグ名
classNameプロパティ	要素のクラス名
getAttributeメソッド	要素の持つ任意の属性の値
toStringメソッド	要素のテキスト表現

HTMLドキュメントとして解析できるのはとても楽でいいのですが、2つ、注意点があります。

1つは、JavaScript等を利用し、動的にコンテンツの内容を変化させるタイプのWebページです。このタイプのページの内容は、ソースコードだけでは取得しきれません。

もう1つは、HTMLドキュメントとして正しく解析できないタイプのWebページです。HTMLドキュメント側に何らかの不整合があるため、HTMLDocumentオブジェクトではうまく解析できないケースがあります。Webブラウザー上では不整合を無視したり、つじつまを合わせて表示されている場合でも、HTMLDocumentオブジェクトにwriteしてみたら意図したように解析できないのがこちらのパターンです。このパターンでは、ページのソース自体は取得できているので、正規表現等の力技で目的のデータを取り出してみましょう。

Webページ内のリンク情報を取り出してみよう

実際に、SBクリエイティブのプレスリリース情報の掲載されているWebページ(https://www.softbankcr.co.jp/ja/news/press/)内から、リリース情報を抜き出してみましょう。

▼解析を行うWebページ

次のコードは、**指定URLのWebページのソースを取得し、クラス名が「news__ttl」「list_item」の要素を抜き出して、設定されているテキストとhref要素の値を書き出します。**

▼マクロ 17-3

```
Dim httpRequest As WinHttpRequest, url As String
Dim doc As IHTMLDocument
'指定URLのソースを取得しHTMLドキュメントビルド
url = "https://www.softbankcr.co.jp/ja/news/press/"
Set httpRequest = New WinHttpRequest
With httpRequest
    .Open "GET", url
    .send
    Do While .Status <> 200
        DoEvents
    Loop
    Set doc = New HTMLDocument
    doc.write .responseText
End With
'クラス名が「news__ttl」「list_item」のエレメントのリスト作成
Dim titles As IHTMLElementCollection
Set titles = doc.getElementsByClassName("news__ttl")
Dim releases As IHTMLElementCollection
Set releases = doc.getElementsByClassName("list_item")
'リストの先頭から10個の値を書き出し
Dim i As Long
For i = 0 To 9
    Cells(i + 3, "B").Value = titles(i).innerText
    Cells(i + 3, "C").Value = releases(i).FirstChild.href
Next
```

実行例　特定のクラス名のエレメントを抜き出して情報を書き出す

	A	B	C
1			
2		トピック	リンク先
3		Septeni Globalと共同で、景品と連動した「ファンタジーメディア」をモバイルゲーム企業向けに提供開始～第一弾として「放置少女」とのコラボを開始～	https://www.softbankcr.co.jp/ja/news/2022/0722_fantasymedia_collabo/
4		サイネージマネージメントシステム「BeyondCAST」を活用し、景品と連動した「ファンタジーメディア」の提供を開始　～株式会社アムタスの運営する「めちゃコミック」とのコラボを開始～	https://www.softbankcr.co.jp/ja/news/2022/0329_fantasymedia_campaign/
5		新レーベル「GAコミック」創刊！　ライトノベルの人気作をコミカライズして配信開始 ～第1弾はアニメ化した大人気作『魔女の旅々』の公式スピンオフを含む2作品をリリース	https://www.softbankcr.co.jp/ja/news/2022/0114_newlabel_gacomic/
6		瀬戸内寂聴さんがこの世を去る前に残した最後のメッセージ『今を生きるあなたへ』を12月16日に緊急刊行	https://www.softbankcr.co.jp/ja/news/2021/1203_newsrelease_books/
7		モーリーファンタジー店内における体験型ストアメディアサービスの実証実験を開始	https://www.softbankcr.co.jp/ja/news/2021/1201_release_storemediaservice/
8		中国の電子コミックを日本国内に取次配信開始！第一弾は中国の人気コミック「陽色の駆妖師 ～スピリットキャッチャー～」が連載スタート！	https://www.softbankcr.co.jp/ja/news/2021/1028_release_newcomic/
9		DXの推進を手助けするクラウド型の遠隔サイネージマネージメントシステム「BeyondCAST」を7月27日から販売開始	https://www.softbankcr.co.jp/ja/news/2021/0727_release_beyondcast/

今回はgetElementsByClassNameメソッドを利用して、HTMLドキュメント内に設定されているクラス名を頼りに目的のデータのリストを作成し、データを取り出しました。

HTMLDocumentオブジェクトを利用して解析をする場合、このようにしてソースから目的のデータを取り出していきます。特定のタグ名やid、クラス名等の要素を絞り込めると、目的の値へとアクセスしやすくなりますね。

URLエンコードをした値を取得する

各種の検索エンジン等では、URLの末尾にパラメーター文字列を指定してアクセスします。この際、パラメーター文字列をURLエンコードして渡さなくてはいけないケースがあります。

例えば、SBクリエイティブ社の書籍検索Webページ(www.sbcr.jp/search.php)では、検索パラメーターを「?s=検索キーワード」の形で指定します。このとき、パラメーターとして、「古川順平」という値を渡したい場合には、

```
www.sbcr.jp/search.php?s=%E5%8F%A4%E5%B7%9D%E9%A0%86%E5%B9%B3
```

と、URLエンコードした値を指定します。

この値をVBAから取得するには、ENCODEURLワークシート関数を利用します。次のコードは、**「古川順平」をURLエンコードした値を出力**します。

▼マクロ 17-4

```
Debug.Print Application.WorksheetFunction.EncodeURL("古川順平")
```

実行例　URLエンコードした値

section 03 XMLデータをDOMDocumentで解析する

WebサイトではRSSやAPIの結果レスポンスをXML形式のデータで返す場合も多くあります。このXML形式のデータを解析する際、第一の選択肢はPower Queryですが、VBA側のみで解析処理を作成したい場合には、外部ライブラリMSXML2に用意されている、DOMDocumentオブジェクトが便利です。

DOMDocumentでXMLドキュメントとしてパースする

DOMDocumentオブジェクトは、CreateObject関数にクラス文字列「MSXML2.DOMDocument.6.0」を渡して生成します。

▼DOMDocumentオブジェクトのメソッド（抜粋）

メソッド	用途
LoadXML	引数に指定した文字列を元にXMLドキュメントを構築する
Load	引数に指定したパスのXMLファイルからXMLドキュメントを構築する
SelectSingleNode	引数に指定したXPath式を満たす最初のノードを返す
SelectNodes	引数に指定したXPath式を満たすノードのリストを返す
SetPropertyメソッド	XMLドキュメントのプロパティを設定。名前空間の登録等に利用する

▼各ノードから情報を取得するプロパティ/メソッド（抜粋）

プロパティ/メソッド	用途
NodeNameプロパティ	ノード名
Textプロパティ	ノードの持つテキスト
XMLプロパティ	ノードのXML表現文字列
GetAttributeメソッド	ノードの持つ任意の属性の値
FirstChildプロパティ	最初の子ノード
LastChildプロパティ	最後の子ノード
NextSiblingプロパティ	同一階層の「次のノード」
ChildNodesプロパティ	子ノードのリスト

基本的な利用方法は、まず、LoadXMLメソッド(文字列からXML構築)、もしくはLoadメソッド(ファイルからXML構築)を利用して、XML形式のドキュメントとしてパースします。

その後は、ドキュメントツリーからFirstChildプロパティやChildNodesプロパティ経由で目的のノードへとたどり、値へとアクセスします。

もしくは、SelectSingleNodeメソッドやSelectNodesメソッドに、XMLドキュメントのデータパスを、いわゆる「XPath式」の形式で指定して目的のノードへとアクセスしていきます。

次のコードは、**Yahoo!ニュースが配信しているITカテゴリのRSS (https://news.yahoo.co.jp/rss/topics/it.xml) を読み込み、XPath式を使って「item」ノードをリストアップし、さらにそこから子ノードである「title」ノードと「link」ノードの値を取り出しています**。シートにはあらかじめ見出し等を用意しています。

▼マクロ 17-5

```
Dim httpRequest As WinHttpRequest, url As String
Dim xml As Object, nodes As Object, node As Object
'指定URLのXML形式のソースを取得しXMLドキュメントビルド
url = "https://news.yahoo.co.jp/rss/topics/it.xml"
Set httpRequest = New WinHttpRequest
With httpRequest
    .Open "GET", url
    .send
    Do While .Status <> 200
        DoEvents
    Loop
    Set xml = CreateObject("MSXML2.DOMDocument.6.0")
    xml.async = False
    xml.LoadXML .ResponseText
End With
'「item」要素をリストアップ
Set nodes = xml.SelectNodes("//item")
'リストアップしたitem要素から子ノードのtitle、linkノード値を取得
Range("B3:C3").Select
For Each node In nodes
    Selection.Value = Array( _
```

```
        node.SelectSingleNode("./title").Text(), _
        node.SelectSingleNode("./link").Text() _
    )
    Selection.Offset(1).Select
Next
```

実行例　XML形式のデータを取得

```
▼<rss version="2.0">
  ▼<channel>
      <language>ja</language>
      <copyright>© Yahoo Japan</copyright>
      <pubDate>Wed, 30 Nov 2022 06:12:13 GMT</pubDate>
      <title>Yahoo!ニュース・トピックス - IT</title>
      <link>https://news.yahoo.co.jp/topics/it?source=rss</link>
      <description>Yahoo! JAPANのニュース・トピックスで取り上げている最新の見出しを提供しています。</description>
    ▼<item>
        <title>Twitter コロナ誤情報対策を撤回</title>
        <link>https://news.yahoo.co.jp/pickup/6446231?source=rss</link>
        <pubDate>Wed, 30 Nov 2022 01:13:31 GMT</pubDate>
        <comments>https://news.yahoo.co.jp/articles/14541b8337505ec5f707a412426d63afefb0aeaa/comments</comments>
      </item>
    ▼<item>
        <title>スマホ割引に上限 各社が規制提案</title>
        <link>https://news.yahoo.co.jp/pickup/6446203?source=rss</link>
        <pubDate>Tue, 29 Nov 2022 14:41:41 GMT</pubDate>
        <comments>https://news.yahoo.co.jp/articles/d8c026f87237566badedbe759a3af4de6a99d124/comments</comments>
      </item>
    ▼<item>
        <title>「生理浴」真っ赤な入浴剤が物議</title>
        <link>https://news.yahoo.co.jp/pickup/6446192?source=rss</link>
        <pubDate>Tue, 29 Nov 2022 11:52:46 GMT</pubDate>
        <comments>https://news.yahoo.co.jp/articles/d100a8a518a0a2ea99c26205be15830b1c3c6bdf/comments</comments>
      </item>
    ▼<item>
        <title>通信障害30分以内周知を 総務省案</title>
        <link>https://news.yahoo.co.jp/pickup/6446173?source=rss</link>
        <pubDate>Tue, 29 Nov 2022 08:39:20 GMT</pubDate>
        <comments>https://news.yahoo.co.jp/articles/0c55cebf11f42b00b17104ad63a789b149350b5a/comments</comments>
      </item>
```

	A	B	C
1			
2		トピック	リンク先
3		Twitter コロナ誤情報対策を撤回	https://news.yahoo.co.jp/pickup/6446231?source=rss
4		スマホ割引に上限 各社が規制提案	https://news.yahoo.co.jp/pickup/6446203?source=rss
5		「生理浴」真っ赤な入浴剤が物議	https://news.yahoo.co.jp/pickup/6446192?source=rss
6		通信障害30分以内周知を 総務省案	https://news.yahoo.co.jp/pickup/6446173?source=rss
7		silentで新記録 TVerの効用とは	https://news.yahoo.co.jp/pickup/6446152?source=rss
8		マスク氏「AppleがTWに警告」	https://news.yahoo.co.jp/pickup/6446126?source=rss
9		スペインに勝つ確率は21% AI予想	https://news.yahoo.co.jp/pickup/6446070?source=rss
10		日本の決勝T進出78%→30% 米予想	https://news.yahoo.co.jp/pickup/6446027?source=rss
11			
12			
13			

column

名前空間が設定されている場合は

XMLデータに名前空間が設定されている場合は、SetPropertyメソッドでSelectionNamespaces属性を設定し、名前空間のショートカットを利用できるようにしておくと、アクセスが楽になります。

例えば、**名前空間「https://www.w3.org/2005/Atom」を「atom」という識別子で扱えるようにする**には、次のようにコードを記述します。

```
'atomのネームスペースを「atom:」で扱えるように登録
XMLドキュメント.SetProperty _
    "SelectionNamespaces", _
    "xmlns:atom='https://www.w3.org/2005/Atom'"
```

これで、XPath式等では、「名前空間:ノード」の形式で任意の名前空間のノードを扱えるようになります。

```
'登録した名前空間のtitleノードを取得
ノード.SelectSingleNode("./atom:title")
```

Atom形式のデータ等をパースしていく際の作業が楽になりますね。

column

JSON形式のデータはPower Queryにまかせる

WebサイトではJSON形式でデータを返すサイトもありますが、JSONデータに関しては、Power Queryにまかせるのがベストです。その他の選択肢は、ないことはないのですが、かなり限定的であったり煩雑だったりします。

JSON形式のデータを扱う代替手段とネックには、次のようなものが挙げられます

- 外部ライブラリScriptControl経由でJScriptベースでパース
  ⇒ 64bit版Windows 10以降はScriptControlが利用できない
- Power Shellと連携しConvertFrom-Jsonを利用
  ⇒ Power Shell3.0以上が必要であり、VBAとの連携が煩雑
- 有志が公開しているVBA-JSONを導入
  ⇒ 開発・実行環境によってはフリーのライブラリの使用が禁じられている

労力と汎用性を考えると、Power Queryで処理するのが一番簡単でしょう。Power QueryでのJSON形式のデータのパース方法は589ページを参照してください。

実践編
Chapter 18

マクロの実行速度を上げる

本章では、Excelのマクロの実行速度を上げるための各種の設定方法をご紹介します。
Excelは、普段はいろいろな操作や入力をチェックして、それをPCの前の私たちに伝えたり、計算を行ったりしています。それらの作業を一時的に切るだけで、マクロの実行速度が目に見えて上がります。

本章の学習内容

❶マクロの実行速度の計測方法
❷Excelならではの速度に直結する設定
❸警告メッセージのスキップ方法

section 01 マクロの実行速度を調べる

「型指定をキッチリ行う」「大量のデータはメモリに一気に読み込んでおく」等、どんな言語でもプログラムの実行速度を上げるノウハウは数多くあります。しかしExcelのVBAに限っては、もっとはっきりした高速化方法が用意されています。それが、Excelでいつも動いている仕組みを切るという方法の数々です。

マクロの実行速度の簡易計測方法

実行速度を上げる手法を試す前に、マクロの実行速度を計測する簡易的な仕組みをご紹介しておきましょう。

VBAには、「午前0時から経過した秒数(Windows版ではミリ秒数まで)」を取得できる、Timer関数が用意されています。この値を実行速度を計測したいマクロの前後で比較します。次のコードは、**コード内に記述した処理の実行時間を取得して出力**します。

▼マクロ 18-1

```
Dim tmpTime As Single, i As Long
'開始時のタイマーを取得
tmpTime = Timer
'計測したいコードを記述(とりあえず、A1:A50000のセルを個別にクリア)
For i = 1 To 50000
    Cells(i, 1).Clear
Next
'終了時のタイマーと比較
Debug.Print "処理速度：", Timer - tmpTime
```

実行例　マクロの速度を計測

```
イミディエイト
処理速度：      3.44043
```

これで実行時間を数値で把握できますね。この方法は、あまりに高速に終了するマクロの実行速度は測れませんが、そこそこの時間がかかるものであれば、十分に計測できます。

ちなみに次の図は、普通に上記マクロを2回実行した後に、次節でご紹介する高速化のための設定を加えてから2回実行した結果です。やっていることは何も変わらないのに、半分ほどの時間に高速化できていますね。

▼高速化の設定後に実行

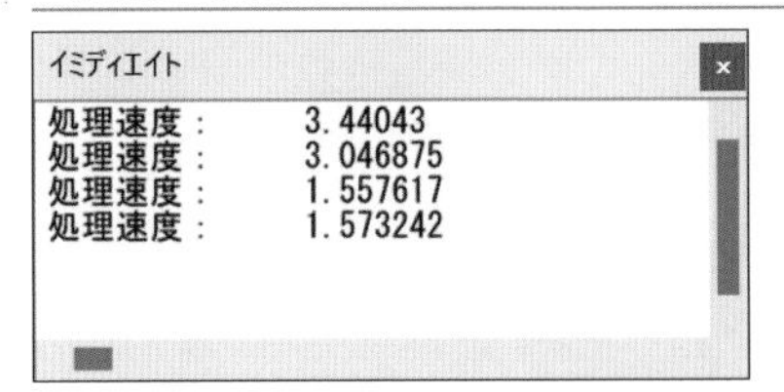

column

日をまたぐタイミングでの計測はできません

Timer関数は「午前0時からの経過時間」を返すため、日をまたぐタイミングで差分を計測すると意図した結果になりません。つまりは、「ひと晩中マクロを動かしてTimerで計測」というような運用はできない、というわけですね。

column

もう1つの高速化の基本方針は「セルへのアクセス回数を減らす」

セルへのアクセスが多いマクロを高速化するコツは、「できるだけセルへのアクセス回数を減らす」ことです。セルへのアクセスは、言ってみれば担当者に電話をかけ、セルへの作業を依頼し、そして電話を切るようなものです。次のセルの作業を行うには、電話をかけ直しです。聞いただけで時間がかかりそうですよね。

例えば、マクロ18-1は、実行時間の計測例としてループ処理内で個別にセルをクリアしていますが、これもセル範囲に1回だけアクセスしてクリアする方が高速になります。

```
Range("A1:A50000").Clear
```

処理の高速化を図りたい場合、「セルへのアクセス回数を減らせる箇所はないか」という視点を頭の隅に入れておきましょう。

section 02 更新や再計算を止めてスピードアップ

マクロの実行速度を上げるには、Excelが行っている処理を「止める」のが一番です。VBAから設定すれば、マクロを実行するときにだけ処理を行う設定を切り、実行が完了したら元に戻すことが可能になります。

画面の更新を止める

さあ、それではどんどん設定を切っていきましょう。最初の設定は画面更新です。VBAは通常、実行したコードに伴い、その場で画面を更新していきます。マクロでアクティブなシートを変更すれば画面上でも変更されますし、ブックを開けば画面上でもそのブックが開きます。

しかし、最終的なマクロの実行結果だけが必要なのであれば、この画面の更新は不要です。画面更新を切っても、きちんと「アクティブなシート」や「アクティブなブック」は切り替わります。あくまでも、それをモニタの前の私たちに知らせるための画面更新が切られるのみです。画面更新は、Excel的・PC的にも「重い(≒処理速度がかかる)」処理ですので、これを切れるとかなり高速化します。

画面更新の設定は、ApplicationオブジェクトのScreenUpdatingプロパティで管理します。オフは「False」、オンは「True」です。次のコードは、**画面更新のオフとオン**を行います。

▼マクロ 18-2

```
'画面更新オフ
Application.ScreenUpdating = False

※実行したい処理を記述する

'画面更新オン
Application.ScreenUpdating = True
```

なお、画面更新の設定は、任意のマクロ上でオフにしても、マクロの実行を終えると、ScreenUpdatingプロパティに「True」を指定せずとも自動的にオンに戻ります。マクロの実行途中で、明示的に画面更新をオンに戻したい場合(ユーザーに操作対象セル範囲を選択してもらう場合等）以外には、基本的にマクロの先頭でオフにしておけばOKです。

表計算ソフトだけど計算をストップする

2つ目の設定は、シート上に入力されている式の再計算です。Excelは表計算ソフトですので、どこかのセルの値が変更されたタイミングで、関連する数式がないかのチェックや数式の再計算が起こります。

再計算の方式の設定は、ApplicationオブジェクトのCalculationプロパティにおいて、次の3種類の方式で管理されています。

▼XlCalculation列挙の定数と再計算方式

定数	値	再計算方式
xlCalculationAutomatic	-4105	自動再計算オン。関連セルの式や揮発性関数を再計算する
xlCalculationManual	-4135	自動再計算オフ。ユーザーが「数式」→「再計算実行」等を選択した時点で再計算
xlCalculationSemiautomatic	2	データテーブル以外は自動再計算オン。「データ」→「What-If分析」→「データテーブル」で作成する「データテーブル」の自動計算のみをオフにする

つまり、シート上の数式の再計算が必要ないようなマクロであれば、一時的に自動再計算を「オフ」にすれば、その分処理速度の向上が期待できるわけですね。次のコードは、**再計算をオフにして、処理の実行後にオンに戻しています**。

▼マクロ 18-3

```
'マクロ実行時の再計算設定を保持
Dim calcMode As XlCalculation
calcMode = Application.Calculation
'自動再計算オフ
Application.Calculation = xlCalculationManual

※実行したい処理を記述する

'元に戻す
Application.Calculation = calcMode
```

再計算方法は、既にユーザーによって設定されている可能性があります。オフにする前にその値を変数に保管しておき、一連の処理が終わったら、変数を値を使って設定を元に戻すようにしておきましょう。

イベント処理を止める

Excelには、各種のイベント処理が用意されています。つまりは、常にユーザーの操作に応じてイベント処理を呼べる構えを取っている状態です。この構えを解くことよって、処理速度の向上を狙います。

イベントを監視するかどうかの設定は、ApplicationオブジェクトのEnableEventsプロパティで設定します。オフは「False」、オンは「True」です。次のコードは、**イベント処理をオフにし、処理の実行後にオンに戻しています**。

▼マクロ 18-4

```
'イベント処理をオフ
Application.EnableEvents = False

※実行したい処理を記述する

'オンに戻す
Application.EnableEvents = True
```

EnableEventsプロパティは、画面更新のScreenUpdatingプロパティと違い、マクロの実行終了後も自動でオンに戻るということはありません。そのため、オフにしたら、最後にオンに戻す処理を忘れずに記述するようにしましょう。

column

イベントの連鎖を止めるためにも利用できる

EnableEventsプロパティは、「イベントの連鎖」を止めるためにも利用します。例えば、「シートの値変更時に、値が10より小さい場合は、1だけ加算する」という処理を、あるシートのChangeイベントに用意したとします。

```
Private Sub Worksheet_Change(ByVal Target As Range)
    If Target.Value < 10 Then
        Target.Value = Target.Value + 1
     End If
End Sub
```

この状態で、セルに「1」と入力するとどうなるでしょうか。

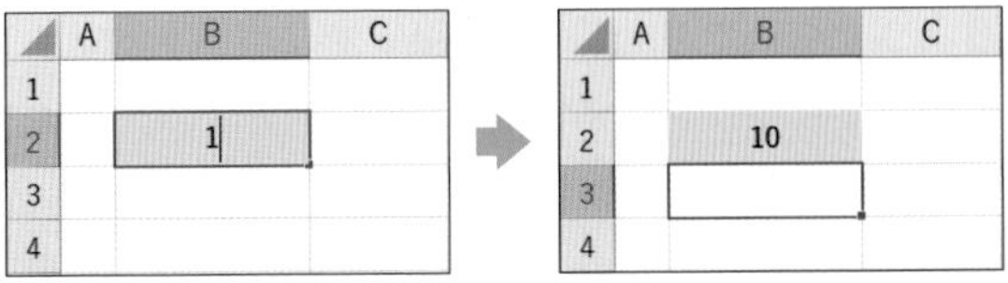

	A	B	C
1			
2		1	
3			
4			

➡

	A	B	C
1			
2		10	
3			
4			

結果は「2」ではなく「10」となります。これは、Changeイベント内で行ったセルの値の変更により、再びChangeイベントが発生し、Changeイベントが連鎖してしまうために起きる現象です。

この連鎖を防ぐには、EnableEventsプロパティでイベントの監視を一時的にオフにしてから、処理を行うようにします(実行後は忘れずにオンに戻しましょう)。

```
Application.EnableEvents = False
If Target.Value < 10 Then
    Target.Value = Target.Value + 1
End If
Application.EnableEvents = True
```

このようにすれば、「1」と入力後の結果は、「2」となります。

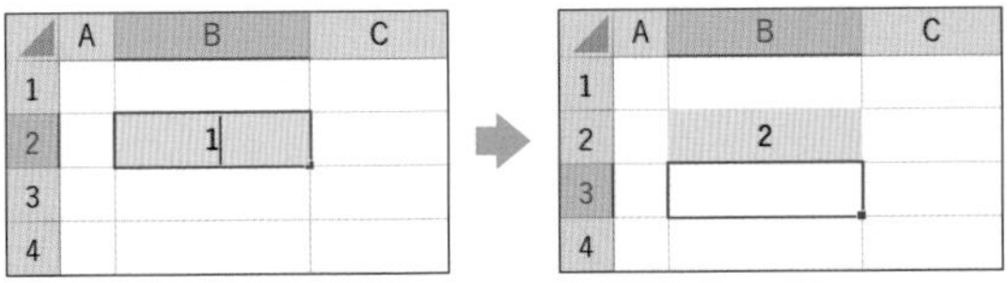

	A	B	C
1			
2		1	
3			
4			

➡

	A	B	C
1			
2		2	
3			
4			

section 03 警告・確認メッセージをスキップ

最後にご紹介する設定は、警告・確認メッセージの表示の有無です。Excelでは、特に、削除系の操作を行う場合、図のようなメッセージを表示します。

▼削除操作時のメッセージ

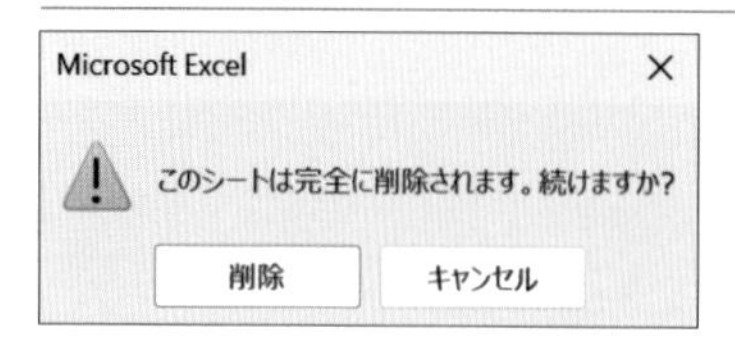

マクロでシートを削除するような場合でも、このメッセージは表示されます。つまりは、そこでマクロの実行がいったんストップしてしまう状態となるのです。

この警告・確認メッセージを表示せずに、問答無用で削除を実行してしまいたい場合には、ApplicationオブジェクトのDisplayAlertsプロパティを利用して表示設定を切ります。オフは「False」、オンは「True」です。次のコードは、**メッセージの表示をオフにして、処理の実行後にオンに戻しています**。

▼マクロ 18-5

```
'警告メッセージ表示をオフ
Application.DisplayAlerts = False

※削除処理等の警告・確認が表示される処理を記述する

'警告メッセージ表示をオンに戻す
Application.DisplayAlerts = True
```

DisplayAlertsプロパティは、画面更新のScreenUpdatingプロパティと同じく、マクロ内でオフにしても、マクロ終了時には自動的にオンに戻ります。しかし、削除系の操作というのは、一般的に「元に戻せないリスクの高い操作」であることが多々あります。できるだけ狭い範囲のみで警告メッセージの表示をオフにし、すぐに元に戻すクセをつけておきましょう。想定外のところで、大事なデータを削除してしまっていた、ということになったら、速度向上のメリットなんて何も意味がありませんものね。

実践編
Chapter 19

シートを利用した入力インターフェイス

本章では、データの入力インターフェイスとしてシートを利用する場合によく作成する処理をご紹介します。
あわせて、Excelを利用する際に、データ入力専用の画面を用意するメリットや注意点等を見ていきましょう。

本章の学習内容

❶入力専用画面という考え方
❷ボタンやリストボックスの利用
❸シート自体をカスタムオブジェクトにする

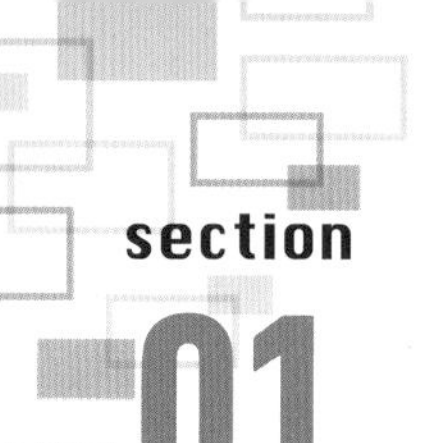

section 01 入力専用画面に関して考えてみよう

本章のテーマは入力専用画面です。Excelはさまざまな用途に自由に利用できるアプリケーションですが、データの蓄積・分析を行う機能に限って言えば、「表形式」でのデータの入力が前提となってきます。

そこで、最終的には表形式にするデータを、いかに入力するのかという観点から、そのために、どのような準備をすればよいのかを考えてみましょう。

入力専用画面を用意するメリットとは

一番単純な解決策は、すべての人に表形式でデータを入力してもらうことです。しかし、表形式での入力に慣れていない方にとっては戸惑う作業でもあります。特に「昔ながらの帳票で管理していたデータ」系は、帳票と違う形式の画面では、「どこに何を入力したらよいかわからない」→「触るのが怖い」→「データ入力とか嫌い」にまで達する人が出てくるほどの違和感を覚える分野でもあります。

そこで、「データを入力する入力者にとって、見やすく、わかりやすい画面」を用意すれば、データの入力作業を円滑に行ってもらいやすくなるでしょう。セルの結合をしても構いません。Excel方眼紙でも構いません。とにかく、データを入力する人にとっての入力しやすさを追求したシートを作成してしまいましょう。そのうえで、シート上のデータを表形式で転記する仕組みをVBAで用意すればよいのです。

▼入力用のシートと表形式での蓄積用のシート

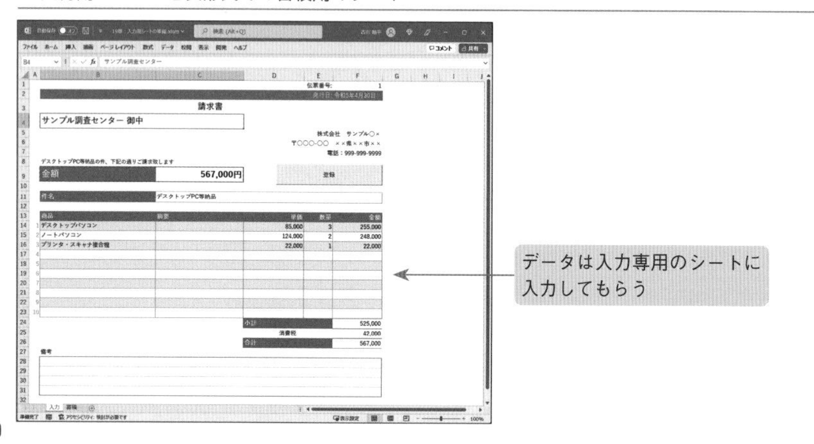

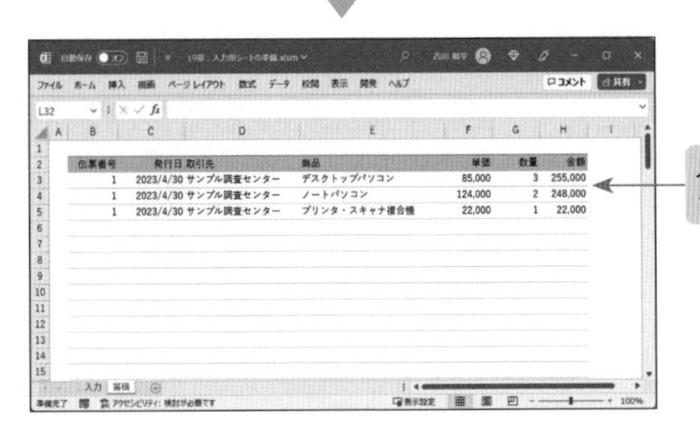

入力したデータを、蓄積用シートの表に転記する

このスタイルは、データを利用する側にとってもメリットがあります。それは、1件1件のデータを入力する際に、「値や形式をチェックすればよい『場所』を限定できる」という面です。

入力画面を別に作成するということは、転記する処理が必要になるということです。その転記処理内の一環として、値のチェックや変換を行うコードを付け加えておけば、意図していない形式でデータが蓄積されるのを防ぐことができます。

さらに、その気になれば、データ入力時に入力者に対して「これで正しいですか？」と値を問い合わせることまで可能です。雑多に入力されたデータを、後から憶測を交えて一括整形しなくてはいけない場面が少なくなるでしょう。

また、マクロを作成するうえでも、「チェック」「転記」「分析」「出力」等、目的のはっきりとした短いマクロを複数作成するスタイルとなり、長い1つのマクロを作り上げるよりも、整理整頓して開発を進められます。エラー発生時にも、どのマクロのどの部分を修正すればよいのかが、突き止めやすくなるでしょう。

section 02 入力シートから蓄積シートへ転記する仕組み

それでは、伝票形式の入力シートの内容を、表形式の蓄積シートへと転記する仕組みを作成してみましょう。

転記の際に検討する項目

あるシート上のデータを転記する際に、検討する項目は、だいたい以下の点です。

1. 転記後の表の見出しの整理（何を記録するのか）
2. 見出し項目に合わせた形式のデータを作成する仕組みの整理（入力用シートから、どのセルの値をどのように拾ってくるのかの整理）
3. 新規レコード入力位置を取得して入力する仕組みの整理
4. 用意した仕組みを組み合わせる

下記のシート構成を元に、1つずつ考えてみましょう。なお、転記元のシート（入力用シート）のサンプルは、本書のサポートページ（https://isbn2.sbcr.jp/17714/）からダウンロード可能です。

▼転記元となる伝票形式のシート

伝票番号: 1
発行日: 令和5年4月30日

請求書

サンプル調査センター 御中

株式会社　サンプル○×
〒○○○-○○　××県××市××
電話：999-999-9999

デスクトップPC等納品の件、下記の通りご請求致します

金額 567,000円

件名 デスクトップPC等納品

	商品	摘要	単価	数量	金額
1	デスクトップパソコン		85,000	3	255,000
2	ノートパソコン		124,000	2	248,000
3	プリンタ・スキャナ複合機		22,000	1	22,000
4					
5					
6					
7					
8					
9					
20					

小計	525,000
消費税	42,000
合計	567,000

備考

入力　蓄積

表の見出しを整理する

まずは、伝票形式で入力したデータのうち、何を保存するのかを決めます。伝票を見ながら、記録したい項目を横方向にリストアップして整理していきましょう。

今回は、以下の項目を記録することにしました。

▼見出しを決める

	A	B	C	D	E	F	G	H	I
1									
2		伝票番号	発行日 取引先		商品	単価	数量	金額	

「伝票番号」「発行日」「取引先」「商品」「単価」「数量」「金額」の7個の情報を記録します。記録する項目を決めるときは、必ず1つ、他の伝票（入力データ）と区別するための値を用意しましょう。いわゆるキーとなるフィールドです。今回の場合は、「伝票番号」がキーとなります。

今回は、この見出しを「蓄積」シートのセルB2を起点に記述しておきました。ここが記録先となります。それでは、次のステップへ進みましょう。

1行分のデータをピックアップする仕組みを作成する

今度は入力用シートの該当セルを見ながら、**1行分のデータを拾い上げる方法**を検討します。1行分、つまり、1レコード分ですね。今回のケースでは、7つの項目についての値とセルの関係は、以下のようになっています。

▼値とセルの関係

項目	タイプ	場所
伝票番号	固定	セルF1
発行日	固定	セルF2
取引先	固定セル	B4
商品	可変（範囲はセルB14:F23）	1列目（B列）
単価	可変（範囲はセルB14:F23）	3列目（D列）
数量	可変（範囲はセルB14:F23）	4列目（E列）

整理する際のコツは、まず、値の入力されているセルが「固定」なのか「可変」なのかという視点で調べ、固定の場合はそのセル番地を、可変の場合は、可変する可能性のあるセル範囲を記録しておくことです。

さらに、可変セル範囲は、たいてい表形式になっているかと思いますが、この場合は、それぞれの該当項目がその表形式の範囲内の何列目かを記録しておきましょう。

この表を元に、1行分のデータを作成する仕組みを組み上げていきます。今回の場合は以下のようになります。**入力用のシートから各項目のデータを1行ずつ取得して表示**します。マクロの実行は、入力用のシートを選択した状態(アクティブな状態)で行ってください。

▼マクロ 19-1

```
Dim dataRng As Range, dataCount As Long, i As Long
'1レコード分、7つのデータを扱う配列を用意
Dim tmpRec(6) As Variant
'可変するデータを扱うセル範囲をセット
Set dataRng = Range("B14:F23")
'可変位置にあるセルから、今回のデータの総数を算出
dataCount = _
    Application.WorksheetFunction.CountA(dataRng.Columns(1))
'算出した総数の分だけ転記用データを作成
For i = 1 To dataCount
    '固定部分：ID・取引日・取引先
    tmpRec(0) = Range("F1").Value
    tmpRec(1) = Range("F2").Value
    tmpRec(2) = Range("B4").Value
    '可変部分：商品名・単価・数量・金額
    tmpRec(3) = dataRng.Cells(i, 1).Value
    tmpRec(4) = dataRng.Cells(i, 3).Value
    tmpRec(5) = dataRng.Cells(i, 4).Value
    tmpRec(6) = dataRng.Cells(i, 5).Value
    'とりあえず出力
    Debug.Print "記録レコード："; Join(tmpRec, ",")
Next
```

実行例　転記用のデータを作成

```
イミディエイト
記録レコード：1, 2023/04/30, サンプル調査センター, デスクトップパソコン, 85000, 3, 255000
記録レコード：1, 2023/04/30, サンプル調査センター, ノートパソコン, 124000, 2, 248000
記録レコード：1, 2023/04/30, サンプル調査センター, プリンタ・スキャナ複合機, 22000, 1, 22000
```

今回は、7つの項目を格納する1次元配列を用意し、そこに対応するセルの値を代入する形を取ってみました。このあたりは、構造体を使って整理してもいいですし、1行ずつでなく、2次元配列を用意して値をすべてまとめて扱えるようにしてもよいですね。ともあれ、目的の値をピックアップできる仕組みが用意できたら、次のステップへ進みます。

新規レコードを追加できる仕組みを作成する

7つの値を、「蓄積」シートの新規レコード入力位置に入力できる仕組みを作成します。今回は、下記のようにコードを作成しました。なお、入力する値については、とりあえずはダミーの1次元配列の値を用意しています。**ダミーの配列の値を「蓄積」シートのB列の新規データ入力位置を基準にして転記**していきます。ちなみに、新規データ入力位置は、Endプロパティを利用した方法(335ページ)で取得しています。

▼マクロ 19-2

```
Dim newRecordRng As Range, rowNo As Long
Dim newRecordList As Variant
'とりあえずダミーの値を用意
newRecordList = Array(1, 2, 3, 4, 5, 6, 7)
'新規レコード入力位置取得
With Worksheets("蓄積")
    rowNo = .Cells(Rows.Count, "B").End(xlUp).Row + 1
    Set newRecordRng = .Range(.Cells(rowNo, "B"), .Cells(rowNo, "H"))
End With
'転記
newRecordRng.Value = newRecordList
```

実行例 「蓄積」シートに転記

	A	B	C	D	E	F	G	H	I
1									
2		伝票番号	発行日	取引先	商品	単価	数量	金額	
3		1	2	3	4	5	6	7	
4		1	2	3	4	5	6	7	
5		1	2	3	4	5	6	7	
6		1	2	3	4	5	6	7	
7		1	2	3	4	5	6	7	
8									

入力 蓄積

上記の図は、マクロを5回実行しています。このように何回か実行し、実行するたびにきちんと「新規データ」として入力されるようになっているかテストしましょう。問題ないようなら、次のステップへ進みます。

用意した仕組みを組み合わせる

新規データを入力する仕組みを、**入力したい値の1次元配列を引数に取るサブルーチン**として改良します。今回は、以下のように「addNewRecord」としてみました。

▼マクロ 19-3

```
Sub addNewRecord(newRecordList() As Variant)
    Dim newRecordRng As Range, rowNo As Long
'   Dim newRecordList As Variant
'   とりあえずダミーの値を用意
'   newRecordList = Array(1, 2, 3, 4, 5, 6, 7)
    '新規レコード入力位置を取得
    With Worksheets("蓄積")
        rowNo = .Cells(Rows.Count, "B").End(xlUp).Row + 1
        Set newRecordRng = _
            .Range(.Cells(rowNo, "B"), .Cells(rowNo, "H"))
    End With
    '転記
    newRecordRng.Value = newRecordList
End Sub
```

サブルーチン化する際のコツは、ダミーの値として利用していた変数と同名の引数を用意し、サブルーチン内に記述してあった変数の宣言部分やダミー値代入部分を消去します。こうすれば、他の箇所を修正する必要はありません(上記の例では削除せずにコメントアウトしています)。

サブルーチン化できたら、転記用のデータをイミディエイトウィンドウに出力していた部分を、下記のように**サブルーチンへと転記用のデータを渡して呼び出す**コードへと書き換えます。「入力」シートを選択し、マクロを実行してみましょう。

▼マクロ 19-4

```
Dim dataRng As Range, dataCount As Long, i As Long
'1レコード分、7つのデータを扱う配列を用意
Dim tmpRec(6) As Variant
'可変するデータを扱うセル範囲をセット
Set dataRng = Range("B14:F23")
'可変位置にあるセルから、今回のデータの総数を算出
dataCount = Application.WorksheetFunction.CountA(dataRng.Columns(1))
'算出した総数の分だけ転記用データを作成
For i = 1 To dataCount
    '固定部分：ID・取引日・取引先
    tmpRec(0) = Range("F1").Value
    tmpRec(1) = Range("F2").Value
    tmpRec(2) = Range("B4").Value
    '可変部分：商品名・単価・数量・金額
    tmpRec(3) = dataRng.Cells(i, 1).Value
    tmpRec(4) = dataRng.Cells(i, 3).Value
    tmpRec(5) = dataRng.Cells(i, 4).Value
    tmpRec(6) = dataRng.Cells(i, 5).Value
    '転記サブルーチンへ作成した転記用データを渡して転記
    Call addNewRecord(tmpRec)
Next
```

実行例 「蓄積」シートに転記

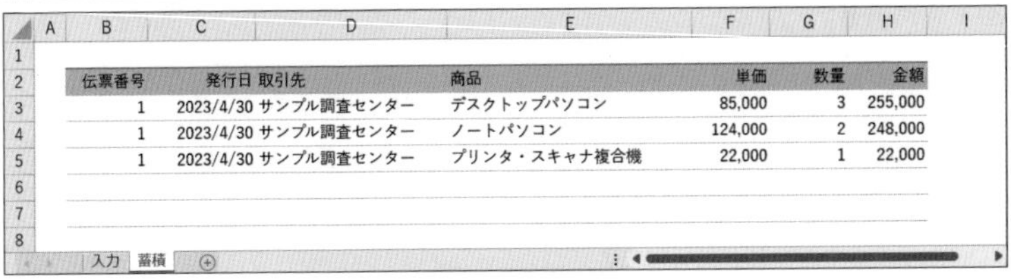

伝票番号	発行日	取引先	商品	単価	数量	金額
1	2023/4/30	サンプル調査センター	デスクトップパソコン	85,000	3	255,000
1	2023/4/30	サンプル調査センター	ノートパソコン	124,000	2	248,000
1	2023/4/30	サンプル調査センター	プリンタ・スキャナ複合機	22,000	1	22,000

これで一通り完成です。うまく実際のデータが転記できたら、データが見やすいように書式やセル幅を調整します。

マクロをボタンに登録する

最後に、作成したマクロを呼び出しやすいように、「入力」シートにボタンを配置してマクロを登録してみましょう。

▼ボタンを配置する

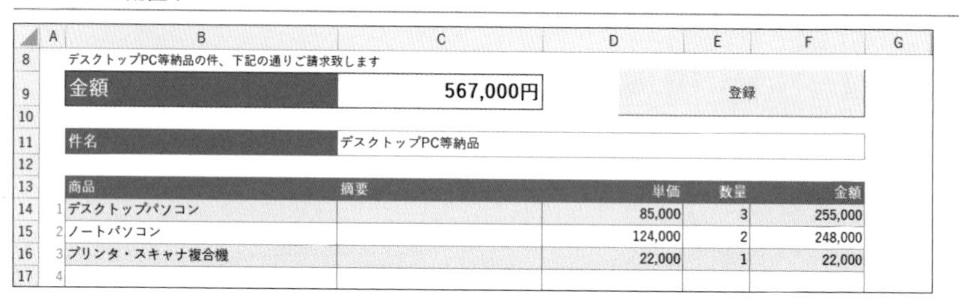

デスクトップPC等納品の件、下記の通りご請求致します
金額
567,000円
登録
件名
デスクトップPC等納品
商品
摘要
単価
数量
金額
デスクトップパソコン
85,000
3
255,000
ノートパソコン
124,000
2
248,000
プリンタ・スキャナ複合機
22,000
1
22,000

リボンの「開発」タブの**挿入**を選択すると、フォームコントロールが表示されます。表示された中からボタンをクリックした状態でシート上をドラッグすると、「マクロの登録」ダイアログが表示され、登録するマクロを選択することができます。

▼フォームコントロールのボタンを配置

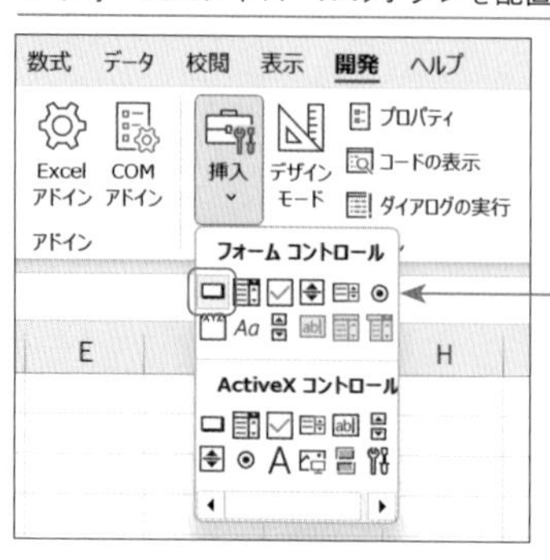

フォームコントロールの方のボタンを配置するActiveXコントロールの方ではない点に注意

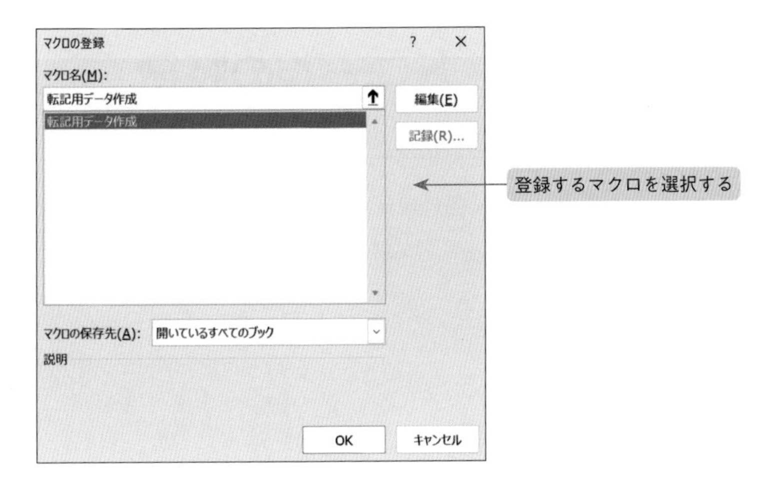

ボタンの位置や大きさの調整は、作成されたボタンをCtrlを押しながらクリックや、右クリックで選択状態にすれば行えます。

これで、入力用シートは完成です。あとは、値をチェックする処理や、新規データを入力する際の既存の値を消去する処理、重複しない新しい伝票番号を自動取得する処理等を個別に考えて付け加えていけば、より使いやすいシートに仕上げられるでしょう。

その際にも、まずは機能ごとに小さなマクロを作成し、最後に繋ぎ合わせるスタイルで作成すると、スムースに開発を進められるでしょう。

column

シート上にボタンを配置するもう1つの効果

シート上に配置したボタンからマクロを呼び出す仕組みの作成は、「マクロ実行時のアクティブなシートを固定できる」という効果があります。想定外のシートからマクロを実行され、思わぬエラーを産み出してしまう確率を下げられるのです。

とはいえ、直接VBEから実行したり、「マクロ」ダイアログから実行したりはできてしまいます(本文中のサンプルも「入力」シート以外から実行すると、妙な結果となるでしょう)。「アクティブなシートに依存しない操作対象の指定方法」でマクロが組めるのであれば、それがベストです。

section

03 フォームコントロールの特徴

データ入力用のシートを作成していく際に知っておくと便利な仕組みが、リボンの「開発」タブの**挿入**から開く「フォームコントロール」セクションに用意されている、各種のコントロールです。

▼フォームコントロール

このコントロールをVBAから扱う方法をざっとご紹介します。

フォームコントロールに共通の仕組み

各種のフォームコントロールは、シート上に配置後、右クリックして表示されるメニューから**コントロールの書式設定**を選択すると、コントロールの種類に応じた設定をダイアログ上で行うことができます。この画面だけでも、かなりの設定が行えます。以下の図は、リストボックスの「コントロールの書式設定」を開いたところです。

▼リストボックスの「書式設定」

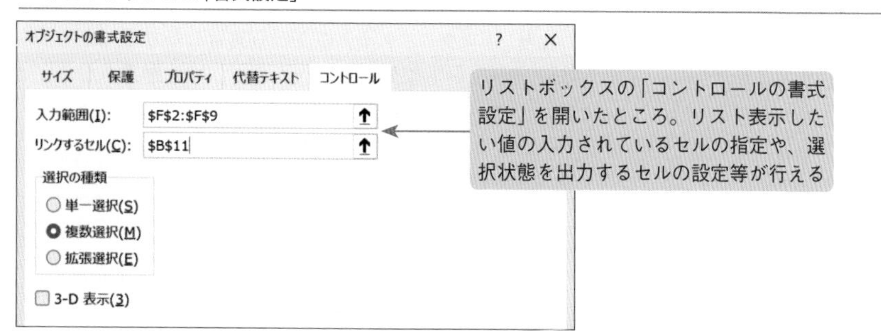

VBAから対象のコントロールにアクセスするには、2つの方法が用意されています。1つは、「図形」としてShapesプロパティ経由で取得後、そのControlFormatプロパティを利用してアクセスする方法です。

例えば、次の図のようにシート上にコントロール(ここではチェックボックス)を配置した際、ControlFormatプロパティの値は名前ボックスに表示されます。この値を利用して、任意のコントロールへとアクセスできます。

▼シート上のチェックボックスの「名前」

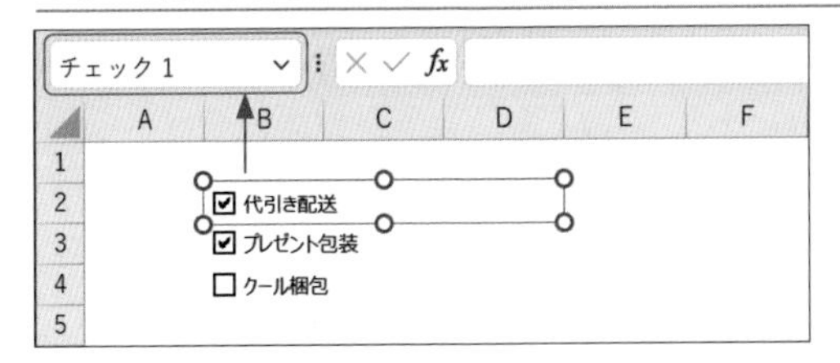

次のコードは、**シート上のチェックボックス(チェック1)のチェック状態を出力**します。

▼マクロ 19-5

```
Debug.Print ActiveSheet.Shapes("チェック 1").ControlFormat.Value
```

実行例 「名前」を使ってShape経由でコントロールにアクセス

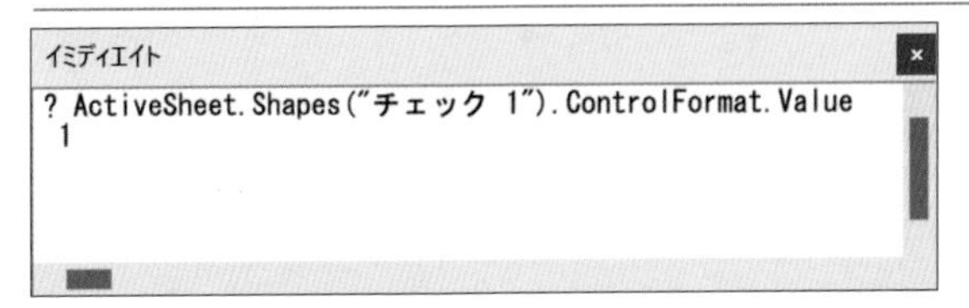

チェックボックスがチェックされていると「1」を、チェックされていない場合は「-4146」を返します。

ControlFormatプロパティからアクセスできる各コントロールは、ControlFormatオブジェクトに用意されている各種のプロパティ/メソッドが利用できます。

▼ ControlFormatオブジェクトのプロパティ（抜粋）

プロパティ	用途
Enabled	フォームの利用可否。Falseにした場合はグレーアウトして使用不可になる（表示はされる）
PrintObject	Falseを指定すると印刷対象外となる
Value	チェックボックスやラジオボタンの選択状態
DropDownLines	コンボボックスのリスト表示数
LinkedCell	選択結果を表示するセルへのアドレス文字列
ListCount	リストの総数
ListFillRange	リストの元となる値のセルへのアドレス文字列
ListIndex	選択されているリストのインデックス番号
Max	スピンボタン等の最大値
Min	スピンボタン等の最小値
SmallChange	スピンボタン等のボタン操作時の変化値

また、ControlFormatオブジェクトは、「すべての種類のコントロールをざっくりまとめて利用できるようにしたオブジェクト」という、結構いいかげんなオブジェクトであり、用意されているプロパティやメソッドの中には、コントロールによっては利用できないものもあります。

各コントロール特有の取得方法と利用方法

実は、Shapes経由での各種コントロールへのアクセスでは、各コントロールの固有機能まで利用することはできません。固有機能まで利用するには、各コントロールに対応した専用メソッドを利用してアクセスします。

▼ コントロールと対応メソッド（抜粋）

メソッド	コントロール
Buttons	ボタン
CheckBoxes	チェックボックス
DropDowns	ドロップダウンリストボックス
ListBoxes	リストボックス
OptionButtons	オプションボタン
Spinners	スピンボタン

各メソッドには引数として、インデックス番号もしくは名前（名前ボックスに表示される値）を指定します。

次のコードは、**1つ目のリストボックスの、3番目のリストの選択状態を表**示します。

▼マクロ 19-6

```
Debug.Print Worksheets(1).ListBoxes(1).Selected(3)
```

実行例　リストの選択状態を表示

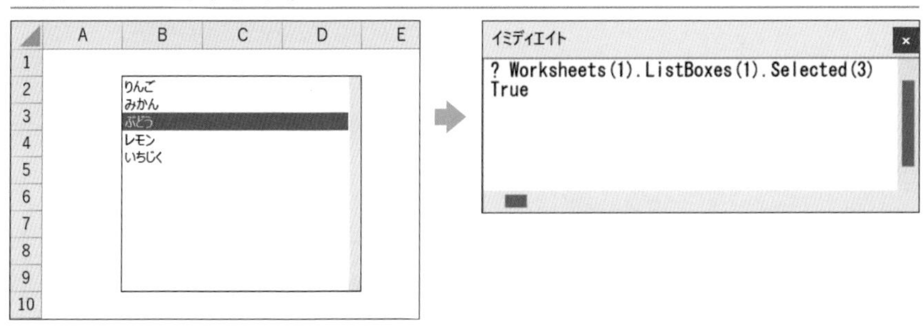

コントロールは、シート上に配置した順番で、種類ごとに番号が設定されます。また、リストボックスの項目は、選択されていると「True」、選択されていない場合は「False」を返します。

次のコードは、**チェックボックス（チェック1）の選択状態を出力**します。

▼マクロ 19-7

```
Debug.Print ActiveSheet.CheckBoxes("チェック 1").Value
```

実行例　チェックボックスの選択状態を取得

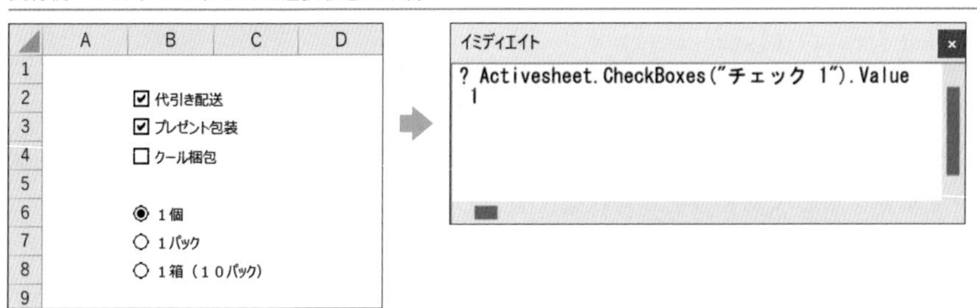

チェックボックスのValueプロパティは、選択状態の情報を返します。チェックボックスがチェックされていると「1」を、チェックされていない場合は「-4146」を返します。

ちなみに2022年現在では、これらのWorksheetオブジェクトのメソッドは、「隠しメンバー（過去に用意されていた機能だが、現在は利用されなくなった機能等）」となっています。

代表的なコントロール

以下に、代表的なコントロールと、操作する際に利用するプロパティを列記します。

●リストボックス

リストボックスは、複数の選択項目のリストを表示し、そこから1つ、あるいは複数の項目を選択する際に利用します。

▼リストボックスを操作する際に利用できるプロパティ（抜粋）

プロパティ／メソッド	用途
List	表示するリストの配列
ListCount	リスト数
ListIndex	選択されているリストのインデックス番号
MultiSelect	複数選択モードをxlNone（単独）、xlSimple（複数選択）、xlExtended（拡張選択）で指定
Selected	複数選択モードをオンにしている場合、選択状態を配列で返す

次のコードは、**1番目のリストボックスのリストを設定**します。

▼マクロ 19-8

```
Worksheets(1).ListBoxes(1) _
    .List = Array("りんご", "みかん", "ぶどう", "レモン", "いちじく")
```

次のコードは、**1番目のリストボックスから選択されている値を表示**します。リストボックスの項目を選択した状態で実行してください。

▼マクロ 19-9

```
With Worksheets(1).ListBoxes(1)
    MsgBox .List(.ListIndex)
End With
```

次のコードは、**複数選択可能なリストボックスの選択状態を表示**します。

▼マクロ 19-10

```
MsgBox "選択状態：" & vbCrLf & _
    Join(Worksheets(1).ListBoxes(1).Selected, vbCrLf)
```

実行例　リストボックスの選択状態を取得

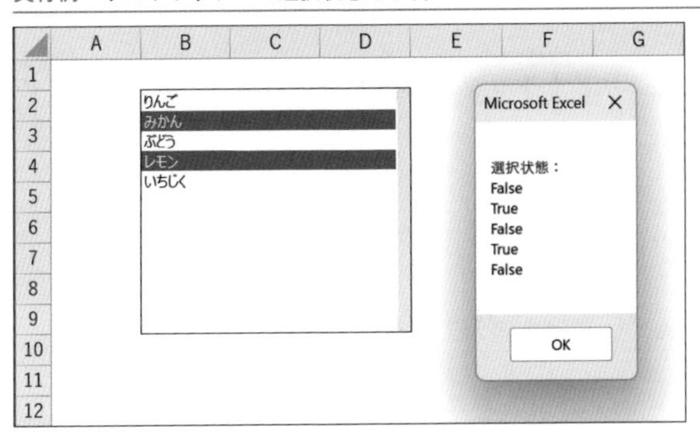

「コントロールの書式設定」ダイアログ(コントロールを右クリックして、**コントロールの書式設定**を選択)の「コントロール」タブで**複数選択**をチェックすることで、リストボックス内の項目を複数選択することが可能になります。項目をチェックしたうえで、コードを実行してみてください。

●ドロップダウンリストボックス

ドロップダウンリストボックスは、「▼」ボタンを押してドロップダウン表示される複数の選択項目から、1つを選択します。なお、「フォーム」欄で表示される名前は「コンボボックス」となっています。

▼ドロップダウンリストボックスを操作する際に利用できるプロパティ(抜粋)

プロパティ	用途
List	表示するリストの配列
DropDownLines	表示リスト数
ListIndex	選択されているリストのインデックス番号
Value	選択されているリストのインデックス番号(ListIndexと同じ)

次のコードは、**1番目のドロップダウンリストボックスの表示リストを設定し、そのうえで同時表示数を「4」に設定**します。

▼マクロ 19-11

```
With Worksheets(1).DropDowns(1)
    .List = Array("りんご", "みかん", "ぶどう", "レモン", "いちじく")
    .DropDownLines = 4
End With
```

次のコードは、**ドロップダウンリストボックスに表示される値を、表示リストの2番目のものに設定**します。

▼マクロ 19-12

```
Worksheets(1).DropDowns(1).ListIndex = 2
```

次のコードは、**現在選択されている値を表示**します。

▼マクロ 19-13

```
With Worksheets(1).DropDowns(1)
    MsgBox .List(.Value)
End With
```

実行例　ドロップダウンリストボックス

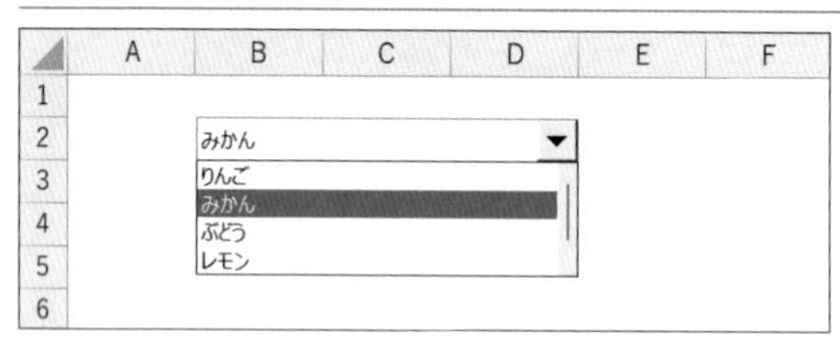

●チェックボックスとオプションボタン

チェックボックスとオプションボタンはともに、設定項目のオン/オフを指定する際に利用できるボタンです。チェックボックスは「個々の項目のオン/オフを指定する」際に利用し、オプションボタンは「1つの項目に関して複数の選択肢を表示し、そのうちの1つだけをオンにする」際に利用します。

▼チェックボックス/オプションボタンを操作する際に利用できるプロパティ（抜粋）

プロパティ	用途
Caption	表示するキャプション
Value	選択状態を1（選択）、-4146（未選択）で返す

次のコードは、**1番目のチェックボックスの表示キャプションを設定**します。

▼マクロ 19-14

```
Worksheets(1).CheckBoxes(1).Caption = "代引き配送"
```

次のコードは、**3つのチェックボックスとオプションボタンの選択状態を出力**します。

▼マクロ 19-15

```
With Worksheets(1)
    Debug.Print "チェック1:", .CheckBoxes(1).Value
    Debug.Print "チェック2:", .CheckBoxes(2).Value
    Debug.Print "チェック3:", .CheckBoxes(3).Value
    Debug.Print "オプション1:", .OptionButtons(1).Value
    Debug.Print "オプション2:", .OptionButtons(2).Value
    Debug.Print "オプション3:", .OptionButtons(3).Value
End With
```

実行例　チェックボックスとオプションボタン

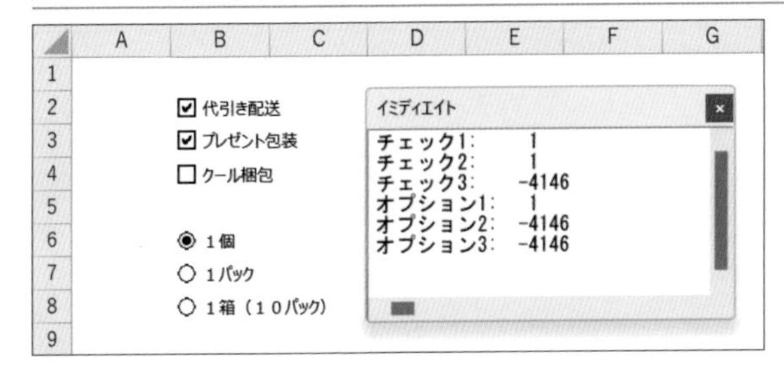

column

複数のオプション選択を作成するにはグループボックスを併用

オプションボタンをシート上に複数配置した場合、1つのオプションボタンをオンにすると、他のボタンの選択はオフになります。「複数の候補から1つだけ選択する（オプション選択）」という用途を想定しているわけですね。

同一のシートの上で、複数の「オプション選択」を配置したい場合には、まず、グループボックスを配置し、その中にオプションボタンを配置しましょう。すると、オプションボタンは同じグループボックス内のボタンのみに影響を与えるようになります。

●スピンボタン

スピンボタンは、任意のセルへ入力した値の増減を、ボタンを使って行いたい場合に利用します。

▼スピンボタンを操作する際に利用できるプロパティ（抜粋）

プロパティ	用途
Max	最大値
Min	最小値
SmallChange	ボタン操作時の変化量
LinkedCell	値をリンクするセルのアドレス文字列
Value	値

次のコードは、**1番目のスピンボタンの最大値「1000」・最小値「0」・ボタンを押したときの変化量「10」・初期値「100」・値をリンクするセルは「B2」という設定**を行います。

▼マクロ 19-16

```
With Worksheets(1).Spinners(1)
    .Max = 1000
    .Min = 0
    .SmallChange = 10
    .LinkedCell = "$B$2"
    .Value = 100
End With
```

次のコードは、**現在の値を出力**します。

▼マクロ 19-17

```
MsgBox Worksheets(1).Spinners(1).Value
```

実行例　スピンボタン

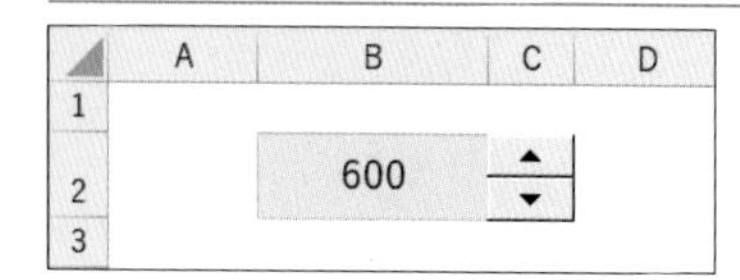

section
04 シート自体をカスタムオブジェクトと捉える

入力用シート等、用途の限定されたシートを作成する場合にマクロを作成するスタイルの1つに、シート自体を1つのカスタムオブジェクトとして捉え、そのシート上の操作に関することは、シートのオブジェクトモジュールに記述するスタイルがあります。

シートのオブジェクト名を用途に合わせて変更

実際に先述のトピックで作成したブック(632ページ)の仕組みを例にとってコードを作成してみましょう。このブックには、データを入力するためのシート「入力」と、蓄積するためのシート「蓄積」があります。

このとき「入力」シートのオブジェクト名を、VBE側のプロパティウィンドウの**(オブジェクト名)**欄を用いて「InputSheet」と変更します。同じく、「蓄積」シートは、「DataSheet」とします。

▼シートのオブジェクト名を変更

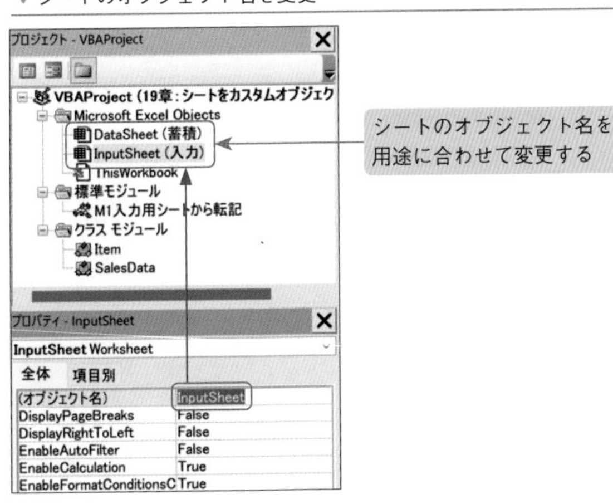

これで、「入力」「蓄積」シートは指定したオブジェクト名でアクセスできるようになりました。次のコードは、**「入力」シートのセルA1と、「蓄積」シートのセルA1にアクセス**します。

```
InputSheet.Range("A1")   '「入力」シートのセルA1
DataSheet.Range("A1")    '「蓄積」シートのセルA1
```

これだけでも「どういった用途の、どのシートを操作対象にしているのか」が明確になりますね。

データをやり取りしやすいようにカスタムクラスを作成

今回のブックでは、InputSheetに入力した伝票データを、DataSheetに転記しようと考えています。

▼「入力」シート（InputSheet）の構成

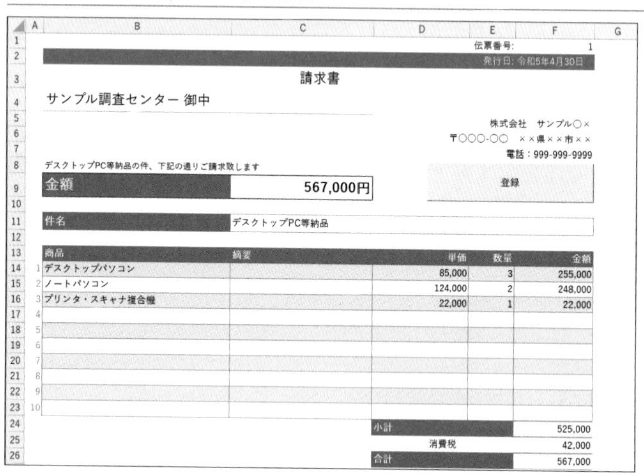

そこで、伝票データを扱いやすくするため、以下の2つのカスタムクラスを作成してみました。

▼伝票を表す「SalesData」クラス

プロパティ	用途
ID	伝票番号
CreateDate	発行日
Customer	取引先
Amount	総額
Tax	消費税
Items	明細のコレクション

▼SalesDataクラスの定義

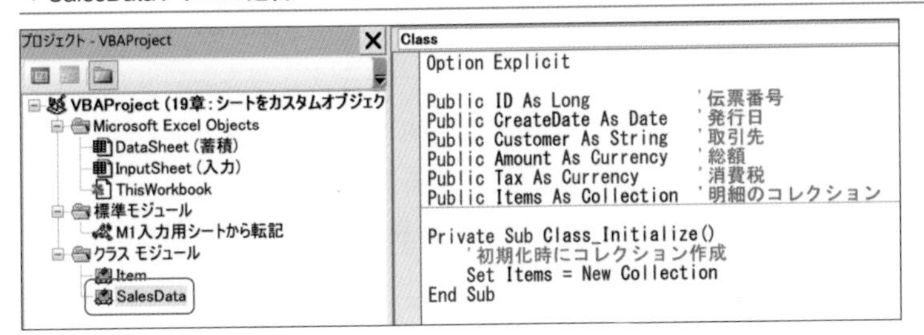

▼個別商品の明細を表す「Item」クラス

プロパティ	用途
Name	商品名
Price	単価
Number	数量
Subtotal	小計

▼Itemクラスの定義

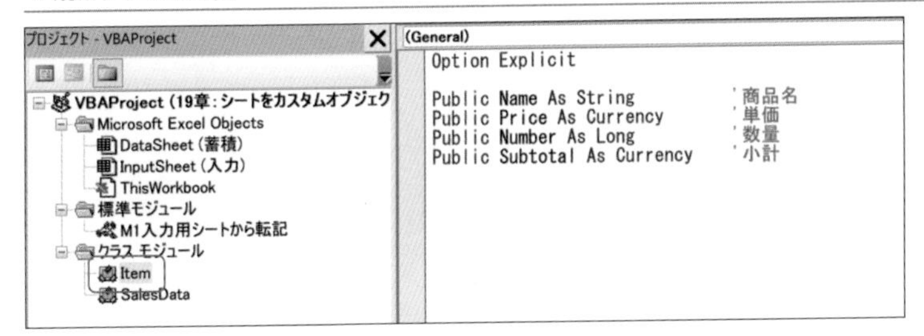

SalesDataは1枚の伝票の基本データを扱うクラス、Itemクラスは明細のデータを扱うクラスです。カスタムクラスと聞くとちょっと身構えてしまいますが、なんのことはない、ただ扱いたいデータをプロパティとして宣言しているだけのシンプルな「入れ物」です。

このカスタムクラスを利用してデータをやり取りする仕組みを追加していきます。

入力シートのデータをまとめる処理を追加する

入力用のInputSheetのモジュールに、入力用のデータをまとめるカスタムメソッドを追加します。カスタムメソッドというと大げさですが、単にシートのオブジェクトモジュールにPublicなSubかFunctionを作成するだけです。

次のコードは、**シート上の入力データから、新規のSalesDataを作成して返す「CreateSalesDataメソッド」を定義**します。

▼マクロ 19-18

```
'新規のSalesDataを返すCreateSalesDataの定義
Public Function CreateSalesData() As Object
    '新規SalesData作成
    Dim data As SalesData
    Set data = New SalesData
    'シート上の基本データをセットしていく
    data.ID = Range("F1").Value
    data.CreateDate = Range("F2").Value
    data.Customer = Range("B4").Value
    data.Amount = Range("C9").Value
    data.Tax = Range("F25").Value
    'シート上の明細データをセットしていく
    Dim itemRange As Range, record As Range, newItem As Item
    '明細のセル範囲をセット
    Set itemRange = Range("B14:F23")
    '明細の1行ずつについて走査しながら追加
    For Each record In itemRange.Rows
        If record.Cells(1).Value = "" Then Exit For
        Set newItem = New Item
        newItem.Name = record.Cells(1)
        newItem.Price = record.Cells(3)
        newItem.Number = record.Cells(4)
        newItem.Subtotal = record.Cells(5)
        '明細としてコレクションに追加
        data.Items.Add newItem
    Next
    '作成したSalesDataを返す
```

```
    Set CreateSalesData = data
End Function
```

任意のシートのオブジェクトモジュールにコードを記述していく際には、2つの注意点があります。

1つは、シートモジュールで優先されるのは、そのシートのプロパティやメソッドの「名前(識別子)」であるという点です。例えば、「Range("A1")」というコード、これは標準モジュールで記述した場合は「その時点でアクティブなシートのセルA1」と評価されます。これに対して、シートのオブジェクトモジュール内に記述した場合は、「そのシートのセルA1」と評価されます。

▼シートモジュールの「名前」解決は自身のメンバーを優先

コード	記述場所	評価の結果
Range("A1")	標準モジュール	アクティブなシートのセルA1（グローバルなスコープで評価される）
	シートのオブジェクトモジュール	コードを記述したシートのセルA1（オブジェクトのスコープで評価される）

オブジェクトモジュールに記述した場合は、「自分のプロパティに『Range』があるからこれのことだよね」と、自身のプロパティを優先するわけですね。

このため、オブジェクトモジュールでは、自身のセルにアクセスする場合にはわざわざ、「Worksheets(1).Range("A1")」のように記述する必要はありません。「Range("A1")」だけでOKです。

もう1つの注意点は、シート上に追加するプロパティやメソッド、そして、引数のデータ型には、カスタムクラス型は指定できない点です。今回作成するCreateSalesDataメソッドは、伝票を扱うSalesDataオブジェクトを返すメソッドなので、本来であればSalesData型で定義したいところです。

```
Public Function CreateSalesData() As SalesData  '※これはエラー
```

しかし、エラーとなります。カスタムクラスのオブジェクトを返したい場合は、残念ですがObject型を指定しましょう。

```
Public Function CreateSalesData() As Object  '※これはOK
```

さて、注意点が確認できたところで、作成したメソッドを実際に利用してみましょう。標準モジュール内で「InputSheet.」まで入力すると既存のWorkbookオブジェクトの入力候補と一緒に、作成したCreateSalesDataメソッドも一覧に表示されます。

▼入力候補にカスタムメソッドも表示される

InputSheetの独自のメソッドとしてきちんと認識されていますね。このように、シートのオブジェクトモジュールにカスタムメソッドを作成すると、独自のメソッドとして扱えるようになります。オブジェクト名と相まって、何をしているのかがわかりやすくなりますね。

▼カスタムクラスのデータを取り出す

```
Sub データ転記()

    '伝票データ取得
    Dim data As SalesData
    Set data = InputSheet.CreateSalesData

    Debug.Print data.ID; data.Customer; data.Amount
```

イミディエイト

```
 1 サンプル調査センター 567000
```

扱うデータの方も、カスタムクラスを利用したことで、用途が想像できる名前(プロパティ名)で取り出すことができますね。

蓄積シートにデータを転記する処理を追加する

今度は蓄積用のシート、DataSheetのオブジェクトモジュールに、データを追加する処理を作成していきましょう。

▼「蓄積」シート(DataSheet)の構成

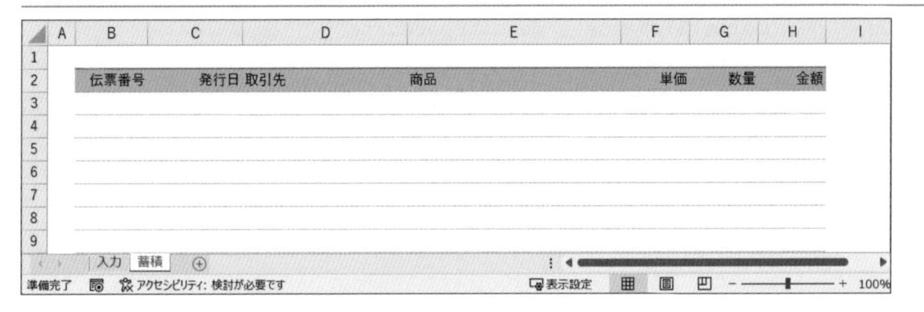

まず、**新規データの入力セル範囲を返すメソッド「getNewRecordRange」を定義**します。

▼マクロ 19-19

```
Private Function getNewRecordRange() As Range
    Dim rowNo As Long
    rowNo = Cells(Rows.Count, "B").End(xlUp).Row + 1
    Set getNewRecordRange = Cells(rowNo, "B").Resize(1, 7)
End Function
```

このメソッドは、このシート内での処理だけに利用したいため、Private識別子を使って他のモジュールからは使用できない(見えない・ヒントに表示されない)ように定義しています。

その上で、**新規データを入力するメソッド「AddSalesData」を定義**します。

▼マクロ 19-20

```
Public Sub AddSalesData(Sales As Object)
    '既に同じ伝票番号がある場合はエラーを出す
    If Not Columns("B").Find(Sales.ID) Is Nothing Then
        Err.Raise 513, Description:="既に同じ伝票番号のデータが存在しています"
    End If
    'コードヒントが利用できるよう、SalesData型の変数に移し替え
    Dim data As SalesData
    Set data = Sales
    '明細の数だけループ
    Dim i As Long
    For i = 1 To data.Items.Count
        With getNewRecordRange    '新規データ入力セル範囲を取得
```

```
                .Cells(1).Value = data.ID
                .Cells(2).Value = data.CreateDate
                .Cells(3).Value = data.Customer
                .Cells(4).Value = data.Items(i).Name
                .Cells(5).Value = data.Items(i).Price
                .Cells(6).Value = data.Items(i).Number
                .Cells(7).Value = data.Items(i).Subtotal
            End With
        Next
End Sub
```

AddSalesDataは、SalesData型で伝票情報を受け取って転記するメソッドです。本来であれば、引数SalesはSalesData型で受け取りたいところですが、シートモジュール上のプロシージャの引数ではカスタムクラス型は利用できません。

```
Public Sub AddSalesData(Sales As SalesData)  '※これはエラー
```

そこで、Object型で受け取っています。

```
Public Sub AddSalesData(Sales As Object)  '※これはOK
```

しかし、Object型ではせっかく作ったカスタムクラスなのに、コードヒントが表示されません。そこで、今回はSalesData型の変数を用意し、そこに移し替えて利用しています。

```
'コードヒントが利用できるよう、SalesData型の変数に移し替え
Dim data As SalesData
Set data = Sales  'SalesはObject型で受け取った引数
```

▼コードヒントを表示させる小技

```
Public Sub AddSalesData(Sales As Object)

    '既に同じ伝票番号がある場合はエラーを出す
    If Not Columns("B").Find(Sales.ID) Is Nothing Then
        Err.Raise 513, Description:="既に同じ伝票番号のデータが存在しています"
    End If

    Dim data As SalesData
    Set data = Sales

    data.
        Amount
        CreateDate
        Customer
        ID
        Items
        Tax
```

また、処理の冒頭では、伝票番号でB列を検索し、同じ値が見つかった場合にはカスタムエラーを発生させています。

ともあれ、これで伝票データを転記する処理も完成しました。標準モジュール上のマクロから使用してみましょう。

次のコードは、**InputSheetのCreateSalesDataメソッドで作成した伝票データを元に、DataSheetのAddSalesDataメソッドを利用して新規データを書き込みます。**

▼マクロ 19-21

```
'伝票データ取得
Dim data As SalesData
Set data = InputSheet.CreateSalesData
'転記
DataSheet.AddSalesData data
```

実行例　カスタムメソッドを利用して転記

伝票番号	発行日	取引先	商品	単価	数量	金額
1	2023/4/30	サンプル調査センター	デスクトップパソコン	85,000	3	255,000
1	2023/4/30	サンプル調査センター	ノートパソコン	124,000	2	248,000
1	2023/4/30	サンプル調査センター	プリンタ・スキャナ複合機	22,000	1	22,000

入力　蓄積

とてもシンプルな記述で転記が完了しましたね。また、再度実行しようとすると、DataSheetのAddSalesDataメソッド内で定義したカスタムエラーが発生します。

▼カスタムエラーで問題を知らせる

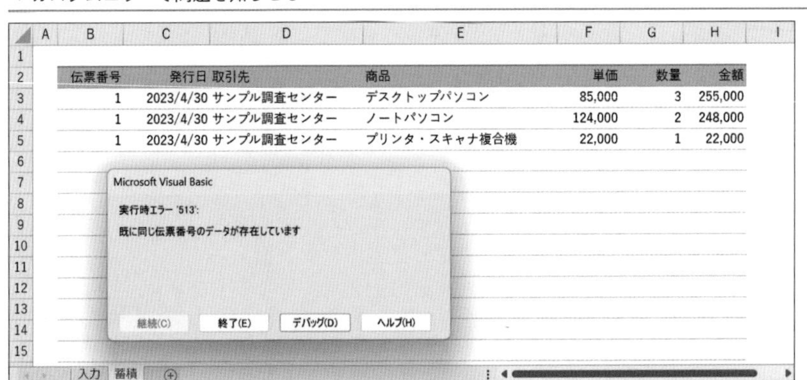

伝票番号	発行日	取引先	商品	単価	数量	金額
1	2023/4/30	サンプル調査センター	デスクトップパソコン	85,000	3	255,000
1	2023/4/30	サンプル調査センター	ノートパソコン	124,000	2	248,000
1	2023/4/30	サンプル調査センター	プリンタ・スキャナ複合機	22,000	1	22,000

カスタムメソッド内でエラーの発生を知らせることで、どこで、どんな問題が起きたのかを未来の自分を始めとした開発者に知らせられますね。

このように、シートのオブジェクトモジュールを利用してコードを記述していくスタイルでは、特定のシートを1つのカスタムオブジェクトとして捉え、独自のプロパティやメソッドを追加し、利用していく形で処理を構築できます。

シート単位で処理を考え、独自のプロパティ・メソッドを定義していくことで、自然と処理の単位が分割され、コードのテスト・検証がやりやすくなるというメリットも見逃せません。「大きな」処理を作成する場合、特定のシートに何らかの役割を持たせる場面において、とても役立つでしょう。少々手間はかかりますが、後で助かるのです。

ユーザーフォームの利用

本章では、VBAに用意された「ユーザーフォーム」の利用方法をご紹介します。
ユーザーフォームは、自分独自の「カスタムダイアログ」を自由に作成できる仕組みです。ユーザーフォームの作成から、各コントロールの使い方までを見ていきましょう。

本章の学習内容

❶ユーザーフォームの作成方法
❷ユーザーフォームの表示と消去
❸各コントロールの操作方法

section 01 ユーザーフォームの基本

ユーザーフォームとは、オリジナルの「フォーム」を作成できる機能です。自分の好きなようにボタンやコンボボックス、チェックボックス等を配置して、ユーザーの入力や選択を補助することができるようになります。

▼ユーザーフォーム

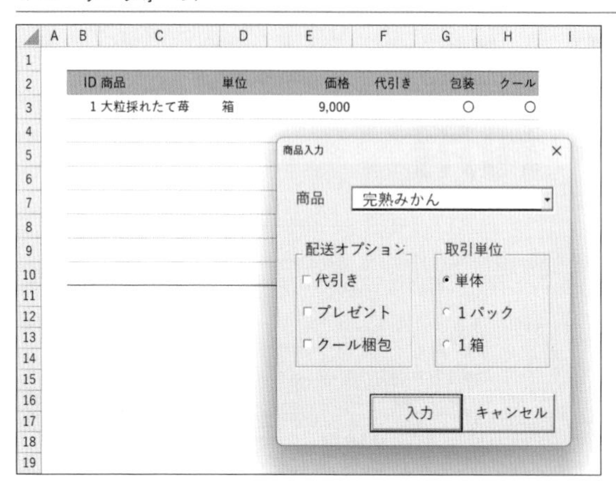

このユーザーフォームを作成・利用する方法を見ていきましょう。

ユーザーフォームを作成する

ユーザーフォームは、VBE上で**挿入→ユーザーフォーム**を選択することで、新規ユーザーフォーム「UserForm1」がプロジェクトエクスプローラーに追加されます。追加されたユーザーフォームをダブルクリックすると、コードウィンドウにユーザーフォームのプレビューが表示されるとともに、「ツールボックス」ダイアログが表示されます。

「ツールボックス」には、ラベルやボタン等の各種コントロールが用意されており、この中から利用したいものをクリックし、ユーザーフォーム上でドラッグすると、その位置にコントロールが配置されます。

▼ユーザーフォームのプレビュー

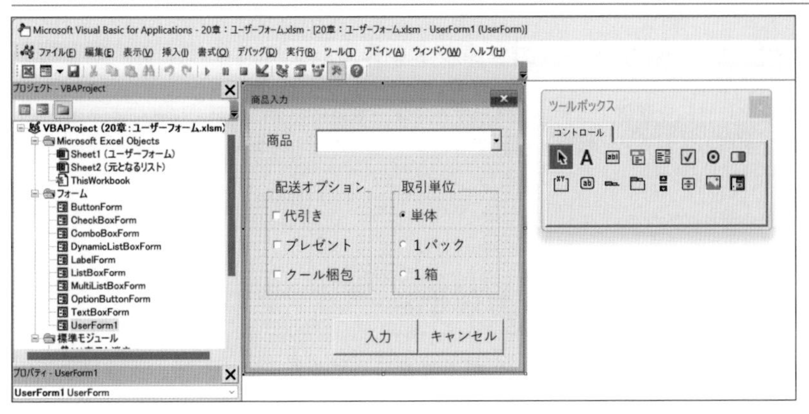

配置したコントロールは、マウス操作で位置や大きさを変更できる他、VBE画面左下のプロパティウィンドウを利用して、各種のプロパティを確認/設定可能です。

▼プロパティウィンドウ

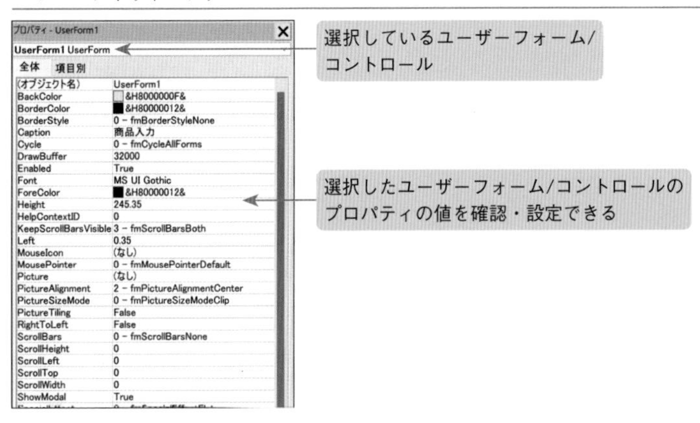

ユーザーフォームは複数作成が可能です。「新規ユーザーフォーム作成」→「必要なコントロールを配置」という流れで、好みのユーザーフォームに仕上げていきます。

column

ツールボックスが表示されない場合には

VBE上で**表示→ツールボックス**を選択すると、ツールボックスの表示/非表示が切り替わります。

column

まずはユーザーフォームのフォントを設定しよう

コントロールを配置する前に、ユーザーフォーム自体のプロパティにおいてフォント設定を行っておくと、以降、配置するコントロールにそのフォント設定が引き継がれます。

ユーザーフォームを表示する

作成したユーザーフォームをとりあえず表示してみたい場合には、プロジェクトエクスプローラーでユーザーフォームを選択し、ツールバーの**Sub/ユーザーフォームの実行**ボタンを押します。すると、Excel画面上に実際にユーザーフォームが表示されます。

VBEでの作成段階では、妙に角が丸かったり、位置確認用のグリッドの粒々が表示された状態ですが、実際に表示すると、実行環境に応じた、既存の各種ダイアログのような見た目となりますね。プレビューしたユーザーフォームを消去するには、ユーザーフォーム右上の**×**ボタンを押します。

▼ユーザーフォームの例

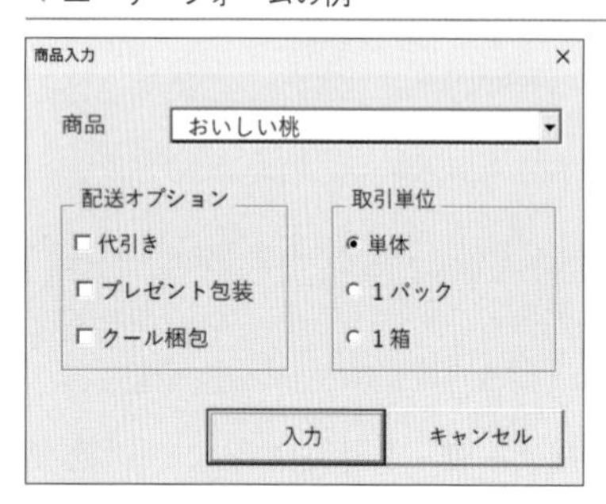

また、マクロからユーザーフォームを表示するには、ユーザーフォームのオブジェクト名を利用して表示したいユーザーフォームを指定し、Showメソッドを実行します。

▼ユーザーフォームを表示する（Showメソッド）

```
ユーザーフォーム.Show [表示モード]
```

Showメソッド実行時に、表示モードとして定数vbModelessを指定するとモードレス表示(ユーザーフォーム表示中もセル等を操作できる状態)となります。引数を指定しない、もしくは定数vbModalを指定すると、モーダル表示(ユーザーフォーム表示中はセル等の操作ができない状態)となります。

次のコードは、**ユーザーフォーム(UserForm1)をモードレス表示します**。

▼マクロ 20-1

```
UserForm1.Show vbModeless
```

実行例　ユーザーフォームの表示

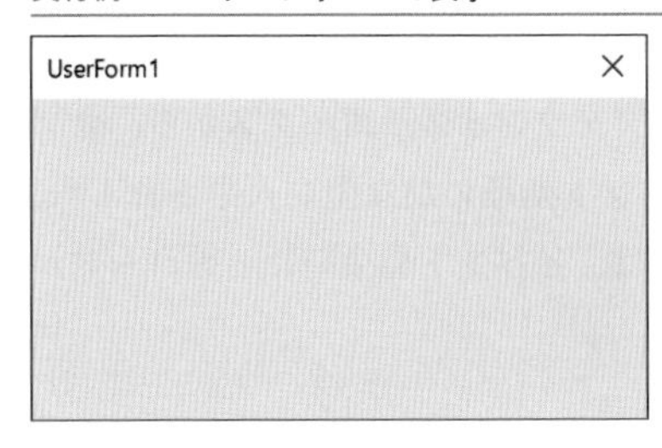

ユーザーフォームを消去する

表示中のユーザーフォームを一時的に消去するには、Hideメソッドを使用します。次のコードは、**ユーザーフォーム(UserForm1)を一時的に消去**します。ユーザーフォームを表示している状態で実行してください。

▼マクロ 20-2

```
UserForm1.Hide
```

このとき、ユーザーフォームは「非表示状態になっているだけ」です。そのため、Showメソッドで再表示すれば、以前入力した値や、選択した状態を保っています。

一方、Unloadステートメントを利用しても、ユーザーフォームを消去できます。次のコードは、**ユーザーフォーム(UserForm1)を消去**します。

▼マクロ 20-3

```
Unload UserForm1
```

この場合、ユーザーフォームは選択内容も含め、いったんメモリ内から完全消去されます。再表示した際には、VBE上で指定した初期状態となります。

ユーザーフォームの初期化はどこに書く？

VBE画面で、ユーザーフォームの任意の位置をダブルクリックすると、コードウィンドウの表示が、ユーザーフォームのプレビューからモジュール表示（コードの表示）に切り替わります（プレビューに戻したいときは、プロジェクトエクスプローラー内のユーザーフォームをダブルクリックします）。

このモジュールは、各ユーザーフォームに固有のオブジェクトモジュールとなっています。ユーザーフォームやユーザーフォーム上に配置した各コントロールのイベント処理はここに記述していきます。

シートやブックのイベント処理の作成時と同じように、コードウィンドウ上端の、「オブジェクト」「プロシージャ」の2つのドロップダウンリストボックスから、オブジェクトとイベント名を選択することで、イベント処理のひな型が入力されます。このひな型の中に実行したいコードを記述すれば、イベント発生時にそのコードが実行されます。

▼イベントプロシージャを選択してひな型を入力

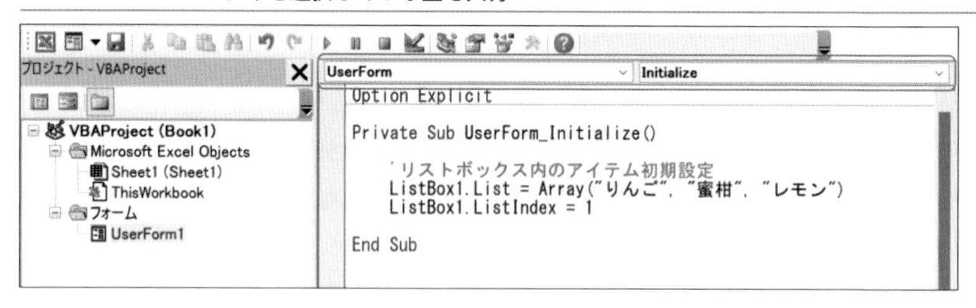

例えば、よくある「初期化処理」や「終了処理」を作成したい場合には、ユーザーフォームに用意されているイベントのうち、以下のものが利用できます。

▼ユーザーフォームのイベント（抜粋）

イベント	イベント発生タイミング等
Initialize	初期化時
Activate	アクティブになったとき
QueryClose	閉じられようとしているとき（引数Cancelでキャンセル可）
Terminate	消去時（キャンセル不可）

「初回表示時に、初期設定を行いたい」という場合には、Initializeイベントを利用します。次のコードは、**初期化時にコンボボックスのリストをコードから設定**します。ユーザーフォームにコンボボックスを追加した状態で実行してください。

▼マクロ 20-4

```
Private Sub UserForm_Initialize()
    ComboBox1.List = Array("りんご", "みかん", "ぶどう")
    ComboBox1.ListIndex = 0
End Sub
```

「何らかの要因でユーザーフォームを閉じようとしている際に処理を実行したい」という場合には、QueryCloseイベントを利用します。次のコードは、**ユーザーフォームを閉じようとする際に確認メッセージ表示**します。

▼マクロ 20-5

```
Private Sub UserForm_QueryClose(Cancel As Integer, _
                                CloseMode As Integer)
    If MsgBox("本当に閉じてもいいんですか？", vbYesNo) = vbNo Then
        Cancel = 1 'キャンセルは「True」ではなく「1」を指定する
    End If
End Sub
```

ちなみに、QueryCloseイベントは、×ボタンを押したり、Unloadステートメントを実行した際には発生しますが、Hideメソッドでは実行されません。特にキャンセルしなくてもよい場合には、Terminateイベントを利用してもよいでしょう。

section 02 各コントロールの使い方

ユーザーフォーム上に配置した各コントロールは、プロパティウィンドウで各種設定を行える他、VBAからも操作可能です。

以下、主要なコントロールを利用する方法を一通りご紹介します。なお、ページと字数の関係から、各コントロールの詳細なプロパティ・メソッド・イベントの解説までは踏み込みません。あらかじめご了承ください。

多くのコントロールに共通の設定

マクロから任意のユーザーフォーム上のコントロールにアクセスする場合には、「ユーザーフォームのオブジェクト名.コントロールのオブジェクト名」という形でアクセスできます。「UserForm1」上の「Label1」の縦位置を変更するのであれば、

```
UserForm1.Label1.Top = 0
```

のようにコードを記述します。

また、ユーザーフォーム上の各コントロールには、Controlsプロパティ経由でもアクセス可能です。Controlsプロパティの引数には、「0」から始まるインデックス番号、もしくはオブジェクト名の文字列を指定します。

```
UserForm1.Controls("Label1").Top = 0
```

多くのコントロールは、共通して下記のプロパティを持っています。プロパティウィンドウからも設定できますが、VBAからも設定可能です。

▼多くのコントロールに共通のプロパティ（抜粋）

プロパティ	用途
Top	縦位置
Left	横位置
Width	幅
Height	高さ
Font	フォント設定
Visible	表示/非表示
Enabled	使用可能/使用不可（表示はされるがグレーアウトする状態）
TabStop	「Tab」キーによる移動対象とする/しない
TabIndex	「Tab」キーで移動する際の移動順番号

ラベルとテキストボックス

ラベル(Labelオブジェクト)はガイドとなる文字列の表示に利用するコントロールです。表示するキャプションを指定するには、Captionプロパティを利用します。

次のコードは、**ユーザーフォーム(LabelForm)上にあるラベル(Label1)のフォント、サイズ、表示するキャプションを設定**します。ユーザーフォームの名前を「LabelForm」に変更したうえで実行してください。

▼マクロ 20-6

```
With LabelForm.Label1
    .Font.Name = "メイリオ"
    .Font.Size = 18
    .Caption = "ラベルのキャプション"
End With
'ユーザーフォームを表示
LabelForm.Show
```

実行例　ラベルの利用

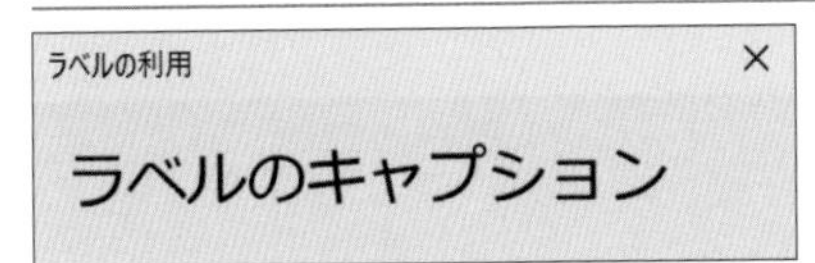

テキストボックス(TextBoxオブジェクト)も同じく文字を扱うコントロールですが、こちらはユーザーに値の入力をしてもらいたい際に利用できます。値の設定/取得はTextプロパティで行います。

次のコードは、**ユーザーフォーム(TextBoxForm)上にあるテキストボックス(TextBox1とTextBox2)に初期値を設定**します。ユーザーフォームの名前を「TextBoxForm」に変更したうえで実行してください。

▼マクロ 20-7

```
With TextBoxForm
    '値を設定
    .TextBox1.Text = "初期値"
    '複数行入力が可能な設定を行う
    With .TextBox2
        .MultiLine = True
        .WordWrap = True
        .EnterKeyBehavior = True
        .Text = "1行目" & vbCrLf & "2行目"
    End With
    'ユーザーフォームを表示
    .Show
End With
```

実行例　テキストボックスの利用

テキストボックスの利用
通常のTextBox
初期値
複数行入力できるTextBox
1行目 2行目
セルへ入力

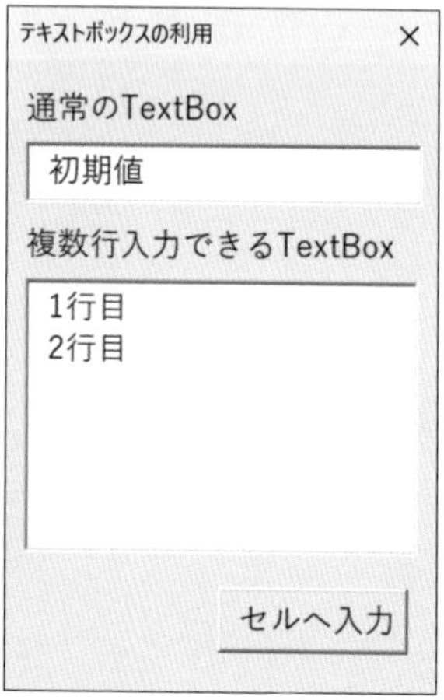

ユーザーフォーム上で入力した値をセルへ転記したい場合には、Textプロパティの値を、セルのValueプロパティへと代入します。

例えば、**ユーザーフォーム上に配置したボタン押下時に、アクティブセルとその下のセルに、2つのテキストボックス(TextBox1とTextBox2)の値を入力**するには、ユーザーフォームのモジュールに、次のようなボタンクリック時のイベント処理のコードを記述します。

▼マクロ 20-8

```
Private Sub CommandButton1_Click()
    ActiveCell.Value = TextBox1.Text
    ActiveCell.Offset(1).Value = TextBox2.Text
End Sub
```

ユーザーフォームのオブジェクトモジュールから、自身に配置されたコントロールへアクセスする場合には、いきなり「TextBox1」や「TextBox2」等のオブジェクト名から対象を指定可能です。

もしくは、ユーザーフォーム自身を指すキーワードであるMeを利用し、「Me.TextBox1」「Me.TextBox2」と記述することも可能です。「Me.」まで入力した時点で、ユーザーフォーム上に配置されたコントロール名がコードヒントとして表示されるので、入力が簡単になります。

column

ユーザーフォームの名前の変更

作成したユーザーフォームの名前を変更するには、プロジェクトエクスプローラーでユーザーフォームを選択し、プロパティウィンドウの「(オブジェクト名)」欄の値を変更します。

ボタン

ボタン(CommandButtonオブジェクト)は、その名の通りボタンです。ユーザーフォーム上に配置してダブルクリックすると、そのボタンのClickイベントのひな型が自動入力されます。ここにボタンクリック時に実行したい処理を記述していきます。

次のコードは、**「入力」ボタン(CommandButton1)と「キャンセル」ボタン(CommandButton2)を押した際の、それぞれのイベント処理**を記述したものです。「入力」ボタンを押すと、テキストボックス(TextBox1)の値をアクティブセルに転記したうえでユーザーフォームを閉じます。「キャンセル」ボタンを押すと、何もせずにユーザーフォームを閉じます。

▼マクロ 20-9

```
Private Sub CommandButton1_Click()
    'アクティブセルにテキストボックスの値を入力して閉じる
    ActiveCell.Value = TextBox1.Value
    'ユーザーフォームを閉じる
    Unload Me
End Sub
```

▼マクロ 20-10

```
Private Sub CommandButton2_Click()
    '何もせずにユーザーフォームを閉じる
    Unload Me
End Sub
```

実行例　ボタンの利用

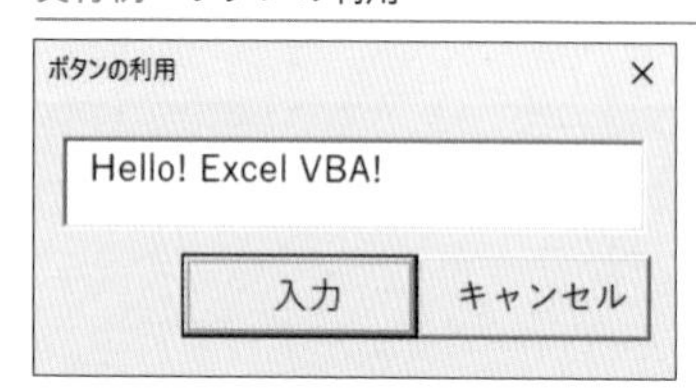

また、ユーザーフォーム上のボタンには、既定のボタンとキャンセルボタンを設定できます。既定のボタンとは、Enterキーを押すとClickイベントが発生したと見なすボタンのことです。一方、キャンセルボタンとは、Escキーを押したときにClickイベントが発生したと見なすボタンです。キーボードによる操作をしやすくする仕組みなわけですね。

任意のボタンを「既定のボタン」にするには、Defaultプロパティの値を「True」に設定します。同じく、キャンセルボタンにするには、Cancelプロパティの値を「True」に設定します。この設定はプロパティウィンドウで行いますが、コードで指定しても構いません。

次のコードは、**CommandButton1を既定のボタン、CommandButton2をキャンセルボタンに設定**しています。ユーザーフォームの名前を「ButtonForm」に変更したうえで実行してください。

▼マクロ 20-11

```
With ButtonForm
    '既定のボタン/キャンセルボタンを設定
    .CommandButton1.Default = True
    .CommandButton2.Cancel = True
    'ユーザーフォームを表示
    .Show vbModeless
End With
```

column

既定のボタンを設定した場合のテキストボックスの設定

既定のボタンを設定した場合、複数行入力可能なテキストボックス内で改行のつもりで Enter キーを押しても、既定のボタンのClickイベントが発生してしまいます。

これを防ぐには、テキストボックスのEnterKeyBehaviorプロパティに「True」を設定します。こうしておけば、そのテキストボックス内で Enter を押してもClickイベントは発生せずに改行が行えます。

チェックボックス

チェックボックス（CheckBoxオブジェクト）は、ユーザーに「オン/オフ」「あり/なし」等の2択で指定できる選択肢を提示し、選択をしてもらう際に利用します。

各チェックボックスに表示するキャプションはCaptionプロパティで取得/設定し、チェック状態はValueプロパティで取得/設定します。

次のコードは、**3つのチェックボックス（CheckBox1～CheckBox3）のキャプションと選択状態を出力**します。ユーザーフォーム上に配置したボタンのClickイベント等から実行します。

▼マクロ 20-12

```
Dim cbIndex As Long, cb As MSForms.CheckBox
'3つのチェックボックスに対するループ処理
For cbIndex = 1 To 3
    '「CheckBox1」等のオブジェクト名からチェックボックスを取得
    Set cb = Me.Controls("CheckBox" & cbIndex)
    'キャプションと選択状態を出力
    Debug.Print cb.Caption, cb.Value
Next
```

実行例　チェックボックスの利用

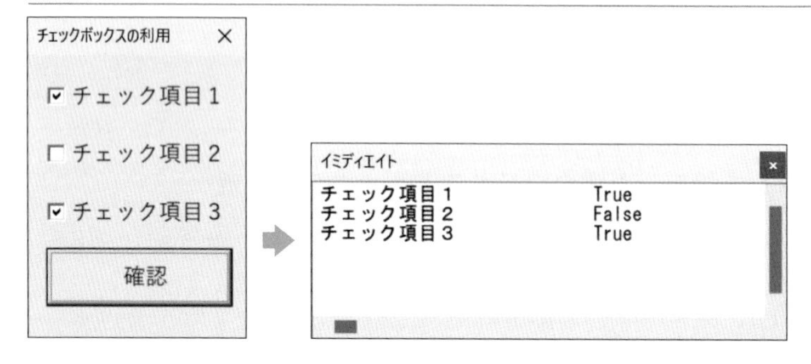

オプションボタン

オプションボタン（OptionButtonオブジェクト）は、複数の選択肢の中から1つだけを選んでもらいたい場合に利用します。ユーザーフォーム上に複数のオプションボタンを配置した場合、自動的に1つのみが選択可能な状態となります。

同一のユーザーフォーム上で異なる項目の選択を行いたい場合には、まず、フレーム（Frameオブジェクト）を配置し、その中にオプションボタンを配置します。こうすると、フレーム内のオプションボタンの選択は、同じフレーム内のオプションボタンにのみ影響を与えます。オプションボタンの選択状態は、Valueプロパティで取得します。

次のコードは、**ユーザーフォーム上に直接配置された3つのオプションボタン（OptionButton1～OptionButton3）の選択と、フレーム（Frame1）内に配置された3つのオプションボタンの選択の状態をチェックし、選択されている項目名を出力**します。ユーザーフォーム上に配置したボタンのClickイベント等から実行します。

▼マクロ 20-13

```
'インデックス番号でアクセスして値を確認
Dim opIndex As Long
For opIndex = 1 To 3
    If Me.Controls("OptionButton" & opIndex).Value = True Then
        Exit For
    End If
Next
'特定フレーム内のコントロールを走査して値を確認
Dim op As MSForms.OptionButton
For Each op In Frame1.Controls
    If op.Value = True Then Exit For
Next
Debug.Print _
    "選択されたオプション：", Controls("OptionButton" & opIndex).Caption
Debug.Print "Frame1内で選択されたオプション：", op.Caption
```

実行例　オプションボタンの利用

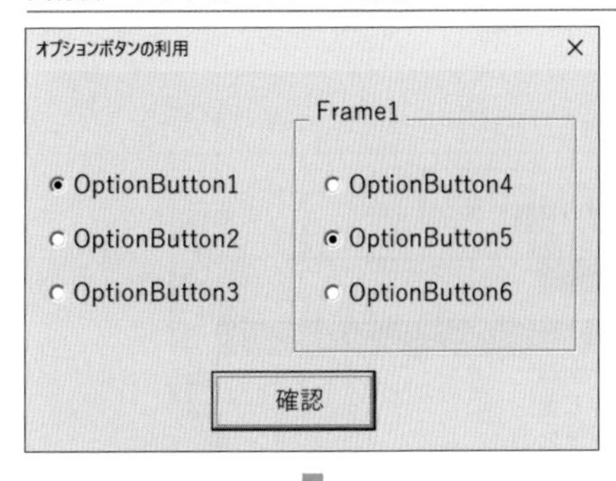

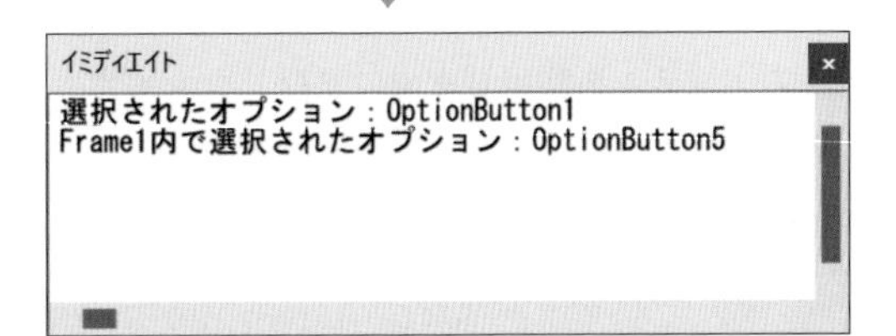

コンボボックス

コンボボックス(ComboBoxオブジェクト)は、ボタンを押すと選択項目のリストがドロップダウン表示され、その中から1つを選ぶことのできるコントロールです。

表示するリストを設定するには、Listプロパティにリスト項目の1次元配列を設定します。また、現在の選択項目は、ListIndexプロパティに「0」から始まるインデックス番号で設定/取得します。

次のコードは、**コンボボックス(ComboBox1)にリスト項目を設定したうえで、1番目の項目を選択状態にします**。ユーザーフォームの名前を「ComboBoxForm」に変更したうえで実行してください。

▼マクロ 20-14

```
With ComboBoxForm.ComboBox1
    .List = Array("りんご", "みかん", "ぶどう", "レモン", "苺")
    .ListIndex = 0
End With
'ユーザーフォームを表示
ComboBoxForm.Show
```

実行例　コンボボックスの利用

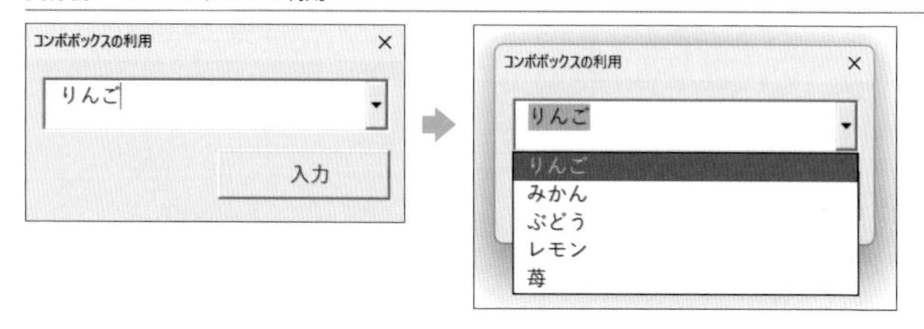

選択された値を取得するには、Textプロパティを利用します。また、コンボボックスはリストの値のみから選択するだけでなく、直接リスト外の値を入力することも可能です。その際にはListIndexプロパティは「-1」を返します。

```
'入力されている値を出力
Debug.Print Me.ComboBox1.Text
'リストから選択している場合はインデックス番号を出力
Debug.Print Me.ComboBox1.ListIndex
```

ユーザーフォーム上に配置したボタンのClickイベント等から実行してみてください。

リストボックス

リストボックス(ListBoxオブジェクト)は、長めのリストを表示する際に利用できます。表示するリスト項目は、Listプロパティに1次元配列もしくは2次元配列の形で指定します。

次のコードは、**リストボックス(ListBox1)にリストを設定**します。ユーザーフォームの名前を「ListBoxForm」に変更したうえで実行してください。

▼マクロ 20-15

```
ListBoxForm.ListBox1.List = _
    Array("りんご", "みかん", "ぶどう", "レモン", "苺")
'ユーザーフォームを表示
ListBoxForm.Show
```

実行例　リストボックスの利用

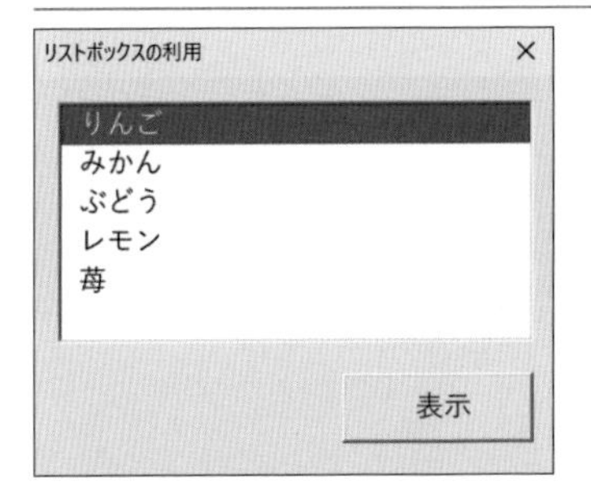

また、2次元配列で指定する際には、任意のセル範囲のValueプロパティの値をListプロパティの値に設定すると、セル上の値をそのままリスト表示することも可能です。例えば、次のように値が入力されているセル範囲があるとします。

▼シート上の値

	A	B	C	D	E	F	G
1							
2		商品		ID	商品	在庫数	
3		ビール		1	りんご	504	
4		乾燥ナシ		2	みかん	549	
5		チャイ		3	ぶどう	460	
6		ホワイトチョコ		4	レモン	784	
7		チョコレート		5	苺	149	
8		ピリカラタバスコ		6	パイナップル	383	
9		クラムチャウダー					

このとき、**セル範囲B3:B22の値をリストボックスでリスト表示**するには、次のようにコードを記述します。

▼マクロ 20-16

```
ListBoxForm.ListBox1.List = Range("B3:B22").Value
'ユーザーフォームを表示
ListBoxForm.Show
```

実行例　セル範囲の値をリストボックスに表示

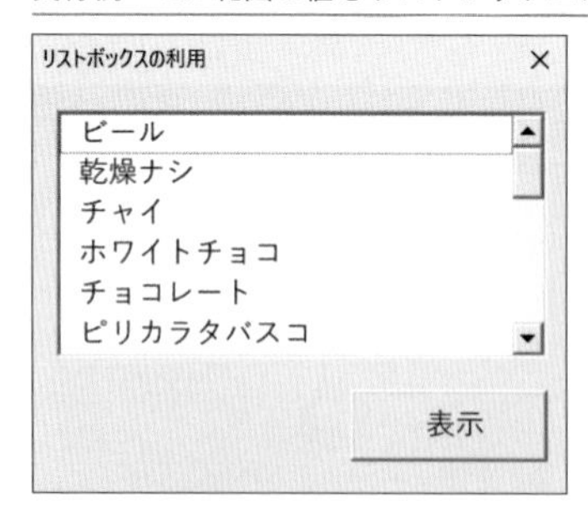

セル範囲D3:F8をリストボックスにリスト表示するには、列数と列幅の設定を付け加え、次のようにコードを記述します。

▼マクロ 20-17

```
With ListBoxForm.ListBox1
    .ColumnCount = 3                '列数設定
    .ColumnWidths = "20;120;50"     '3列の列幅をそれぞれ設定
    .List = Range("D3:F8").Value    'リストを設定
End With
'ユーザーフォームを表示
ListBoxForm.Show
```

実行例　複数列のセル範囲の値をリストに設定

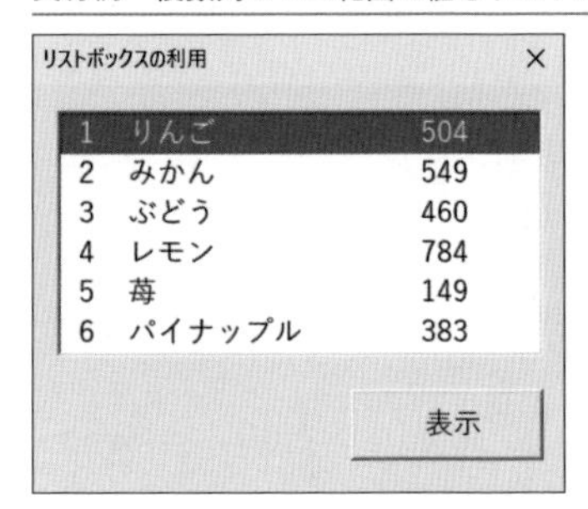

リストボックス内で選択されている項目のインデックス番号は、ListIndexプロパティで取得/設定します。選択項目の値を取得したい場合は、ListIndexプロパティの値と、Listプロパティから得られるリストの配列を組み合わせて取り出します。

次のコードは、**リストボックス(ListBox1)のリストから選択した項目を取得して表示**します。リストボックスにリスト項目を設定したうえで、ユーザーフォーム上に配置したボタンのClickイベント等から実行します。

▼マクロ 20-18

```
Dim colIndex As Long, values() As Variant
With Me.ListBox1
    '未選択なら処理を抜ける
    If .ListIndex = -1 Then
        MsgBox "未選択です"
        Exit Sub
    End If
    '列数分の要素数の配列を用意
    ReDim values(.ColumnCount - 1)
    '列数分だけループして各列の値を格納
    For colIndex = 0 To .ColumnCount - 1
        values(colIndex) = .List(.ListIndex, colIndex)
    Next
    '表示
    MsgBox Join(values, ",")
End With
```

実行例　リストボックスの選択項目を表示

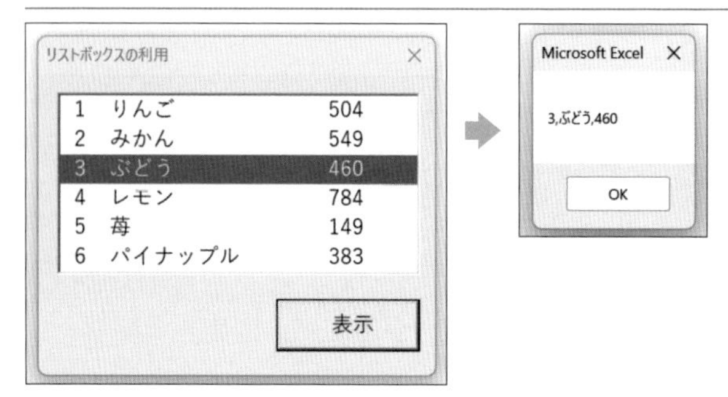

●複数選択を可能にする

複数選択が可能なリストボックスとするには、MultiSelectプロパティをfmMultiSelect列挙の定数で設定します。

▼fmMultiSelect列挙の定数

定数	値	設定
fmMultiSelectSingle	0	単一選択
fmMultiSelectMulti	1	複数選択（クリックするたびに選択/解除が切り替わる）
fmMultiSelectExtended	2	拡張選択（「Shit」や「Ctrl」キーを利用した複数選択）

次のコードは、**複数選択可能なリストボックス（ListBox1）として設定**します。ユーザーフォームの名前を「MultiListBoxForm」に変更したうえで実行してください。

▼マクロ 20-19

```
With MultiListBoxForm.ListBox1
    .List = Array("りんご", "みかん", "ぶどう", "レモン", "苺")
    .MultiSelect = fmMultiSelectExtended
    'ユーザーフォームを表示
    MultiListBoxForm.Show
End With
```

個々のリスト項目の選択状態は、Selectedプロパティに配列の形で保持されます。すべての選択されている項目の値を得るためには、ループ処理でSelectedプロパティの値を走査します。

次のコードは、**複数選択可能なリストボックス内で選択された項目を取得して表示**します。リストボックスにリスト項目を設定したうえで、ユーザーフォーム上に配置したボタンのClickイベント等から実行します。

▼マクロ 20-20

```
Dim tmpIndex As Long
With Me.ListBox1
    '個別のリストの選択状態をチェック
    For tmpIndex = 0 To .ListCount - 1
    If .Selected(tmpIndex) = True Then
        Debug.Print "選択：", .List(tmpIndex)
    End If
    Next
End With
```

実行例　複数選択が可能なリストボックスの利用

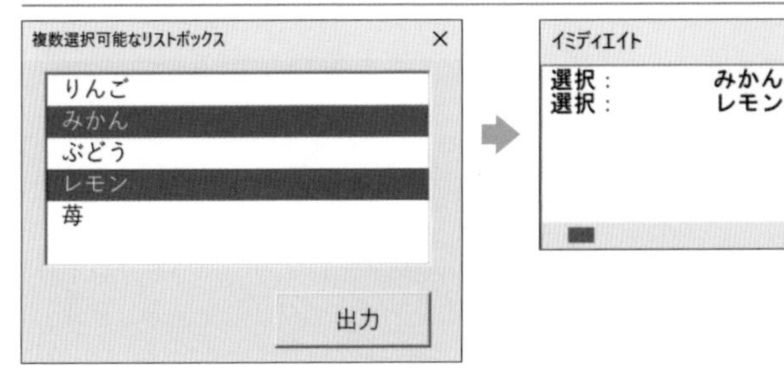

●リストの動的更新

リスト項目は、AddItemメソッドで追加し、RemoveItemメソッドで削除可能です。

次のコードは、**左側のリスト(ListBox1)から選択しているリスト項目を削除し、右側のリスト(ListBox2)へと追加**します。ユーザーフォーム上に配置したボタンのClickイベント等から実行します。

▼マクロ 20-21

```
'ListBox2にListBox1の選択リストの値を追加
ListBox2.AddItem ListBox1.List(ListBox1.ListIndex)
'ListBox1から選択中のリスト項目削除
ListBox1.RemoveItem ListBox1.ListIndex
```

実行例　リストボックス間で項目を移動

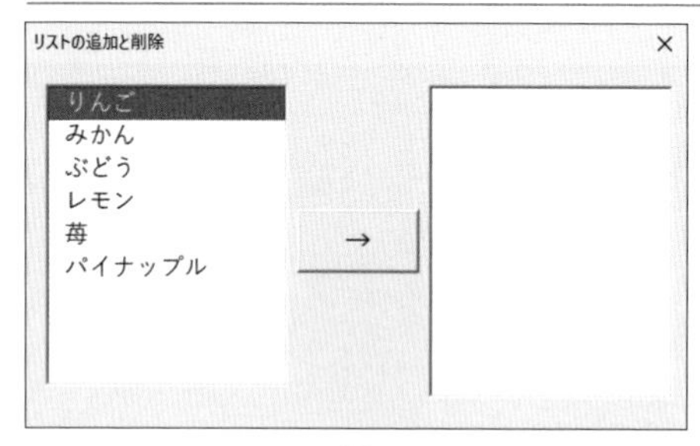

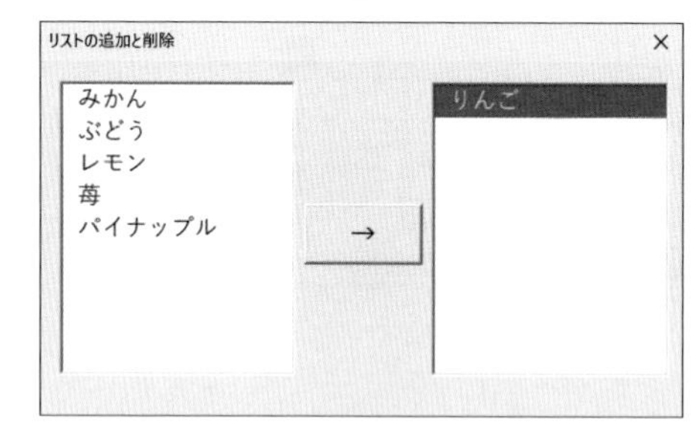

AddItemメソッドの引数にはリストに追加する値を指定し、RemoveItemメソッドの引数には、削除したいリスト項目のインデックス番号を指定します。

タブオーダーの設定

複数のコントロールをユーザーフォーム上に配置した場合、各コントロールを操作中に、Tabキーを押すと「次のコントロール」へ移動し、Shift+Tabキーを押すと「前のコントロール」へ移動します。つまり、キーボードのみで操作できるようになっているわけですね。このとき、各コントロールを移動する順番が、タブオーダーです。

タブオーダーに関して各コントロールの設定を行うには、まず、Tabキーによる移動の対象としたい各コントロールのTabStopプロパティの値を「True」に設定します。このとき、フレームのTabStopプロパティの値を「False」に設定すると、そのフレーム内のコントロールはすべてTabキーによる移動の対象外となります。

次に、TabIndexプロパティに、「0」から始まる連番(タブオーダー)を振っていきます。また、フレーム内のコントロールは、そのフレーム内でのタブオーダーを「0」から指定していきます。

この設定をしておくと、Tabキーによるコントロール間の移動がスムーズになります。ちなみに、チェックボックスやオプションボタンは、選択中にスペースキーを押すと、オン/オフを切り替えられます。

「既定のボタン」の仕組み(670ページ)も併用すれば、完全にキーボードのみで操作できるユーザーフォームとすることもできますね。キーボード操作派の多い現場では、是非ともキッチリ設定しておきましょう。

column

ユーザーフォームの表示状態は実行環境によって変わる場合がある

手軽にユーザーの入力や選択を補助できるユーザーフォームですが、2022年12月現在、少し困った問題があります。それは、実行環境によって突然サイズが変わるケースがある、という問題です。

ユーザーフォームを使ったブックを作成し、さあ、使ってもらおうと環境の異なるPCへ持ち込んだところ、やけにユーザーフォームが小さく表示されたり、文字がはみ出したり、といったトラブルが、そこそこの頻度で発生します。

解像度やアスペクト比の異なるPCへ持ち込むと、小さすぎたり大きすぎたりします。これは実行時にユーザーフォームの全体サイズを調整し、Zoomプロパティで全体の内容を拡大/縮小表示するアプローチである程度はカバー可能です。

しかし、解像度の異なるマルチディスプレイ環境等において、編集中に突然サイズが変更されてしまう場合はお手上げです。現在、筆者はこのトラブルを完全に解決する手段を持ち合わせていません。異なる環境のPCへと持ち込む際には注意しましょう。

ちなみに、ユーザーフォームもモジュール同様にエクスポート可能です。問題が発生した際には、エクスポートしておいたモジュールをインポートすることで、解決する場合もあります。ただし、使用しているうちにまた同じトラブルが発生するケースもあります。

個人的にはユーザーフォームの使用は少し慎重になった方がいいのかな、と考えておりますが、非常に便利な機能でもあるので、悩ましいところですね。

Index

記号・数字

-- ……87
_（改行）……35
……151, 381
& ……96, 128
' ……33
＊ ……338
＊= ……87
. ……56
/＊　＊/ ……552
// ……552
? ……48
[ ] ……550
{ } ……550
" ……128
++ ……87
+= ……87
< ……97
= ……86, 97
> ……97
2次元配列 ……175, 179

A

A1形式 ……316
Access ……526, 534, 586
ActionControl ……211
ActiveCell ……72, 318
Add ……188, 342, 354, 413, 511, 544
AddItem ……679
ADODB.Stream ……516, 522
AdvancedFilter ……427
And ……101
Application ……66
Areas ……326
Array ……114, 182
ARRYTOTEXT ……525
As ……82, 164
Assert ……298
AutoFilter ……55, 62, 417
AutoFilterMode ……363, 419
AutoFit ……392

B

BeforeClose ……215
BeginTrans ……537
Boolean ……83, 98
Border/Borders ……383, 384
BuiltinDocumentProperties ……503
ByRef ……237
ByVal ……237

C

Calculation ……625
Call ……232
Cancel ……670, 215
Caption ……667, 671
Case ……108
Cells ……69, 316
CheckBox ……671
ChildNodes ……618
ClearContents ……376
Close ……466
Collection ……188, 192
Color ……323, 387
ColorIndex ……388
Columns ……320, 324
ColumnWidth ……391
ComboBox ……674
CommandBar ……210
CommandBarControl ……210
CommandButton ……669
CommitTrans ……538
CONCAT ……186
Const ……92
ControlFormat ……641
Copy ……72, 397
CopyFromRecordset ……528
Count ……140, 324
CreateObject ……138, 224
CSV形式 ……500, 555
CurrentRegion ……330
CutCopyMode ……401

D

Database ……528
Date ……83, 136, 161
DateAdd ……157
DateBodyRange ……347
DateDiff ……157
DateSerial ……153
DateTime ……162
DateValue ……152
Day ……155
Debug.Print ……46, 309
Default ……670
Delete ……58, 357
Dictionary ……192, 432
Dim ……82, 90, 164
DisplayAlerts ……628
DisplayPageBreaks ……495
Double ……83
Do Loop ……115
DOMDocument ……617

E

Edit ……536

Else……105
ElseIf……106
EnableEvents……626
ENCODEURL……616
End……335, 360
End If……105
End Select……108
EnterkeyBehavior……671
EntireColumn……321, 392
EntireRow……321, 392
Err.Raise……254
Evaluate……368, 443
Excel方眼紙……186, 578
Excelマクロ有効ブック……36
Execute……138, 535
Exists……194, 433
Exit For……115
Exit Sub……106, 306
ExportAsFixedFormat……497

■ F

False……98
Field……532
File……479
FileDialog……483
FileSystemObject……476, 479, 509
FILTER……440, 442
FilterMode……363
Find……99, 336, 455
FindFirst……536
FindNext……457
FirstChild……618
Folder……479
Font……55, 66, 378
For……104
For Each……104, 113
For～Next……110
Format……136
Formula……371, 597
Formula2……374
FormulaLocal……372
FormulaR1C1……372
Frame……672
FSO……479
Function……241

■ G

getElementByClassName……613
getElementByID……613
GetFile……479
GetFolder……479
GetSetting……92
Getter……252
Goto……502

■ H

HasVBProject……470
HeaderRowRange……346
Hide……663
HorizontalAlignment……393
HTMLDocument……612
HTMLElement……613
HTMLElementCollection……613
Httpステータスコード……611

■ I

If……103, 105
IIF……107
Implements……256
Import……283
in……549
INDEX……199, 441, 445
Initialize……249, 665
InputBox……123, 124
InStr……131
InStrRev……131
Int……148
Integer……83
Interior……55, 66, 386
Intersect……218
Is……99
IsNumeric……101
Items……195

■ J

Join……170
JSON形式……589, 620

■ K

Keys……195

■ L

Label……667
LBound……167
Left……132
Len……130
Let……88
let……549
LineStyle……386
List……674, 675
ListBox……675
ListColumn/ListColumns……348
ListIndex……674, 677
ListObject/ListObjects……342
ListRow/ListRows……349
Load……618
LoadXML……618
Long……83
LTrim……134

■ M

Matches……139, 140
Math……145
Me……247, 669
MergeArea……377
Microsoft HTML Object Library……612

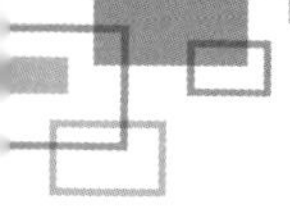

Microsoft WinHTTP Services ……609
Mid ……132
Month ……155
MsgBox ……118
MSXML2 ……617
MultiSelect ……678
M言語 ……543, 548

■ N

New ……188, 228, 248, 612
Nothing ……99, 101
Now ……161
NumberFormatLocal ……381

■ O

Object ……83, 88
Offset ……328, 336
On Error ……302
On Error Resume Next ……306
OneDrive ……486
OnTime ……220
Open ……462, 479, 611
OpenRecordset ……531, 533
Option Explicit ……83
Optional ……234
OptionButton ……672
Or ……101
Orientation ……412

■ P

PageSetup ……492
ParamArray ……239
Parameters ……531
PasteSpecial ……399
Path ……465
Pattern ……138, 390
PDF ……497, 590
PHONETIC ……449
Power Query ……508, 542, 603, 620
PrintCommunication ……496
PrintPreview ……494
Private ……244, 251
Property ……252
Public ……246

■ Q

QueryClose ……665
QueryDefs ……531
Querys ……544
QueryTable ……509, 510, 546

■ R

RANDARRAY ……162
Randomize ……146, 148
Range ……55, 67, 316
Recordset ……528
ReDim ……168
ReDim Preserve ……169
Refresh ……512, 546
RegExp ……138
Remove ……189, 284
RemoveDuplicates ……433
RemoveItem ……679
Replace ……135, 141, 453, 459
Reset ……211
Resize ……327
RGB値 ……387
Right ……132
Rnd ……145
Rng ……413
Rollback ……538
Round ……145
RowHeight ……391
Rows ……320, 324
RTrim ……134

■ S

Save ……467
SaveAs ……272, 467, 520
SaveCopyAs ……272, 468
SaveSetting ……92
ScreenUpdating ……624
Seak ……536
Select ……105
Select Case ……108
Selected ……678
SelectedItem ……484
Selection ……72, 318
SelectNode ……618
SelectSingleNode ……618
Send ……611
Set ……88
SetProperty ……620
Setter ……252
Shapes ……641
Show ……484, 662
ShrinkToFit ……394
Sort ……55, 406
SORT ……196, 440
SortField/SortFields ……410, 413
SpecialCells ……364
Split ……170
SQL ……533
StandardFont ……380
StandardFontSize ……380
Status ……611
Step ……111
String ……83
Stop ……297
StrConv ……135, 449
Stream ……509
Sub ……32
SubMatches ……140

■ T

TabIndex ……681

TabStop……681
Target……214
Terminate……665
Text……674
TextBox……668
TextFileColumnDataTyps……515
TextFilePlatform……513
TextJoin……172
TEXTJOIN……186, 441
ThemeColor……389
ThisWorkbook……465
Time……161
Timer……622
TimeSerial……153
TimeValue……152
TRANSPOSE……184
Trim……134
True……98
Type……258

U

UBound……157
UNIQUE……196, 440, 446
Unload……663
Until……116
Update……536
URLエンコード……616
UsedRange……367

V

Value……370
Variant……83
VBA……18
VBComponents……283
VBE……24, 202
vbLf……96, 128
VerticalAlignment……393
Visible……501

W

Weekday……155
WeekdayName……155
While……116
WinHttpRequest……611
With……143
Workbook……462
Workbook_BeforeClose……215
WorkbookQuery……542
Worksheet……55
Worksheet_Change……214
WorksheetFunction……149, 440
WrapText……394
write……612

X

xlsm……36
XML……587, 617

Y

Year……155

Z

Zoom……396

あ行

アクションクエリ……535
アクセス……64
アクセス修飾子……244
アクティブ……71
アクティブセル領域……330
値……51, 370
値のみを転記……398
値渡し……237
アップデート情報……286
アドレス文字列……67
イベント処理……212, 626
イミディエイトウィンドウ……26, 46
インクリメント……87
印刷……492
インターフェイス……256
インデックス番号……325
インデント……28
インプットボックス……123
インポート……260
ウォッチウィンドウ……299
エクスポート……260
エラー……288
エラートラップ……302
エラー番号……254
エラーメッセージ……289
エリア数……326
演算子……95
オブジェクト……21, 55
オブジェクト型……81
オブジェクトブラウザー……77
オブジェクトモジュール……31, 212
オプションボタン……646, 672
折り返し……394

か行

改行……35
階層構造……66
開発タブ……22
外部データ……506
外部データ範囲……542
外部データベース……526
外部ライブラリ……224
カウンタ変数……110
拡大……395
確認メッセージ……628
加算代入……87
カスタムエラー……254
カスタムオブジェクト……245, 649
カスタムクラス……650
カプセル化……251
画面更新……624

カラーパレット……388
環境依存文字……132
偽……98
キー値……192
既定のボタン……670
キャンセルボタン……670
強制終了……307
クイックアクセスツールバー……204
クエリ……529, 542, 548
組み込み定数……61
クラスモジュール……245
クラス文字列……225
繰り返し……104, 110
警告……628
計算……95
形式を選択して貼り付け……399
継承……256
罫線……383
結合……377
月末日……159
検索……455
更新クエリ……535
構造化参照……352
構造体……258
コード……26, 28
コードウィンドウ……26
コピー……397
コマンドテキスト……544
コメント……33, 552
コメントブロック……34
固有オブジェクト……83
コレクション……64, 188
コンストラクタ関数……249
コンパイルエラー……288
コンボボックス……674

さ行

再帰呼び出し……220
再計算……625
サブルーチン化……232
三項演算子……107
算術演算子……95
算術計算……144
参照設定……227, 279
参照渡し……237
シード値……148
時間……151
字下げ……28
実行時エラー……291
実行速度……622
自動修正……54
終端セル……335
縮小……394
条件式……105
条件分岐……103, 105, 108
条件を選択してジャンプ……364
乗算代入……87
ショートカットキー……208, 267
初期化メソッド……250
書式……381
シリアル値……151
真……98
真偽値……98
シンタックスシュガー……48
垂直位置……393
水平位置……393
数式……370
数値……53, 144
スコープ……90
ステートメント……35
ステップ実行……295
スピル……164, 178, 196, 374
スピンボタン……648
正規表現……138
制御構造……103
セキュリティ制限……39
セルの値……81
セル番地……316
宣言……80, 82
相対参照形式……372
相対的なセル範囲……323
ソート……406

た行

代入……80, 86
タイマー処理……220
高さ……391
タスクマネージャー……307
タブオーダー……680
タブ区切り……520
チェックボックス……646, 671
置換……452, 459
蓄積シート……632
抽出……417, 442
重複……432
ツールバー……25
ツールボックス……660
次の検索……457
定数……60, 92
データ型……82, 513
テーブル機能……340, 415
テーマカラー……388
テキストファイル……510, 520
テキストボックス……667
デクリメント……87
糖衣構文……48
動的更新……679
動的配列……168
トランザクション処理……537
ドロップダウンリストボックス……645

な行

ナビゲーションテーブル……553
名前空間……620
名前付きセル範囲……351
名前付き引数形式……63

並べ替え……406
入力シート……632
入力専用画面……630

は行

バージョン管理……270
背景色……323, 386
配列……164
バインディング……229
パス……465
端数処理……146
パスワード……470
幅……391
バブルソート……172
パラメーター配列……239
パラメータークエリ……530, 595
パラメーター文字列……616
比較演算子……97
引数……35, 58, 233
日付……53, 151
日付リテラル……54, 151
非表示……499
表記揺れ……448
表示形式……136, 381
標準引数形式……63
標準モジュール……27, 31
フィード情報……587
フィルター……406
フィルターの詳細設定……425
フォームコントロール……638, 640
フォント……378
複数選択……678
ブレークポイント……297
プレースホルダー……136, 381, 469
フレーム……672
プレビュー……494
プロシージャ……204
プロジェクトエクスプローラー……25
プロパティ……25, 56
プロパティウィンドウ……25, 661
ヘルプ……76
変数……80
保存……467
ボタン……206, 638, 669
ポップアップヒント……59

ま行

マクロ……20, 27
マクロダイアログ……30, 33, 202
マクロの記録……74
マクロ名……32
メソッド……56
メタ文字定数……96
メッセージボックス……118
メニュー……25
メンバー……64, 113
モーダル表示……663
モードレス表示……663
文字コード……513
モジュール……25, 31
モジュールレベル変数……91
文字列……53, 128
文字列連結演算子……96
戻り値……120, 241

や行

ユーザー定義関数……241
ユーザーフォーム……660
ユニークなリスト……446
要素……113, 164
曜日……155
読み取り専用プロパティ……254

ら行

ラベル……303, 667
乱数……147
ランダム……147
リスト……113, 182, 550
リストボックス……644, 675
リテラル値……53
リファレンス……76
リボン……208
リンク情報……614
ループ処理……104, 110
レコード……550
列挙……60
連結……128
連想配列……192
ローカルウィンドウ……298
論理エラー……293
論理演算子……101

わ行

ワークシート関数……149, 440
ワイルドカード……338

本書サポートページ

https://isbn2.sbcr.jp/17714/ 

・本書をお読みいただいたご感想を上記URLからお寄せください。
・上記URLに正誤情報、サンプルダウンロードなど、本書の関連情報を掲載しておりますので、あわせてご利用ください。
・本書の内容の実行については、すべて自己責任のもとで行ってください。内容の実行により発生した、直接・間接的被害について、著者およびSBクリエイティブ株式会社、製品メーカー、購入された書店、ショップはその責を負いません。

著者紹介

古川 順平(ふるかわ じゅんぺい)
富士山麓でExcelを扱う案件中心に活動するテクニカルライター兼インストラクター。Excelに関する著書には、『Excel マクロ&VBA やさしい教科書』『かんたんだけどしっかりわかるExcelマクロ・VBA入門』(SBクリエイティブ)、共著・協力に『Excel VBAコード レシピ集』(技術評論社)、『スラスラ読める Excel VBAふりがなプログラミング』(インプレス)等。趣味は散歩とサウナ巡り後の地ビール。

ExcelVBA[完全]入門

2023年2月7日 初版第1刷発行

著者 古川 順平

発行者 小川 淳
発行所 SBクリエイティブ株式会社
〒106-0032 東京都港区六本木2-4-5
https://www.sbcr.jp/

印刷 株式会社シナノ
カバーデザイン 米倉英弘(株式会社 細山田デザイン事務所)
制作 クニメディア株式会社

落丁本、乱丁本は小社営業部(03-5549-1201)にてお取り替えいたします。
定価はカバーに記載されています。

Printed in Japan ISBN978-4-8156-1771-4